令和04-05年

Fundamental Information Technology Engineer

基本情報技術者 試験によくでる問題集【午前】

イエローテールコンピュータ・著

技術評論社

※本書の内容は、IPA（独立行政法人 情報処理推進機構）による「基本情報技術者試験シラバス Ver 7.2」をもとに構成しています。

第6章

※本書で扱っている例題は、試験の実施団体である情報処理推進機構（IPA）から公開されている問題を、一部改変して使用しています。

「基本情報技術者」試験
受験ガイダンス

「基本情報技術者」試験とは？

ITエンジニアを目指すなら ここからがスタート!!

基本情報技術者試験は、ITベンダなどで、システムの開発やITサービスの提供などに従事するために必要となる基礎知識や技術を網羅した試験です。これは、下図左のような**3つの知識分野**を含んでいます。

ここで、コンピュータやプログラムに関する知識（**テクノロジ系**）はITエンジニアとして当然身につけておくべきものですが、開発や運用の現場における仕事の進め方など（**マネジメント系**）、クライアントとなる顧客企業が行う業務など（**ストラテジ系**）といった、関連する知識も必須になっています。

試験範囲は多岐にわたりますが、これはITエンジニアが活躍するフィールドが、さまざまな分野に広がっているためです。IT関連企業の多くは、基本情報技術者をエンジニアに必須の基礎資格と捉えています。試験対策として幅広い基礎知識を学ぶことが、ITエンジニアのベースになり、将来の可能性を広げると考えられているのです。

また、**情報処理技術者試験の体系**（下表）において、基本情報技術者は入門資格と位置づけられています。**応用情報技術者**やさらに上位の試験では、問題の難易度は高いものの、知識分野の構成や内容は、どの試験も共通しています。

そのため、まず基本情報技術者を取得することが、高度試験対策への近道といえるでしょう。

●3つの知識分野

テクノロジ系
コンピュータ言語やアルゴリズム、システム設計・開発、セキュリティなどに関する知識

マネジメント系
開発プロジェクトのマネジメント、ITサービスの提供や運用に関する知識

ストラテジ系
ビジネスやインダストリの基礎、利用されるシステムや製品、コンプライアンスや関連法規、経営戦略などに関する知識

●情報処理技術者試験の体系

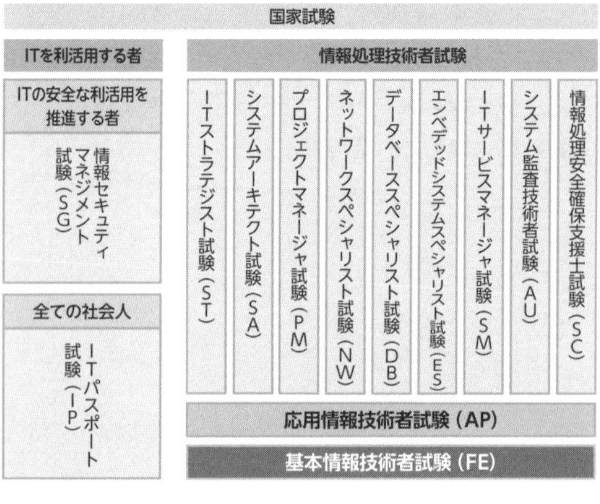

はじめに目標とする受験日を決めよう！

マークシート方式の筆記試験はCBT方式に移行

基本情報技術者試験は、上期と下期の年2回、午前試験と午後試験に分けて行われ、その両方で基準点（100点満点中60点）に達すると合格となります。試験は、申込期間内に申し込んだうえで受験する会場を予約し、会場のコンピュータで行う「CBT方式」で実施されます（詳細は、IPAのホームページを参照）。また、受験会場は、会場・日程ごとに定員があり、空席がなくなると申込期間内であっても受験できません。受験のめどがついたら、希望する会場を早めに申し込むことをおすすめします。

なお、午前試験と午後試験は、同日に受験する必要はなく、時間帯や受験順序も問いません（予約は、午前→午後の順に行う）。

午前および午後試験の出題範囲は、情報処理技術者試験「試験要項※」に記載されています。また、範囲の詳細は「シラバス（試験における知識・技能の細目）※」が参考になります。

●午前試験（150分）

・1問1答形式の4肢択一（全80問必須）。
・基礎知識が幅広く問われる。
・2019年秋期試験から理数能力を重視。

●午後試験（150分）

・長文問題で、各問題は3～4の設問に分かれる。全11問中の5問に解答。
・各設問とも、多肢選択の小問題形式。

<問題の選択>

・全11問のうち、「情報セキュリティ」のテーマから1問出題→必須解答。
・全11問のうち、「データ構造及びアルゴリズム」のテーマから1問出題→必須解答。
・全11問のうち、上記を除くテーマから4問出題→2問を選択して解答。
・ソフトウェア開発の5言語（C、Java、Python、アセンブラ言語、表計算ソフト）から各1問出題→1問を選択して解答。
・プログラミング能力などを重視。

※ともに試験センターのホームページからダウンロードできます（随時更新されるので注意）。

●受験要項　※詳細は、最新の受験概要を参照。

受験料：7,500円（税込み） ※2022年4月以降　**試験時間：午前試験・午後試験　各150分**

●CBT会場での試験　試験実施期間内で随時

・試験会場に空席がある場合に申込み可能（空席がない場合は、申込期間内であっても申込み不可）。
・午前試験と午後試験は、それぞれで申し込む必要があり（受験は試験実施期間内に1回のみ可能）。
・受験申込みは、必ず午前試験から（FE一部免除者を除く、午前試験を申し込む際に、受験手数料を払い込む）。
・異なる日に受験することや午後試験を先に受験することも可能。

IPA情報処理技術者試験のホームページ　https://www.jitec.ipa.go.jp/

受験の申込み

申込みはインターネット受付のみ。試験実施期間内で、空席のある試験会場、日時で、午前・午後それぞれを申し込む（受験日の変更は可能、キャンセルは不可）。

受験の実施

申し込んだ試験会場、指定日および時間のみに受験が可能（試験開始の15分前が集合時間で遅れると受験不可）。規定の本人確認書類が必要。

合格発表

受験した月（午前と午後が別の場合両方の完了月）の翌月下旬にWeb掲載。

「基本情報技術者」試験
CBT試験の攻略法

基本情報技術者試験は、2020年の秋試験から試験センターにおいてPCを使って受験するCBT（Computer Based Testing）方式の試験に移行しています。

ここでは、ペーパー試験とは異なるCBT方式ならではのコツも含めて、試験本番ですぐに実践できる得点力アップのポイントを紹介していきます。

試験前日までの準備と当日の注意点

確認書・身分証明書の準備

まず、必須となる持ち物（①確認書、②身分証明書）を用意します。この2点が受付で提示できないと受験ができず、受験料も返還されません。

①確認書は試験会場や試験日時などが記載された書類で、午前試験用と午後試験用が別々に発行されるので要注意！ プリントアウトしたものを持参しなければならないので、受験申込みを行ったプロメトリック社のWebサイト※にログインして、早めにダウンロード→印刷しておきます。

②身分証明書は「公的な機関が発行＋写真付き＋有効期限内」である運転免許証・パスポート・マイナンバーカードなどの提示を求められます。

社員証や学生証は認められない場合がありますので、プロメトリックのWebサイトに記載されている証明書の要件を確認しておきましょう。

リミットは試験開始15分前

電車が止まったり事故渋滞が発生するなどの交通トラブルに備えて、試験会場までの経路は必ず複数のルートを調べておきます。災害の発生時など、よほど大規模・広範囲な交通障害でないと、交通トラブルによる試験実施の中止や振り替えによる再受験などは行われません。

当日は早めに試験会場に到着することを心がけましょう。受付は「試験開始時刻の15分前まで」で、この時刻以降は試験開始時刻より前であっても受験は認められません。くれぐれも遅刻にはご用心。

試験開始の5～10分ほど前に試験室へ案内されますが、入室時は身分証明書とハンカチ・目薬など許可されている持ち物以外はすべてロッカーに入れておくことが求められます。コロナ禍の影響で、会場は強めに換気されているので、体感温度に合わせて脱ぎ着できる服装がおすすめです。

※ http://pf.prometric-jp.com/testlist/fe
詳細なURLは、申込み完了後に送られてくるメールに記載されている。

CBT試験の“問題・解答画面”の概要

基本情報技術者試験で実施されているCBT試験は、「PCの画面上に表示された問題を読み、画面上の選択肢をクリックすることで解答する方式」の試験です。

午前試験と午後試験では表示の形式や使える機能が異なるので、ここでは午前試験の操作概要を紹介します。ただし、この試験は2020年秋にCBT試験に移行したばかりで、今後インタフェースが改良されることも予想されます。そのため、ここで紹介する基本機能は引き継がれていくほか、新たな機能追加や画面・アイコンのデザイン変更などが行われる可能性があります。

出題画面と選択肢の表示

試験の画面は左右に2分割して表示され、左のウィンドウには問題が、右にはその問題に対応する選択肢が表示されます。

解答は、表示されている選択肢のボタンをクリックすることで選択します。このとき、クリックした選択肢のボタンの色と、画面中央に表示されている問番号の色が変わり、問番号はアイコンの角が折れた形になります(解答済みであることを示す)。解答を変更したいときは、別の選択肢を再度クリックすればOKです。

別の問題を表示させたいときは、「画面左上の“手のマーク”をクリックし、“ハンドツール”で問題画面(左)をドラッグ」、「画面中央に表示されている問題番号をクリック」、「画面右下にある“戻る”“次へ”をクリック」、といった操作方法があります。

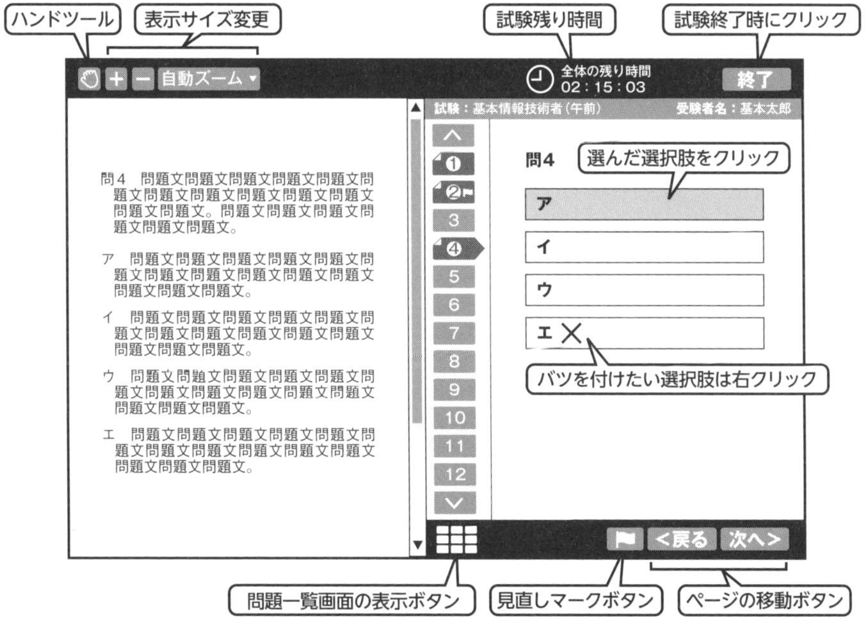

便利な機能を活用し、効率よく解答！

午前試験は80問、試験時間は150分なので、見直しなどに最後の30分を使うとすると、1問の解答に掛けられる時間は平均1分30秒で、あまり余裕はありません。

どの選択肢が正解か迷ったときは、まず「コレは絶対に違う」と思う選択肢を除外します。“選択肢ボタン”を右クリックすると×マークが付けられるので、残った選択肢だけに思考を集中しましょう。

どうしても答えが決められないときに執着するのはNG。正解できたはずの他の問題を解く時間を失うからです。とりあえず「①正解（だと思う）選択肢で仮に解答」「②解答を飛ばして先の問題へ進み、後から再度考える」のどちらかで処理します（お薦めは①）。

①の場合は画面右下部の“見直しマーク”をクリックしておくと、中央に表示された問番号や問題一覧画面の問番号に旗印が付くので、後で見直すときの目印になります。

②のような未解答で飛ばした問題は、問番号のアイコンが元の色・形のまま残るので、問80まで解き終えた後に再度チャレンジしましょう。

“問題一覧画面”では、「未解答」の問題や「見直しマーク」を付けた問題だけを検索する機能が使えます。

問番号のマーク

問題一覧画面（ をクリックして表示）

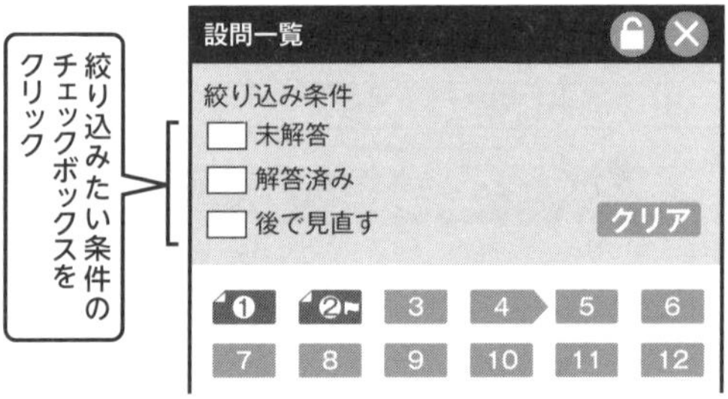

「書込み不可」はメモ用紙でカバー

CBT試験で「解きづらいなぁ」と強く感じるのは、ペーパー試験と違って、問題文の重要部分にメモを書き込む、求めた値を計算式に書き添えておく、などができないこと。これは、午前試験と午後試験に共通するCBT試験の難しい部分です。ただし、試験開始前にA4サイズのメモ用紙（裏表両面書き込み可）とシャープペンが配られるので（両方とも試験終了時に回収）、うまく活用しましょう。鍵となる情報を手早く書き出して整理しながら考えると、ケアレスミスを防ぎ、判断時間の短縮にもなります。

メモ用紙を使うときのコツは、自分だけがわかればよいので、時短のため、とにかく簡略化して書くこと。例えば、PERT図で作業日数の計算<☞ p.318 >をするときは、◯と線だけを適当な位置に書いて、計算した値を書き込んでいきましょう。

プログラムなどは、ごく簡素な流れ図を書いて、空欄で問われているところや、解くためのポイントになる箇所のみ、手早く書き入れておきます。

また、メモに問番号と選択肢の符号を書いておくと、見直しの際の確認に役立ちます。

PERTを簡略化して計算

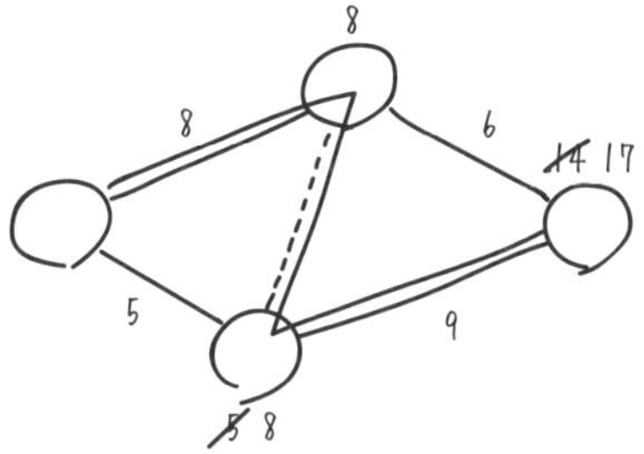

プログラムを簡単な流れ図に

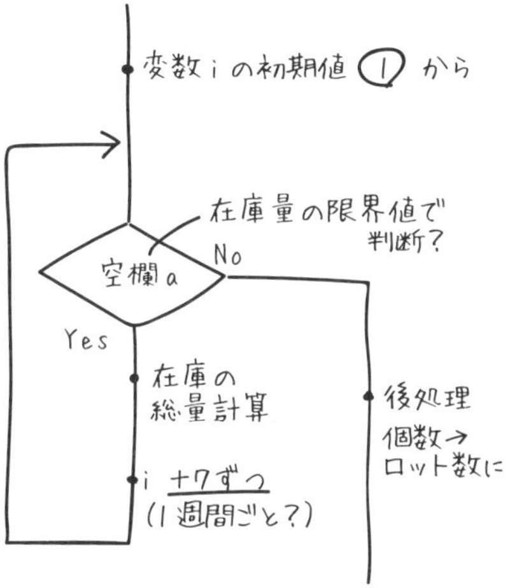

「解ける問題」で完璧を目指す

午前試験は全80問で、合格ラインは100点満点中の60点です、1問の得点は1.25点なので、合格するには48問、余裕をみて50問正解できれば合格です。

シラバス(試験範囲)の改訂頻度も上がっており、今まで出題実績のない問題がいきなり出題されることも増えています。

試験時間には余裕がないため、知らない用語や解き方がわからない問題に時間を取られると、思わぬ焦りが生じることもあります。そんなときは、確実に解ける問題でのケアレスミスをなくし、手堅く得点を取りにいくほうが戦略上は有利になる、ということを思い出し、冷静に解答しましょう。

最後に、いずれも地味で初歩的なテクニックですが、「問題文の読み落としや読み間違いをしない」、「計算はメモ用紙に書き出して数値を確認しながら解く」、「問番号と選択肢ボタンの押し間違いに注意する」が、実は試験本番では一番重要なコツといえます。

効率よく合格できる、受験対策の進め方

全問正解する必要はない、合格ラインの約7割を目指そう！

受験対策の方法は、ITに関わる経験や知識量、受験日までの期間や対策に使える時間などによって変わってきます。すでに情報処理やプログラム言語に関する学習経験や業務経験のある人なら、1～2か月の対策期間で合格することも可能です。しかし、IT初心者が短期間でチャレンジするのはハードルが高いもの。何が何でも初回の合格を目指すより、長期計画で考えたほうが余裕を持った対策ができます。

試験範囲となるシラバスには下表のように幅広い項目が含まれており（本書では各Lessonのタイトル部分に分類を記載）、これだけの範囲を習得するには、モチベーションの維持も重要なポイント。まずは自分のペースに合ったスケジュールを立てて、一歩ずつ進めていくことが確実な合格へとつながります。

初受験なら、下記のステップ❶からじっくりと。学習経験や業務経験がある人は、ステップ❷から短期強化型で学習で進めましょう。

❶じっくりと基礎を習得！

まずは、参考書やテキストを最初から終わりまで順に読み進め、全体をつかむことから始めましょう。専門用語の理解と、自分の苦手な分野の発見を目指します。

❷問題を解く

解きやすい章やテーマから進めます。最初は「ここがポイント！」を見ながらでもOK。試験でどんな問われ方をするのかを確認し、慣れていくのが重要です。各問題の「check」欄には、○や×、日付などを入れるとよいでしょう。

❸弱点の補強

ひととおり解いたら、苦手分野を重点的に補強します。「ここがポイント！」に加えて、参考書やテキストで関連テーマを学んでいけば、さらなる得点力UPにつながります。

❹試験直前の最終チェック！

試験直前には、本書を確認用や要点まとめ集として使いましょう。

●午前試験の出題範囲（シラバスの構成項目）

分野	大分類		中分類	
テクノロジ系	1	基礎理論	1	基礎理論
			2	アルゴリズムとプログラミング
	2	コンピュータシステム	3	コンピュータ構成要素
			4	システム構成要素
			5	ソフトウェア
			6	ハードウェア
	3	技術要素	7	ヒューマンインタフェース
			8	マルチメディア
			9	データベース
			10	ネットワーク
			11	セキュリティ
	4	開発技術	12	システム開発技術
			13	ソフトウェア開発管理技術
マネジメント系	5	プロジェクトマネジメント	14	プロジェクトマネジメント
	6	サービスマネジメント	15	サービスマネジメント
			16	システム監査
ストラテジ系	7	システム戦略	17	システム戦略
			18	システム企画
	8	経営戦略	19	経営戦略マネジメント
			20	技術戦略マネジメント
			21	ビジネスインダストリ
	9	企業と法務	22	企業活動
			23	法務

第1章 テクノロジ系

基礎理論

この章の
攻略法

本章の特徴と対策

●情報処理の基礎知識が詰まった第1章

本章（シラバス 大分類1）「基礎理論」は、文字通り、他の章の学習項目を修得する上でベースとなる、情報理論に関する知識が集められています。そのため、他章とは異なり、1つのテーマ内に含まれる学習項目は少なめ。ただし、数学的な要素も含まれているため、理解に時間がかかるので難度が高めといえます。

具体的な学習項目としては、2進数の特徴、基数変換、論理演算、応用数学、データ構造、アルゴリズム、プログラミングなどの知識が含まれています。

●攻略には「演習」が近道

この章の問題は、単に「定理を知っている」というレベルを問うのではなく、実際にその定理を使った演算や判断を問うものが大多数を占めます。

そのため、内容をきちんと理解して、多少の応用を効かせながら、具体的な数値を扱えるようにしておく必要があります。

この章を攻略するには、「自分で実際に問題を解いてその手順を習得し、どんな問われ方をされても正解にたどりつけるようにしておく」ことが重要になります。

注目の出題テーマベスト8

1位	09 情報に関する理論
2位	15 アルゴリズムと流れ図
3位	07 確率と統計
4位	01 基数と基数変換
5位	18 再帰と関数
6位	06 集合と論理演算
7位	11 計測・制御に関する理論
8位	12 スタックとキュー

※テーマ左の数字は、この章のLesson番号

第1章からの出題は、全体の10%程度で、近年は数学的なテーマが重視されています。出題パターンは多いものの過去問で慣れておけば安心できるでしょう。「情報に関する理論」は、注目のAI（機械学習、ディープラーニングなど）に関する出題が多くなったため。また「アルゴリズムと流れ図」は、午後問題でも必須なので十分に慣れておくこと。「計測・制御に関する理論」は、第2章で出題頻度の高い「ハードウェア」とも関連しているので要注意テーマです。

覚えておきたい頻出用語

※数字は、この章のLesson番号

ここが問われやすい!!

計測・制御に関する理論

11 □ **A/D(アナログ/デジタル)変換**
パルス符号変調では、アナログ信号を標本化(サンプリング)→量子化→符号化の3段階で変換する。

11 □ **アクチュエータ**
電気信号を制御のための機械的な動作に変換する。

11 □ **フィードバック制御**
目標値とセンサによる実測値の差が0になるように、「計測→演算→動作データの出力」をループ(変化を反映させる)させて制御する方式。

スタックとキュー

12 □ **スタック**
最後に格納されたデータが最初に取り出される後入れ先出し(LIFO;Last-In First-Out)型のデータ構造。

12 □ **キュー**
最初に格納されたデータが最初に取り出される先入れ先出し(FIFO;First-In First-Out)型のデータ構造。

プログラム構造

18 □ **再帰呼び出し**
サブルーチンや関数などのプログラム中で、自分自身を呼び出して処理を行うことができる性質。アルゴリズムの概念。

19 □ **再入可能(リエントラント)**
1つのプログラムを複数のタスク(プロセス)で同時に実行しても、それぞれに対して正しい結果を返すことができるプログラム構造。

19 □ **逐次再使用可能(シリアリリユーザブル)**
プログラムの実行後に、再び補助記憶装置から主記憶へロードし直さなくても正しく動作するプログラム構造。ただし同時実行は不可。

19 □ **再配置可能(リロケータブル)**
主記憶上のどのアドレスにも再配置ができるプログラム構造。一般のプログラムはこの形をとる。ベースレジスタなどにより実現する。

理解しておきたい基礎知識

2進数の仕組み

2進数の桁の重み

■2進数の桁上がり

2進数は、すべて2のべき乗で表現することができます。これは、2進数が2を基に位取りをしているから。このような位取りの基になる数を**基数**と呼んでいます。

2進数	1	10	100	1000	10000	100000	1000000
10進数	2^0 = 1	2^1 = 2	2^2 = 4	2^3 = 8	2^4 = 16	2^5 = 32	2^6 = 64

また、2^0、2^1、2^2のように2のべき乗で示した値を、2進数の各桁の**重み**と呼びます。

上表の例では、2進数の10は10進数では2、100は4、1000は8、10000は16、100000は32、1000000は64と、桁の重みが2倍ずつ違うことがわかります。

n桁目の重みの求め方

2進数では、2桁目の重みは2、3桁目は4と重みが2倍ずつ増えていくので、n桁目の重みは2^{n-1}で表すことができます。ここで、1桁目の0乗は、どんな数であっても常に1なので、$2^0 = 1$です。小数点以下の数値は、$2^{-1} = 1/2^1 = 0.5$、$2^{-2} = 1/2^2 = 1/4 = 0.25$……となります。

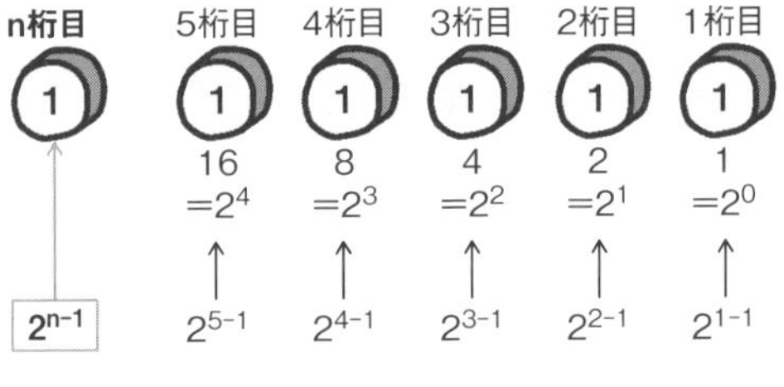

基数変換

■2進数→10進数の変換

基数変換とは、ある基数で表現した数を、別の基数による数に変換することです。まずは、2進数を10進数に変換する手順を見ていきましょう。ここでも、桁の重みを使います。方法は、各桁ごとに桁の重みを掛け、加えていけばOKです。

2進数→10進数の変換だけでなく、r進数から10進数への変換は、r進数の各桁に重みを掛け、それらを合計する手順で求めることができます。

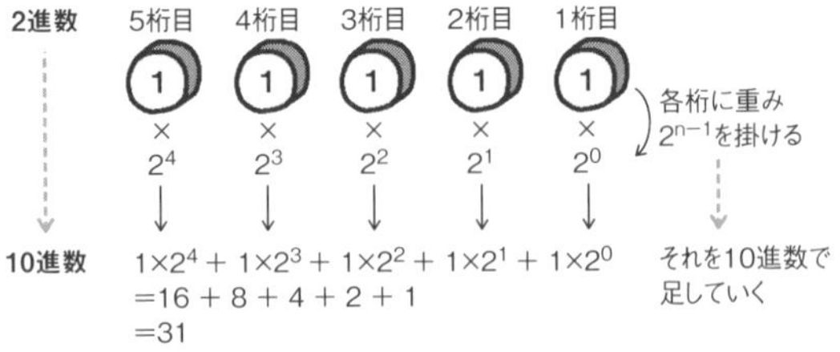

■ 10 進数→2 進数の変換

次に、10 進数を2進数に変換するにはいくつかの方法がありますが、手早く機械的に行うには、次の方法を用います。

10 進数→2進数の変換では、10 進数を基数2で割った商と余りを求め、商が0になるまで繰り返します。最後に余りを並べ替えれば変換は完了です。

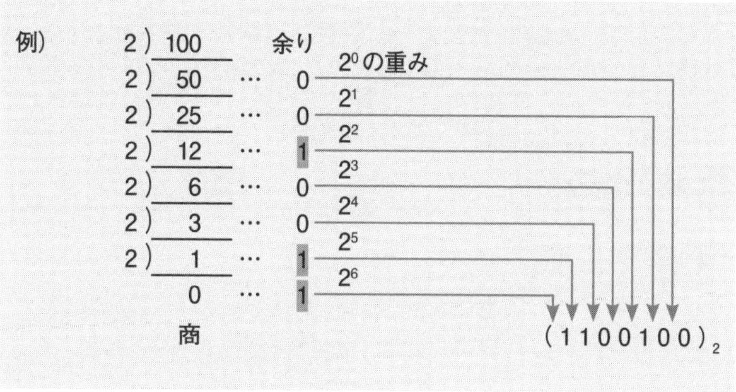

2 進数の加算と減算

■足し算は「1 + 1」で桁上がり

2進数の足し算は桁上がりに注意すれば10 進数と同じです。0111 + 0101 (10 進数の7 + 5 = 12) を計算してみましょう。2進数では、合計が1より大きな数になったときは、左隣の桁に移ります。

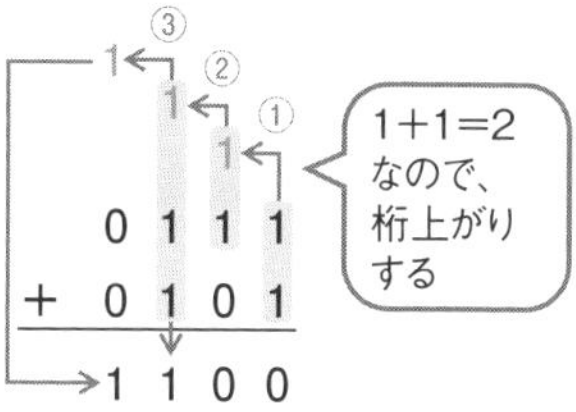

①1+1 (=2)になるので、桁上がりして0

②1桁目から桁上がりしてきた1を足すので、さらに桁上がりして0

③2桁目から桁上がりしてきた1も足して、1+1+1 (=3)なので、桁上がりして1が残る

■引けないときは桁借りする

2進数の引き算も、10 進数と同じ手順です。1100 − 1001 (10 進数の12 − 9 = 3) を計算してみましょう。引く数が大きくて引けない場合は、左隣の桁から桁借りします。

①1桁目が0なので引けない

②2桁目から桁借りしたいが、この桁も0なので不可

③さらに左隣の3桁目から、桁借り

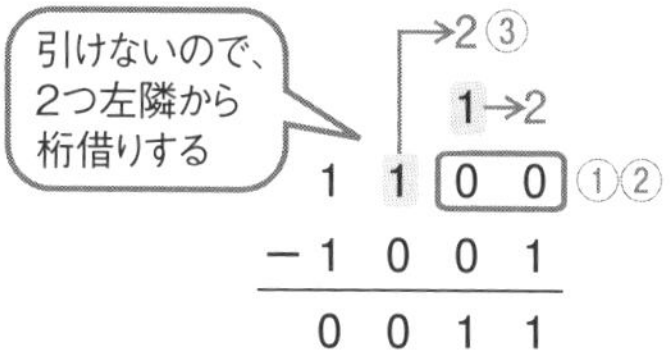

Lesson 01

基礎理論

基数と基数変換

基数変換を伴う問題は、2 進数の知識がさまざまな形で問われます。計算問題については、よく考えると計算を最小限にできることも多いので、力ずくの計算にはまらないように。また、選択肢と照らし合わせながら正解の目安を付けるのも解答テクニックの1つです。

問 1 桁の重み

check

16 進小数 2A.4C と等しいものはどれか。

ア $2^5 + 2^3 + 2^1 + 2^{\ \ 2} + 2^{-5} + 2^{-6}$　イ $2^5 + 2^3 + 2^1 + 2^{-1} + 2^{-4} + 2^{-5}$
ウ $2^6 + 2^4 + 2^2 + 2^{-2} + 2^{-5} + 2^{-6}$　エ $2^6 + 2^4 + 2^2 + 2^{-1} + 2^{-4} + 2^{-5}$

問 2 2進数の加算結果

check

2 進数の 1.1011 と 1.1101 を加算した結果を 10 進数で表したものはどれか。

ア 3.1　イ 3.375　ウ 3.5　エ 3.8

問 3 16進数→10進数変換

check

16 進数の小数 0.248 を 10 進数の分数で表したものはどれか。

ア $\frac{31}{32}$　イ $\frac{31}{128}$　ウ $\frac{31}{512}$　エ $\frac{73}{512}$

問 4 n進数の基数変換

check

正の整数nがある。nを 5 進数として表現すると、1 の位の数字が 2 である 2 桁の数となる。また、nを 3 進数として表現すると、1 の位の数字は 0 となる。nを 10 進数として表したものはどれか。

ア 12　イ 17　ウ 22　エ 27

ここがポイント！

《n進数の各桁が持つ重み》

n進数の各桁には、それぞれ桁の重みが掛けられている。これはどんな基数でも同じで、10進数なら10の○乗、2進数なら2の○乗の形で表現できる。つまり桁ごとに重みを掛ければ何進数であっても10進数に変換できる。なお1桁目の0乗は基数に関わらず重みは1になる。

① 10進数と各桁の重み

10進数	1	3	7	.	2	5
	↑	↑	↑		↑	↑
重み	10^2	10^1	10^0		10^{-1}	10^{-2}

※ 0乗（$=r^0$）は、どんな数でも常に1になる。

〔重みの和を求める〕

$$1 \times 10^2 + 3 \times 10^1 + 7 \times 10^0 + 2 \times 10^{-1} + 5 \times 10^{-2}$$
$$= 1 \times 100 + 3 \times 10 + 7 \times 1 + 2 \times \frac{1}{10} + 5 \times \frac{1}{100}$$
$$= 137.25$$

② 2進数と各桁の重み

1	0	0	0	1	0	0	1	.	0	1
↑	↑	↑	↑	↑	↑	↑	↑		↑	↑
2^7	2^6	2^5	2^4	2^3	2^2	2^1	2^0		2^{-1}	2^{-2}

〔重みの和を求める〕

$$1 \times 2^7 + 1 \times 2^3 + 1 \times 2^0 + 1 \times 2^{-2}$$
$$= 1 \times 128 + 1 \times 8 + 1 \times 1 + 1 \times \frac{1}{4}$$
$$= 137.25\text{（10進数）}$$

《10進数、2進数、16進数の対応》

16進数における1桁には、16通りの表現が必要であるため、数字の0～9、および、アルファベットのA～Fが割り当てられる。

10進数	2進数	16進数	10進数	2進数	16進数
0	0	0	9	1001	9
1	1	1	10	1010	A
2	10	2	11	1011	B
3	11	3	12	1100	C
4	100	4	13	1101	D
5	101	5	14	1110	E
6	110	6	15	1111	F
7	111	7	16	10000	10
8	1000	8			

《2進数、8進数、16進数の変換》

2進数の小数点位置を基準に、8進数は3桁、16進数は4桁ごとに区切ることで（桁数が足りない場合は0を補う）変換する。

（8進数）　4　3　0　5　.　1　4

（2進数）　1 0 0 0 1 1 0 0 0 1 0 1 . 0 0 1 1 0 0

（16進数）　8　C　5　.　3

重み　16^2　16^1　16^0　16^{-1}

（10進数）　$8 \times 16^2 + 12 \times 16^1 + 5 \times 16^0 + 3 \times 16^{-1}$

$= 2048 + 192 + 5 + 0.1875$

$= 2245.1875$

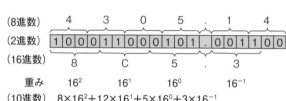

問5 有限小数になる10進小数

check

次の10進小数のうち、8進数に変換したときに有限小数になるものはどれか。

ア 0.3　イ 0.4　ウ 0.5　エ 0.8

問6 小数の表現

check

小数の表現に関する記述のうち、正しいものはどれか。

ア 2進数で桁数が有限な小数を10進数に変換すると、有限桁で表現できない。

イ 2進数で桁数が有限な小数を10進数に変換すると、有限桁で表現できるとは限らない。

ウ 10進数で桁数が有限な小数を2進数に変換すると、有限桁で表現できない。

エ 10進数で桁数が有限な小数を2進数に変換すると、有限桁で表現できるとは限らない。

解説1

【解答】ア

16進数1桁は2進数の4ビットに対応するため、まず16進小数2A.4Cを2進小数に変換する。次に変換した2進小数を各桁の重みの和で表せばよい。

2	A	.	4	C
↓	↓		↓	↓
0010	1010		0100	1100
2^5	$2^3\ 2^1$		2^{-2}	$2^{-5}\ 2^{-6}$

$2^5 + 2^3 + 2^1 + 2^{-2} + 2^{-5} + 2^{-6}$

解説2

【解答】ウ

①問題の2進数を加算すると、右のようになる。

②2進数の各桁の重みに注意して2進数$11.1000_{(2)}$を10進数に変換する。

$$\begin{array}{r} 1.1011 \\ +\ 1.1101 \\ \hline 11.1000 \end{array}$$

$11.1000_{(2)} = 2^1 \times 1 + 2^0 \times 1 + 2^{-1} \times 1$
$= 2 + 1 + 0.5 = 3.5$

解説3

【解答】エ

16進数の小数の重みは、小数第1位から、16^{-1}, 16^{-2}, 16^{-3}, 16^{-4}, …となる。つまり$0.248_{(16)}$を10進小数に変換するには、$2 \times 16^{-1} + 4 \times 16^{-2} + 8 \times 16^{-3}$を計算すればよい。しかし、問題は$0.248_{(16)}$を10進数の分数で表した場合を求めなければならないので、先の式を以下のように展開する。

$2/16^1 + 4/16^2 + 8/16^3 = 1/8 + 1/64 + 1/512$
$= 64/512 + 8/512 + 1/512 = 73/512$ と求められる。

解説4

【解答】ア

①"5進数で表すと1の位が2で2桁の数になる"という条件から、nは「$5^1 \times x + 5^0 \times 2$」と表現できる。$x$に1～4(2桁の数になることから0は該当しない、また5進数のため5もありえない)を代入した結果は{7, 12, 17, 22}となる。
②さらに、"3進数で表すと1の位が0である"という条件からnは3の倍数なので、①で得られた4つの数値のうち、3の倍数である12が正解である。

《10進数からn進数への変換》

10進数を整数部と小数部に分けて変換を行う。

〔例〕 41277.390625$_{(10)}$を16進数に変換する。

①整数部

10進整数を基数16で割った商と余りを求める。商が0になるまで、これを繰り返す。

```
                    余り
商が0になるまで   16 )41277 … 13→D  ↑ A13D(16)
で割っていく      16 ) 2579 …  3    │ ──→
                  16 )  161 …  1    │
                  16 )   10 … 10→A  │
                          0      下から上へ並べる。   41277(10) = A13D(16)
```

②小数部

10進小数に基数16を掛け、その整数部を順に取り出す。小数部が0になれば終了(0にならずに無限小数となる場合もある)。

```
 0.390625  ──→  0.25
 ×16            ×16
 ────           ────
 6.25           4.0  ←0になったので終了
                      (小数点以下の値が0になるまで繰り返す)
```

0.390625$_{(10)}$=0.64$_{(16)}$

したがって、41277.390625$_{(10)}$ = A13D.64$_{(16)}$

《無限小数》

2^{-n}の和で表現できない10進小数は、小数点以下が繰り返される無限小数となり、誤差が発生する。2^{-n}の和で表現できれば、無限小数にはならない。

《有限小数の例》 0.5 = 0.1$_{(2)}$ = 2^{-1}、 0.25 = 0.01$_{(2)}$ = 2^{-2}

《無限小数の例》 0.2 = 0.0011001100…$_{(2)}$、 0.7 = 0.1011001100…$_{(2)}$

解説 5

【解答】ウ

10進小数をn進数に変換するには、基数を掛けていき順次整数部を取り出す。このとき小数部が0になれば有限小数、ならなければ無限小数となる。ここでは有限小数であるかを判断すればよいので、小数部が同じ値に戻るまで基数を掛けてみればよい(同じ値に戻れば無限小数と判断できる)。

ア：0.3 × 8 = 2.4、0.4 × 8 = 3.2、0.2 × 8 = 1.6、0.6 × 8 = 4.8、0.8 × 8 = 6.4
イ：0.4 × 8 = 3.2、0.2 × 8 = 1.6、0.6 × 8 = 4.8、0.8 × 8 = 6.4
ウ：0.5 × 8 = 4.0 (有限小数)
エ：0.8 × 8 = 6.4、0.4 × 8 = 3.2、0.2 × 8 = 1.6、0.6 × 8 = 4.8

解説 6

【解答】エ

ア：例えば、有限な小数0.1$_{(2)}$を10進数に変換すると、1/2 = 0.5となる(誤り)。
イ：2進小数の重みは、小数第1位から、2^{-1}, 2^{-2}, 2^{-3}, …となる。10進数は、この重みの和で表せるので、桁数が有限なら、その和も有限となる(誤り)。
ウ：例えば、10進数の0.5を2進数に変換すると0.1$_{(2)}$となり有限となる(誤り)。
エ：例えば、10進数0.2を2進数に変換すると、0.00110011001100…(無限小数)。

シラバス ●大分類1：基礎理論 ●中分類1：基礎理論
●小分類1：離散数学

Lesson 02

基礎理論

シフト演算

2進数の桁を左または右にシフトすることによって、乗算や除算を行うのがシフト演算です。左へ桁移動すると2n倍、右へ桁移動すると2^{-n}倍となります。また、このような性質をうまく利用すると、2進数の乗算や除算問題を手早く解くことができます。

テクノロジ系

問1 16進数の小数の重み

check

10進数の演算式7 ÷ 32の結果を2進数で表したものはどれか。

ア 0.001011　イ 0.001101　ウ 0.00111　エ 0.0111

問2 シフトによるn倍の計算

check

2進数mの9倍の値を求める方法はどれか。ここで、桁移動によって、あふれが生じることはないものとする。

ア mを2ビット左に桁移動したものに、mを1ビット左に桁移動したものを加える。
イ mを3ビット左に桁移動したものに、mを加える。
ウ mを3ビット左に桁移動する。
エ mを9ビット左に桁移動する。

問3 論理シフト演算

check

次の16ビットの固定小数点レジスタの内容を2ビット左へ論理シフトしたものをaとし、3ビット右へ論理シフトしたものをbとしたとき、aはbの何倍になるか。ここで、論理シフトではシフト後に空きとなったビットに0が補われるものとする。

0	0	0	0	0	0	0	1	0	1	0	0	0	0	0	0

ア aはbの6倍である。　イ aはbの12倍である。
ウ aはbの24倍である。　エ aはbの32倍である。

ここがポイント！

《シフト演算による演算》

①**左シフト**…左へnビットシフトすると 2^n 倍。

②**右シフト**…右へnビットシフトすると 2^{-n} 倍。

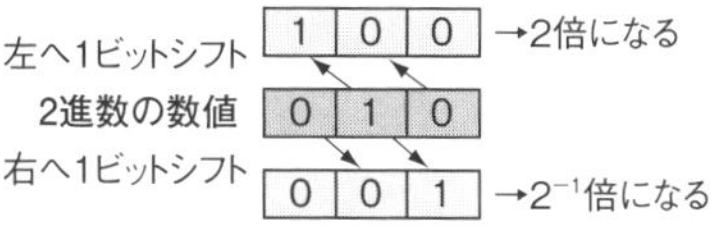

《論理シフトと算術シフト》

①**論理左シフト**

2進数のすべてのビットをそのまま左へ移動する。空いた右端のビットには0が入る。

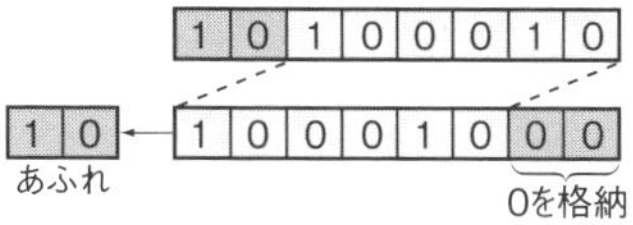

②**論理右シフト**

2進数のすべてのビットをそのまま右へ移動する。空いた左端のビットには0が入る。

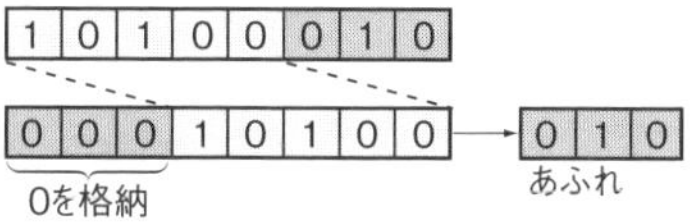

③**算術左シフト**

符号付き2進数の符号ビット以外のすべてのビットをそのまま左へ移動する。右の空いたビットには0が入る。

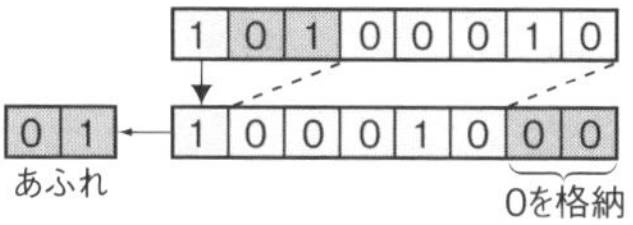

④**算術右シフト**

符号付き2進数の符号ビット以外のすべてのビットをそのまま右へ移動する。左の空いたビットには、符号ビットと同じ値が入る。

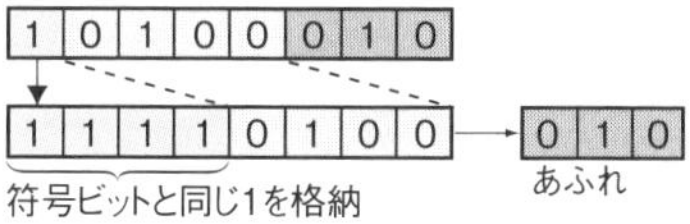

解説1

【解答】ウ

32が 2^5 であることに気付けば、$7 = 0111_{(2)}$ を5ビット右シフトすれば、2^{-5} 倍したことになる。$0111_{(2)}$ →（5ビット右シフト）→ $0.00111_{(2)}$

シフトを使わずに解く場合は、32が2のべき乗であることに注目するとよい。

$$\frac{7}{32} = \frac{4}{32} + \frac{2}{32} + \frac{1}{32} = \frac{1}{8} + \frac{1}{16} + \frac{1}{32} = \frac{1}{2^3} + \frac{1}{2^4} + \frac{1}{2^5}$$

$$= 2^{-3} + 2^{-4} + 2^{-5} = 0.00111$$

解説2

【解答】イ

左シフトによって、2のn乗倍でき、元のmに同じmを加算することで、1倍増やすことができる。この問題は9倍を求めるので、9倍 $= (1001)_2$ 倍とすると、$= 2^3 + 2^0 = 8 + 1$ で表すことができる。（※ n^0 は常に1）

したがって、「mを3ビット左に桁移動したものに、mを加える」とすればよい。

解説3

【解答】エ

(1) 2ビット左へ論理シフトしてaの値を求める。= 0000 0101 0000 0000

(2) 3ビット右へ論理シフトしてbの値を求める。= 0000 0000 0010 1000

(3) どちらもシフトによる“1”のビットは失われていないため、aはbを5ビット左へ論理シフトしたものである。

したがって、$2^5 = 32$ 倍。

基礎理論

03 固定小数点数

固定小数点数とは、コンピュータ内部で数値を記録する方式の一つで、決まった長さの2進数で表現します。さらに負数は2の補数表現をとり、小数点を特定の位置に固定します。表現範囲や補数を求めるなどの問題がありますが出題頻度は高くありません。

問1 2の補数による表現範囲

check

負数を2の補数で表すとき、8ビットで表現できる整数の範囲は10進数でどれか。

ア　0 ～ 255　　　イ　−127 ～ 127
ウ　−127 ～ 128　　エ　−128 ～ 127

問2 2の補数表現による値の除算

check

ある整数値を、負数を2の補数で表現する2進表記法で表すと最下位2ビットは“11”であった。10進表記法の下で、その整数値を4で割ったときの余りに関する記述として、適切なものはどれか。ここで、除算の商は、絶対値の小数点以下を切り捨てるものとする。

ア　その整数値が正ならば3　　　イ　その整数値が負ならば−3
ウ　その整数値が負ならば3　　　エ　その整数値の正負にかかわらず0

ここがポイント！

《固定小数点数の構成》

符号付きの固定小数点数は、一般に小数点を最下位ビット（LSB）の右に置いて整数を表す。正と負の数値を表すために、最上位ビット（MSB）を符号ビット、残りのビットで数値を表現する（下図は8ビットの固定小数点数の例）。

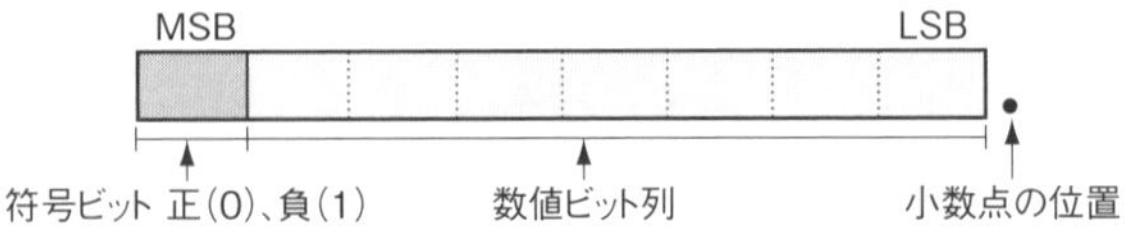

《2の補数による表現》

2の補数はコンピュータ上で数値を表す表現形式。2の補数を使うと正の数、負の数を考慮せずに演算（加算）が可能になる。

〔例〕

$100_{(10)} - 99_{(10)} = 01100100_{(2)} + 10011101_{(2)} = 00000001_{(2)} = 1_{(10)}$

① 2の補数の求め方

2進数のすべての桁の0と1を入れ換え、さらに1を加える。

〔例〕

$1011001_{(2)}$ の2の補数
$= 0100110_{(2)} + 1_{(2)}$
$= 0100111_{(2)}$

② 2の補数による表現範囲

「-1 から -2^{n-1} までの負数」と
「$+0$ から $2^{n-1}-1$ までの正数」

〔8ビット表現の最大値と最小値〕

10進数								
+127	0	1	1	1	1	1	1	1
+126	0	1	1	1	1	1	1	0
∫				∫				
+2	0	0	0	0	0	0	1	0
+1	0	0	0	0	0	0	0	1
0	0	0	0	0	0	0	0	0
−1	1	1	1	1	1	1	1	1
−2	1	1	1	1	1	1	1	0
∫				∫				
−126	1	0	0	0	0	0	1	0
−127	1	0	0	0	0	0	0	1
−128	1	0	0	0	0	0	0	0

解説1
【解答】エ

8ビットで表現できる整数の範囲は、$0 \sim 2^8 - 1$ つまり $0 \sim 255$ であるが、これでは負数が表現できない。そこで、ある数nの負数（$-n$）を、$100000000_{(2)} - n$ で表現する（全ビットを反転させて1を加えてもよい）。これを2の補数表現という。この場合、最左端の1ビットは正数なら0、負数なら1となる。ここで、正数を表現できるビットは7ビットであるから、正数の最大値は $01111111_{(2)} = 2^7 - 1 = 127$ となる。また、負数の最小値は $10000000_{(2)} = -2^7 = -128$ となる。

解説2
【解答】ア

2の補数で表現した整数値を4で割る、すなわち右へ2ビットシフト（算術シフト）したときに、表現できるビット範囲からあふれた2ビット（切り捨てられる値）が、その数値を4で割ったときの余りとなる。

以上から、その2進数が正であれば余りは3、負であれば−1になる。

・整数値が正の場合（例：10進数の11）
$(11)_{10} = (00001011)_2$
↓右へ2ビット算術シフト
$(00000010)_2$ あふれ… $(11)_2$
商＝2　余り＝3

・整数値が負の場合（例：10進数の−9）
$(-9)_{10} = (11110111)_2$
↓右へ2ビット算術シフト
$(11111101)_2$ あふれ… $(11)_2$
商＝−3　余り＝−1

注）「$-9 \div 4 = -2.25$」の商は、絶対値の小数点以下を切捨てるということから、−2。

関連問題

コンピュータで補数を使う理由

多くのコンピュータが、演算回路を簡単にするために補数を用いている理由はどれか。

ア　加算を減算で処理できる
イ　減算を加算で処理できる
ウ　乗算を加算の組合せで処理できる
エ　除算を減算の組合せで処理できる

《解説》　一般に、コンピュータが減算を行う場合、引く数を補数表現し、それを加算するという方法で処理する。加算も減算も同じ加算回路で処理できるため、ハードウェアの演算回路を簡単にすることが可能になる。

〔解答　イ〕

浮動小数点数

浮動小数点数は、数値を仮数部（M）、指数部（E）、符号（S）に分けた表現で、決められた桁数での表現可能な範囲が広いのが特徴です。試験では、表現形式のほか、正規化に関する知識も問われます。午後試験でも出るのでしっかり理解しておきましょう。

問1 仮数が正規化されている理由 check

浮動小数点表示法における仮数が正規化されている理由として、適切なものはどれか。

ア　固定小数点数とみなして大小関係が調べられるようにする。
イ　四則演算のアルゴリズムが簡素化できる。
ウ　表現可能な数値の範囲を拡大する。
エ　有効数字の桁数を最大に保つ。

問2 浮動小数点形式による値 check

数値を16ビットの浮動小数点で、図に示す形式で表す。10進数0.375を正規化した表現はどれか。ここでの正規化は、仮数部の最上位桁が0にならないように指数部と仮数部を調節する操作である。

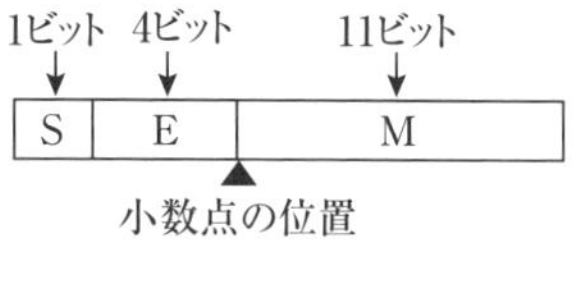

S：　仮数部の符号（0:正、1:負）
E：　指数部（2を基数とし、負数は2の補数で表現）
M：　仮数部（2進数 絶対値表示）

	S	E	M
ア	0	0001	11000000000
イ	0	1001	11000000000
ウ	0	1111	11000000000
エ	1	0001	11000000000

ここがポイント！

《IEEEによる浮動小数点表現》

①浮動小数点数の表現形式（IEEE 754 単精度形式）

符号は仮数が正なら0、負なら1。指数部の値は8ビットで表現する。指数の−127～+128の値に127を加算し（イクセス127ともいう）、0～255（数としては1～254の範囲）として表現できるようにする。仮数は正規化したうえで、さらに仮数から−$1_{(2)}$して表現（正規化により最上位が必ず$1_{(2)}$なので省略して考える）する。

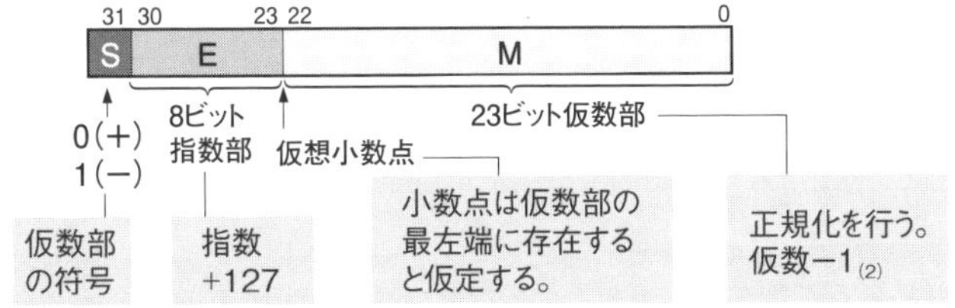

②正規化

実数を表現する際、例えば0.0123×10^2でも、0.123×10^1でも値は同じとなる。ただし後者のほうが仮数部の桁数は少なくてすむ。正規化は、仮数部で表現できる桁数を稼ぐため、仮数部の最上位桁を0以外になるように調整を行うこと。演算や代入が行われたときに行われることで演算途中での有効数字の桁数を最大に保ち、できるだけ**丸め誤差**（Lesson05を参照）の発生を防いで、精度を上げることができる。

〔例〕

$0.078125_{(10)} = 0.000101_{(2)}$

→正規化すると、$1.01_{(2)} \times 2^{-4}$

指数部$-4 + 127_{(10)} = 123_{(10)} = 01111011_{(2)}$

0	01111011	01000000000000000000000

※IEEEモデルでは、正規化を行うときに「1.M」の形にすることに注意。上記の例では、$0.101_{(2)} \times 2^{-3}$ではなく、$1.01_{(2)} \times 2^{-4}$とし、さらに最上位の1を省略することで、有効数字を1桁分上げている。

解説1

【解答】エ

上記「正規化」の解説を参照。例えば、$0.05 = 0.000011001100\cdots_{(2)}$を考えたとき、底2、仮数部の10桁で表現した、$2^0 \times 0.\underline{0000}110011_{(2)}$の仮数部の最上位桁が0以外になるように、$2^{-4} \times 0.1100110011_{(2)}$とする。正規化により丸め誤差（四捨五入や切り上げ、切り捨てによって発生する誤差）を減らすことができ、より精度が上がる。

解説2

【解答】ウ

10進数0.375を正規化した浮動小数点表現に変換するためには、まず、10進数から2進数へ変換する。

$0.375 = 0.011_{(2)}$

次に、この値を正規化することで仮数部と指数部が判明する（基数は2）。

$\underbrace{0.11_{(2)}}_{\text{仮数部}} \times \underbrace{2^{-1}}_{\text{指数部}}$　ここで、指数は負数なので、2の補数に変換すると、$-1 = 1111_{(2)}$　となる。

```
  0 0 0 1
     ↓        … ビットを反転
  1 1 1 0
+       1     … 1を加算
---------
  1 1 1 1     … 2の補数
```

以上の結果を問題の形式に当てはめる。
- S：仮数部は正なので、0が入る。
- E：指数−1の2の補数、1111が入る。
- M：正規化された1100000000が入る。

Lesson 05

基礎理論

算術演算と誤差

浮動小数点数は、非常に大きな数から小さな数までを表現できますが、誤差には注意する必要があります。また、近似解を求める際にも誤差が発生します。誤差の特性について理解しておけば、計算順序を考慮することである程度防ぐことが可能です。

問1 桁落ちが発生する演算

check

浮動小数点数の加減算を実行したとき、桁落ちが発生する演算はどれか。ここで、有効桁は、仮数部3桁に対して、演算は6桁で行われるものとする。

ア $0.123 \times 10^{2} + 0.124 \times 10^{-2}$　イ $0.234 \times 10^{5} - 0.221 \times 10^{2}$

ウ $0.556 \times 10^{6} + 0.552 \times 10^{4}$　エ $0.556 \times 10^{7} - 0.552 \times 10^{7}$

問2 整数の加減算のあふれ

check

コンピュータを使用して整数の加減算を行う場合、あふれ（オーバフロー）に注意する必要がある。次の表のうち、あふれ（オーバフロー）の可能性がある組合せはどれか。

	演算	オペランドx	オペランドy
a	x+y	正	正
b	x+y	正	負
c	x+y	負	正
d	x+y	負	負
e	x−y	正	正
f	x−y	正	負
g	x−y	負	正
h	x−y	負	負

ア a、d、f、g
イ b、c、e、h
ウ b、e
エ c、e、h

ここがポイント！

《演算誤差》

①数値表現を行う計算過程で生じる誤差

桁落ち	絶対値のほぼ等しい２つの数の差を計算したとき、上位桁の相殺により有効桁数が減る現象 《例》$0.556 \times 10^7 - 0.552 \times 10^7 = (0.556 - 0.552) \times 10^7 = 0.4 \times 10^5$ 有効桁数が1桁になっている
情報落ち	浮動小数点演算では絶対値の小さいほうの指数を、大きいほうの指数に合わせてから計算を行う。これによって、絶対値の非常に大きな数と小さな数の加減算を行う際に、より絶対値の小さいほうの値の一部または全部が無視され、誤差が発生する
オーバフロー	演算結果が正しく扱い得る値の範囲を超えた状態。指数の最大値を超えたときに発生する
アンダフロー	演算によって扱い得る値の範囲を下回った状態。指数の最小値よりも小さくなったとき発生する

②近似解を求める計算過程で生じる誤差

絶対誤差	真の値と近似値との差　《例》真の値:1.02、近似値:1、絶対誤差:0.02
相対誤差	絶対誤差を真の値で割ったもの 《例》真の値:1.02、近似値:1、相対誤差:0.02 ÷ 1.02 = 0.0196
丸め誤差	近似解を求めるときに、四捨五入、切上げ、切捨てを行うことで発生する。例えば実数を2進数に変換したときに無限小数（小数以下が循環してしまうこと）になる場合など
打切り誤差	ある程度の値で収束が確認できたところで、処理を打ち切ることにより発生する。例えば円周率の計算などが該当する

解説 1

【解答】エ

桁落ちは「絶対値がほぼ等しい2つの数値で差を求めたとき、有効桁が減る」現象のこと。これは、正規化によって仮数部の最上位桁が0にならないように調整されることで発生する。エでは、有効桁数が1桁になり0が補われる。

ア　$0.123 \times 10^2 + 0.124 \times 10^{-2} = 0.123012 \times 10^2$　（正規化）0.123×10^2
イ　$0.234 \times 10^5 - 0.221 \times 10^2 = 0.233779 \times 10^5$　（正規化）0.233×10^5
ウ　$0.556 \times 10^6 + 0.552 \times 10^4 = 0.56152 \times 10^6$　（正規化）0.561×10^6
エ　$0.556 \times 10^7 - 0.552 \times 10^7 = 0.004 \times 10^7$　（正規化）$0.4\underline{00} \times 10^5$

解説 2

【解答】ア

決められた一定以上の大きさの数値を表現しようとしたときに発生するのが、あふれ（オーバフロー）である。あふれは、同符号の加算や異符号の減算を行ったときに発生する可能性がある。したがって、a～hの各演算の中で、a：正＋正、d：負＋負＝－（正＋正）、f：正－負＝正＋正、g：負－正＝－（正＋正）が該当する。

関連問題

誤差を少なくする計算順序

1,000個の実数値のデータをコンピュータを使用して浮動小数点演算で加算するとき、計算誤差を最も小さくするものはどれか。

ア　すべてのデータを降順に並べ替え、先頭から順に加える。
イ　すべてのデータを昇順に並べ替え、先頭から順に加える。
ウ　すべてのデータを絶対値の降順に並べ替え、先頭から順に加える。
エ　すべてのデータを絶対値の昇順に並べ替え、先頭から順に加える。

《解説》　情報落ちをできるだけ防ぐためには、絶対値の小さい順に数値を並べ替え、絶対値のあまり差のない数値どうしの演算を先に行い、ある程度の大きさになってから絶対値の大きな値を加減する工夫が必要である。

〔解答　エ〕

Lesson 06

シラバス ●大分類1：基礎理論 ●中分類1：基礎理論 ●小分類1：離散数学

基礎理論

集合と論理演算

集合や論理演算の出題には、単にAND、OR、NOT、XORを問うだけでなく、ベン図や真理値表、論理式の法則を使ったものまでさまざまです。出題パターンには数多くのバリエーションがあるので、問題を解きながら慣れていくとよいでしょう。

問1 排他的論理和の相補演算

check

任意のオペランドに対するブール演算Aの結果とブール演算Bの結果がお互いに否定の関係にあるとき、AはBの（または、BはAの）相補演算（complementary operation）であるという。

排他的論理和（exclusive-OR）の相補演算はどれか。

ア　等価演算

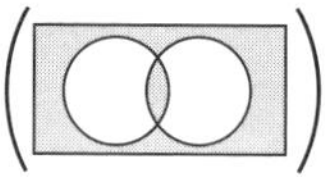

イ　否定論理和

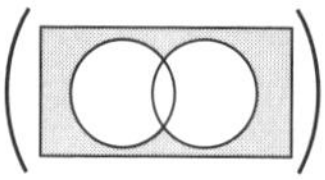

ウ　論理積

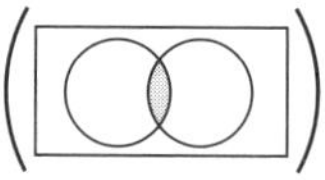

エ　論理和

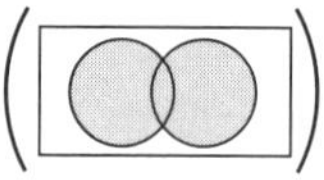

問2 ベン図が表す論理式

check

ベン図の網かけ部分に対応する論理式として正しいものはどれか。ここで、“・”は論理積、“+”は論理和、$\overline{X}$はXの否定を表す。

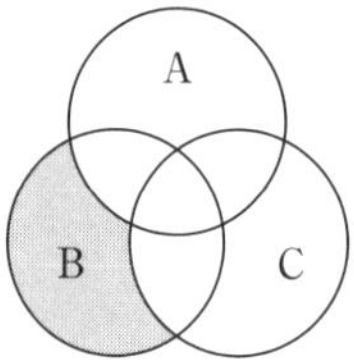

ア　$A \cdot B + B \cdot C$

イ　$(A + B) \cdot \overline{C}$

ウ　$B \cdot (A + C)$

エ　$B \cdot (\overline{A + C})$

ここがポイント！

《基本演算》

①OR（論理和）

いずれか一方が 1（真）であれば、1（真）。

・表記法：A OR B、A＋B

A	B	A OR B
0	0	0
0	1	1
1	0	1
1	1	1

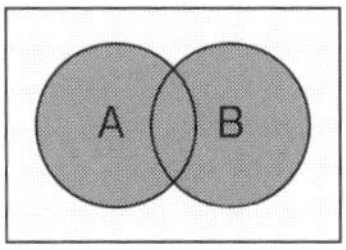

②AND（論理積）

両方が 1（真）のとき、1（真）となる。

・表記法：A AND B、A・B

A	B	A AND B
0	0	0
0	1	0
1	0	0
1	1	1

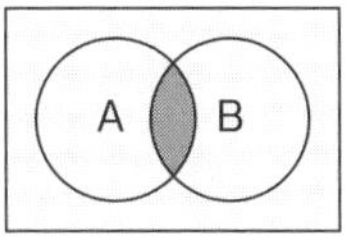

③NOT（否定）

Aが 1（真）のときは 0（偽）、0（偽）のときは 1（真）となる。

・表記法：NOT A、$\overline{A}$

A	NOT A
0	1
1	0

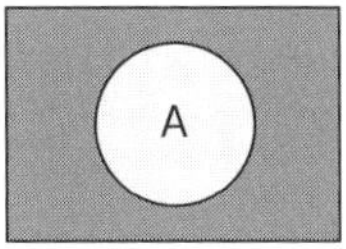

《基本演算の組合せ》

①NOR（否定論理和）

論理和の結果の否定。

・表記法：A NOR B、$\overline{A+B}$、$\overline{A}\cdot\overline{B}$

A	B	A NOR B
0	0	1
0	1	0
1	0	0
1	1	0

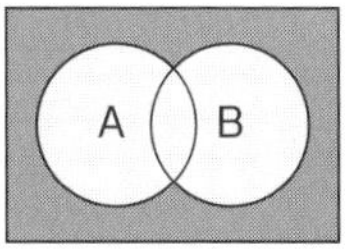

②NAND（否定論理積）

論理積の結果の否定。

・表記法：A NAND B、$\overline{A\cdot B}$、$\overline{A}+\overline{B}$

A	B	A NAND B
0	0	1
0	1	1
1	0	1
1	1	0

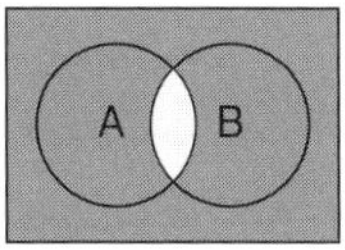

③XOR/EOR（排他的論理和）

A、Bの両方が 1（真）または 0（偽）のとき、結果は 0（偽）となる。

・表記法：A XOR B、A⊕B

A	B	A XOR B
0	0	0
0	1	1
1	0	1
1	1	0

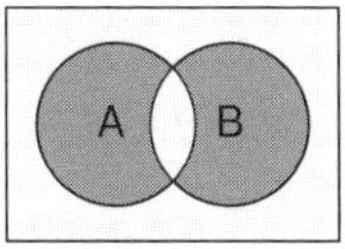

《論理式の法則》

論理積の法則	$A\cdot\overline{A}=0$	$A\cdot 0=0$	$A\cdot 1=A$
論理和の法則	$A+\overline{A}=1$	$A+0=A$	$A+1=1$
分配法則	$A+(B\cdot C)=(A+B)\cdot(A+C)$		
	$A\cdot(B+C)=(A\cdot B)+(A\cdot C)$		
吸収法則	$A\cdot(A+B)=A$	$A+(A\cdot B)=A$	
ド・モルガンの法則	$\overline{A+B}=\overline{A}\cdot\overline{B}$	$\overline{A\cdot B}=\overline{A}+\overline{B}$	

問3 等価な論理演算式

check

論理式 $\overline{A}\cdot\overline{B}\cdot C+A\cdot\overline{B}\cdot C+\overline{A}\cdot B\cdot C+A\cdot B\cdot C$ と恒等的に等しいものはどれか。ここで、・は論理積、+は論理和、$\overline{A}$ は A の否定を表す。

ア $A\cdot B\cdot C$

イ $A\cdot B\cdot C+\overline{A}\cdot\overline{B}\cdot C$

ウ $A\cdot B+B\cdot C$

エ C

問4 命題の真理値表

check

P、Q、R はいずれも命題である。命題 P の真理値は真であり、命題(not P) or Q 及び命題(not Q) or R のいずれの真理値も真であることがわかっている。Q、R の真理値はどれか。ここで、X or Y は X と Y の論理和、not X は X の否定を表す。

	Q	R
ア	偽	偽
イ	偽	真
ウ	真	偽
エ	真	真

問5 論理式が表す結果

check

論理式 $\overline{a\cap b}$ を例の通りに記述するとき、図で記述される論理式が表すものはどれか。

《例》

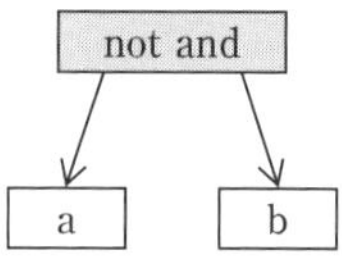

《図》

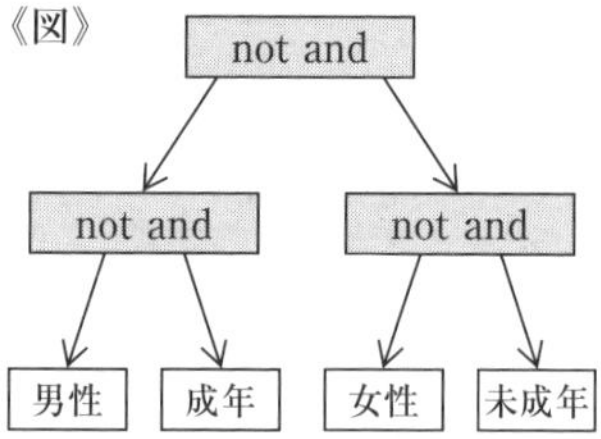

ア 女性

イ 成年男性 または 未成年女性

ウ 男性

エ 未成年男性 または 成年女性

解説 1

【解答】ア

問題文に出てくるブール演算（論理和、論理積、否定などの論理演算を表す言葉）や相補演算は聞き慣れない用語が出てくるが、排他的論理和がどのような演算かを理解できていれば解答できる。相補演算の説明は問題文中にあり、排他的論理和の否定を表すベン図を選べばよいことがわかる。ベン図で表すと次のようになり等価演算が正解。

● 排他的論理和

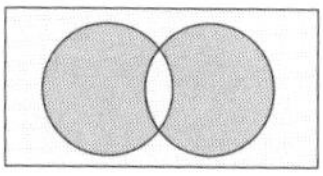

● 等価演算

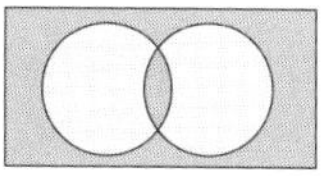

解説 2

【解答】エ

論理演算を集合に対応させて考えると理解しやすい。求める網掛け部分は、集合Bの要素から集合Aと集合Cの要素を除いた集合である。このように、ある集合の要素から別の集合にも属している要素を取り除いてできた集合を差集合という。たとえば、集合Xと集合Yの差集合はX－Yと表し、$X \cap \overline{Y}$ で求められる（右図）。

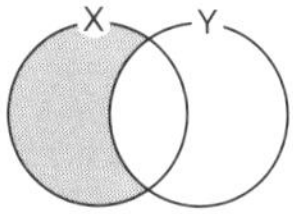

したがって、問題の求める部分は、

$B-(A \cup C)=B \cap \overline{(A \cup C)}$

となる。ここで、∩を・に、∪を＋に直せばよい。

解説 3

【解答】エ

問題の論理式 $\overline{A} \cdot \overline{B} \cdot C + A \cdot \overline{B} \cdot C + \overline{A} \cdot B \cdot C + A \cdot B \cdot C$ から

共通のCに目をつけて分配法則を適用すると、

$C \cdot (\overline{A} \cdot \overline{B} + A \cdot \overline{B} + \overline{A} \cdot B + A \cdot B)$ となる。

同様に分配法則を適用すると、$C \cdot (A \cdot (B + \overline{B}) + \overline{A} \cdot (B + \overline{B}))$ となる。

ここで論理和の法則から、$B + \overline{B} = 1$ なので、$C \cdot (A + \overline{A}) = C$

解説 4

【解答】エ

OR（論理和）演算では、いずれか一方が「真」であれば、「真」となる。
これを踏まえて問題の式を読み解いていけばよい。

まず、命題Pの真理値は「真」なので、P＝真、not P＝偽であり、

命題（not P）or Q＝真 ⇨ 命題 偽 or Q＝真

を満たすためには、Q＝真 でなければならない。次に、

命題（not Q）or R＝真 ⇨ 命題 偽 or R＝真

を満たすためには、R＝真 でなければならない。

以上より、Q＝真、R＝真 であることがわかる。

解説 5

【解答】イ

∩は論理積（・）、∪は論理和（＋）を表す。与えられた図を論理式で表すと、次のようになる。

$$\overline{\overline{\text{男性}\cap\text{成年}} \cap \overline{\text{女性}\cap\text{未成年}}}$$

ここで、ド・モルガンの法則により、$\overline{a \cap b} = \overline{a} \cup \overline{b}$ が成立することに着目し、上の式を展開していく。

$$\overline{\overline{\text{男性}\cap\text{成年}} \cap \overline{\text{女性}\cap\text{未成年}}}$$

$$=\overline{\overline{\text{男性}\cap\text{成年}}} \cup \overline{\overline{\text{女性}\cap\text{未成年}}} \quad \cdots\cdots \ \overline{\overline{A}}\text{は、}A\text{になるので。}$$

$$=\text{男性}\cap\text{成年} \cup \text{女性}\cap\text{未成年}$$

以上から、図の論理式が表す意味は、解答群のイとなる。

シラバス ●大分類1：基礎理論 ●中分類1：基礎理論
●小分類2：応用数学

Lesson 07

基礎理論

確率と統計

確率とは、ある事象（出来事）の起こる可能性の度合いを数値化したもので、気象予報の降水確率やくじの当たる確率など、さまざまな分野で使用されています。試験問題も形を変えて出題されることが多く、多くの問題を解くことが攻略につながります。

テクノロジ系

問1 状態の遷移確率

check

次の図は、ある地方の日単位の天気の移り変わりを示したものであり、数値は翌日の天気の変化の確率を表している。ある日の天気が雨のとき、2日後の天気が晴れになる確率は幾らか。

ア 0.15
イ 0.27
ウ 0.3
エ 0.33

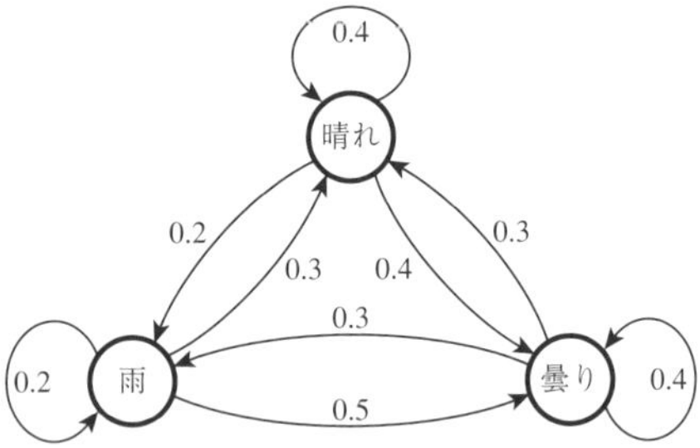

ここがポイント！

《確率の加法定理》

①事象Aと事象Bが排反でないとき、AとBの和事象の起こる確率

$$P(A \cup B) = P(A) + P(B) - P(A \cap B)$$

②事象Aと事象Bが排反であるとき、AとBの和事象の起こる確率

$$P(A \cup B) = P(A) + P(B) \qquad (A \cap B = \phi)$$

《確率の乗法定理》

①事象Aと事象Bが互いに独立であるとき、これらが同時に起こる確率

$$P(A \cap B) = P(A) \times P(B)$$

②事象Bが事象Aの従属事象であるとき、これらが同時に起こる確率

$$P(A \cap B) = P(A) \times P(B \mid A)$$

※ $P(B \mid A)$ は、条件付き確率（→次項）

《条件付き確率》

事象Aが起こったとき、事象Bが起こる確率を「Aが起こったときに、Bが起こる」条

件付き確率と呼び、この確率をP(B｜A)と表す。右の式で計算できる。

$$P(B \mid A) = \frac{P(A \cap B)}{P(A)}$$

《順列と組合せ》

①**順列**　異なるn個のものから、r個を取り出して並べる場合の数。

$$nPr = \frac{n!}{(n-r)!} \quad (n \geqq r)$$
$$= n \times (n-1) \times (n-2) \times \cdots \times (n-r+1)$$

②**組合せ**　異なるn個のものから、r個のものを取り出す方法の数。

$$nCr = \frac{nPr}{r!} = \frac{n!}{r!(n-r)!}$$

《期待値》

期待値とは、確率変数xのとる値にxの発生確率P(x)を掛けることにより得られる**重み付きの平均値**のこと。

〔例〕　表は、文字A～Eを符号化したときのビット表記と、それぞれの文字の出現確率を表したものである。1文字当たりの平均ビット数は幾らになるか。

文字	ビット表記	出現確率（%）
A	0	50
B	10	30
C	110	10
D	1110	5
E	1111	5

ビット表記に応じたビット数に出現回数を掛け合わせて、その結果を加えればよい

A：1ビット× 0.5 = 0.5ビット
B：2ビット× 0.3 = 0.6ビット
C：3ビット× 0.1 = 0.3ビット
D：4ビット× 0.05 = 0.2ビット
E：4ビット× 0.05 = 0.2ビット

したがって、0.5 + 0.6 + 0.3 + 0.2 + 0.2 = 1.8ビット

《確率分布》

変数xがとり得る値aと、xが値aをとる確率との関係を示すものを、xの**確率分布**と呼ぶ。確率変数にはとり得る値がとびとびの**離散型**と、連続した値をとる**連続型**があり、後者の代表が**正規分布**である。正規分布は、平均と標準偏差でその分布の形が決まる。標準偏差の値が大きければ（分布のバラツキが大きい）正規分布の形は扁平になり、小さければ中央が高い形になる。平均がm、標準偏差がσである正規分布はN(m, σ^2)と表す。

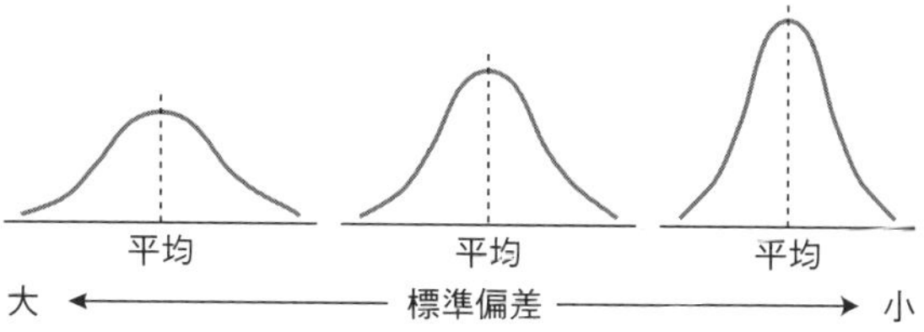

《平均、メジアン、モード》

①**平均（算術平均）**…「データの合計÷データ個数」で求める。

②**メジアン（中央値）**…データを昇順（または降順）に並べたときの中央の値。偶数個の場合は中央2つの平均値。

③**モード（最頻値）**…出現頻度が最も高いデータのこと。

問 2 ビット数が等しい組合せ

8ビット符号のうち、0と1のビット数が等しいものは幾つあるか。

ア 16　　イ 24　　ウ 70　　エ 128

問 3 不良品の確率

ある工場では、同じ製品を独立した二つのラインA、Bで製造している。ラインAでは製品全体の60%を製造し、ラインBでは40%を製造している。ラインAで製造された製品の2%が不良品であり、ラインBで製造された製品の1%が不良品であることがわかっている。いま、この工場で製造された製品の一つを無作為に抽出して調べたところ、それは不良品であった。その製品がラインAで製造された確率は何%か。

ア 40　　イ 50　　ウ 60　　エ 75

問 4 正規分布表の読取り

ある工場で大量に生産されている製品の重量の分布は、平均が5.2kg、標準偏差が0.1kgの正規分布であった。5.0kg未満の製品は、社内検査で不合格とされる。生産された製品の不合格品の割合は約何%か。

正規分布表

u	P(u)
0.5	0.3085
1.0	0.1587
1.5	0.0668
2.0	0.0228
2.5	0.0062
3.0	0.0013

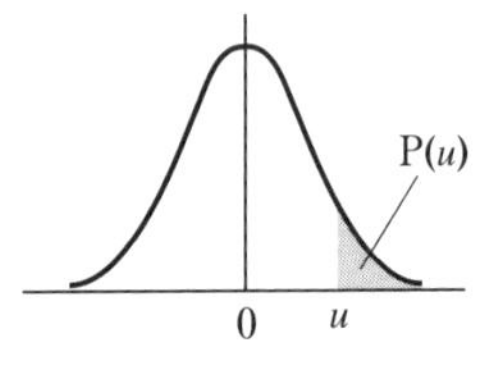

ア 0.1　　イ 0.6　　ウ 2.3　　エ 4.6

問 5 統計数値を求める

次のデータの平均、メジアン、モードの大小関係を正しく表しているものはどれか。

〔データ〕 50、50、50、55、70、75、75

ア 平均 < メジアン < モード　　イ メジアン < モード < 平均
ウ モード < 平均 < メジアン　　エ モード < メジアン < 平均

《分散度》

①**レンジ** …データの範囲のこと。「データの最大値－最小値」で求める。

②**分散、標準偏差** …n個のデータx_1、x_2、x_3、……、x_nにおいて、分散は、各変量x_iから平均値$\bar{x}$を引いた値（偏差）の２乗を平均した値であり、次の式で表される。

$$\text{分散}=\frac{1}{n}\sum_{i=1}^{n}(x_i-\bar{x})^2$$

$$\text{標準偏差}=\sqrt{\text{分散}}$$

③**偏差値** …平均が50、標準偏差が10になるように変換した値。

Xの偏差値＝50＋10（X－平均）÷標準偏差

解説 1

【解答】エ

ある日の天気が雨で、その２日後が晴れになる場合には、次の３通りがある。

① 雨 → 晴れ → 晴れ　　② 雨 → 曇り → 晴れ

③ 雨 → 雨 → 晴れ

そこで、それぞれの確率を求めると、

P①＝0.3 × 0.4 ＝ 0.12　　P②＝0.5 × 0.3 ＝ 0.15

P③＝0.2 × 0.3 ＝ 0.06

となる。P①～P③は排反（同時には起こらない）であるため、確率の加法の定理により、問題の確率はP①、P②、P③の和で求められる。

P①＋P②＋P③＝0.33

解説 2

【解答】ウ

8ビット符号のうち、0と1のビット数が等しいということは、0と1がそれぞれ4ビットずつのときである。このようなビットパターンの個数は、8ビットの中から4ビットを取り出すときの選び方（組合せ）だけある。

$${}_8C_4=\frac{8!}{4!\times(8-4)!}=\frac{8\times7\times6\times5}{4\times3\times2\times1}=70$$

解説 3

【解答】エ

分母をすべての不良品が出る確率、分子をラインAの不良品とした確率を求めればよい。

・ラインAで製造された製品が不良品である確率は、60% × 2%

・ラインBで製造された製品が不良品である確率は、40% × 1%

$$\frac{(0.6\times0.02)}{(0.6\times0.02)+(0.4\times0.01)}=\frac{0.012}{0.016}=\frac{3}{4}=0.75=75\%$$

解説 4

【解答】ウ

問題文を整理すると、下図の正規分布において、5.0未満となる確率P(x < 5.0)を求めればよい。そこで、この正規分布を標準正規分布に変換して、正規分布表にあてはめる。5.0に対応する値uは、

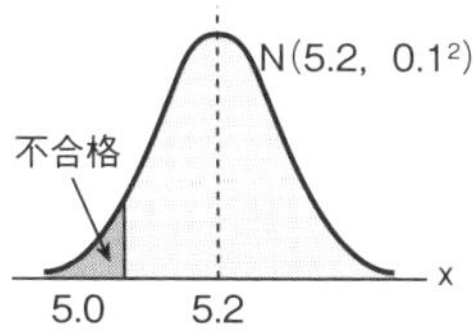

$$u=\frac{5.0-\text{平均}}{\text{標準偏差}}=\frac{5.0-5.2}{0.1}=-2$$

したがって、P(u < −2)となる確率を求めればよい。正規分布は左右対称であるため、問題の標準正規分布表より、P(u > 2.0)を読み取ると、0.0228 ≒ 2.3%となる。

解説 5

【解答】エ

問題のデータについて、実際に求めて確認する。

・平均……(50 + 50 + 50 + 55 + 70 + 75 + 75) ÷ 7 = 60.7

・メジアン……55

・モード……50

したがって、モード ＜ メジアン ＜ 平均、の順になる。

Lesson 08

基礎理論

応用数学

確率・統計以外の応用数学のテーマには、数値計算（ベクトル、数列など）、数値解析（ニュートン法、誤差など）、数式処理、グラフ理論、待ち行列理論、最適化問題（最短経路問題、PERTなど）があります。ここでは、最近出題されたテーマを取り上げます。

問1 最短経路の数

check

図の線上を、点Pから点Rを通って、点Qに至る最短経路は何通りあるか。

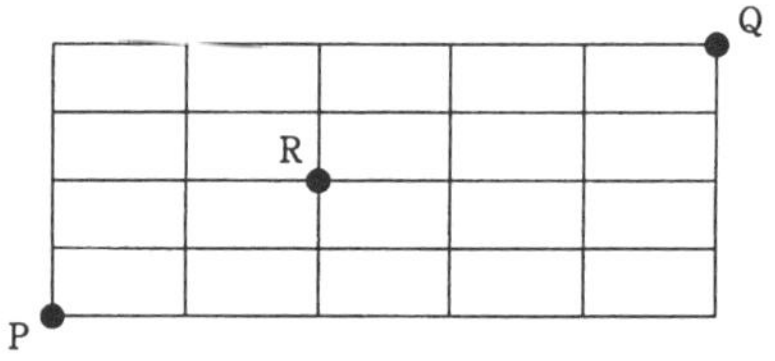

ア　16　　イ　24　　ウ　32　　エ　60

問2 M/M/1の待ち行列モデル

check

ATM（現金自動預払機）が１台ずつ設置してある２つの支店を統合し、統合後の支店にはATMを１台設置する。統合後のATMの平均待ち時間を求める式はどれか。ここで、待ち時間はM/M/1の待ち行列モデルに従い、平均待ち時間にはサービス時間を含まず、ATMを１台に統合しても十分に処理できるものとする。

〔条件〕
(1) 統合後の平均サービス時間：T_s
(2) 統合前のATMの利用率：両支店ともρ
(3) 統合後の利用者数：統合前の両支店の利用者数の合計

ア　$\dfrac{\rho}{1-\rho}\times T_S$　　イ　$\dfrac{\rho}{1-2\rho}\times T_S$

ウ　$\dfrac{2\rho}{1-\rho}\times T_S$　　エ　$\dfrac{2\rho}{1-2\rho}\times T_S$

ここがポイント！

《最短経路問題》

２つの点（ノード）を結ぶ、最短となる経路を求める解法。右図の例であれば、Ａ地点からＢ地点へ行く、図の２つの経路を考える。それぞれの進み方は、経路１が「横→横→横→縦→縦」、経路２が「縦→横→横→縦→横」となり、どちらも必ず横方法に３区画分、縦方向に２区画分進むことに着目する。つまり、Ａ地点からＢ地点に行くためには全部で５区画分進まなければならないが、この５区画中の横方向に進む３区画を決めれば一つの経路を決定できる。したがって、この場合の経路の数は、５つの中から３つを取り出す組合せを解けばよい。

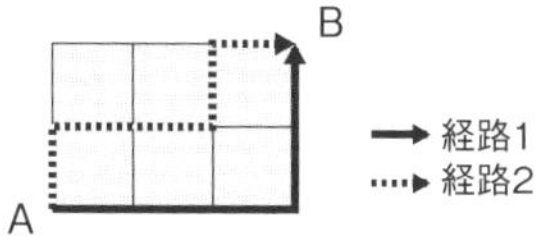

$$ {}_5C_3 = \frac{5\,!}{(5-3)\,!\times 3\,!} = \frac{5\times 4\times 3\times 2\times 1}{2\times 1\times 3\times 2\times 1} = 10\text{（通り）} $$

《待ち行列理論》

待ち行列を考える目的は、訪れる人数、並びにくる人の到着間隔（**到着分布**）、窓口数、サービス時間（**サービス時間分布**）を考慮して、「どれくらい待たなければならないか（**平均待ち時間**）」を知ること。待ち行列理論の中で最もシンプルな**M/M/1 モデル**では、到着分布はランダム（ポアソン分布に従う）とサービス時間分布はランダム（指数分布に従う）、窓口数は１つのみを前提にして、次のような計算式で平均待ち時間を求める。

$$ \text{平均待ち時間} = \frac{\text{窓口利用率}}{1-\text{窓口利用率}} \times \text{平均サービス時間} $$

解説 1

【解答】エ

点Ｐから点Ｑに至る途中で、点Ｒを必ず通る必要があるため、点Ｐ→点Ｒ、点Ｒ→点Ｑという２つの経路に分けて考える。それぞれ、点Ｐ→点Ｒが縦と横方向にそれぞれ２区画分進むことに着目する。つまり、計４区画分進まなければならないが、縦方向に進む２区画を決めれば１つの経路が決まる。したがって、経路の数は、４つの中から２つを取り出す組合せとなる。

$$ {}_4C_2 = \frac{4\,!}{(4-2)\,!\times 2\,!} = \frac{4\times 3\times 2\times 1}{2\times 1\times 2\times 1} = 6\text{（通り）} $$

同様にして、点R→点Qを計算すると、

$$ {}_5C_3 = \frac{5\,!}{(5-3)\,!\times 3\,!} = \frac{5\times 4\times 3\times 2\times 1}{2\times 1\times 3\times 2\times 1} = 10\text{（通り）} $$

この２つの結果を掛け合わせればよい。　6×10 ＝60（通り）

解説 2

【解答】エ

M/M/1の待ち行列モデルにおいて平均待ち時間は、次の式で表される。

$$ \frac{\text{利用率}(\rho)}{1-\text{利用率}(\rho)} \times \text{平均サービス時間}(T_s) $$

ここで、統合後の利用者数は統合前の両支店の合計であり、利用率も同じである。つまり、統合後はATM１台で２倍の利用者を処理することになるので、利用率を２ρとした式が正解となる。

Lesson

シラバス ●大分類1：基礎理論 ●中分類1：基礎理論
●小分類3：情報に関する理論

基礎理論

09 情報に関する理論

情報に関する理論では、さまざまな情報をコンピュータで扱うための考え方を取り上げています。言語の表現（正規表現）、オートマトン（コンピュータの処理のモデル化）、アルゴリズムの計算量に加えて、最近の試験では、AI（人工知能）の出題が多くなっています。

テクノロジ系

問1 AIの機械学習

check

機械学習における教師あり学習の説明として、最も適切なものはどれか。

ア 個々の行動に対しての善しあしを得点として与えることによって、得点が最も多く得られるような方策を学習する。

イ コンピュータ利用者の挙動データを蓄積し、挙動データの出現頻度に従って次の挙動を推論する。

ウ 正解のデータを提示したり、データが誤りであることを指摘したりすることによって、未知のデータに対して正誤を得ることを助ける。

エ 正解のデータを提示せずに、統計的性質や、ある種の条件によって入力パターンを判定したり、クラスタリングしたりする。

問2 BNFの解読

check

数値に関する構文が次のように定義されているとき、<数値>として扱われるものはどれか。

<数値> ::= <数字列> | <数字列>E<数字列> | <数字列>E<符号><数字列>

<数字列> ::= <数字> | <数字列><数字>

<数字> ::= 0 | 1 | 2 | 3 | 4 | 5 | 6 | 7 | 8 | 9

<符号> ::= + | −

ア −12　　イ 12E−10　　ウ 1.2　　エ +12E10

ここがポイント！

《AI（人工知能）》

人間の頭脳の振る舞いを模倣したシステム。知識ベースと推論エンジンに加えて、学習や判断や認識機能も持つ。学習や判断は、機械学習やディープラーニングの技術を利用。

①機械学習

人間が経験によって得る知識の過程をコンピュータによって実現する手法。与えられたデータを基に反復学習を行って特徴や法則を見つけ出し、その後に与えられる未知のデータについて推論を行う。学習が進むほど認識や判断の精度が向上する。ただし、学習の方向性は人間が与える必要がある。

- **教師あり学習**：特徴付きのデータを与えたり、入力に対する正解をデータとして与えたりすることで、未知のデータに対する推論や判断に結びつける。
- **教師なし学習**：正解を与えない方法。データを蓄積することで出現頻度を分析したり、規則性によりグルーピングしたりすることで解答を導き出す。
- **強化学習**：行動およびその善しあしを得点として与え、最適な解を試行させる。

②ディープラーニング（深層学習）

機械学習を進化させた手法で、ニューラルネットワークにより学習を行う。人間が方向性を与えなくても、コンピュータが多方面のデータを基に自律的に学習を進めていく。ただし、過程や結果が意図しない方向性へ進むこともある。

《正規表現》

コンピュータなどで情報として扱うために、曖昧さを排除した言語を形式言語という。形式言語の構文を形式的（厳密な表現という意味）に定義するための言語に正規言語があり、その表現方法が**正規表現**である。さらに、記憶機能を持たせた表現の代表例に構文規則を記述に用いる**BNF**（Backus-Naur Form：バッカス・ナウア記法）がある。

①BNFのルール

プログラム言語の構文を形式的（厳密な表現方法という意味）に定義する表現方法。例えば、BNFで“曜日”を定義すると次のよう表現される。

＜平日＞ ::＝月｜火｜水｜木｜金｜土　　　＜休日＞ ::＝日

“::”は記号の右辺で左辺を定義することを意味し、“｜”は「または」を表す。従って、この例の読み方は、「平日は月・火・水・木・金・土のいずれか、休日は日」となる。

②再帰記述

BNFは、再帰的な表現（自分自身を呼び出す性質）を許しており、

＜文字列＞::＝＜文字＞｜＜文字列＞＜文字＞　＜文字＞ ::＝a｜b｜c

と記述すると、「＜文字列＞は、＜文字＞または、＜文字列＞の後ろに＜文字＞が付くもの」という定義になり、「1文字以上の文字a、b、cの組合せ」ということになる。

《逆ポーランド記法》

逆ポーランド記法（後置記法）は、括弧なしで数式が表現でき、算術式の評価が単純に行える利点がある。逆ポーランド記法では、演算子を被演算子の後ろに置く。たとえば“A＋B”は逆ポーランド記法で“AB＋”となる。

（※43ページへ続く↘）

問 3 逆ポーランド記法

check

逆ポーランド記法で示した次の式を計算した結果はどれか。ここで、式xy－はxからyを引いた値、式xy÷はxをyで割った商を表す。

式：435－÷

ア －2　　イ －0.2　　ウ 0.2　　エ 0.5

問 4 オートマトンで受理されるビット列

check

入力記号、出力記号の集合が{0, 1}であり、状態遷移図で示されるオートマトンがある。0011001110を入力記号とした場合の出力記号はどれか。ここで、S_1は初期状態を表し、グラフの辺のラベルは、入力／出力を表している。

〔状態遷移図〕

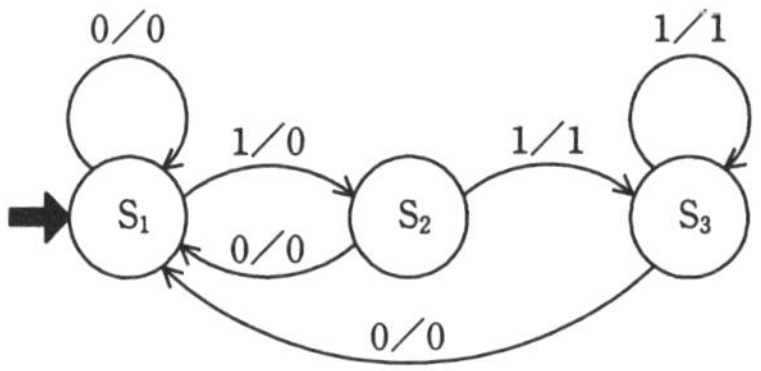

ア 0001000110　　イ 0001001110

ウ 0010001000　　エ 0011111110

問 5 自動販売機の状態遷移

check

図は、150円入れるとジュースが出てくる自動販売機の状態遷移図を示したものである。ここで、図中のX／Yは入力(X)と出力(Y)を表している。例えば、100／ジュース＋50は、100円入れるとジュースとお釣りの50円が出てくることを表す。ただし、＊は何も出力されないことを表す。

図中の［　　］に入れるべき最も適切な語句はどれか。入力される硬貨は、100円と50円だけとする。

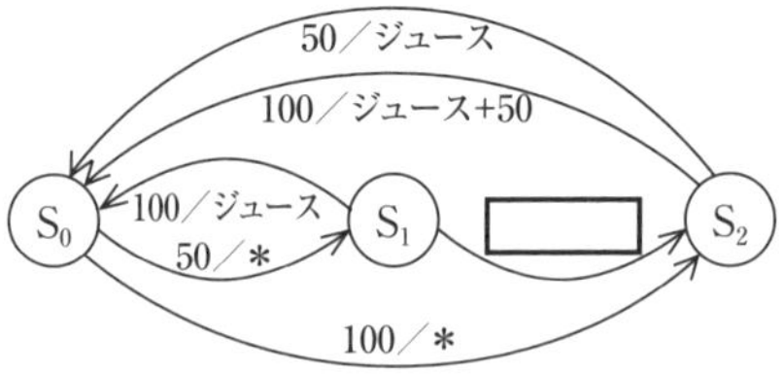

ア 50／＊　　イ 50／ジュース

ウ 100／＊　　エ 100／ジュース

（↘ 41 ページからの続き）

〔例〕

図は逆ポーランド記法の式を通常の式に直す手順である。注意点は「演算子は直前の２つの項にかかる」、「演算子は左から処理する」である。

① A B C D ÷ ＋ −　（÷は直前の2つ(C, D)にかかる）

② A B (C ÷ D) ＋ −　（＋は直前の2つにかかる）

③ A (B ＋ (C ÷ D)) −　（−は直前の2つにかかる）

④ A − (B ＋ (C ÷ D))

《2分木を使った逆ポーランド記法への変換》

算術式を２分木の表現にして、その２分木を後行順序木としてなぞると（2分木を左から節点を含めて戻りながらなぞる、帰りがけのなぞりである）、後置記法（逆ポーランド記法）で表現した式が得られる。

〔例〕　X＝(A＋B)×(C－D÷E)

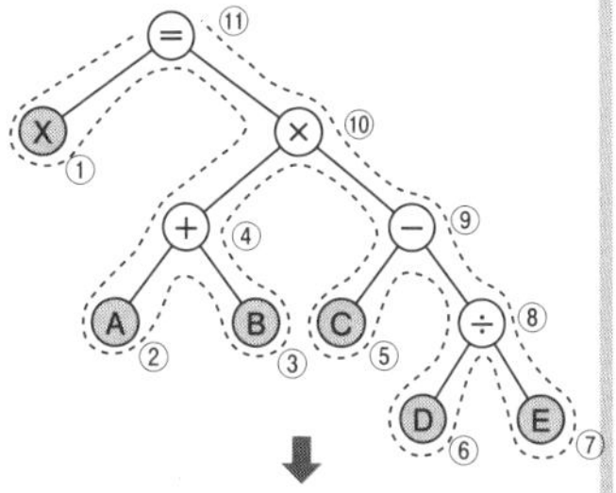

X A B ＋ C D E ÷ − × ＝
①②③④⑤⑥⑦⑧⑨⑩⑪

《オートマトン》

オートマトンとは、入力、処理、出力といったコンピュータの動作をモデル化し、問題解決のための処理手順（アルゴリズム）を定式化したもの。状態が有限のものを**有限オートマトン**という。通常、データには初期状態があり、その後複数の状態を遷移しながら、最終状態で停止する。この遷移を表や図にしたものが、**状態遷移表**、**状態遷移図**である。

①状態遷移図

矢印はある状態から矢印上の記号が与えられた場合の遷移の方向を示す。オートマトンにあるデータを与えた結果、状態が終了状態となるとき、そのデータが「受理された」という。たとえば、次のオートマトンに文字列“ababaa”を左から与えたとき、状態は次のように遷移する。

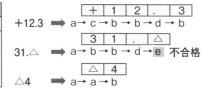

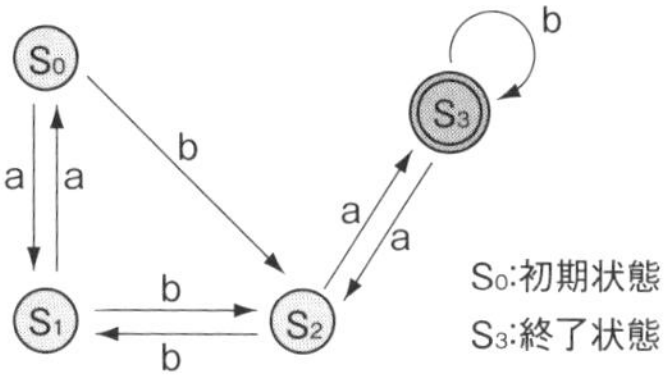

$S_0 \to S_1 \to S_2 \to S_3 \to S_3 \to S_2 \to S_3$

S_3 は終了状態であるため、この文字列はオートマトンにより受理される文字列である。

②状態遷移表

状態遷移図を表で表したもの。現在の「状態」と、投入した「値」によって、結果を読み取り、次の状態に反映させる。例えば、下の入力文字列を検査するための状態遷移表を考える。初期状態をaとして、文字を入力した後の状態がeになると不合格とすると、次のようになる（△は空白を示す）。

		入力文字				
		空白	数字	符号	小数点	その他
現在の状態	a	a	b	c	d	e
	b	a	b	e	d	e
	c	e	b	e	d	e
	d	e	b	e	e	e

［＋｜1｜2｜.｜3］
＋12.3 ➡ a → c → b → b → d → b

［3｜1｜.｜△］
31.△ ➡ a → b → b → d → e 不合格

［△｜4］
△4 ➡ a → a → b

問6 バブルソートの比較回数

check

n個のデータをバブルソートを使って整列するとき、データの比較回数はどれか。

ア n　　イ $n \log n$　　ウ $\frac{n(n-1)}{2}$　　エ 2^n

《アルゴリズムの計算量》

探索や整列は、数多くのアルゴリズムがあり、対象とするデータ量が増えると処理時間が大きく異なる。アルゴリズムの計算量は、処理の効率性を見積るうえで重要となる。

①**探索の計算量**

探索の対象となる要素の数をnとしたときの**平均比較回数**と**最大比較回数**は、それぞれ次のような値になる。全体の計算量は、線形探索なら$O(n)$（nのオーダ：オーダは次数の高いものを残して表現する大まかな計算量）、2分探索なら$O(\log_2 n)$となる。また、ハッシュ表探索は、直接特定できるため、比較回数、オーダともに1となる。

	平均	最大	オーダ
線形探索	$\frac{n}{2}$	n	$O(n)$
2分探索	$[\log_2 n]$	$[\log_2 n]+1$	$O(\log_2 n)$
ハッシュ	1	1	$O(1)$

注）［ ］記号は、小数点以下切り捨て

②**整列の計算量**

基本交換法（バブルソート）、基本選択法、基本挿入法ともに、1回目が$(n-1)$回、2回目は$(n-2)$回実行される。配列全体が整列されるまでの総比較回数（途中で整列済みにならない場合）は、

$$(n-1)+(n-2)+\cdots\cdots+1=\frac{n(n-1)}{2}\text{回}$$

であり、計算量は$O(n^2)$（n^2に比例する）になる。

また、その他の計算量は右表のようになる。

	比較回数	オーダ	大きさ
交換法、選択法、挿入法	$n(n-1)/2$	$O(n^2)$	大
シェルソート	$n\log_2 n$	$O(n^{1.25}\sim n^{1.5})$	↕
クイックソート、ヒープソート	$n\log_2 n$	$O(n\log_2 n)$	小

解説1　【解答】ウ

AIは与えられたデータから特徴や法則を見つけ出し、未知のデータについて推論を行う。機械学習は、AIが認識や判断を行うために必要なもので、導き出された結果に対して、人が答えや方向性を与えることで、判断の精度が上がるようになる。教師あり学習は、入力データに対する正解を示すことで、その関係を学習させる。ア：強化学習、イ、エ：教師なし学習の方法の1つ。

解説2　【解答】イ

問題の定義をみると、<数値>は、

・<数字列>
・または <数字列>E<数字列>
・または <数字列>E<符号><数字列>

のいずれかであり、どの場合も<数字列>から始まることに着目する。

次に、<数字列>は、

・<数字>
・または <数字列><数字>

のいずれかであるが、この再帰的な定義(<数字列>の定義に、自身である<数字列>を用いている)から、「数字列は数字が1つ以上連続したもの」という解釈ができる。なお、これを構文図(構文グラフ)で描くと、図のようになる。

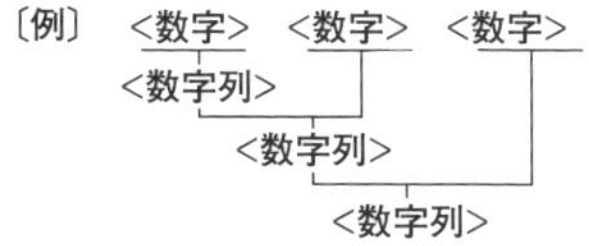

ア、エ:符号から始まっているので、<数値>の定義に合致しない。
ウ:小数点は、<数値>には定義されていない。

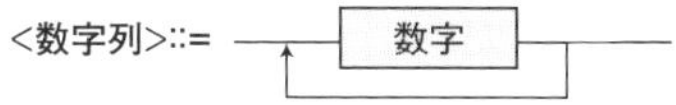

解説 3

【解答】
ア

例えば、$(A＋B)×C$ の計算式は、$AB＋C×$ と表現する。問題文の式、$435 － ÷$ は、最初に $35 －$ の部分から計算し、$3 － 5 ＝ －2$ となる。
次に計算結果を元の式に当てはめ、$4(－2)÷$ となる。これを計算すると、$4 ÷ (－2) ＝ －2$ になる。

解説 4

【解答】
ア

データには初期状態があり、いくつかの状態を遷移しながら最終状態で停止する。これを図で表したものが状態遷移図である。問題図中の細い矢印は、ある状態から矢印上の記号が与えられた場合の遷移の方向を示している。また、「入力／出力」は、0または1の入力に対して出力される値である。ここでは、問題文の入力記号を先頭から順にオートマトンに入力していけば、解答となる出力値が得られる。S_1 を開始点として、$(0/0)S_1 → (0/0)S_1 → (1/0)S_2 → (1/1)S_3 → (0/0)S_1 → (0/0)S_1 → (1/0)S_2 → (1/1)S_3 → (1/1)S_3 → (0/0)S_1$ となり、出力側の値を順に並べると「0001000110」となり、アが該当する。

解説 5

【解答】
ア

初期状態である S_0 からその状態遷移を見ていこう。

①S_0 で100円が投入されると状態 S_2 に遷移する。これは、ジュースが150円であるため、不足分50円の投入を待っている状態へ遷移。
②S_0 で50円が投入されると状態 S_1 に遷移する。これは、不足分100円の投入を待っている状態へ遷移。
③S_1(不足分100円の投入を待っている状態)で、投入されるのは100円か50円である。もし、100円が投入されれば、ジュースを出して終了する。50円であれば、不足分50円を待つ状態 S_2 に遷移しなければならない。
④S_2(不足分50円の投入を待っている状態)で、100円が投入されれば、ジュースとお釣り50円を出して終了する。50円が投入されれば、ジュースを出して終了する。

以上から、空欄には「50 ／ ＊」が入る

解説 6

【解答】
ウ

バブルソートは、隣り合う要素の値を比較し、逆順であれば交換するという操作を繰り返し行う方法である。

例) $n ＝ 4$ の場合　○ ○ ○ ●　比較回数:4－1回
　　　　　　　　　　○ ○ ●　　比較回数:4－2回
　　　　　　　　　　○ ●　　　比較回数:4－3回

※●は、1回の捜査の結果、最大(最小)値が右端にくることを意味する。

データ数がn個の場合の比較回数は、以下の式で求められる。

$$(n－1) ＋ (n－2) ＋ \cdots ＋ 2 ＋ 1 ＝ n(n－1) ÷ 2$$

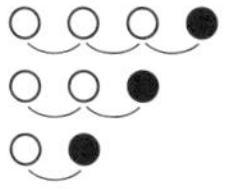

基礎理論

10 通信に関する理論

データ伝送では、雑音や波形のゆがみなどにより、伝送途中でビット誤り（'1' が '0' になるなど）が発生する可能性があります。そこで受信側でそれを検出したり、修正する仕組みが必要となります。試験では、主に誤り制御の種類や方法が問われます。

問1 誤り制御方式

check

通信回線の伝送誤りに対処するパリティチェック方式(垂直パリティ)の記述として、適切なものはどれか。

ア　1ビットの誤りを検出できる。

イ　1ビットの誤りを訂正でき、2ビットの誤りを検出できる。

ウ　奇数パリティならば1ビットの誤りを検出できるが、偶数パリティでは1ビットの誤りも検出できない。

エ　奇数パリティならば奇数個のビット誤りを、偶数パリティならば偶数個のビット誤りを検出できる。

問2 パリティチェック

check

図のように16ビットのデータを4×4の正方形状に並べ、行と列にパリティを付加することによって何ビットまでの誤りを訂正できるか。ここで、図の網掛け部分がパリティを表している。

1	0	0	0	1
0	1	1	0	0
0	0	1	0	1
1	1	0	1	1
0	0	0	1	

ア　0(訂正はできない)　　イ　1

ウ　2　　エ　3

ここがポイント！

《パリティチェックとパリティビット》

パリティビットは、データが正しいかどうかを判断するために、データ本体に付加される検査ビット。**奇数パリティ方式**は、データ本体のビット列中にある“1”のビット数が偶数個であればパリティビットを“1”に、奇数個であれば“0”にして、データ列全体としてビット“1”の数を奇数個になるようにする（**偶数パリティ方式**では全体が偶数になるようにビットを付加する）。調歩同期式では偶数パリティ、SYN同期方式では奇数パリティが採用されている。

《水平パリティチェックと垂直パリティチェック》

2進数字が行列の形式になっているときに、行方向（転送ブロック単位）に対して行う奇偶検査を**水平パリティチェック**、列方向（1文字単位）に対して行う検査を**垂直パリティチェック**という。水平パリティチェックだけでは1ビットの誤りしかチェックできないが、垂直パリティチェックを組み合わせることで、2ビット以上の誤り検出ができる確率が高くなる。

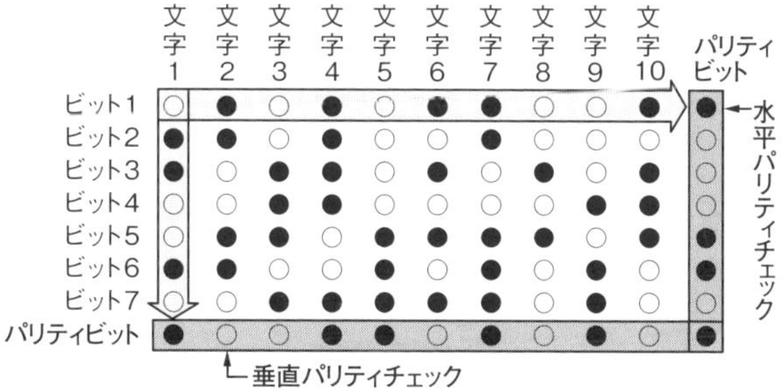

《CRC（Cyclic Redundancy Check）：巡回冗長検査》

データ転送時の誤り訂正方式の一つで、連続した誤り（バースト誤り）の発見に効果がある。フレーム同期方式のHDLC手順などで採用されているもので、0と1で構成されるビット列を多項式（例:0100101 ＝ $X^5 + X^2 + X^0$）と見なし、あらかじめ決められた生成多項式で割算（モジュロという特殊な演算を用いる）し、その余りをデータの末尾に付加して送信する。受信側で同じ生成多項式で割り切れれば正常、割り切れなければ再送要求を行う。

解説 1

【解答】ア

パリティチェックでは、1ビットの誤りを検出するだけで、2ビット以上の誤り検出や誤り訂正はできない。イ：データ中に含んだチェックビットにより、誤りの検出と訂正を行うハミング符号が該当する。4ビットの情報ビットに対し、3ビットのチェックビットを付加したハミングコードにより、2ビットの誤り検出と1ビットの誤り訂正が可能になる。
ウ、エ：偶数パリティや奇数パリティは、検出数とは関係がない。

解説 2

【解答】イ

パリティチェックは、1のビットの数が奇数、または偶数になるように検査用のビットを付加して送り、受信側でビット誤りを検出するものである。問題では、水平（行方向）・垂直（列方向）の両方に偶数パリティが付けられている。仮に、1ビット誤りが発生したとすると、いずれか1つの行および列で誤りが検出され、その交点のビットが誤りであることがわかるため訂正できる。しかし、同一列または同一行で2ビットの誤りが発生すると、1のビットの数は偶数となり、誤りの場所を特定することはできない。

シラバス ●大分類1：基礎理論 ●中分類1：基礎理論
●小分類5：計測・制御に関する理論

Lesson 11

基礎理論

計測・制御に関する理論

この分野の出題範囲には、信号処理と制御の仕組みが含まれます。試験でよく出題されるのはA/D変換の手順やサンプリング間隔の計算問題、制御方式の種類、センサとアクチュエータの役割と種類など。関連する第2章の「ハードウェア」からも出題されます。

問1 デジタル変換の工程

check

標本化、符号化、量子化の三つの工程で、アナログをデジタルに変換する場合の順番として、適切なものはどれか。

ア　標本化、量子化、符号化
イ　符号化、量子化、標本化
ウ　量子化、標本化、符号化
エ　量子化、符号化、標本化

問2 A/D変換のデータ量

check

アナログ音声信号を、サンプリング周波数44.1kHzのPCM方式でデジタル録音するとき、録音されるデータ量は何によって決まるか。

ア　音声信号の最高周波数
イ　音声信号の最大振幅
ウ　音声データの再生周波数
エ　音声データの量子化ビット数

問3 フィードバック制御

check

フィードバック制御の説明として、適切なものはどれか。

ア　あらかじめ定められた順序で制御を行う。
イ　外乱の影響が出力に現れる前に制御を行う。
ウ　出力結果と目標値とを比較して、一致するように制御を行う。
エ　出力結果を使用せず制御を行う。

ここがポイント！

《A/D (Analog-to-Digital) 変換》

アナログ信号をデジタル信号に変換することを、**A/D変換**と呼ぶ。**パルス符号変調(PCM)**は、アナログ信号をデジタル信号(パルス列)に変換する代表的な方式。パルス符号変調では、図のようにアナログ信号を**標本化**→**量子化**→**符号化**の3段階で変換する。また、雑音を除去する**ローパスフィルタ**を使ったフィルタリングを行うことがあり、A/D変換の前処理として波形のゆがみの除去を行う。

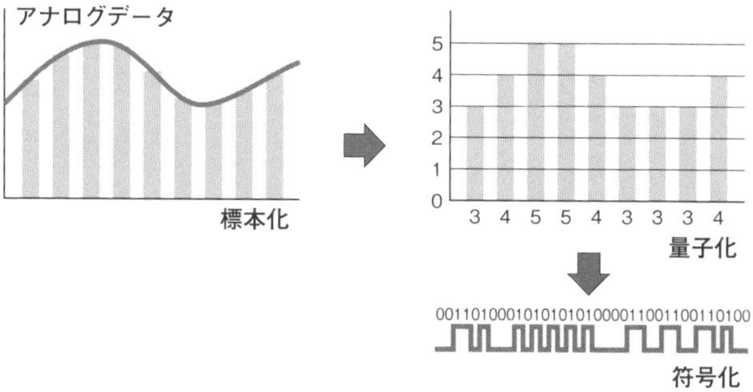

①標本化(サンプリング)

連続的に変化しているアナログデータに対して、一定間隔ごとにその瞬間の値を測定すること。1秒間に行う標本化の回数を**サンプリング周波数**と呼び、単位はHz(ヘルツ)が使われる。正確な標本化のためには、元データに対し一定量の周波数が必要だが、周波数が高くなると、生成されるデータ量も多くなる。

②量子化・符号化

量子化では、測定した信号の値をnビットの適当な整数値に丸め、符号化で、その値をnビットの2進数に変換する。nの値が大きいほど精度が増し、アナログ信号の再現性に優れるが、データ量は多くなる。例えば、サンプリング周波数8kHz、8ビットで量子化した場合の1秒間のデータ量は、8,000 × 8 = 64kビットになる。

解説 1

【解答】ア

アナログからデジタルへの変換(A/D変換)は、標本化、量子化、符号化の順で3段階に分けて変調を行う。データ量の増減は、標本化の際のサンプリング周波数(周波数が高いほど元の音声に忠実になる)、量子化の際の変換ビット数(ビット数が多いほど再現力に優れる)によって決まる。

解説 2

【解答】エ

PCM方式では、アナログ情報を標本化、量子化、符号化の順で変調を行う。データ量の増減は、標本化の際のサンプリング周波数(周波数が高いほど元の音声に忠実になる)、量子化の際の変換ビット数(ビット数が多いほど再現力に優れる)によって決まる。ア、イ：元の音声の特性はデータ量に影響しない。ウ：再生時の周波数なので録音時のデータ量とは関係がない。

解説 3

【解答】ウ

フィードバック制御は、センサなどから入る現在の状態を反映させながら、目標値と一致するように制御する。ア：シーケンス制御の説明。イ：フィードフォワード制御の説明。エ：オープンループ制御の説明。

問 4 アクチュエータの説明

check

アクチュエータの説明として、適切なものはどれか。

ア　与えられた目標量と、センサから得られた制御量を比較し、制御量を目標量に一致させるように操作量を出力する。
イ　位置、角度、速度、加速度、力、温度などを検出し、電気的な情報に変換する。
ウ　エネルギー発生源からのパワーを、制御信号に基づき、回転、並進などの動きに変換する。
エ　マイクロフォン、センサなどが出力する微小な電気信号を増幅する。

問 5 センサの種類

check

変形を感知するセンサを用いると、高架道路などの状態を監視してメンテナンスすることが可能である。この目的で使用されているセンサはどれか。

ア　サーミスタ　　イ　ジャイロ
ウ　ひずみゲージ　　エ　ホール素子

《制御の方式》

①シーケンス制御

あらかじめ決められた手順に従って、制御を進めていく方式。

②フィードバック制御（クローズドループ制御）

目標値とセンサによる実測値の差が０になるように、「計測→演算→動作データの出力」をループ（変化を反映させる）させて制御する方式。

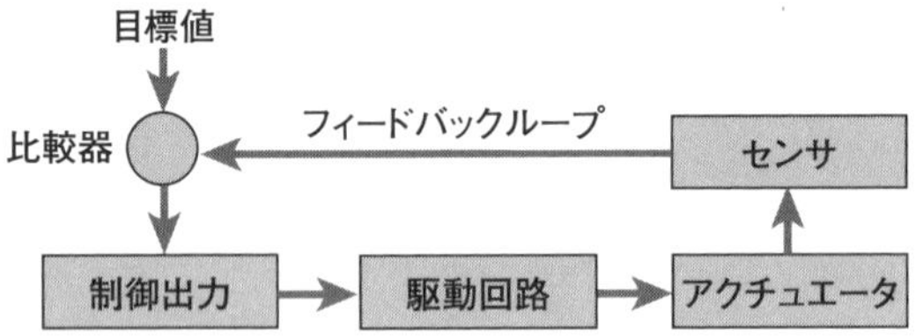

③フィードフォワード制御

フィードバック制御の妨げとなる、制御を乱す外的要因の発生を事前に検知して補正する制御方式。フィードバック制御と併用することで、より安定した制御が行える。

④オープンループ制御

フィードバックループがない制御方式で、目標値として決められたタイミングに従って制御を行う。フィードバックがないため、思わぬ外的要因の発生が起こったときは対応できない。

《センサとアクチュエータ》

制御対象の温度、光、圧力などの状態を把握するには、それぞれに対応したセンサが用いられる。また、演算結果の電気信号を制御のための機械的な動作に変換するアクチュエータを通じて、動力源となる電流／電圧（モータなど）、油圧、水圧、空気圧などに変換し、制御対象を一定の状態に保つ。センサの種類には、次のようなものがある。

①光センサ

光を検知して、電気信号に変換する。カメラの露出計、リモコン受信部、街灯、煙探知機などに利用されている。

②温度センサ

温度を検知する。接触式と非接触式、温度範囲によって分けられる。代表的なサーミスタ（感熱抵抗体）は、温度上昇に対して抵抗が増加するもの（サーモスタットなどに利用）または減少するもの（電子体温計などに利用）などがある。

③ジャイロセンサ

物体の回転（角速度）を検知する。スマホやカーナビ、デジタルカメラの手ぶれ補正などに利用される。

④磁気センサ

磁場を検出するセンサ。代表的なものにホール素子がある。電流計、開閉検出、位置検出など多用途に利用される。

⑤圧力センサ

物質間の力学エネルギーを検出。ひずみゲージは、変形の検出、重量測定、強度測定などに利用される。

⑥加速度センサ

物体の動きや振動、傾きなどを検知する。

解説 4

【解答】ウ

アクチュエータは、センサなどで制御対象の状態を把握し、そのデータに基づいてコンピュータが演算した結果を、実際の動作に変換する装置や機器のこと。具体的には、サーボモータ、ステッピングモータ、電磁石（ソレノイド）などの電気式アクチュエータ、空気圧や油圧アクチュエータがある。ア：フィードバック制御の説明。イ：各種センサが行う機能。エ：電気信号を増幅するのはアンプが行う機能。

解説 5

【解答】ウ

変形を感知するということから、圧力センサが該当する。多種ある中でも、変形の検出、重量測定、強度測定などに利用されるのは、ひずみゲージである。ア：サーミスタは、温度センサの一つ。イ：ジャイロは、物体の回転を検知するセンサ。エ：ホール素子は、磁場を検出する磁気センサの一つ。

Lesson 12

アルゴリズムとプログラミング

スタックとキュー

スタックとキューは、データの格納と取り出し順が逆になるのが特徴です。試験では、両者を組み合わせたデータの格納と取り出し順が具体例で問われます。問題文のルールを正確に読み取って、間違いのないように正解を導く必要があります。

問1 スタックが適した処理

check

加減乗除を組み合わせた計算式の処理において、スタックを利用するのが適している処理はどれか。

ア　格納された計算の途中結果を、格納された順番に取り出す処理

イ　計算の途中結果を格納し、別の計算を行った後で、その計算結果と途中結果との計算を行う処理

ウ　昇順に並べられた計算の途中結果のうち、中間にある途中結果だけ変更する処理

エ　リストの中間にある計算の途中結果に対して、新たな途中結果の挿入を行う処理

問2 データの出力順

check

A、B、Cの順序で入力されるデータがある。各データについてスタックへの挿入と取出しを1回ずつ行うことができる場合、データの出力順序は何通りあるか。

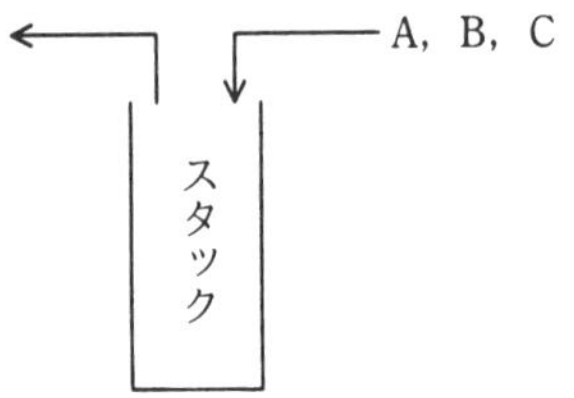

ア　3　　イ　4　　ウ　5　　エ　6

問3 待ち行列に対する操作

check

待ち行列に対する操作を、次のとおり定義する。

ENQ n　：待ち行列にデータnを挿入する。
DEQ　　：待ち行列からデータを取り出す。

空の待ち行列に対し、ENQ 1、ENQ 2、ENQ 3、DEQ、ENQ 4、ENQ 5、DEQ、ENQ 6、DEQ、DEQの操作を行った。次にDEQ操作を行ったとき、取り出されるデータはどれか。

ア　1
イ　2
ウ　5
エ　6

ここがポイント！

《スタック》

後入れ先出し（LIFO；Last-In First-Out）型のデータ構造をもち、最後に格納されたデータが最初に取り出される。

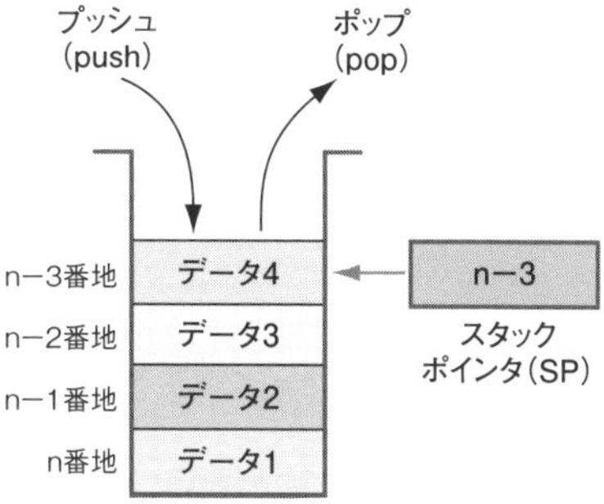

- データを積み上げる操作を（**push**：プッシュ）、上から取り出す操作を（**pop**：ポップ）という。
- 格納する場所は、**スタックポインタ（SP）**で管理。プッシュする場合は、SP − 1 → SPのアドレス計算を行い、ポップするときは、SPが指すアドレスからデータを取り出してから、SP + 1 → SPの処理を行う。
- サブルーチンの呼出しや関数の再帰呼出し、データの退避・復元などに利用される。

《キュー》

先入れ先出し（FIFO；First-In First-Out）型のデータ構造をもち、最初に格納されたデータが最初に取り出される。

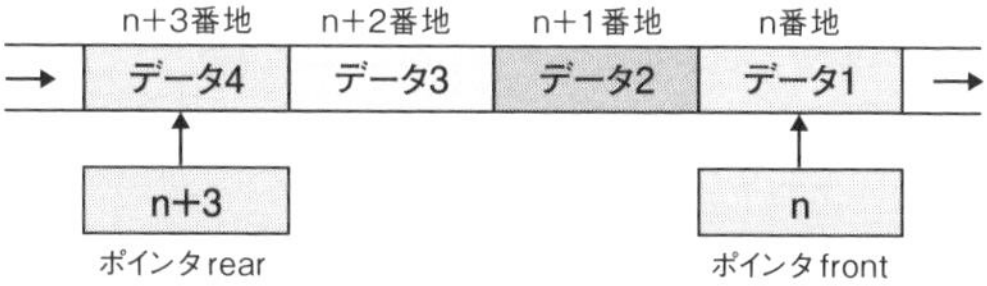

- データを列の最後に格納する操作を（enqueue：エンキュー）、列の先頭から順に取り出す操作を（dequeue：デキュー）という。
- マルチプログラミングにおける実行待ちの列（タスク指名待ち行列）などで利用される。

解説 1　【解答】イ

スタックは、最後に格納したデータを最初に取り出すデータ構造であることから、一時的に入れた計算の途中結果を、すぐに利用することが可能になる。ア：格納された順番に取り出すことからキューが適している。ウ：「昇順に並べられた」とあることから、途中結果を検索する処理も考慮すると考えられるため、2分探索木が適している。エ：リストが適している。

解説 2　【解答】ウ

A、B、Cの出力順序は{A、B、C}、{A、C、B}、{B、A、C}、{B、C、A}、{C、A、B}、{C、B、A}の6通りになる。ただし、スタックでは後のデータを入れてしまうと先に入れたデータから取り出すことはできないことから、出力できない順序があることに注意。下図のようにCから取り出す場合は、スタックに3つの要素が格納されることになり、{C、B、A}は可能だが、{C、A、B}は出力できない。したがって5通り。

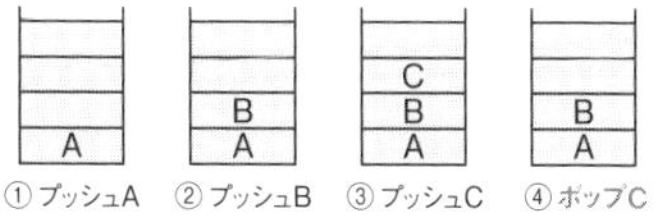

解説 3　【解答】ウ

キューは、最初に格納されたデータが最初に取り出される。問題文の操作に従って、入れた値を見ていけばよい。最初の3つのENQ操作によりキューは「3→2→1」（矢印は挿入方向）。DEQにより「1」が取り出され、2つのENQにより「5→4→3→2」。さらにDEQにより「2」が取り出され、「6」が入って2回のDEQにより「6→5」となる。ここからDEQで取り出されるのは「5」。

Lesson 13

アルゴリズムとプログラミング

リスト構造

リスト構造は、データの要素につながりを持たせたデータ構造です。ポインタによるリストでは、データにポインタ（位置情報）を持たせることで、各データを論理的に連結します。また、データが物理的に連続している必要がないため、挿入や削除が容易です。

問1 双方向リストへの追加 check

次のような双方向ポインタをもつリスト構造のデータがある。社員Gを社員Aと社員Kの間に追加する場合、追加後の表のポインタ(a～f)のうち、追加前と比べて値が変わる箇所は何か所か。

アドレス	社員名	次ポインタ	前ポインタ
100	社員A	300	0
200	社員T	0	300
300	社員K	200	100

追加後

アドレス	社員名	次ポインタ	前ポインタ
100	社員A	a	b
200	社員T	c	d
300	社員K	e	f
400	社員G		

ア　1　　イ　2

ウ　3　　エ　4

問2 配列を用いたリストの特徴 check

データ構造の一つであるリストは、配列を用いて実現する場合と、ポインタを用いて実現する場合とがある。配列を用いて実現する場合の特徴はどれか。ここで、配列を用いたリストは、配列に要素を連続して格納することによって構成し、ポインタを用いたリストは、要素から次の要素へポインタで連結することによって構成するものとする。

ア　位置を指定して、任意のデータに直接アクセスすることができる。

イ　並んでいるデータの先頭に任意のデータを効率的に挿入することができる。

ウ　任意のデータの参照は効率的ではないが、削除や挿入の操作を効率的に行える。

エ　任意のデータを別の位置に移動する場合、隣接するデータを移動せずにできる。

ここがポイント！

《ポインタによるリスト》

リストの要素は、データ部とポインタ部からなるセルと呼ばれる単位。ポインタ部の値により次に連結(リンク)されるセルが決まり、連結方法によって次のような種類がある。

①**単方向リスト**…次のデータへのポインタを持ち、後ろのデータに向かって一定方向にだけリンクをたどることができる。

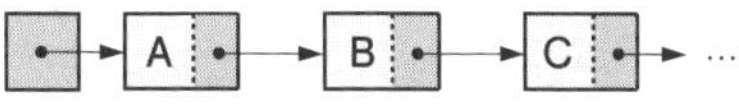

(↑次のリストを指すポインタ)

②**双方向リスト**…直前のデータへのポインタと次のデータへのポインタを持ち、両方向へリンクをたどることができる。

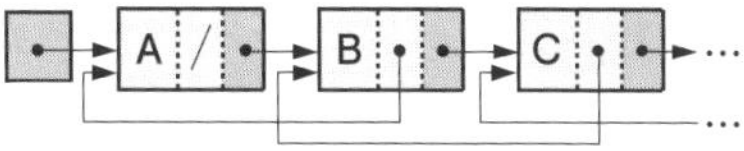

③**環状リスト**…単方向リストと同じく、次のデータへのポインタだけを持つ。さらに、リストの最後に位置するデータは、リストの先頭のデータへのポインタを持つ。

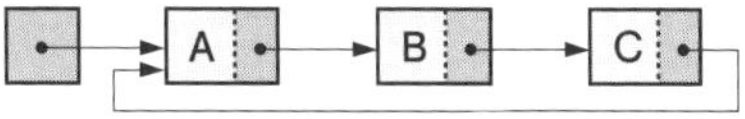

《配列によるリスト》

リストの要素を一次元配列の連続領域に格納したもの。位置がわかれば直接指定できるので読み出しは速いが、挿入は要素を順送りして空きを作る必要があり、削除は要素を詰めていくため時間が掛かる。また、あらかじめ余裕を持った領域を確保しておく必要がある。

(配列による単方向リストの例)

	0	1	2	3	4	5	6	7	8	9
配列	A	B	C	D	E	F	G	H	I	J

head 0　　tail 9

ポインタを格納する配列を別途用意することで、挿入や削除時の順送りの操作が不要になる。配列要素へのアクセスは、同位置のポインタ配列をたどる(最後の要素は0)。

	0	1	2	3	4	5	6	7	8	9
要素の配列		A	B	C	D	E	F	G	H	I
ポインタ配列(添え字を示す)	1	5	0	7		3		2		

head 0

	1	2	3	4	5
実際のリスト	A	E	C	G	B

解説 1

【解答】イ

社員Aと社員Kの間に社員Gを追加するには、以下の操作が必要となる。

① 社員Gの前ポインタを社員Aのアドレス(100)とする。
② 社員Gの次ポインタを社員Kのアドレス(300)とする。
③ 社員Aの次ポインタを社員Gのアドレス(400)とする。…ポインタの変更

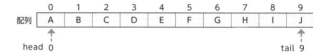

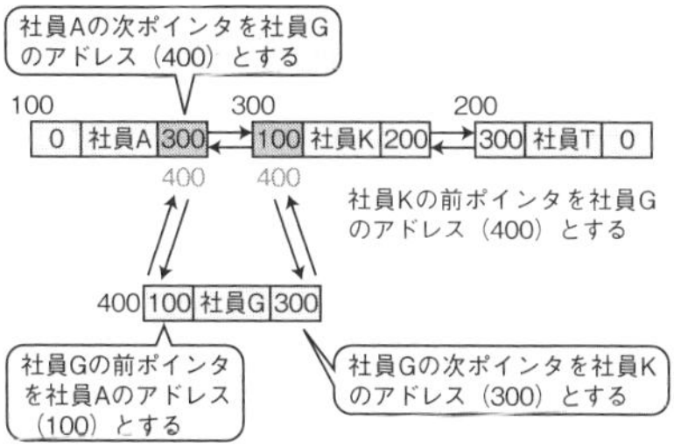

④ 社員Kの前ポインタを社員Gのアドレス(400)とする。…ポインタの変更
以上から、追加前と比べて値が変更される箇所は2か所である。

解説 2

【解答】ア

配列によるリストは、連続した配列領域を要素番号(添え字)で管理する。データ位置は直接指定することができるが、ポインタのように順を変更できないので、挿入や削除を行う場合、物理的な位置変更が必要となる。ア:正解。イ:先頭にデータを挿入するには、空欄を設けるために末尾までの要素を後ろからずらす必要がある。ウ:参照は効率的で、削除や挿入は効率的でない。エ:まず空欄を作ってデータを移動し、不要な要素を詰める2回の移動を行う。

Lesson

シラバス ●大分類1：基礎理論 ●中分類2：アルゴリズムとプログラミング ●小分類1：データ構造

アルゴリズムとプログラミング

14 木構造

木構造とは、データの関係を階層的に表現したデータ構造のことです。2分木（AVL木、2分探索木）、B木など、さまざまな形があり、用途に応じて使い分けられます。試験では、それぞれの木の特徴、2分探索木へのデータ格納などが問われます。

テクノロジ系

問1 2分木を用いたデータ格納

check

2分木を入力するためのテキスト表現を、次のように規定した。図のように節に番号をつけたとき、テキスト表現として正しいものはどれか。

〔テキスト表現〕

(1) (左部分木の節番号またはテキスト表現，節番号，右部分木の節番号またはテキスト表現）と表す。

(2) 部分木が空のときはxを書く。

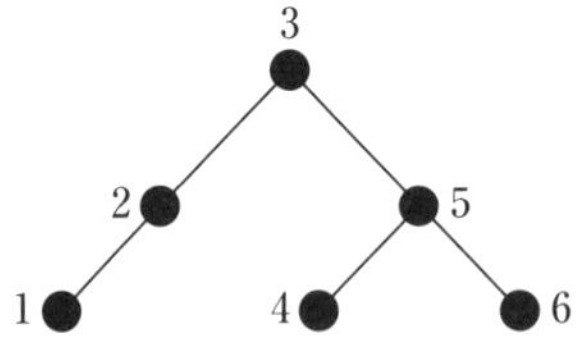

ア ((1，2)，3，(4，5，6))

イ ((1，2，3)，x，(4，5，6))

ウ ((1，2，x)，3，(4，5，6))

エ ((1，2，x)，3，(6，5，4))

問2 2分木の走査

check

2分木の走査の方法には、その順序によって次の三つがある。

(1) 前順：節点、左部分木、右部分木の順に走査する。

(2) 間順：左部分木、節点、右部分木の順に走査する。

(3) 後順：左部分木、右部分木、節点の順に走査する。

図に示す2分木に対して前順に走査を行い、節の値を出力した結果はどれか。

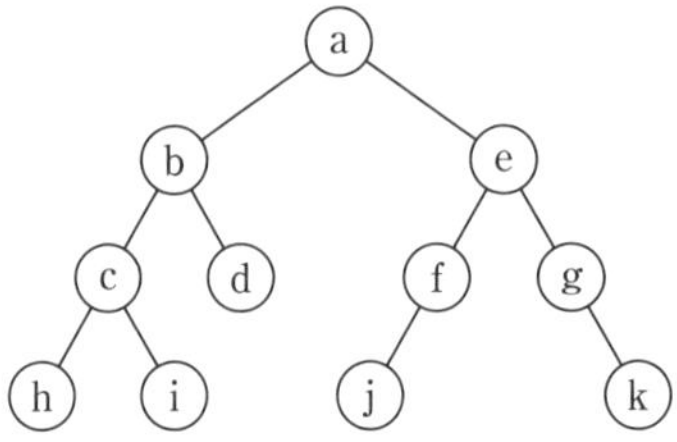

ア abchidefjgk

イ abechidfjgk

ウ hcibdajfegk

エ hicdbjfkgea

ここがポイント！

《2分木の種類》

節が持つ枝（ブランチ）の数（葉の方向）が２本以下のもの。

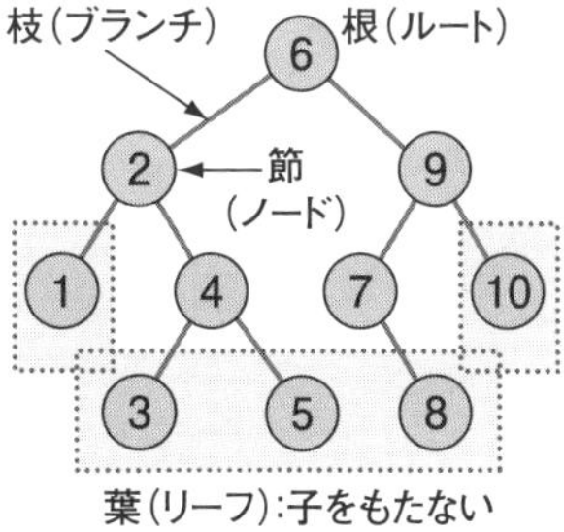

①AVL木

任意の節において、左右の部分木の高さの差が１以下のもの。データ探索などに使われる。

②２分探索木

各節にデータを格納したもので、どの節についても「節の左側のデータ＜節のデータ＜節の右側にあるデータ」を満たすようにデータが格納される。

③ヒープ

どの親子関係も、親＜子になっているが、２分探索木のように左右の部分木の順序はない。最大値（最小値）が見つかればよいときなどに使う。

《B木（多分木）》

葉までの階層の深さがすべて等しく、１つの節が複数の子を持つ多分木構造。データ量が多くなっても記憶効率、探索効率がよく、階層型データベースなどで利用される。

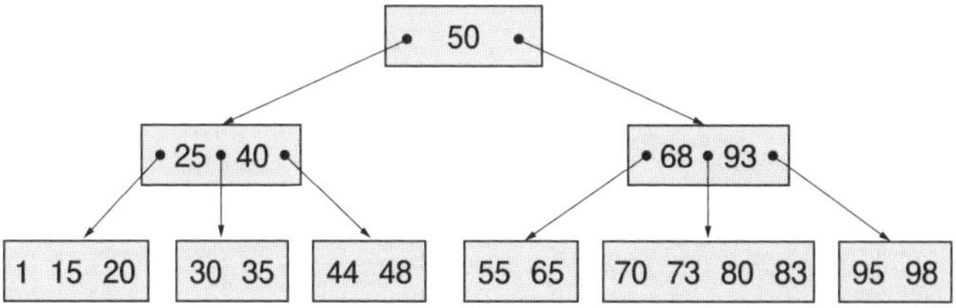

解説 1

【解答】ウ

節番号３を根とした２分木は、(左部分木,3,右部分木)で表現できる。さらに、左部分木および右部分木も２分木であるから、左部分木は(1, 2, x)、右部分木は(4, 5, 6)と表現できる。

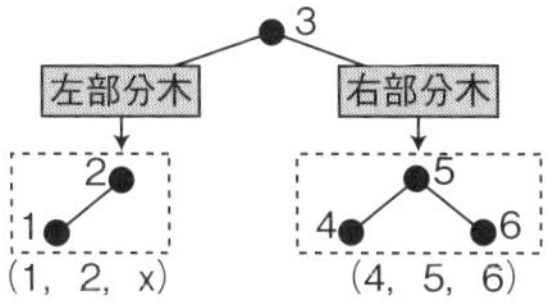

以上から、

((1, 2, x), 3, (4, 5, 6))

が正しい表現である。

解説 2

【解答】ア

上図の走査を参考に、問題の図に示された２分木を前順「節点→左部分木→右部分木」の順になぞると、次図のようになる。

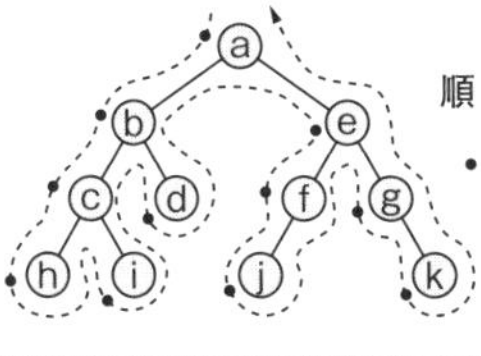

順：a b c h i d e f j g k

●：値を出力するタイミング

15 アルゴリズムとプログラミング アルゴリズムと流れ図

アルゴリズムを表現する方法として、代表的な手法が流れ図（フローチャート）です。午前試験のアルゴリズム問題は流れ図で出題されることが多いので、数多くの問題演習を行って、短時間で解けるように慣れておくとよいでしょう。

問1 流れ図の実行結果

check

xとyを自然数とするとき、流れ図で表される手続を実行した結果として、適切なものはどれか。

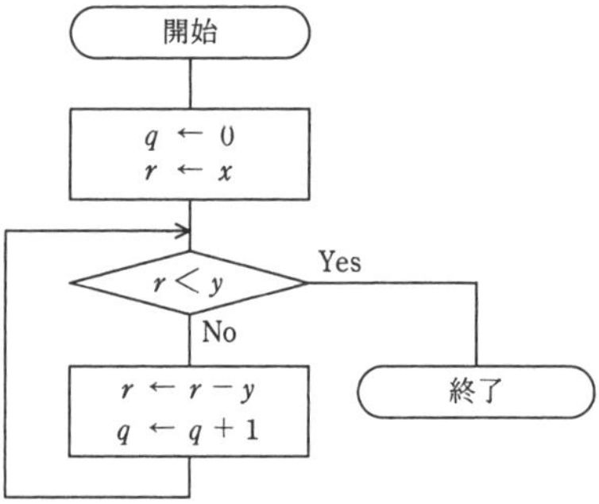

	qの値	rの値
ア	$x \div y$の余り	$x \div y$の商
イ	$x \div y$の商	$x \div y$の余り
ウ	$y \div x$の余り	$y \div x$の商
エ	$y \div x$の商	$y \div x$の余り

問2 流れ図の結果を等しくする値

check

次の流れ図は、2数A、Bの最大公約数を求めるユークリッドの互除法を、引き算の繰返しによって計算するものである。Aが876、Bが204のとき、何回の比較で処理は終了するか。

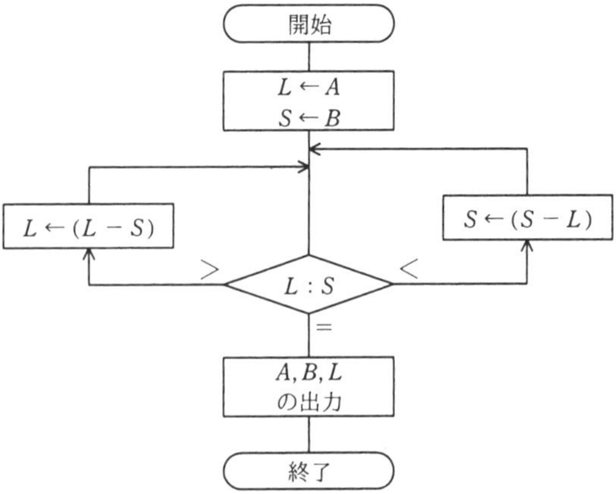

ア　4　　イ　9　　ウ　10　　エ　11

ここがポイント！

《基本アルゴリズム その1》

○多重選択処理 —3つの値の最大値を求める—

3つの変数A、B、Cの中の最大値を変数MAXに代入する（値が同じときにはA、B、Cの優先順で代入）アルゴリズムである。選択処理「A≧B」の真と偽の場合の処理それぞれが、さらに選択処理になる。

まず、変数Aと変数Bの値を比較する

A≧Bなら、Bが最大値になる可能性はないので、次にAとCを比較する

A＜Bなら、Aが最大値になる可能性はないので、次にBとCを比較する

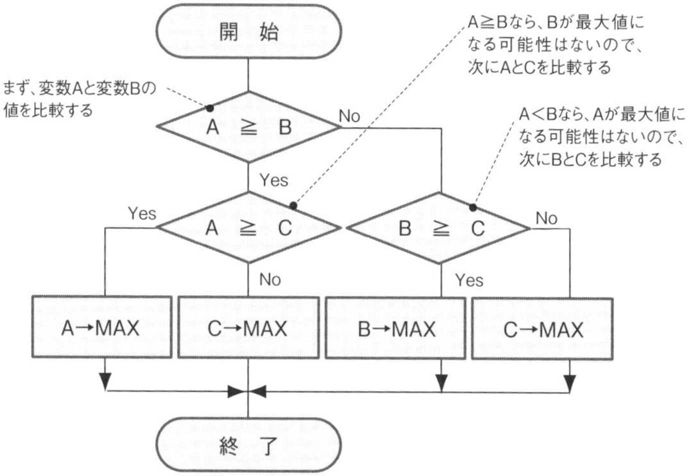

解説 1

【解答】
イ

流れ図を読み取り、変数にどんな結果が求められるかを解答する問題である。選択肢を見ると、xとyの値で割り算を行い、qとrに商または余りが入ると予測できる。まず初期設定でxの値をrに入れていることから、判断記号の部分はxとyの比較である。yが大きいときには処理を終了していることから$y÷x$ではなく$x÷y$の順になる。また、判断の直後にrの値からyの値を引いていることから、引き算の繰り返しで割り算を行っていることがわかる。qは引き算を行うたびに1ずつ増やされるので商が求められ、rにはyの値が引けなくなったときの値、つまり余りが求められる。

解説 2

【解答】
エ

ユークリッドの互除法は、「整数Aを整数Bで割ったときの余りをRとするとき、AとBの最大公約数はBとRの最大公約数でもある」という性質を利用している。この問題の流れ図では、割り算を引き算の繰り返しで行うため、①では「L－S→L」が4回、②では「S－L→S」が3回、③では「L－S→L」が2回実行される。④では余りが0になるまで実行されるとすると、「S－L→S」は2回だが、「L＝S」になったら繰り返しが終了するので1回のみの実行となる。ここで、L、Sそれぞれの引き算が実行された後、必ず比較「L：S」が実行されるので、最初の比較1回と引き算処理時の比較回数（4＋3＋2＋1）を加え、計11回となる。

$$876\,(L) ÷ 204\,(S) = 4 \quad 余り\,60 \quad \cdots \cdots ①$$

$$204\,(S) ÷ 60\,(L) = 3 \quad 余り\,24 \quad \cdots \cdots ②$$

$$60\,(L) ÷ 24\,(S) = 2 \quad 余り\,12 \quad \cdots \cdots ③$$

$$24\,(S) ÷ \underline{12\,(L)} = 2 \quad 余り\,0 \quad \cdots \cdots ④$$

最大公約数

問 3 10進数を2進数に変換する check

次の流れ図は、10 進整数 j (0 < j < 100) を 2 進数に変換する処理を表している。2 進数は下位桁から順に、配列 NISHIN の要素 1 から 8 に格納される。流れ図の a および b に入る処理はどれか。ここで、j div 2 は j を 2 で割った商の整数部分を、j mod 2 は j を 2 で割った余りを表す。

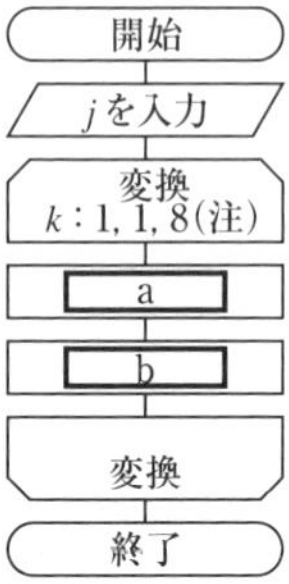

(注) ループ端の繰返し指定は、変数名：初期値, 増分, 終値を示す。

	a	b
ア	j div 2 → j	j mod 2 → *NISHIN*[k]
イ	j div 2 → *NISHIN*[k]	j mod 2 → j
ウ	j mod 2 → j	j div 2 → *NISHIN*[k]
エ	j mod 2 → *NISHIN*[k]	j div 2 → j

問 4 結果が等しい流れ図の作成 check

整数型の変数 A と B がある。A と B の値にかかわらず、次の 2 つの流れ図が同じ働きをするとき、a に入る条件式はどれか。ここで、AND、OR、$\overline{X}$ は、それぞれ論理積、論理和、X の否定を表す。

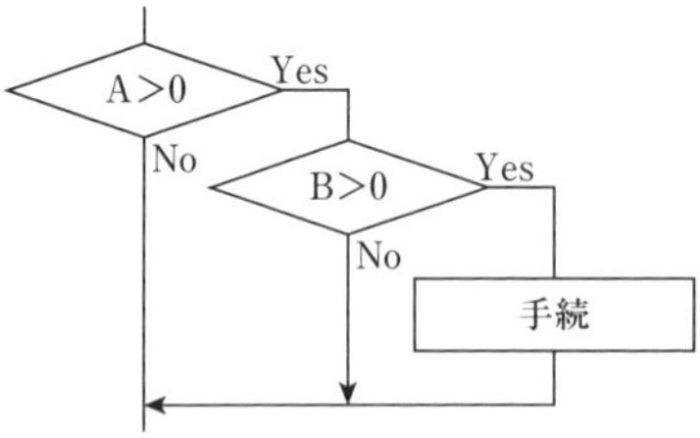

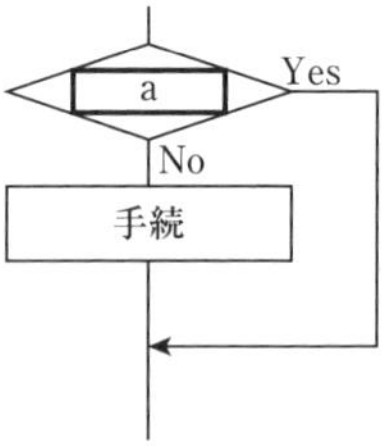

ア (A > 0) AND (B > 0)　　イ (A > 0) OR (B > 0)

ウ $\overline{(A > 0)}$ AND $\overline{(B > 0)}$　　エ $\overline{(A > 0)}$ OR $\overline{(B > 0)}$

《基本アルゴリズム その2》

○繰返し処理 —配列要素の最大値を求める—

データは配列Sに入っており、配列の末尾の要素には終了を表す−999という値が入っている。また、有効な（最大値になる）データは最低限1つ以上あるものとする。

MAXの初期値として、先頭の
配列要素（S[0]）を代入する

変数idxは、変数MAXと比較する配
列要素を示す添え字。比較対象は、
配列の2番目の要素から

「番兵」かどうかのチェックを
する

比較した配列要素のほうの値が大
きかったので、最大値MAXを更新

次の要素を指し示すように、添え
字をインクリメント（1加算）する

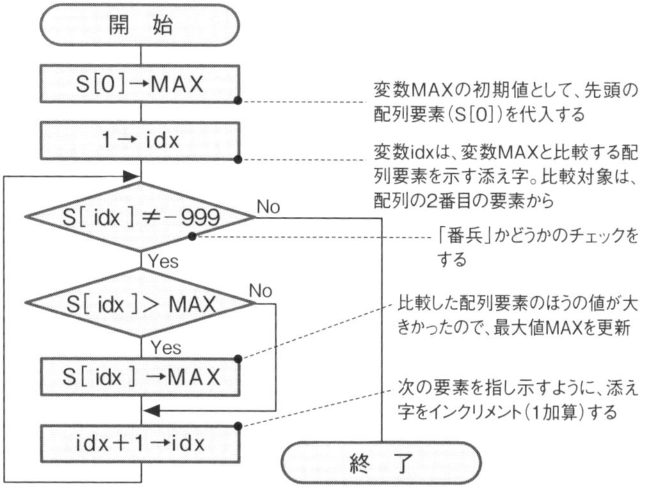

解説 3

【解答】
エ

例えば、10進数の6を2進数に変換する場合は次のように行う。

```
2 ) 6      余り
2 ) 3    … 0
2 ) 1    … 1
    0    … 1
```

この手順を流れ図に置き換えると、

(1) $6 \rightarrow j$
(2) $j \div 2 = 6 \div 2 \rightarrow j\ (=3)$　余り $0 \rightarrow$ NISHIN[1]
(3) $j \div 2 = 3 \div 2 \rightarrow j\ (=1)$　余り $1 \rightarrow$ NISHIN[2]
(4) $j \div 2 = 1 \div 2 \rightarrow j\ (=0)$　余り $1 \rightarrow$ NISHIN[3]

となる。したがって、

　a：jを2で割った余りをNISHIN[k]に格納する
　b：jを2で割った商を、jに格納する

という手順を繰り返せばよい。

解説 4

【解答】
エ

左側の流れ図で手続を実行する条件は、「A＞0 AND B＞0」である。これと同様に、右側の流れ図において、「A＞0 AND B＞0」のときに手続を実行するためには、条件aが「A＞0 AND B＞0」の否定でなければならない。したがって、条件aは、

$\overline{A＞0\ AND\ B＞0}$　　ド・モルガンの法則により、

$\overline{A＞0}\ OR\ \overline{B＞0}$　　となる。

問 5 2進整数の乗算を行う流れ図

check

右の流れ図は、シフト演算と加算の繰返しによって2進整数の乗算を行う手順を表したものである。この流れ図中のa、bの組合せとして、適切なものはどれか。ここで、乗数と被乗数は符号なしの16ビットで表される。X、Y、Zは32ビットのレジスタであり、桁送りには論理シフトを用いる。最下位ビットを第0ビットと記す。

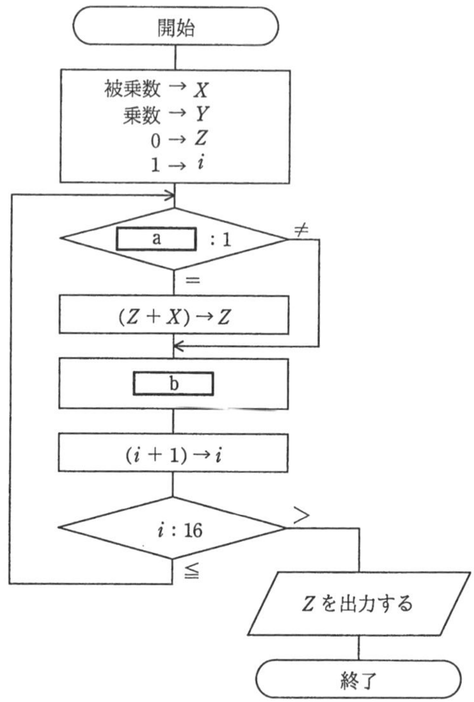

	a	b
ア	Yの第0ビット	Xを1ビット左シフト、Yを1ビット右シフト
イ	Yの第0ビット	Xを1ビット右シフト、Yを1ビット左シフト
ウ	Yの第15ビット	Xを1ビット左シフト、Yを1ビット右シフト
エ	Yの第15ビット	Xを1ビット右シフト、Yを1ビット左シフト

テクノロジ系

《基本アルゴリズムその 3》

◯多重繰返し処理　—九九表を出力する—

変数iが 1 のとき変数jを 1, 2, 3, …, 9 と変化させ、1 × 1, 1 × 2, 1 × 3, …, 1 × 9 の結果を順に表示する。これを変数iが 9 になるまで繰り返すことで九九表の作成を行う。外側の繰返しと内側の繰返しを分けて考える(ループに関わる変数の初期化を含む)。

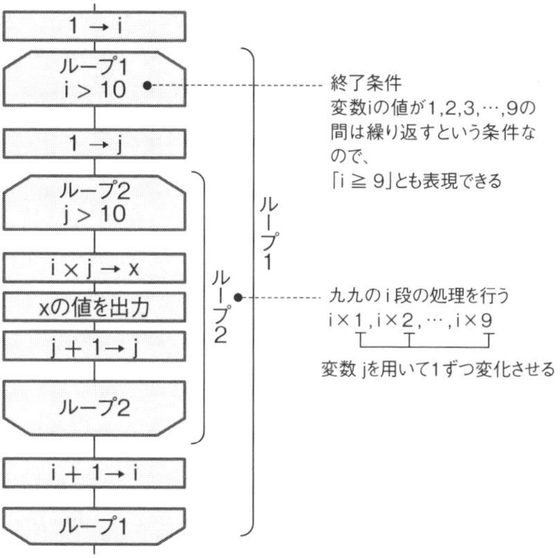

解説 5

【解答】ア

この問題のアルゴリズムは、2 進数を n ビット論理左シフトすると 2^n 倍ずつ増えることを利用している。乗数 Y の第 n ビットが 1 であれば、被乗数 X の 2^n 倍を出力となる Z に累計していくというものである。また、乗数 Y の第 n ビットが 1 であることを判断するため、論理右シフトを行いながら常に同じ位置のビット(第 0 ビット)が 1 であるかを判断している。なお i は、加算処理を行うたびに 1 ずつ増やしていき、格納されたビット数 16 と比較することで、終了判定をしている。下図は、15 × 5 の例で、乗数 Y の第 0 ビットが 1 であれば、その時点の被乗数 X を累計 Z に加算している。

	(31)		(6)	(5)	(4)	(3)	(2)	(1)	(0)	
被乗数 X	0	…	0	0	0	1	1	1	1	15
乗数 Y	0	…	0	0	0	0	1	0	1	1

	(31)		(6)	(5)	(4)	(3)	(2)	(1)	(0)	
累計 Z	0	…	0	0	0	0	0	0	0	0
被乗数 X	0	…	0	0	0	1	1	1	1	15

	(31)		(6)	(5)	(4)	(3)	(2)	(1)	(0)	
被乗数 X	0	…	0	0	1	1	1	1	0	30
乗数 Y	0	…	0	0	0	0	0	1	0	0

	(31)		(6)	(5)	(4)	(3)	(2)	(1)	(0)	
累計 Z	0	…	0	0	0	1	1	1	1	15

	(31)		(6)	(5)	(4)	(3)	(2)	(1)	(0)	
被乗数 X	0	…	0	1	1	1	1	0	0	60
乗数 Y	0	…	0	0	0	0	0	0	1	1

	(31)		(6)	(5)	(4)	(3)	(2)	(1)	(0)	
累計 Z	0	…	0	0	0	1	1	1	1	15
被乗数 X	0	…	0	1	1	1	1	0	0	60
累計 Z	0	…	1	0	0	1	0	1	1	75

Lesson 16 アルゴリズムとプログラミング

探索アルゴリズム

探索アルゴリズムには、要素の先頭から順に探索する線形探索、あらかじめ整列されたデータを効率よく探索する2分探索、関数によりキーを変換して格納場所を求めるハッシュ表探索があります。大まかにアルゴリズムを理解しておくと、問題の変化にも対応できます。

問1 番兵が有効な探索方法

check

次の探索方法のうちで番兵が有効なものはどれか。

ア　2分探索　　　イ　線形探索

ウ　ハッシュ探索　　　エ　幅優先探索

問2 2分探索のアルゴリズム

check

昇順に整列されたn個のデータが格納されている配列Aがある。流れ図は、配列Aからデータxを2分探索法を用いて探し出す処理である。a、bに入る操作の正しい組合せはどれか。ここで、除算の結果は小数点以下切捨てとする。

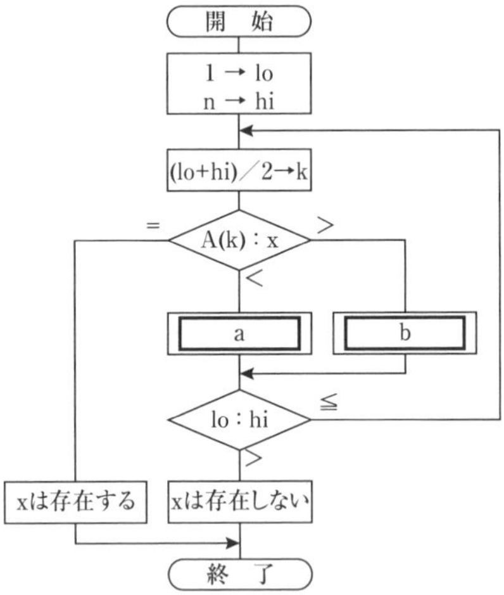

	a	b
ア	k＋1→hi	k－1→lo
イ	k－1→hi	k＋1→lo
ウ	k＋1→lo	k－1→hi
エ	k－1→lo	k＋1→hi

ここがポイント！

《番兵法》

番兵法は、先頭データから順に探索キーを検索していく線形探索で用いる手法。探索するキー値をあらかじめデータの最後に追加（これを番兵という）しておき、必ず探索キーが見つかるようにする。探索対象範囲の終了判定が不要になるため効率がよい。手順は次のとおり。

① 探索するキーと同じデータ（これを番兵という）を配列末尾にあらかじめ格納しておく。
② 配列の先頭から順に探索を始める。
③ 配列の途中でキーと同じデータが見つかれば、探索処理は直ちに終了する。
④ キーと同じデータを探索できなかった場合は、番兵により探索データを検出したときと同様に処理は終了。

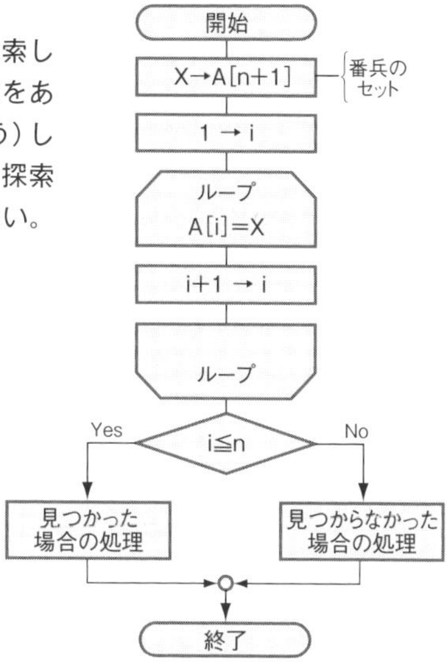

《2分探索法》

2分探索は配列要素が**昇順（降順）に整列されていること**が前提になる。配列A（要素数7）から、A[X]＝10と同じ値をもつ要素を見つけるアルゴリズムは以下のようになる。

① Low＝1、High＝7より、m＝(1＋7)÷2＝4となり、Low＜High、A[4]≠Xである。

5	7	10	12	15	18	20
A[1]	A[2]	A[3]	A[4]	A[5]	A[6]	A[7]
↑Low			↑m			↑High

② A[4]＞Xであるから、High＝m－1とする。つまり、A[4]以上のデータは、探す必要がないということである。

5	7	10	12	15	18	20
A[1]	A[2]	A[3]	A[4]	A[5]	A[6]	A[7]
↑Low		↑High	↑m			

③ Low＝1、High＝3より、m＝(1＋3)÷2＝2となり、Low＜High、A[2]≠X。

5	7	10	12	15	18	20
A[1]	A[2]	A[3]	A[4]	A[5]	A[6]	A[7]
↑Low	↑m	↑High				

④ A[2]＜Xであるから、Low＝m＋1とする。つまり、A[2]以下のデータは、探す必要がない。

5	7	10	12	15	18	20
A[1]	A[2]	A[3]	A[4]	A[5]	A[6]	A[7]
	↑m	↑HighおよびLow				

⑤ Low＝3、High＝3より、m＝(3＋3)÷2＝3となり、Low＝High、A[3]＝Xである。ここで、一致するものが見つかった。もし、ここで一致しなかった場合は、LowまたはHighの値が変更されて、Low＞Highとなるため、繰返しを終了するので、「一致するものが見つからなかった」という結論になる。

問3 ハッシュ値が衝突する確率

check

キー値の分布が1～1,000,000の範囲で一様ランダムであるデータ5個を、大きさ10のハッシュ表に登録する場合、衝突の起こる確率はおよそ幾らか。ここで、ハッシュ値はキー値をハッシュ表の大きさで割った余りを用いる。

ア　0.2　　イ　0.5　　ウ　0.7　　エ　0.9

問4 オープンアドレス法

check

アルファベット3文字のキーがあり、レコード番号が次のハッシュ関数によって決定されるものとする。いま"TUE"のキーを持つレコードが存在するとき、このレコードと衝突するのは、どのキーをもつレコードか。ここで、a mod b は、aをbで割った余りである。アルファベットの順位は表のとおりである。

アルファベット	順位
A	1
B	2
C	3
D	4
E	5
F	6
G	7
H	8
I	9
J	10
K	11
L	12
M	13

アルファベット	順位
N	14
O	15
P	16
Q	17
R	18
S	19
T	20
U	21
V	22
W	23
X	24
Y	25
Z	26

ハッシュ関数

h = (キー値の各アルファベット順位の総和) mod 32

ア　FRI　　イ　MON　　ウ　SUN　　エ　THR

テクノロジ系

《ハッシュ法(ハッシュ表探索法)》

キーとなるデータを入力値として、ハッシュ関数によってデータの格納場所を決定する方法。ハッシュ法の問題点は、異なるキー値から同一の格納場所(ハッシュ値)が得られること。これを**衝突(コリジョン)**といい、先に格納されているデータをホーム、衝突を起したデータを**シノニム**という。シノニムの発生がない場合、探索時間は一定である。

●ハッシュ法の考え方

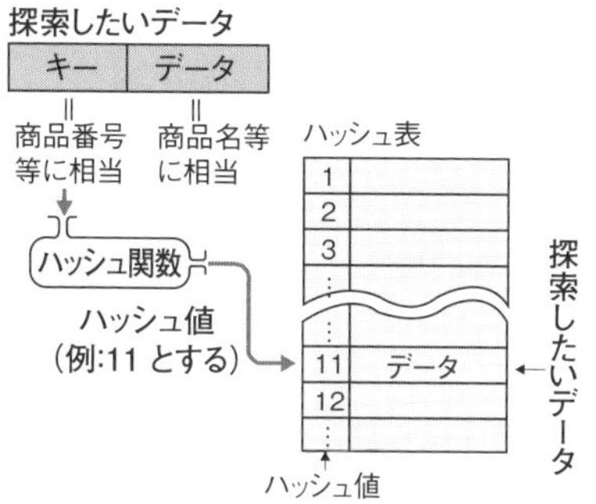

●衝突が起こる理由

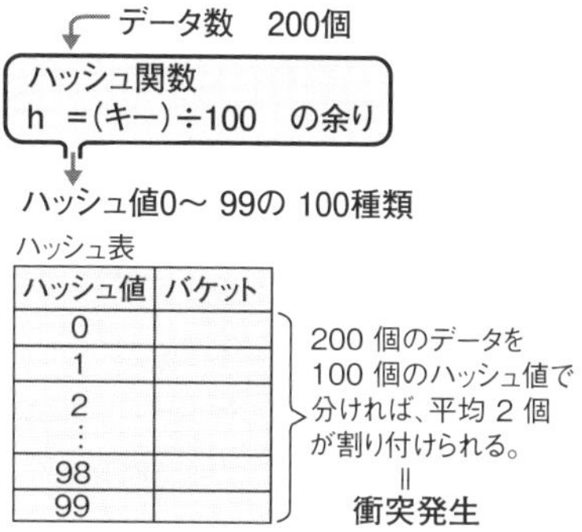

○衝突時の対応

衝突が起きたときは、アドレス値を増分しながら空きアドレスが見つかるまで調べていく。これを**オープンアドレス法**という。

解説 1 【解答】イ

番兵が有効なのは、先頭データから順に探索キーを検索していく線形探索。ア:あらかじめ探索データを整列しておき、探索対象範囲を二分割して狭めていき、該当する探索キーに一致するものを探す方法。ウ:データの値からキー値を求めて格納する位置を決める方法。エ:最短路アルゴリズムの一つ。始点から探索する節の範囲を徐々に広げ、すべての節への最短路を求める方法。

解説 2 【解答】ウ

流れ図の(lo+hi)/2→kで配列中央の値を得て、探索キーと比較する。探索キー値のほうが大きければ、昇順なので配列中央より前には存在しないため、探索対象範囲をk+1→loで狭める。また、探索キー値のほうが小さければ、配列中央より後には存在しないためk−1→hiと狭める。キー値が等しくなるかloとhiの探索位置の大小関係が変わるまで繰り返す。

解説 3 【解答】ウ

データから求められるハッシュ値nは0〜9であり、それぞれの出現確率は1/10である。またキーの分布が十分に大きいことから、ハッシュ値はほぼ均等と考えてよい。n_1〜n_5で衝突が起こらない確率を考えると、n_1は最初のデータであるから確率は1。n_2は$n_2 \neq n_1$であれば衝突が起こらないので、その確率は9/10。n_3、n_4、n_5も同様に考えると、n_1〜n_5全体の確率は、

$$1 \times (9/10) \times (8/10) \times (7/10) \times (6/10) = 0.3024$$

と求められる。以上から、衝突が起こる確率は、

$$1 - 0.3024 = 0.6976$$ おおよそ0.7である。

解説 4 【解答】エ

ホームレコードのキー"TUE"からレコード番号h(ハッシュ値)を求めると、

h = (T + U + E) mod 32 = (20 + 21 + 5) mod 32 = 14

次に、各選択肢のキーからハッシュ関数により得られるレコード番号は、

"FRI"→(6 + 18 + 9) mod 32 = 1 "MON"→(13 + 15 + 14) mod 32 = 10
"SUN"→(19 + 21 + 14) mod 32 = 22 "THR"→(20 + 8 + 18) mod 32 = 14

このうち、キー"TUE"と衝突するのは、"THR"である。

Lesson 17 アルゴリズムとプログラミング

整列アルゴリズム

整列（ソート：sort）とは、配列のデータやファイル内のレコードを、ある規則に従って並べ替えることです。並び順は、小さい順に並べるのが昇順、大きい順に並べるのが降順です。数多くのアルゴリズムが考えられており、試験では、それらの種類と特徴が問われます。

問1 データの整列方法 check

データの整列方法に関する記述のうち、適切なものはどれか。

ア　クイックソートでは、ある間隔で要素を取り出した部分列を整列し、更に間隔をつめた部分列を取り出して整列する。

イ　シェルソートでは、隣り合う要素を比較して、大小の順が逆であれば、それらの要素を入れ替えるという操作を繰り返して行う。

ウ　バブルソートでは、中間的な基準値を決めて、それよりも大きな値を集めた区分と小さな値を集めた区分に要素を振り分ける。次にそれぞれの区分の中で同様な処理を繰り返す。

エ　ヒープソートでは、未整列の部分を順序木に構成し、そこから最大値または最小値を取り出して既整列の部分に移す。これらの操作を繰り返して、未整列部分を縮めてゆく。

問2 バブルソートのトレース check

データ列の隣り合う要素の値を比較し、小さい方が右にあれば交換する。この操作をデータ列の左端から右端まで繰り返す処理を1回のパスとする。

次のデータ列でパスを2回繰り返した後のデータ列の内容を示しているものはどれか。

5	4	1	3	6	2

ア

1	3	2	4	5	6

イ

1	3	4	2	5	6

ウ

4	1	5	3	2	6

エ

4	1	5	3	6	2

ここがポイント！

《ソートの種類》

	整列法		アルゴリズムの概要
交換法	基本法	バブルソート	隣接する要素を比較して、大きさの順序が逆なら交換する処理を繰り返すもの
交換法	改良法	シェーカソート	要素の比較を前方からと後方からの2方向から交互にバブルソートを行うもの
交換法	改良法	クイックソート	基準値(軸:ピボット)を定め、これより大きな要素と小さな要素のグループに振り分ける。振り分けたグループに対して、同様の処理を繰り返すもの
選択法	基本法	選択ソート	範囲内での最小値(または最大値)を選択して、それを範囲の先頭(または最後)の要素と交換する処理を繰り返すもの
選択法	改良法	ヒープソート	未整列の部分をヒープとよばれる木構造で構成し、そこから最大値(または最小値)を取り出して、すでに整列されている部分に移す。この操作を繰り返すことで整列を行うもの。ヒープとは、すべてのノードで親が子より大きい値をもつ木構造のこと
挿入法	基本法	挿入ソート	すでに整列されている範囲内の必要な位置に、新たな要素を挿入する処理を繰り返すもの
挿入法	改良法	シェルソート	ある間隔(gap)で要素を取り出した部分列を整列し、徐々に、この間隔を狭くして、gap=1となったところで、基本整列法により整列を行うもの

《改良法のソート》

よく知られた基本法のほか、改良法も出題されている。簡単に仕組みを解説しておこう。

○クイックソートの手順

複数のデータの中の適当な要素を基準値（軸）とする。この基準値より小さい要素は基準値より前方に、大きな要素は後方に振り分ける。次に、基準値の前方データと後方データにおいて新たに基準値を決めて次々と分割。それぞれ要素が１つになるまで繰り返す。

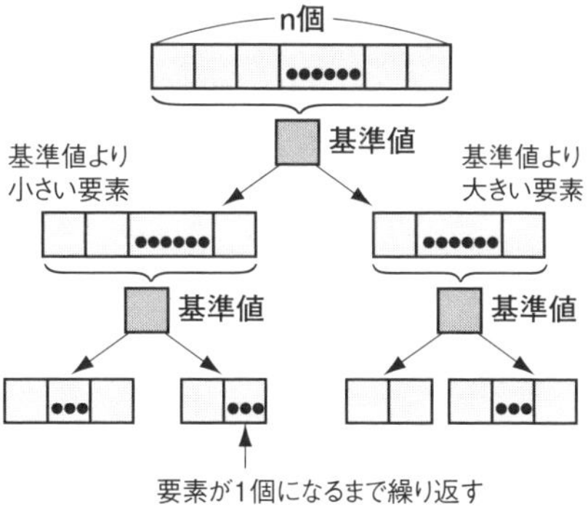

○ヒープソートの手順

「親≦子（親≧子）」となるように順序木（２分木）を構築し、根の要素に得られた、最小値（最大値）を取り出して整列済みの部分に移す。この操作を繰り返すことでデータを整列する。

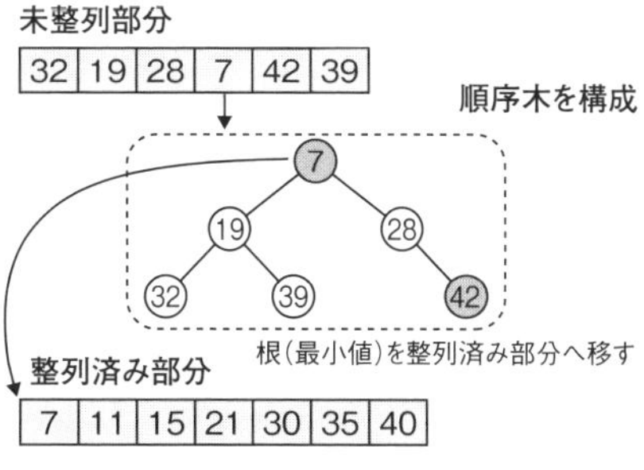

問 3 分割統治を利用した整列法

check

分割統治を利用した整列法はどれか。

ア　基数ソート　　イ　クイックソート　　ウ　選択ソート　　エ　挿入ソート

問 4 シェルソートによる整列の手順

check

次の手順はシェルソートによる整列を示している。データ列“7、2、8、3、1、9、4、5、6”を手順(1)～(4)に従って整列すると、手順(3)を何回繰り返して完了するか。ここで、[　]は小数点以下を切り捨てる。

〔手順〕
(1) [データ数÷3]→Hとする。
(2) データ列を互いにH要素分だけ離れた要素の集まりからなる部分列とし、それぞれの部分列を挿入法を用いて整列する。
(3) [H÷3]→Hとする。
(4) Hが0であればデータ列の整列は完了し、0でなければ(2)に戻る。

ア　2　　イ　3　　ウ　4　　エ　5

問 5 ヒープへの要素追加

check

親の節の値が子の節の値より小さいヒープがある。このヒープへの挿入は、要素を最後部に追加し、その要素が親よりも小さい間、親と子を交換することを繰り返せばよい。次のヒープの＊の位置に要素7を追加したとき、Aの位置に来る要素はどれか。

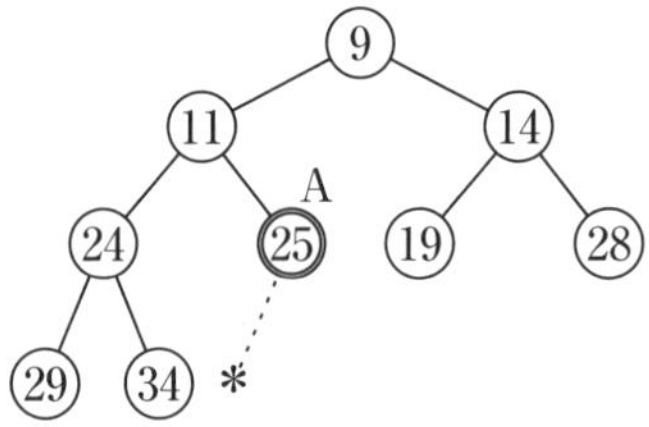

ア　7　　イ　11　　ウ　24　　エ　25

解説 1

【解答】エ

ヒープソートは選択法の1つで、順序木（2分木）の構造を利用してデータを整列する方法(p.69の手順を参照)である(正解はエ)。そのほかの選択肢は、ア：シェルソート、イ：バブルソート(基本交換法)、ウ：クイックソートの説明。

解説 2

【解答】イ

基本交換法（バブルソート）は、隣り合う要素の値を比較し、逆順であれば交換する。この「比較と交換」を必要がなくなるまで繰り返し、データを昇順（または降順）に整列する。問題の手順で、2回目のパスを行うと次のようになる。

1	3	4	2	5	6

パスの1回目

5	4	1	3	6	2
4	5	1	3	6	2
4	1	5	3	6	2
4	1	3	5	6	2
4	1	3	5	6	2
4	1	3	5	2	6

解説 3

【解答】イ

分割統治とは大きく複雑な問題を解決するため、まず小さく単純な問題になるよう分割し、それらすべてを解決して統合することで元の問題を解決するという考え方。分割統治の考え方を利用した整列アルゴリズムには、クイックソートやマージソートがある。クイックソートは、まず基準値を決め、小さい要素は基準値より前方に、大きな要素は後方に振り分ける。次に、基準値の前方と後方において新たに基準値を決めて次々と分割。要素が1つになるまで繰り返すことで整列を行う。一方のマージソートは、 データ配列をいったん分割して並べ替えた後、再び併合（マージ）することで整列を完成させる方法である。

解説 4

【解答】ア

問題文に示されているシェルソートの手順に従って整列してみる。
(1) データ数＝9…［9 ÷ 3］→H（＝3）
(2) 3要素分離れた要素の部分列を、それぞれ挿入法で整列する。

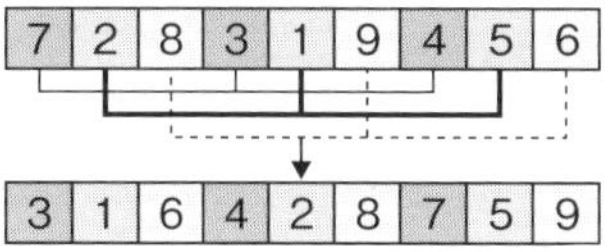

(3) H＝3…［3 ÷ 3］→H（＝1）
(4) Hが0でないため、(2)に戻る。
(2) H＝1であるから、データ全体を挿入法で整列する。

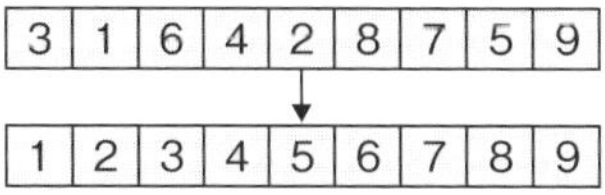

(3) H＝1…［1 ÷ 3］→H（＝0）
(4) Hが0で、整列完了となる。
以上から、手順(3)は2回実行される。

解説 5

【解答】イ

問題のヒープ（ヒープソート）の処理を以下に示す。
①7と親の25を比較し、7のほうが小さいので親子を交換する。
②7と親の11を比較し、7のほうが小さいので親子を交換する。
③7と親の9を比較し、7のほうが小さいので親子を交換する。
④これ以上親がいないので処理は終了する。

以上から、Aの位置には11が入る。

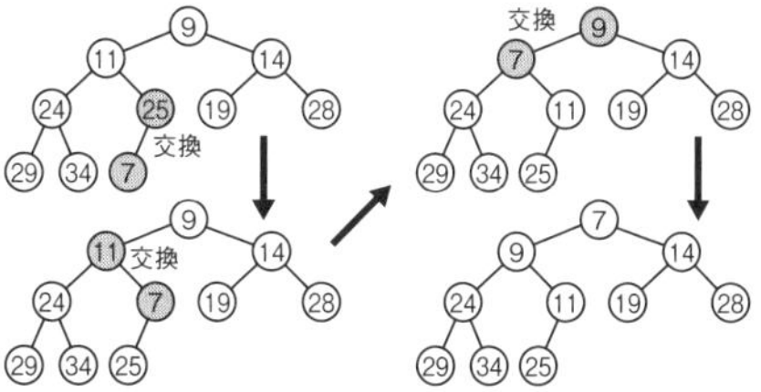

Lesson 18

アルゴリズムとプログラミング

再帰と関数

ある関数が実行中に自分自身を呼び出す性質を「再帰（リカーシブ）」といい、階乗（n!）計算などに用いられます。試験では関数f（n）を求める形などが出されています。なお、プログラム言語によっては、再帰呼出しが許されないものもあります。

問1 関数の解を求める

check

整数x, y $(x > y \geqq 0)$に対して、次のように定義された関数$F(x,\ y)$がある。$F(231,\ 15)$の値は幾らか。ここで、$x \bmod y$はxをyで割った余りである。

$$F(x,\ y) = \begin{cases} x & (y = 0\text{のとき}) \\ F(y,\ x \bmod y) & (y > 0\text{のとき}) \end{cases}$$

ア　2　　イ　3　　ウ　5　　エ　7

問2 nの階乗を求める再帰関数

check

nの階乗を再帰的に計算する関数$F(n)$の定義において、a に入れるべき式はどれか。ここで、nは非負の整数である。

$n > 0$のとき、$F(n) =$ [a]
$n = 0$のとき、$F(n) = 1$

ア　$n + F(n - 1)$　　イ　$n - 1 + F(n)$
ウ　$n \times F(n - 1)$　　エ　$(n - 1) \times F(n)$

ここがポイント！

《再帰的（リカーシブ）プログラム》

再帰とは、プログラムを実行中に自分自身を呼び出して実行しても、正しい結果を返すことができるプログラム構造である。

○再帰の実現手法

この再帰的処理のためには、自分自身を呼び出すごとに局所変数（ローカル変数）のセットを一新し、以前のものとは独立させる必要がある。そのため、自分自身を呼び出す前に局所変数の内容をスタックに退避し、呼び出したプログラムから戻ったとき、スタックから取り出す、LIFO (Last-In First-Out) 方式による処理が必要となる。

《nの階乗を求める》

nの階乗（n！）は再帰的な処理の代表であり、n＞0のとき、

n！＝n×(n－1)×(n－2)……×2×1

と定義される。n＝4を例に考えると、

n！＝4! ＝4×3×2×1

＝4×3!＝n×(n－1)!

となり、n!を求める階乗関数をF(n)とすると、その定義は、

F(n)＝n×F(n－1)

という形に変形できる(n＞1)。

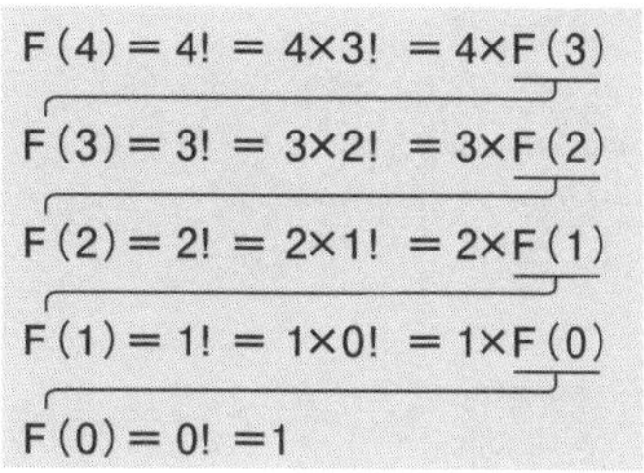

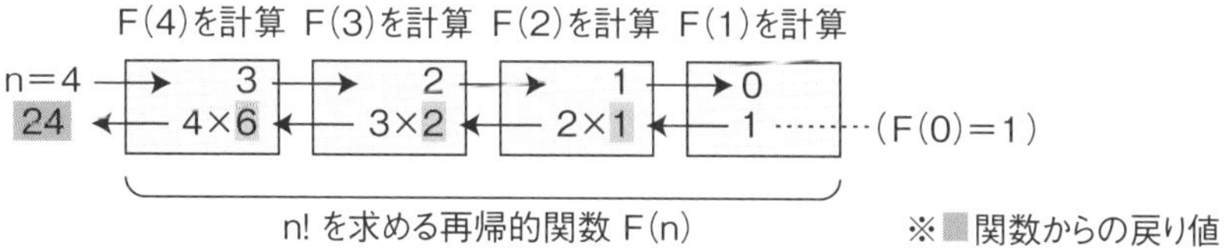

《整数の和を求める》

整数nに依存する関数F(n)があるとき、1からnまでの整数の和を求める関数F(n)を考えると、

F(n)＝1＋2＋……＋(n－1)＋n

＝(1＋2＋……＋(n－1))＋n

＝F(n－1)＋n

となるので、F(n)の定義は次のようになる。

n＝1のとき　F(n)＝1

n＞1のとき　F(n)＝F(n－1)＋n

解説 1

【解答】イ

問題の関数は、ユークリッドの互除法により、自然数xとyの最大公約数を求めるものである。問題の値を関数に当てはめてくと解答が得られ、それがxとyの最大公約数となる。

$F(231, 15)$を関数に当てはめると、

$F(231, 15) = F(15, 231 \bmod 15) = F(15, 6) = F(6, 15 \bmod 6)$
$= F(6, 3) = F(3, 6 \bmod 3) = F(3, 0) = 3$

解説 2

【解答】ウ

nの階乗は、$n > 0$のとき、

$n! = n \times (n-1) \times (n-2) \cdots\cdots \times 2 \times 1$

と定義される(「ここがポイント!」を参照)。この数式を変形させると、

$n! = n \times (n-1) \times (n-2) \times \cdots \times 2 \times 1 = n \times (n-1)!$

と書けるので、これに問題の$F(n)$の定義を当てはめると次のようになる。

$F(n) = n \times F(n-1)$

シラバス ●大分類1：基礎理論 ●中分類2：アルゴリズムとプログラミング ●小分類3：プログラミング

Lesson 19

アルゴリズムとプログラミング

プログラミング

プログラムは、標準化ルールを設けることで、見た目の読みやすさや論理の効率性などのバラツキを防ぎ、品質や保守性を高めることができます。またプログラムの構造は、主記憶上で実行されるプログラムの性質のこと。用語がまぎらわしいので注意しましょう。

問1 コーディング規約

check

プログラムのコーディング規約に規定する事項のうち、適切なものはどれか。

ア　局所変数は、用途が異なる場合でもデータ型が同じならば、できるだけ同一の変数を使うようにする。

イ　処理性能を向上させるために、ループの制御変数には浮動小数点型変数を使用する。

ウ　同様の計算を何度も繰り返すときは、関数の再帰呼出しを用いる。

エ　領域割付け関数を使用するときは、割付けができなかったときの処理を記述する。

問2 副プログラムの呼出し

check

主プログラムMainと副プログラムSubXからなる図のプログラムを実行した後の、変数A、Bの値の組合せとして、正しいものはどれか。

ここで、プログラム中の［　］の部分は、コードの代わりにその内容を記述したものである。

```
Main
  ［変数Aの宣言］
  ［変数Bの宣言］
  A = 1
  B = 2
  Call SubX（A, B）
End
```

```
SubX（参照渡しの仮引数C,
        値渡しの仮引数D）
  ［変数Eの宣言］
  E = C
  C = D
  D = E
End Sub
```

	A	B
ア	1	1
イ	1	2
ウ	2	1
エ	2	2

ここがポイント！

《プログラミングの標準化》

標準化規則を設けることによって、まぎらわしい記述、複雑な記述などをなくし、誤りを未然に防ぐことができる。また、改変時の保守を容易にできる。プログラミングの標準化には、次のようなものがある。

①プログラムの構成と順序

見出し、ファイルなどの定義、入出力領域、実行文（主プログラム、副プログラム、入出力など）の順序を標準化。

②構造化プログラミング

論理の構造に合わせて字下げを行う、ステートメントをまたがるgoto文を使用しないといったルールの標準化。

③名前付け

ステートメント名、ファイル名、データ名、変数名などの命名規則を標準化。

④モジュール規則

１行に複数ステートメントを記述しない、１モジュールのステップ数などをルール化。

《副プログラムの呼出し》

①引数（ひきすう）

主プログラム（メインルーチン）に記述するパラメタ（実行に必要な値）を**実引数**、副プログラム（サブルーチン）に記述するパラメタを**仮引数**という。

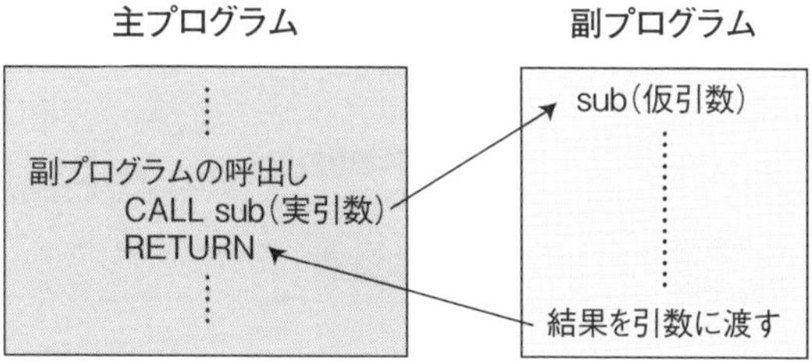

②データの受け渡し

- **参照渡し**：実引数と仮引数が同一の変数（同一アドレス）として扱われる。例えば、副プログラム上で仮引数の値が変更されると、実引数の値も仮引数の値に置き換わることになる。
- **値渡し**：実引数と仮引数は別の変数として扱われる。例えば、副プログラム上で仮引数の値が変更されても、実引数の値は影響を受けない。

解説 1

【解答】エ

プログラムは、作成後は複数の手を介して利用されため、規約を設けることで、改変・保守時の作業効率の低下を避けられる。ア：局所変数とは、プログラム内のみで使う変数のこと。用途ごとに定義することでわかりやすさにつながる。イ：ループの制御はカウントのみのため、不要な内部変換や万一の誤差が生じないように整数変数のほうがよい。ウ：関数やサブルーチンを用いればよい。エ：確保できないこともあるため、そのまま返してしまうと、呼び出したプログラムが実行不能になる。必ずエラー処理を記述する（正解）。

解説 2

【解答】エ

値渡しは、メインプログラムの実引数が示す変数の値を、サブプログラムの仮引数に渡す方式。参照渡しは、実引数が示す変数のアドレス値を仮引数に渡す方式である。この問題は、２つの使い分けが求められている。まず、C＝Dが行われたとき、Dの値２がCに代入されるが、参照渡しであるため、Aも２となる。D＝EでDの値は１になるが、値渡しのためBは２のままになる。

問3 プログラムの構造

check

複数のプロセスから同時に呼び出されたときに、互いに干渉することなく並行して動作することができるプログラムの性質を表すものはどれか。

ア　リエントラント　　　イ　リカーシブ
ウ　リユーザブル　　　エ　リロケータブル

問4 再入可能プログラムの特徴

check

再入可能プログラムの特徴はどれか。

ア　主記憶上のどこのアドレスに配置しても、実行することができる。
イ　手続の内部から自分自身を呼び出すことができる。
ウ　必要な部分を補助記憶装置から読み込みながら動作する。主記憶領域の大きさに制限があるときに、有効な手法である。
エ　複数のタスクからの呼出しに対して、並行して実行されても、それぞれのタスクに正しい結果を返す。

問5 プログラムの特性

check

プログラム特性に関する記述のうち、適切なものはどれか。

ア　再帰的プログラムは再入可能な特性をもち、呼び出されたプログラムの全てがデータを共用する。
イ　再使用可能プログラムは実行の始めに変数を初期化する、または変数を初期状態に戻した後にプログラムを終了する。
ウ　再入可能プログラムは、データとコードの領域を明確に分離して、両方を各タスクで共用する。
エ　再配置可能なプログラムは、実行の都度、主記憶装置上の定まった領域で実行される。

《再使用可能（リユーザブル）》

①再入可能（リエントラント）

1つのプログラムを複数のプロセスで同時に実行しても、それぞれに対して正しい結果を返すことができるプログラム構造。プログラムを実行によって内容が変化するデータ部分と内容が変化しない手続き部分とに分離し、手続き部分は複数のプロセスで共有し、データ部分は各プロセスごとに用意する。

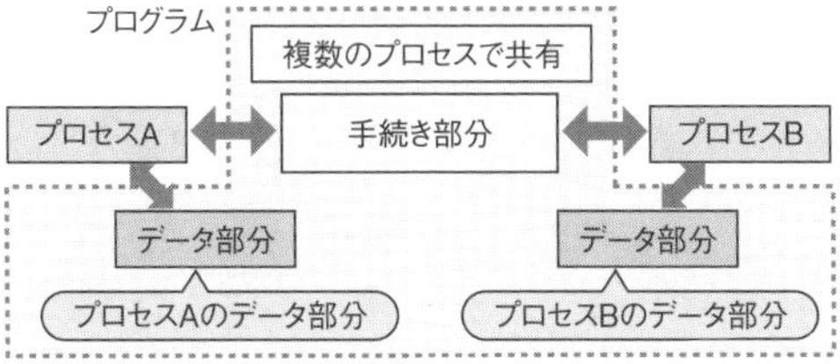

②逐次再使用可能（シリアリリユーザブル）

他のプロセスが使用し終わった主記憶上にあるプログラムを、再び補助記憶装置から主記憶へロード（実行するための読込み）し直さなくても、正しく実行できるプログラム構造。実行により値が変化する変数の初期化をプログラムの最初か最後で行う。

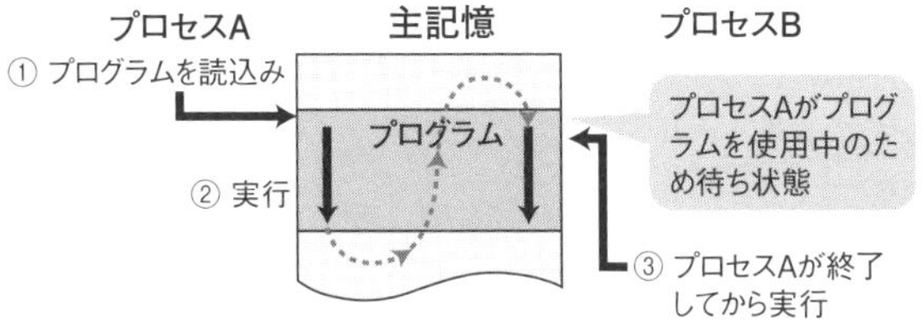

《再配置可能（リロケータブル）》

主記憶上のどのアドレスにも再配置ができる構造。一般的なプログラムはこの形がとられている。

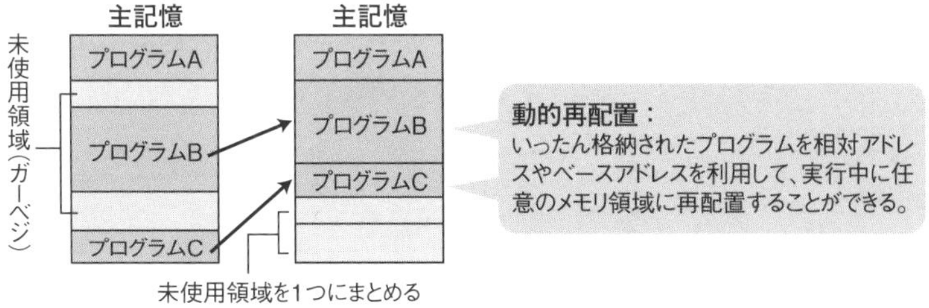

解説 3

【解答】ア

プログラムの構造のうち、リエントラント（再入可能）プログラムは、1つのプログラムが複数のプロセスから同時に呼び出されても、互いに干渉することなく正しい結果を返すことができる性質を持つ。なお、プログラムの構造の用語は、まぎらわしいので、この問題のように英語をカタカナにした選択肢で問われることもある。用語と意味をしっかり結びつけておこう。

解説 4

【解答】エ

上の問題と同様に、再入可能プログラムについての問題。「プロセス＝タスク」であることにも注意。「複数のタスク（プロセス）からの呼出しに対して、それぞれに正しい結果を返すことができる」構造としているエが正解である。その他の選択肢は、ア：再配置可能プログラムの特徴、イ：再帰処理の特徴、ウ：オーバレイ構造の特徴。

解説 5

【解答】イ

ア：再帰処理のためには複数のタスクから呼び出されるため、再入可能であることが必要。それぞれに正しい値を返す必要があるため、データは共用せずタスクごとに持つ必要がある。イ：他のタスクに影響を与えないためには、最初と最後で初期状態に戻す（正解）。ウ：プログラムのコードは各タスクで共用するが、データはタスクごとに持つ。エ：再配置可能とは、主記憶上のどの位置にロードされても正しく実行されるプログラムのこと。

Lesson

シラパス ●大分類1：基礎理論 ●中分類2：アルゴリズムとプログラミング
●小分類4：プログラム言語、5：その他の言語

アルゴリズムとプログラミング

20 プログラム言語とマークアップ言語

用途に応じて使い分けられるプログラム言語は、実行手順を一つひとつ記述する手続き型言語のほか、非手続き型のオブジェクト指向言語、マクロ機能のように使用するスクリプト言語などがあります。文章構造を定義するためにはマークアップ言語を用います。

問1 Javaサーブレット

check

Java Servletの説明として、適切なものはどれか。

ア　Javaで開発されたプログラムであり、クライアントの要求に応じてWebアプリケーションサーバ上で実行される。

イ　Javaで開発されたプログラムであり、サーバからダウンロードして実行される。

ウ　Javaで開発されたプログラムをアプリケーションの部品として取り扱うための規約である。

エ　Javaで開発されたプログラムを実行するインタプリタであり、バイトコードと呼ばれる中間コードを実行する機能をもつ。

問2 オブジェクト指向言語

check

オブジェクト指向言語の特徴に関する記述として、適切なものはどれか。

ア　計算順序は制御フローではなくデータの流れによって規定される。ある命令によって使用されたデータは、以後その命令またはほかの命令によって使用されることはない。

イ　計算の制御は命令から命令へ順次渡されていく。命令間でのデータの受渡しは、“変数”を介するメモリへの参照によって間接的に行う。命令とデータの定義は分離されている。

ウ　データは外部から隠ぺいされ、メソッドと呼ばれる手続によって間接的に操作される。プログラムは、このデータとそれに対するメソッドをひとまとまりにしたものの集まりである。

エ　プログラムは入れ子構造の演算式や関数を表現する命令（演算記号）、データなどによって構成され、“命令実行”に対応するのは“その式または関数の値の計算（評価）”である。

ここがポイント！

《手続型言語》 …以前から使われてきた、処理の手順を記述していく言語。

言語	特　徴
Fortran	最初のコンパイラ言語、科学技術計算用
COBOL	CODASYLで開発、事務処理用コンパイラ言語
BASIC	ダートマス大でプログラミング教育用として開発、インタプリタ形式
C	AT&Tベル研究所でUNIX記述用言語として開発、ANSI-Cとして規格化。コンパイラ言語
PL/I	IBM社利用者団体による開発、技術計算と事務処理両用
Pascal	N.Wirth（スイス）により開発、構造化プログラミング

《オブジェクト指向言語》

オブジェクト指向言語は、データとそれに関する操作や**手続き（メソッド）**をオブジェクトの単位にまとめ、処理は**オブジェクトへの要求**という形で表現する。

① Java（ジャバ）

コンパイル時にソースプログラムをバイトコード（中間コード）に変換し、実行環境ごとに用意された**Java仮想マシン**上で実行するのが特徴の言語。これによりハードウェアやOSに依存しない。Javaによるアプリケーションの形態として、ネットワークからダウンロードされてクライアント（Webブラウザ）側で動作する**アプレット**（applet）や、Webサーバ側で動作する**サーブレット**（servlet）がある。また、よく使う機能をコンポーネント化する仕様を**JavaBeans**（ジャバ ビーンズ）と呼ぶ。

② C++

1983年に開発されたC言語の拡張言語で、オブジェクト指向を取り入れたもの。C言語と同じく、さまざまなソフトウェア開発に用いられており、C言語と同様にハードウェアの知識が必要になる。

《スクリプト言語》

処理の手順をテキストとして記述し、呼び出して実行する。コンパイルは不要。

言語	特　徴
Perl	テキスト処理用言語として開発され、ホームページの掲示板やアクセスカウンタなどを実現するなどといった、CGIの開発などで使われている
JavaScript	クライアント側（Webブラウザ）で動作するオブジェクト指向のスクリプト言語。基本部分について**ECMAScript**（JIS X 3060）として標準化が行われている。HTML文書の中にJavaScriptの命令を記述しておくことで、マウスが触れるとイラストが動くといった、さまざまな動きや働きを付加することができる。
PHP	1994年に開発されたスクリプト言語。JavaScriptと異なり、サーバ側で動作する。用途としては、Webページとデータベースを連動し、データベースの操作を行う手続きの実行などのミドルウェア開発に用いられる
Python	フリーウェアとして公開されているオブジェクト指向のスクリプト言語。充実した拡張モジュールが用意されているのが特徴。名前はコメディ番組「モンティ パイソン」が起源
Ruby	日本の開発者によるオブジェクト指向のスクリプト言語

問3 オブジェクト指向の言語

オブジェクト指向のプログラム言語であり、クラスや関数、条件文などのコードブロックの範囲はインデントの深さによって指定する仕様であるものはどれか。

ア JavaScript　イ Perl　ウ Python　エ Ruby

問4 DTDに記述するもの

XML文書のDTDに記述するものはどれか。

ア 使用する文字コード　イ データ
ウ バージョン情報　エ 文書型の定義

問5 HTML文書の標準仕様

HTML文書の文字の大きさ、文字の色、行間などの視覚表現の情報を扱う標準仕様はどれか。

ア CMS　イ CSS　ウ RSS　エ Wiki

問6 動的なインタフェース実現の仕組み

JavaScriptの非同期通信の機能を使うことによって、動的なユーザインタフェースを画面全体の遷移を伴わずに実現する技術はどれか。

ア Ajax　イ CSS　ウ RSS　エ SNS

《HTML (Hyper Text Markup Language)》

HTMLは、文章構造(構造、体裁、他の文書や画像・映像の動的リンクなど)を定義していく形のマークアップ言語で、Webページの記述に用いられる。SGML (Standard Generalized Markup Language) を簡略化したもので、あるデータ(文章や画像など)から、関連する別のデータへ瞬時にジャンプするハイパーリンク機能をもつ。画像や音声などのマルチメディアデータを扱えるのが特徴で、作成された文書はWebブラウザで閲覧できる。

①DHTML (Dynamic HTML)

スクリプト言語を使った動的表現を可能にしたHTMLの拡張仕様で、その制御の取り決めがDOM (Document Object Model) である。DHTMLでは、HTMLページにJavaScriptなどで作成したスクリプトを埋め込むことで、ユーザの操作に合わせて要素の配置や内容を変更するような動的なWebページを実現できる。

②XHTML

HTMLを、XMLに準拠した文書を作成できるように適合させた仕様。文書体裁は、タグではなくCSSで行う。

③CSS／XSL

HTMLにおける、文字の大きさ、文字飾り、行間などの文書体裁に関する記述を独立させた仕様がCSS(Cascading Style Sheets)である。また、XML文書のスタイルシートを記述する言語としては、XSL (eXtensible Stylesheet Language) がある。

④DTD (Document Type Definition)

文書型定義。SGMLやHTMLで、文書中に使われている文書構造を定義するための言語。XMLではXML Schemaなどが使われる。

《XML (eXtensible Markup Language)》

XMLは、文書の標準化やデータ交換を目的としたマークアップ言語で、企業間取引の標準フォーマットとして用いられている。SGMLと同じく独自のタグを定義でき(HTMLではできない)、さらに、HTMLのようにWebページとして公開することも可能。

①電子商取引での利用

XMLは、企業間の電子商取引における文書の標準化のために利用される。取引を行う企業間で共通のタグを決めておけば、まったく同じ文書のやり取りが可能になる。

②文章データの再利用

XML文章をデータベースに格納しておくことで、WWWで情報を発信したり、業務システムでWWW上のデータや取引文書のデータを再利用する際に活用できる。

《XMLの関連技術》

①SOAP (Simple Object Access Protocol)

Webサービスプログラム相互間において、ネットワーク上にあるXML形式のメッセージを受け渡すためのプロトコル。

②Ajax (Asynchronous JavaScript+XML)

Webブラウザ上で非同期通信を行う技術。非同期通信では、リクエストのつどサーバからの応答を待たなくてもよいため、ページの概念(画面遷移)を感じさせず、シームレスな動きを持たせることができる。代表的な例にグーグルマップがある。

解説 1 【解答】ア

Java Servlet(Javaサーブレット)は、Java言語で記述されたプログラムモジュールである。クライアント側にダウンロードされるのではなく、サーバマシン側に置かれたままで起動・実行される。イ:Java Applet(Javaアプレット)についての記述。ウ:Java Beans(Javaビーンズ)についての記述。エ:Java仮想マシンについての記述。

解説 2 【解答】ウ

オブジェクト指向言語の特徴の1つにカプセル化がある。カプセル化とは、データ(属性)とメソッド(手続き)を一体化することであり、このカプセル化により、オブジェクトの実装はブラックボックス化され、外部からデータを隠すことができる(情報隠ぺい)。データを操作できるのは内部のメソッドだけで、外部からはメソッドを介さなければデータにアクセスできない。また、オブジェクトに対しての唯一のアクセス手段がメッセージであり、オブジェクトはメッセージを介して外部と情報のやりとりを行う。ア:関数型や論理型などの宣言型言語についての記述。イ:手続型言語についての記述。エ:関数型言語についての記述。

解説 3 【解答】ウ

Python(パイソン)の特徴は、クラスや関数、条件文などのコードブロックの範囲をインデントの深さによって表現する言語仕様になっていること。そのほかのスクリプト言語を含む多くのプログラム言語では、ブロックの範囲を括弧によって表現するため、独自のコーディング規則を設けて字下げなどを行い、可読性を向上させることが一般的になっている。

解説 4 【解答】エ

XMLは、SGMLをベースにして文書データ交換を目的に開発されたもの。XMLでは目的に応じたタグを自由に定義できるが、その際にXML文書の構造をDTD(文書型定義)と呼ばれるスキーマ言語によって決めておく。DTDは、XML文書に先立って宣言するほか、あらかじめ保存しておいたファイルとして読み込むこともできる。また、宣言する内容としては、要素、属性、実体参照、記法がある。

解説 5 【解答】イ

CSSはWebページのスタイルを指定を行う言語。HTMLファイル側でなく、CSSにレイアウトの定義をさせることで、ページの統一化を図ったり作成の手間を軽減できる。ア:CMS(Contents Management System)は、Webサイトを構築するソフトウェア。ウ:RSS(Rich Site Summary、Real Simple Syndication)は、Webサイトの要約を記述する文書形式。主に更新情報の配信に利用される。エ:Webブラウザを用いて、簡単にWebページの編集などを行うことができるシステム。百科事典ウィキペディアもWikiによる。

解説 6 【解答】ア

Ajax(Asynchronous JavaScript+XML)は、画面の動きについて、別画面に移動するといったページの概念(画面遷移)を感じさせずに実現できる技術。Webブラウザ上での非同期通信などによって実現している。イ:CSS(Cascading Style Sheets)は、HTMLにおける文書体裁の記述を独立させたもの。ウ:RSS(Rich Site Summary、Really Simple Syndicationなど)は、Webサイトの更新情報を配信する仕組み。RSS情報を取得すれば、効率よくサイトの更新情報を収集・確認できる。エ:SNS(Social Networking Service)は、インターネット上でさまざまな交流をするためのサービスを指す。

第2章 テクノロジ系

コンピュータシステム

この章の
攻略法

本章の特徴と対策

●コンピュータの仕組み全般が問われる

本章（シラバス 大分類 2）「テクノロジ系・コンピュータシステム」は、コンピュータがどのような仕組みでデータ処理を行っているのかをテーマとしています。

分野の前半は、コンピュータの心臓部とも言える処理装置（CPU）の仕組みから始まり、メモリや磁気ディスク装置、周辺機器とシステム構成など、ハードウェア的な要素が取り上げられています。後半は、ソフトウェアの基盤となるOSの機能を中心に、各種ソフトウェアの機能や役割がテーマとなります。さらに、出題が増えているのがハードウェアのテーマ。第1章の「計測・制御に関する理論」と重なる部分もありますが、いずれからも出題があります。専門分野なので学習しにくいものの、問題自体は2進数や論理演算などの知識で解けるものが多いので、捨てずにチャレンジしましょう。

●出題頻度が高い演算・計算問題

コンピュータやシステムは、多様な要素で構成されるため、学習項目が多いのが特徴です。用語問題が多いために目立たないのですが、論理回路の組合せ問題やCPUの実行時間とクロック数の計算、稼働率の計算など、演算や計算が必要となる定番の出題がいくつかあります。その場で熟考する時間はないので、過去問対策が必須です。

注目の出題テーマベスト8

1位	34 論理回路
2位	11 入出力装置
3位	20 複合システムの稼働率
4位	04 プロセッサの性能
5位	23 タスク管理
6位	07 メモリの種類と特徴
7位	26 仮想記憶管理
8位	22 ジョブ管理

※テーマ左の数字は、この章のLesson番号

第2章の出題範囲は広く、全体の12～15%程度の出題があります。出題されないテーマもあるため、左に挙げた出題頻度の高いものから、効率よく学習を進めるとよいでしょう。特に目立つのはハードウェア関連の「論理回路」で、毎回出題があります。また「入出力装置」や「稼働率」、「メモリの種類と特徴」も必須の定番テーマ。ソフトウェアの範囲では、「タスク管理」と「ジョブ管理」、「仮想記憶管理」がポイント。そのほかでは「入出力インタフェース」が要注意です。

覚えておきたい頻出用語

※数字は、この章の Lesson 番号

ここが問われやすい!!

ハードウェア

07 □ **フラッシュメモリ**
IC メモリの一種で EEPROM を改良した不揮発性メモリで、データの読み書きが自由にできる。データ容量も大きく安価なため、SSD や SD メモリカード、USB メモリなどのデータ保存用メモリとして市販されている。

35 □ **フリップフロップ回路**
2 つの安定状態をもつ順序回路。現在の入力と、過去の入力（保持されている値）の両方によって出力が決定する。レジスタ、SRAM などに使用。

システム構成要素

14 □ **デュアルシステム**
全装置を二重化して、同一データの処理を行い、その結果を一定時間ごとに照合するシステム。高い信頼性が得られる。

14 □ **デュプレックスシステム**
通常時は現用系で主要業務を、待機系でバッチ処理などリアルタイム性の低い業務を行う。現用系に障害が発生した場合は、待機系に切り替える。

システムの信頼性設計

16 □ **フェールセーフ**
システムが誤動作したとき、常に安全側にシステムを制御し、影響範囲を最小限にとどめるように制御する考え方（例　列車の運行）。

16 □ **フェールソフト**
障害が発生したとき、性能の低下はやむを得ないとしても、システム全体を停止させず、機能を絞っても維持させようとする考え方（例　病院管理）。

仮想記憶管理

26 □ **FIFO（First In First Out）方式**
仮想記憶管理のページ置き換えアルゴリズムの一つ。実記憶装置上のページの中で、最も古くから存在するものからページアウトする。

26 □ **LRU（Least Recently Used）方式**
仮想記憶管理のページ置き換えアルゴリズムの一つ。実記憶装置上のページの中で、最も長い時間参照されなかったものからページアウトする。

理解しておきたい基礎知識

マルチプログラミングと割込み

マルチプログラミングの考え方

ディスプレイやプリンタなどの周辺装置とCPUの動作速度には、非常に大きな開きがあります。このため、これらの周辺機器への入出力命令が出されると、CPUは周辺機器の入出力が完了するまでの間、待たされることになります。

これではCPUが有効に活用されない遊び時間(idle time：アイドルタイム)ができてしまい、システムの処理能力(**スループット**：単位時間当たりの仕事量)低下の原因となってしまいます。これを防ぐ仕組みが**マルチ(多重)プログラミング**です。

マルチプログラミングは、あるプログラム(コンピュータから見るとタスク)が入出力処理を実行している間のCPUの空き時間を利用して、別のプログラムを実行する方式で、OSがコントロールしています。複数のプログラムを効率良く切り替えながら処理を行うので、複数のプログラムが同時に実行されているように見えます。

2つのプログラムを別々に実行した場合(AとBの合計時間=200ms)

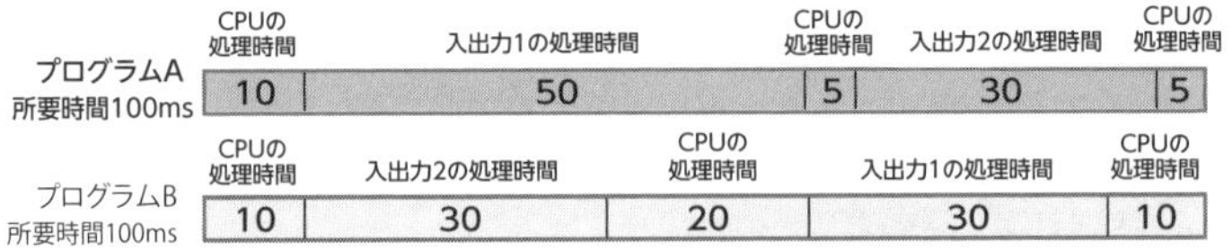

マルチプログラミングにより実行した場合(AとBの合計時間=115ms)

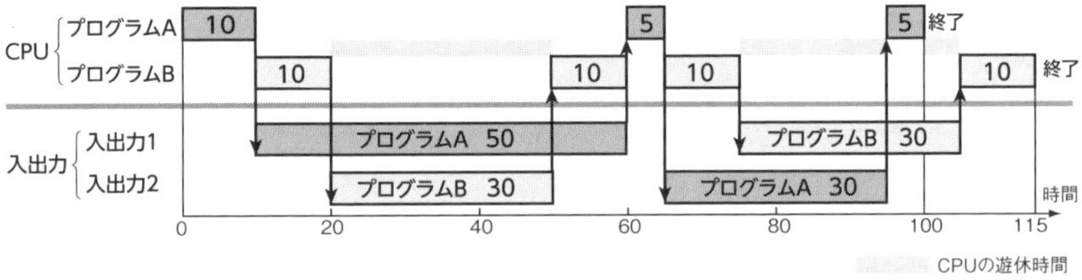

〔前提条件〕

①CPUは1つ、入出力装置は2つあり(I/O-1、I/O-2)、並行動作可能である。

②実行するプログラムは、プログラムAとプログラムBの2つだけであり、CPU使用の優先順位は、プログラムAのほうが高い。

③それぞれのプログラムの処理手順は図に示すとおりである。どちらのプログラムも所要時間は100ms(ミリ秒)で、順に実行すると200msかかる。

④割込み処理に要する時間は無視する。

割込みの役割と仕組み

入出力の処理を待つ間に別のプログラムを処理しているCPUは、どのようにして入出力の処理が終わったことを知るのでしょうか、またどうやって元のプログラムの処理に切り替えているのでしょうか？これらを実現する仕組みが割込みです。ここでは、マルチプログラミングと割込みの仕組みを大まかに理解しておきましょう。

1 CPUがプログラムAの実行を開始。
OS
CPU
A
B
待ってるだけはもったいないから、次のプログラムBを実行して!
2 プログラムAの入力処理が発生したため、入出力命令を出す。このとき発せられるのが、SVC（スーパバイザコール）割込み。これにより割込み処理ルーチンが実行されてCPUの使用権がプログラムBに渡される。
3 CPUはプログラムBの実行を開始。
4 入力処理が終了し（入出力割込み）、割込み処理ルーチンが実行される。再び優先順位の高いプログラムAの実行が再開される。

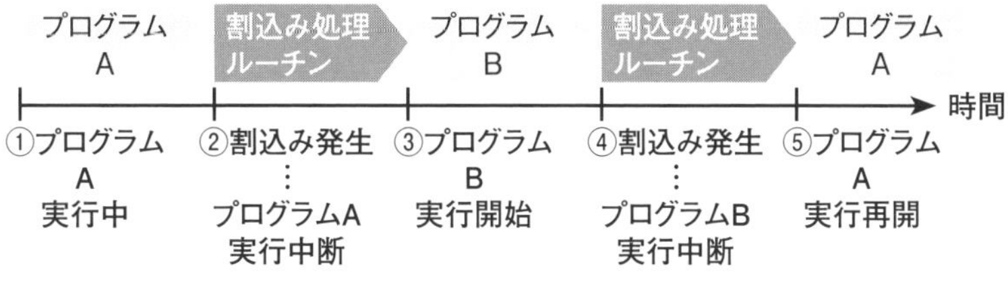

①プログラムAが実行中であり、CPUが使用されている。

②プログラムAが入出力命令を発行し、割込みが発生。プログラムAの実行は一時中断され、割込み処理ルーチンが実行される。

③プログラムAが入出力処理待ちのため、CPUが空いている。そこで、待機中のプログラムBにCPU使用権が渡され、プログラムBの実行が開始される。

④プログラムAの入出力の終了を伝える入出力割込みが発生した。ブログラムBの実行は一時中断され、割込み処理ルーチンが実行される。

⑤優先順位の高いプログラムAの実行が再開される。

シラバス ●大分類2：コンピュータシステム ●中分類3：コンピュータ構成要素 ●小分類1：プロセッサ

コンピュータ構成要素

01 プロセッサの構造

コンピュータの基本となるアーキテクチャ、制御装置や演算装置が持つレジスタの役割、CPUの設計手法（RISCとCISC）などが含まれるテーマです。全体に占める出題数は、それほど多くはないので、ポイントとなるキーワードを押さえておくとよいでしょう。

問1 命令の格納順序

check

図はプロセッサによってフェッチされた命令の格納順序を表している。aに当てはまるものはどれか。

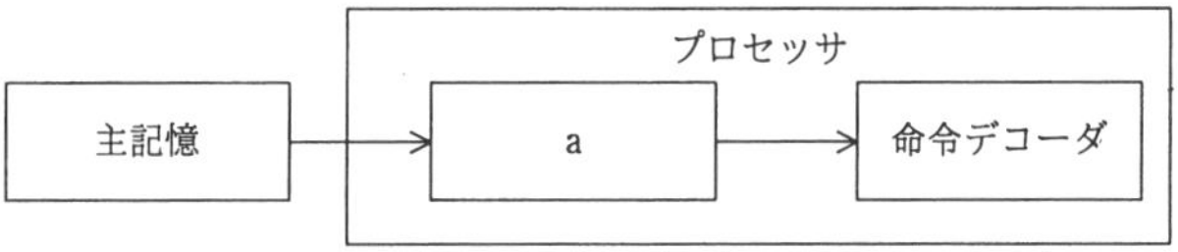

ア　アキュムレータ　　イ　データキャッシュ
ウ　プログラムカウンタ　　エ　命令レジスタ

問2 プログラムレジスタの役割

check

CPUのプログラムレジスタ（プログラムカウンタ）の役割はどれか。

ア　演算を行うために、メモリから読み出したデータを保持する。
イ　条件付き分岐命令を実行するために、演算結果の状態を保持する。
ウ　命令のデコードを行うために、メモリから読み出した命令を保持する。
エ　命令を読み出すために、次の命令が格納されたアドレスを保持する。

ここがポイント！

《コンピュータアーキテクチャ》

現在のコンピュータの基本となるノイマン型コンピュータには、次のような特徴がある。

①プログラム内蔵方式（stored program）

コンピュータで問題を処理するとき、あらかじめプログラムを主記憶装置に格納しておき、連続的、自動的、逐次に処理を実行する方式。

②逐次制御（sequential control）

命令を主記憶装置から制御装置に取り出し、解読し、関連装置に必要な指示を出すという一連の流れを、自動的に繰り返すことでプログラムを実行する方式。

《RISCとCISCの比較》

①RISC（Reduced Instruction Set Computer）

命令数を減らし単純化することで、1命令の長さと実行時間が一定になるようにCPU（プロセッサ）を設計する手法。パイプライン処理に適している。単純な命令をハードウェア（電子回路）で実現（ワイヤードロジック制御方式）し、複雑な処理についてはその組合せで実行する。「ロード／ストア」アーキテクチャとも呼ばれ、ロード（メモリ→レジスタ）やストア（レジスタ→メモリ）を効率よく行うため、数多くレジスタを備える。

②CISC（Complex Instruction Set Computer）

RISCと対比して従来のCPUの設計手法を表す用語。複雑な命令をマイクロプログラムで実現（マイクロプログラム制御方式）する。

	CISC	RISC
命令セット	簡易な命令から高機能な命令まで多くの種類がある	単純で基本的な命令に制限される
命令長	命令ごとに異なり、長い	固定長で短い
レジスタ数	少ない	多い
命令実行方式	マイクロプログラム制御方式	ワイヤードロジック制御方式
パイプライン処理	適さない	適する
同一処理当たりのステップ数	少ない	多い

《主なレジスタ》

CPUの演算装置と制御装置は、それぞれに高速で容量の小さなレジスタと呼ぶ記憶装置を持っている。これを使って、命令の解読、演算などを実行していく。

レジスタには、次のような種類がある。

①プログラムレジスタ（PR）…次に実行するべき命令のアドレスを記憶する。プログラムカウンタ（PC）、命令アドレスレジスタ（IAR）、命令カウンタともいう。

②命令レジスタ（IR）…主記憶から読み出された命令が格納される。この内容が命令デコーダ（命令解読器）で解読される。

③インデックス（指標）レジスタ…命令の番地部（アドレス部）を修飾する値が入る。

④アキュムレータ（累算器）…演算結果や演算途中のデータが格納される。

⑤汎用レジスタ（GR）…計算用、アドレス修飾用など、さまざまな用途に使われる。

解説 1

【解答】エ

プロセッサが行うプログラム処理動作は、主記憶装置から命令を読み出して解読を行う命令サイクル（命令フェッチ）と、解読された命令やアドレスに基づいて処理を行い、結果を格納する実行サイクルに分けられる。この問題は前者についてがテーマで、主記憶装置から読み出された命令はいったん「命令レジスタ」に格納され命令デコーダによって解読される。

解説 2

【解答】エ

次に実行すべき命令が格納されているアドレス値を示すのがプログラムレジスタ（プログラムカウンタ）である。通常は、命令が読み込まれるたびに、自動的に＋1（命令語の長さによって異なる）されるが、命令が分岐命令の場合には、分岐命令が示す分岐先のアドレス値に更新される。

シラバス ●大分類2：コンピュータシステム ●中分類3：コンピュータ構成要素
●小分類1：プロセッサ

Lesson 02

コンピュータ構成要素

命令とアドレッシング

命令は、命令コード部とオペランド部からなり、オペランド部は、0アドレス方式（オペランドなし）～3アドレス方式があります。試験では、具体的なアドレス指定の方式も問われることがあるので、各アドレス指定方式の仕組みを十分に理解しておきましょう。

テクノロジ系

問1 命令の形式 check

命令の構成に関する記述のうち、適切なものはどれか。

ア　オペランドの個数は、その命令で指定する主記憶の番地の個数と等しい。

イ　コンピュータの種類によって命令語の長さは異なるが、1つのコンピュータでは、命令語の長さは必ず一定である。

ウ　命令語長が長いコンピュータほど、命令の種類も多くなる。

エ　命令は、命令コードとオペランドで構成される。ただし、命令の種類によっては、オペランドがないものもある。

問2 アドレス指定方式 check

主記憶のデータを図のように参照するアドレス指定方式はどれか。

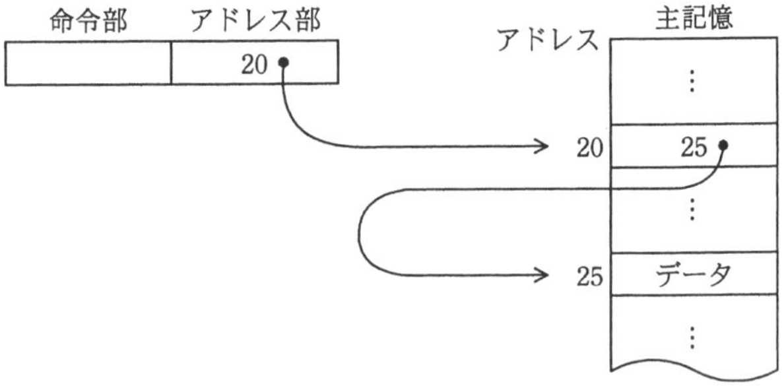

ア　間接アドレス指定　　イ　指標アドレス指定

ウ　相対アドレス指定　　エ　直接アドレス指定

ここがポイント！

1つの命令は、加算、減算、比較、分岐などの動作の種類を指定する**オペレータ部**（**命令部**）と、処理の対象となる主記憶装置のアドレスやレジスタ番号などを指定する**オペランド部**（**アドレス部**）からなる。オペランド部では、処理対象となる主記憶装置のアドレスや、使用する汎用レジスタの番号などを指定する。

オペレータ部（命令部）	オペランド部（アドレス情報）	
命令コード	アドレス修飾部	アドレス部

《アドレス指定方式》

①即値アドレス指定

オペランド部に書かれた内容が処理対象のデータそのものになっている。

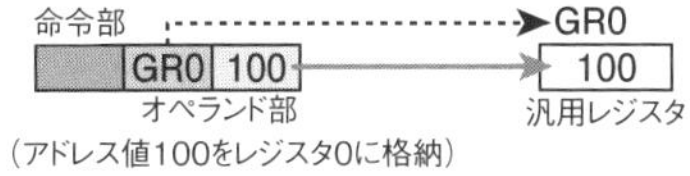

②直接アドレス指定

オペランド部の内容が処理対象のデータの主記憶装置上のアドレスになっている。

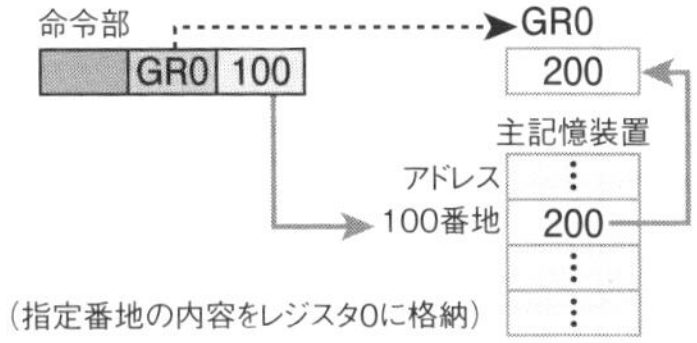

③間接アドレス指定

処理対象のデータがある主記憶上のアドレス値が格納されているアドレスが、オペランド部に指定される。まず、指定された主記憶装置のアドレスから値を読み出し、その値で指定されるアドレスから対象データを読み出す。

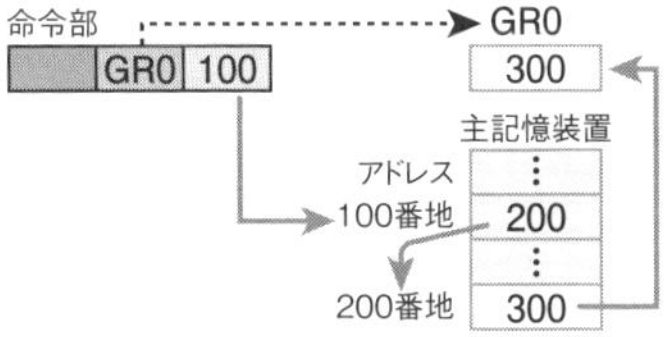

④指標アドレス指定（インデックス修飾）

第3オペランドで指定された指標レジスタの内容と、第2オペランドで指定されたアドレスを加算し、結果を処理対象のデータが格納されている有効アドレスとして主記憶装置へアクセスする。

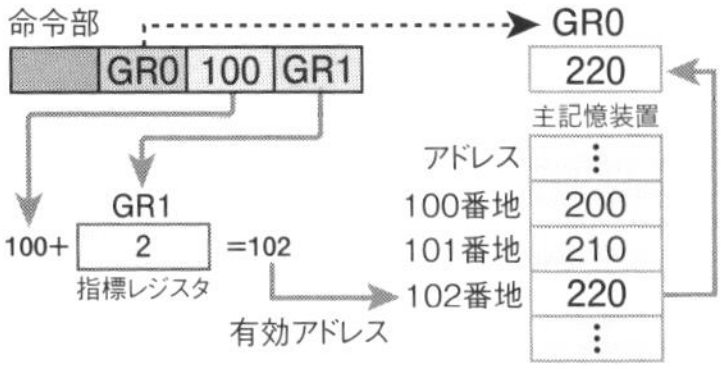

解説 1

【解答】エ

命令には、0アドレス方式（オペランドなし）～3アドレス方式（オペランド3つ）がある。0アドレス方式は、オペランド（アドレス）が指定されないため、スタックポインタ（SP；スタックに記憶した最も新しいデータの場所を示す）を使う演算命令などに使われる。ア：オペランドの個数は、命令の種類によって変わる。イ：1つのコンピュータでも複数のアドレス方式があり、命令後の長さは異なる。ウ：命令語長は、アドレス指定の方式などによって変わる。

解説 2

【解答】ア

アドレス部に主記憶上のアドレス値が格納され、そのアドレス値に格納されている値が対象になっていることから、間接アドレス指定であると判断できる。なお、相対アドレス指定は、アドレス部の値にベースレジスタまたは命令アドレスレジスタの値を加算したアドレスを対象とする方式。これにより再配置可能プログラムを実現できる。

Lesson 03

コンピュータ構成要素

割込み処理

割込みとは、実行中のプログラムを一時的に中断し、緊急度の高い別のプログラムを実行。終了したら、再び元のプログラムを中断箇所から実行を再開するといったハードウェアの仕組みです。試験では、主に割込みの種類と用途が問われます。

問1 プログラム割込みの原因

check

プログラム割込みの原因となり得るものはどれか。

ア　入出力動作が終了した。
イ　ハードウェアが故障した。
ウ　プログラムで演算結果があふれた（オーバフローした）。
エ　プログラムの実行時間が設定時間を超過した。

問2 外部割込みに含まれるもの

check

外部割込みに分類されるものはどれか。

ア　インターバルタイマによって、指定時間が経過したときに生じる割込み
イ　演算結果のオーバフローやゼロによる除算で生じる割込み
ウ　仮想記憶管理において、存在しないページへのアクセスによって生じる割込み
エ　ソフトウェア割込み命令の実行によって生じる割込み

問3 割込み処理の手順

check

割込み処理の手順を示す以下の空欄に当てはまる処理はどれか。

a. 割込み直前のPSW (program status word) の状態を退避する。
b. 割込み直前のCPU内のレジスタの状態を退避する。
c. 割込みの種類を判定する。
d. [　　　　　　]
e. 中断したプログラムの実行を再開するため、割込み直前の状態を復元する。

ア　SVCの発動
イ　割込みマスクの実施と判定
ウ　PSWの復元
エ　割込み処理ルーチンの実行

ここがポイント！

《割込み処理の仕組み》

割込みは、実行中のプログラムを中断し、緊急度の高い別の処理を行う仕組み。

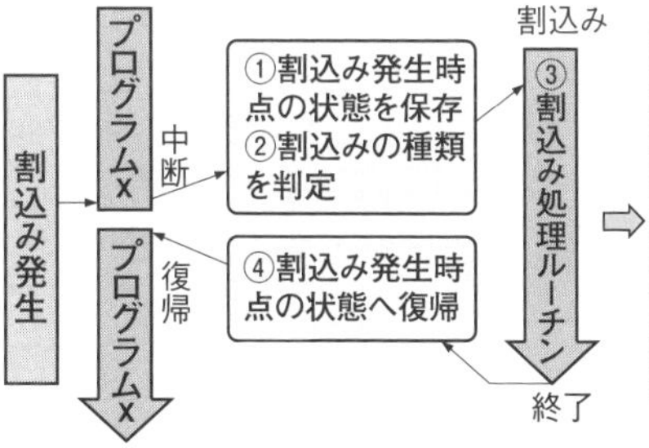

●割込み処理の手順

割込みが発生した際に実行されるプログラム。次のような手順で実行される

①割込み直前の状態（PSW）を退避する
②割込みの種類を判定する
③割込み原因に対する割込み処理ルーチンを実行する
④中断したプログラムの実行を再開するため、割込み直前の状態に復元する

《割込みの種類》

内部割込み	実行中のプログラムに起因する割込み（CPU内部で発生）	
	プログラム割込み	プログラム実行中のエラーにより発生。演算のオーバフロー、アンダフロー、ゼロによる除算、主記憶装置の記憶保護違反など
	SVC（スーパバイザコール）割込み	処理プログラムから監視プログラム（オペレーティングシステム）に対して要求する割込み（入出力要求の発生やプログラムの完了）。監視プログラムコール、システムコールともいう
外部割込み	計算機システム外からの割込み	
	入出力割込み	入出力動作の完了（異常を含む）、機器の状態変化（用紙切れなど）
	機械チェック割込み	CPUの誤動作、主記憶装置の障害、電源の異常など
	タイマ割込み	CPU割り当て時間のオーバー
	コンソール割込み	オペレータからの介入

①PSW（Program Status Word）

プログラム状態語と呼ばれる、実行中のプログラムの状態を示す数バイトの領域。

②割込みマスク（mask）

割込みに優先順位を与える機能。割込みが発生したとき、その割込みを受け入れるか禁止するかを指定する。

解説 1　【解答】ウ

プログラム割込みは、プログラムの実行中の要因によって発生する割込みで、内部割込みに含まれる。発生要因としては、不正命令（命令コード異常）、ゼロ除算、記憶保護違反、演算結果の桁あふれ（オーバフロー）、バスエラーなどがある。そのほかの選択肢は、ア：入出力割込み、イ：機械チェック割込み、エ：タイマ割込みである。

解説 2　【解答】ア

選択肢のインターバルタイマとは、一定の時間間隔で割込みを発生させる仕組み。コンピュータ内部での時間処理の基として使われる。なお、コンピュータの異常監視にはウォッチドックタイマが使われる。選択肢はそれぞれ、ア：タイマ割込み、イ、ウ：プログラム割込み、エ：SVC割込み。したがって、外部割込みはアのみである。

解説 3　【解答】エ

割込みの手順は、「ここがポイント！」を参照。ア：スーパバイザコール（SVC命令＝OS機能の呼出し）は、処理中のプログラムから制御プログラムに移すための命令で、SVC割込みにより発動される。プログラム中で、入出力を行うときなどに使われる。イ：割込みマスクは、割込み動作を禁止するために用いるもの。

シラバス ●大分類2：コンピュータシステム ●中分類3：コンピュータ構成要素 ●小分類1：プロセッサ

Lesson 04

コンピュータ構成要素

プロセッサの性能

クロックは、電子回路が動作のタイミングを合わせるための信号のこと。周波数は信号が発生する波形が1秒当たり何回繰り返されるかで、単位はHz（ヘルツ）です。なお、プロセッサは処理装置全般を指しますが、シラバスではCPUの意味で使われています。

テクノロジ系

問1 CPUのクロック周波数

check

PCのCPUのクロック周波数に関する記述のうち、適切なものはどれか。

ア　クロック周波数は、CPUの命令実行タイミングを制御するので、クロック周波数が高くなるほどパソコンの命令実行速度が向上する。

イ　クロック周波数は、磁気ディスクの回転数にも影響を与えるので、クロック周波数が高くなるほど回転数が高くなり、磁気ディスクの転送速度が向上する。

ウ　クロック周波数は、通信速度も制御するので、クロック周波数が高くなるほどLANの通信速度が向上する。

エ　クロック周波数は、パソコンの内部時計の基準となるので、クロック周波数が2倍になると、割込み間隔が1／2になり、リアルタイム処理の処理速度が向上する。

問2 CPUの性能

check

1GHzのクロックで動作するCPUがある。このCPUは、機械語の1命令を平均0.8クロックで実行できることがわかっている。このCPUは1秒間に平均何万命令を実行できるか。

ア　125　　イ　250　　ウ　80,000　　エ　125,000

ここがポイント！

クロックとは、複数の装置がタイミングを合わせるために発生させる信号のこと。マザーボード（CPUやメモリなどが取り付けられている基盤）上に発生させる装置がある。また、クロック周波数とはその信号の周波数（時間あたりの発生回数）を表す。

CPUも、このクロックに同期して動作するため、クロック周波数が高くなるほど高速に動作させることができる。ただし、CPUにはさまざまな動作方式（アーキテクチャ）があるため、同じタイプでないと正確な比較はできない。

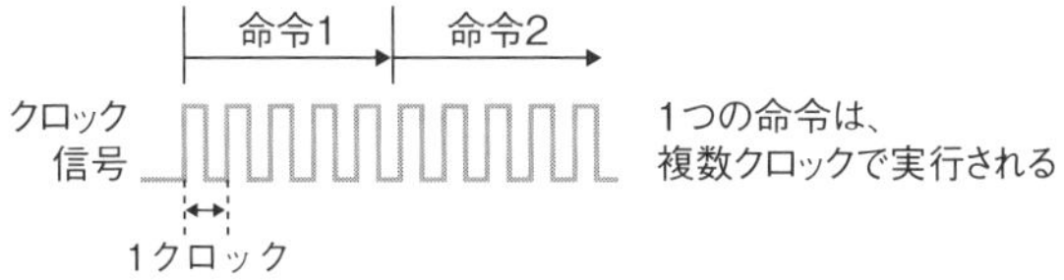

《クロック周波数の計算問題》

クロック周波数の単位は、MHz（メガヘルツ）、またはGHz（ギガヘルツ）がよく使われる。例えば、500MHzは1秒間当たりの信号数が 500×10^6 ということ。

〔公式〕

CPUが1秒間に処理できる命令数

＝CPUのクロック周波数÷1命令に要する平均クロック数

平均命令実行時間（1命令の実行に要する時間）

＝1÷CPUのクロック周波数×1命令に要する平均クロック数

解説1

【解答】ア

マザーボード上で発生させるクロック周波数は、システムバス上にあるCPUやメモリ、拡張バスなどを動作させるベースとなり、データ転送速度も影響を受ける。ただし磁気ディスクなどの物理的に動作する装置は、装置そのものの性能に依存するため、回転数も同様である（イ）。また、LANは、回線の通信速度に依存する（ウ）。割込みはOSが制御を行うプログラム切り換えの仕組みで、クロック周波数とは直接関係がない（エ）。

解説2

【解答】エ

CPUが1秒間に処理できる命令数は、

CPUのクロック周波数÷1命令に要する平均クロック数

で求められる。

1GHzは 10^9 Hzであるから、このCPUが1秒間に実行できる命令数は、

$= 1{,}000{,}000{,}000 \div 0.8$

$= 1{,}250{,}000{,}000 = 125{,}000 \times 10^4$

となる。したがって、このCPUは1秒間に125,000万命令実行できる。

関連問題

計算問題の類題として、平均命令実行時間を求める問題もある。この場合、1命令の実行に要する時間になるので、問2の計算の逆数を求めればよい。

平均命令実行時間の計算

処理装置の動作クロック周波数が200MHzのパソコンがある。1命令の実行に平均して5クロック必要なとき、このパソコンの平均命令実行時間は何マイクロ秒か。

ア　0.005　　イ　0.025　　ウ　5　　エ　25

《解説》　平均命令実行時間

$= 1$ 秒 $\div (200 \times 10^6) \times 5 = 5 \div (200 \times 10^6)$ 秒 $= 0.025 \times 10^{-6}$ 秒

＝0.025マイクロ秒

となる。　　　　※1マイクロ秒＝10^{-6} 秒

〔解答　イ〕

コンピュータ構成要素

05 プロセッサの性能評価指標

CPUの性能評価には、さまざまな指標が使われます。MIPS値は、1秒間に実行できる命令数を表しています。計算問題は一見難しそうに感じますが、手計算でできるものばかりです。特に単位がポイントになるので、十分に注意しながら解くとよいでしょう。

問1 命令の処理時間

check

250MIPSのコンピュータで、5,000万個の命令を実行する場合の処理時間は約何秒か（小数第3位を四捨五入）。ここで、プロセッサの使用率は70%とし、OSのオーバヘッドは考えないものとする。

ア 0.15　　イ 0.29　　ウ 3.5　　エ 5

問2 トランザクションの処理能力

check

1件のトランザクションについて80万ステップの命令実行を必要とするシステムがある。プロセッサの性能が200MIPSで、プロセッサの使用率が80%のときのトランザクションの処理能力（件／秒）は幾らか。

ア 20　　イ 200　　ウ 250　　エ 313

問3 命令ミックス

check

表に示す命令ミックスによるコンピュータの処理性能は何MIPSか。

命令種別	実行速度（ナノ秒）	出現頻度（%）
整数演算命令	10	50
移動命令	40	30
分岐命令	40	20

ア 11　　イ 25　　ウ 40　　エ 90

ここがポイント！

《性能評価の指標》

①MIPS（Million Instruction Per Second）

1秒間に何百万（10^6）回の命令を実現できるかの単位。

②FLOPS（Floating-point Operations Per Second）

1秒間に浮動小数点演算命令が何回実行できるかの単位。M（メガ）FLOPSや、G（ギガ）FLOPS単位で表す。

③CPI（Cycles Per Instruction）

1命令の実行に必要なクロック数を表す単位。500MHz、8CPIの場合の1命令当たりの実行時間は、1クロックが2ナノ秒なので、次のように計算できる。

2ナノ秒×8CPI＝16ナノ秒

④命令ミックス

CPUの処理性能を測定する尺度。各命令の種別ごとの実行時間を使用頻度に応じて重み付けして算出し、平均命令実行時間を出す。事務処理用のコマーシャルミックスと、科学技術計算用のギブソンミックスがある。

《計算公式》

① 1クロック当たりの実行時間　＝1〔秒〕÷（クロック周波数×10^6）　←MHzの場合

② 平均命令実行時間（1命令当たりの実行時間）

＝1クロック当たりの実行時間×1命令の実行に必要なクロック数

③ MIPS値（1秒間に実行できる命令数）

＝1〔秒〕÷（平均命令実行時間×10^6）×CPUの使用率

解説1

【解答】イ

①使用率から、プロセッサの実際の処理能力を求める。

250〔MIPS〕× 0.7（70％）＝ 175〔MIPS〕

②命令の実行に要する時間（＝命令数÷MIPS値）を、単位を揃えて求める。

5,000万命令÷175〔MIPS〕

$$= \frac{(50 \times 10^6)\ 命令}{(175 \times 10^6)\ 命令/秒}$$

＝ 50 ÷ 175〔秒〕＝ 0.285…〔秒〕 ≒ 0.29〔秒〕

解説2

【解答】イ

プロセッサの性能は200MIPSだが、プロセッサの使用率が80％であることから、実際の処理能力は、200〔MIPS〕× 0.8 ＝ 160〔MIPS〕となる。

1件のトランザクションについて80万ステップの命令実行を必要とするので、1秒間に実行されるトランザクションは、160〔MIPS〕÷ 80万ステップ ＝ $(160 \times 10^6) \div (80 \times 10^4)$ ＝ 200件となる。

解説3

【解答】ウ

問題に与えられている、命令種別ごとの実行速度と出現頻度から、平均命令実行時間を求めると、

$(10 \times 0.5) + (40 \times 0.3) + (40 \times 0.2) = 5 + 12 + 8 = 25$〔ナノ秒〕

次に、1秒間あたりの命令数を求める。ナノ秒は、10^{-9}なので、

1〔秒〕÷ 25〔ナノ秒〕＝ $1 \div 25 \times 10^9 = 0.04 \times 10^9$〔回〕

MIPS値とは、1秒間に実行できる命令数を10^6単位で表した値であるから、

$(0.04 \times 10^9) \div 10^6 = 0.04 \times 10^3 = 40$〔MIPS〕

Lesson 06

コンピュータ構成要素

プロセッサの高速化技術

パイプライン処理は、複数の命令を同時並行して実行する処理方法で、RISCコンピュータに適しています。またパイプライン数が多いほど、全体のスループット（単位時間あたりの処理速度）が上がります。さまざまな方式があるので、特徴をつかんでおきましょう。

問1 パイプライン制御 check

次の図のうち、パイプライン制御の説明として適切なものはどれか。ここで、図中の各記号の意味は次のとおりである。

F：命令呼出し、D：解読、A：アドレス計算、R：オペランド呼出し、E：実行

ア

命令1	F	D	A	R	E										
命令2						F	D	A	R	E					
命令3											F	D	A	R	E

イ

命令1	F	D	A	R	E						
命令2				F	D	A	R	E			
命令3							F	D	A	R	E

ウ

命令1	F	D	A	R	E		
命令2		F	D	A	R	E	
命令3			F	D	A	R	E

エ

命令1	F	D	A	R	E	
命令2	F	D	A	R	E	
命令3		F	D	A	R	E

問2 密結合マルチプロセッサシステム check

コンピュータシステムの構成に関する記述のうち、密結合マルチプロセッサシステムを説明したものはどれか。

ア　通常は一方のプロセッサは待機しており、本稼働しているプロセッサが故障すると、待機中のプロセッサに切り替えて処理を続行する。

イ　複数のプロセッサが磁気ディスクを共用し、それぞれ独立したOSで制御される。ジョブ単位で負荷を分散することで処理能力を向上させる。

ウ　複数のプロセッサが主記憶を共用し、単一のOSで制御される。システム内のタスクは、基本的にどのプロセッサでも実行できるので、細かい単位で負荷を分散することで処理能力を向上させる。

エ　並列に接続された2台のプロセッサが同時に同じ処理を行い、相互に結果を照合する。1台のプロセッサが故障すると、それを切り離して処理を続行する。

ここがポイント！

《パイプライン処理》

パイプライン処理は、1つのプロセッサにおいて、命令の実行段階を少しずつずらしながら複数の命令を同時並行的に実行することで処理速度を上げる方式である。

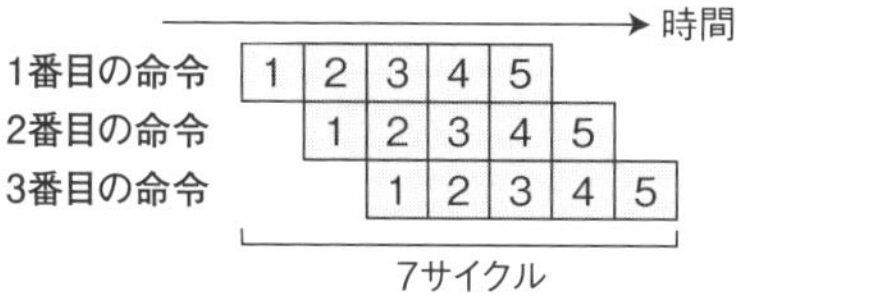

例えば、上図の5サイクル（段階）で1命令が実行される場合、3命令を実行するためには（3－1＋5）で7サイクル、20命令なら、（20－1＋5）で24サイクルで処理できる。

命令の実行段階

段階	処理内容
1	命令フェッチ（命令の呼出し）
2	命令の解読（デコード）
3	オペランドの読出し
4	命令の実行
5	結果の書込み

※オペランドとは、命令対象データのこと。

①スーパパイプライン

パイプラインの各ステージの処理を1/2クロック単位で実行する方式。論理的には1クロックで2命令を実行可能で、ステージ数が増えれば、各ステージで行う処理はより単純になり、動作周波数を上げやすくなる。

②スーパスカラ（super scalar）

1つのCPU内に複数の演算ユニットを内蔵し、複数のパイプラインで並列動作させる方式。1クロックでパイプラインの数だけの命令が実行できる。

③VLIW（Very Long Instruction Word）

長くとった命令語に複数の命令をまとめておき、並列動作させる方式。命令の数を一定にしておき、パイプラインによって同時実行することで高速化を図る。各命令は互いに依存関係のないことが前提となる。

《マルチプロセッサシステム》

①密結合マルチプロセッサシステム

複数のプロセッサが主記憶装置を共有し、同期を取りながら処理を行う。

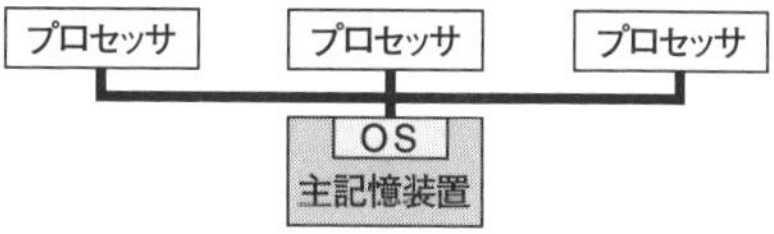

②疎結合マルチプロセッサシステム

独立した処理系で補助記憶装置を共有し、ジョブ単位で負荷分散を行う。

解説1　【解答】ウ

パイプライン制御では、命令の各ステージを独立して動作させ、処理をずらしながら複数命令を並列に実行する。1つの処理が終われば次の処理が実行できるので、ウが該当する。なおパイプライン処理では、命令の実行中に後の命令の準備を行うため、分岐や飛越し命令、資源の競合、データの参照待ちなどの「パイプラインハザード」があると処理の無駄が生じる。

解説2　【解答】ウ

密結合マルチプロセッサシステムでは、複数のプロセッサが主記憶を共有し、負荷を分散させながら実行を行う。また制御は単一のOSで行う。これに対し疎結合マルチプロセッサシステム（イ）では、それぞれにOSを持つ独立した処理系で処理の負荷分散を行う。ア：デュプレックスシステムの説明。エ：デュアルシステムの説明。

シラバス ●大分類2：コンピュータシステム ●中分類3：コンピュータ構成要素 ●小分類2：メモリ

Lesson 07

コンピュータ構成要素

メモリの種類と特徴

コンピュータで使われているメモリのうち、ROM（Read Only Memory）は電源が切れても記憶内容は保持され、RAM（Random Access Memory）は一般に電源を切ると記憶内容は消えます。それぞれの種類と用途、比較した際の特徴が問われます。

テクノロジ系

問1 SRAMとDRAMの比較

check

SRAMと比較した場合のDRAMの特徴はどれか。

ア　主にキャッシュメモリとして使用される。
イ　データを保持するためのリフレッシュまたはアクセス動作が不要である。
ウ　メモリセル構成が単純なので、ビット当たりの単価が安くなる。
エ　メモリセルにフリップフロップを用いてデータを保存する。

問2 フラッシュメモリ

check

フラッシュメモリに関する記述として、適切なものはどれか。

ア　高速に書換えができ、CPUのキャッシュメモリなどに用いられる。
イ　紫外線で全内容の消去ができる。
ウ　周期的にデータの再書込みが必要である。
エ　ブロック単位で電気的に内容の消去ができる。

問3 メモリのデータ転送速度

check

バス幅が16ビット、メモリサイクルタイムが80ナノ秒で連続して動作できるメモリがある。このメモリのデータ転送速度は何Mバイト/秒か。ここで、Mは10^6を表す。

ア　12.5　　イ　25　　ウ　160　　エ　200

ここがポイント!

《メモリの分類》

メモリを種類ごとに、分類すると次のようになる。

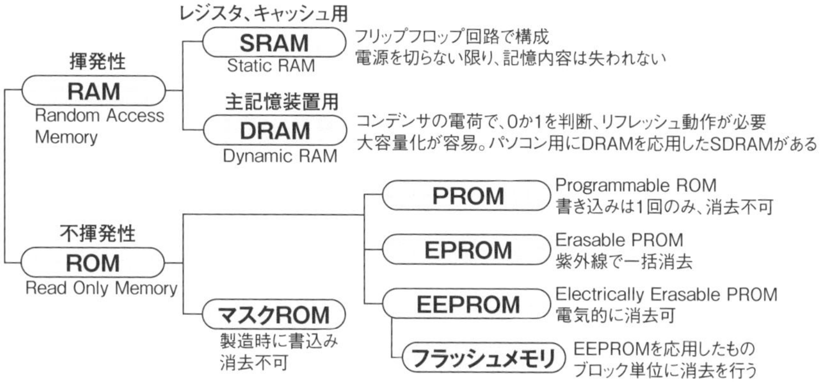

《フラッシュメモリ》

フラッシュメモリ(Flash Memory)は、PCのBIOSなどに利用される**EEPROM**を改良したもの。読出し専用のROMに分類されるが、電気的に一括または一部分を消去することで書き換えができる。EEPROMがバイト単位でデータ消去を行うのに対して、フラッシュメモリでは一括消去またはブロック単位での消去を行う。

解説 1

【解答】ウ

DRAMの動作速度はSRAMに比べて遅い。一方で、内部構成が比較的単純で集積度が上げやすい。そのため、低価格化、大容量化が可能である。

比較項目	SRAM	DRAM
アクセス速度	高速	低速
集積度	低い	高い
内部構成	複雑	単純
ビット当たりの単価	高価	安価
リフレッシュ	不要	必要
用途	キャッシュメモリ	主記憶装置

解説 2

【解答】エ

フラッシュメモリは、EEPROMを改良したもので、ブロック単位または一括での消去を行う。小型で取り外し可能な記憶装置として普及しており、USBメモリやデジカメの記憶メディアとしての利用が代表的である。製品としてはコンパクトフラッシュ、SDメモリカードなどがある。アはSRAM、イはEPROM、ウはDRAMのリフレッシュについて説明。

解説 3

【解答】イ

問題中のメモリサイクルタイムは、1回のデータ転送にかかる時間。
1秒あたりのデータ転送回数を求めると、ナノ秒は、10^{-9} なので、
　1〔秒〕÷ 80〔ナノ秒〕$= 1 \div (80 \times 10^{-9}) = 0.0125 \times 10^{9}$〔回〕
バス幅が16ビット(2バイト)なので、データ転送速度〔Mバイト/秒〕は、
　$2 \times 0.0125 \times 10^{9} \div 10^{6} = 0.025 \times 10^{3} = 25$〔Mバイト/秒〕　←Mは$10^{6}$

シラバス ●大分類2：コンピュータシステム ●中分類3：コンピュータ構成要素 ●小分類2：メモリ

Lesson 08

コンピュータ構成要素

キャッシュメモリ

キャッシュメモリは、CPUと主記憶装置の速度差を埋めるために設けられた記憶装置です。データやプログラムの一部をキャッシュメモリに置き、CPUはキャッシュメモリにアクセスすることで高速化を実現します。試験では、計算問題としても出題されます。

テクノロジ系

問1 キャッシュメモリの特性

check

キャッシュメモリに関する記述のうち、適切なものはどれか。

ア　キャッシュメモリのアクセス時間が主記憶と同等でも、主記憶の実効アクセス時間は改善される。

イ　キャッシュメモリの容量と主記憶の実効アクセス時間は、反比例の関係にある。

ウ　キャッシュメモリは、プロセッサ内部のレジスタの代替として使用可能である。

エ　主記憶全域をランダムにアクセスするプログラムでは、キャッシュメモリの効果は低くなる。

問2 キャッシュメモリの階層化

check

CPUのキャッシュメモリに関する記述のうち、適切なものはどれか。

ア　1次キャッシュには、2次キャッシュよりも低速なメモリが使われる。

イ　1次キャッシュは演算処理の高速化のために使われ、2次キャッシュは画像描画の高速化のために使われる。

ウ　1次キャッシュは最初にアクセスされ、2次キャッシュは1次キャッシュにデータがないときにアクセスされる。

エ　1次キャッシュは主記憶アクセスの高速化のために使われ、2次キャッシュは仮想記憶の実現のために使われる。

ここがポイント！

《キャッシュメモリの仕組み》

キャッシュメモリの仕組みは、頻繁に使うデータやプログラムを高速なキャッシュメモリに入れておき、アクセス時にまずキャッシュを探し、見つからなければ主記憶を探すことで処理の高速化を実現している。これは、最近アクセスしたりその近辺にある命令やデータを再び利用することが多いというプログラムの「局所性」を利用し、キャッシュメモリに存在する確率（**ヒット率**）を上げて利用効率を高めている。なお、主記憶全域をランダムにアクセスするプログラムではキャッシュメモリの効果は低くなる。

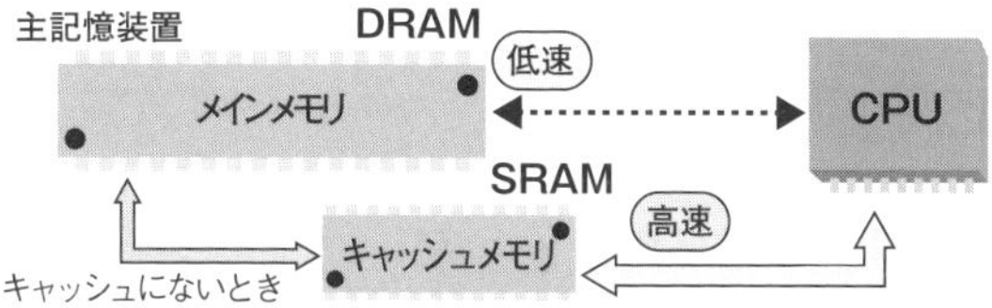

《多段階のキャッシュメモリ》

多段階のキャッシュメモリを持つCPUでは、CPUに近いほう（アクセスが優先されるほう）から**1次キャッシュ、2次キャッシュ**…と呼ばれる。例えば、2次キャッシュまで存在する場合、CPUがアクセスする際の優先度は、1次キャッシュ、2次キャッシュ、主記憶の順になる。また1次キャッシュはCPU内部に用意され（内部キャッシュ）、2次キャッシュはCPUとは独立して存在する。ただし、より高速化なCPUでは、両方をCPU内に設けていることが多い。

《主記憶装置への書き込み》

キャッシュメモリに記録されている情報は、最終的には主記憶装置の該当する箇所に書き戻さなければならない。これには次のような2つの方式があり、一般に後者のほうがアクセス時間を短縮できる。

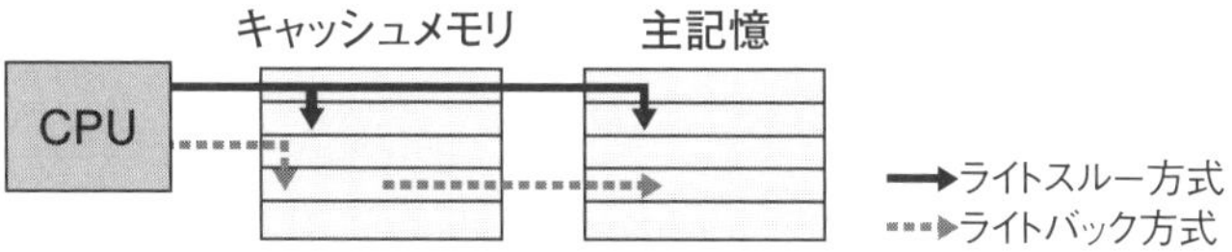

①**ライトスルー（write through）方式**

CPUが書込み命令を実行するとき、キャッシュメモリと主記憶の両方にデータを書き込む方式。そのつど速度の遅い主記憶に書き込むため、読込み時にしかキャッシュの効果が出ない。

②**ライトバック（write back）方式**

いったんキャッシュメモリにだけデータを書き込んでおき、主記憶への書込みは該当ブロックが主記憶に追い出されるときに行う。書込み時にもキャッシュの効果が出る。

問3 ライトスルーの説明

check

キャッシュメモリのライトスルーの説明として、適切なものはどれか。

ア　CPUが書込み動作をするとき、キャッシュメモリだけにデータを書き込む。
イ　キャッシュメモリと主記憶の両方に同時にデータを書き込む。
ウ　主記憶のデータの変更は、キャッシュメモリから当該データが追い出されるときに行う。
エ　主記憶へのアクセス頻度が少ないので、バスの占有率が低い。

問4 キャッシュメモリのヒット率

check

主記憶のアクセス時間が60ナノ秒、キャッシュメモリのアクセス時間が10ナノ秒であるシステムがある。キャッシュメモリを介して主記憶にアクセスする場合の実効アクセス時間が15ナノ秒であるとき、キャッシュメモリのヒット率は幾らか。

ア　0.1　　イ　0.17　　ウ　0.83　　エ　0.9

問5 実効メモリアクセス時間

check

A～Dを、主記憶の実効アクセス時間が短い順に並べたものはどれか。

	キャッシュメモリ			主記憶
	有無	アクセス時間（ナノ秒）	ヒット率（%）	アクセス時間（ナノ秒）
A	なし	－	－	15
B	なし	－	－	30
C	あり	20	60	70
D	あり	10	90	80

ア　A、B、C、D　　イ　A、D、B、C
ウ　C、D、A、B　　エ　D、C、A、B

《キャッシュのヒット率》

利用するデータがキャッシュメモリ上にない確率をNFP(Not Found Probability)、1－NFPをヒット率と呼ぶ。CPUからみた実効アクセス時間(平均メモリアクセス時間)は、次の式で表せる。ここで、ヒット率が100%に近づくほど、実効アクセス時間は、キャッシュメモリのアクセス時間に近くなる。

CPUの実効アクセス時間
＝ヒット率×キャッシュメモリのアクセス時間
＋(1－ヒット率)×主記憶のアクセス時間

解説1
【解答】エ

キャッシュメモリは、アクセスの局所性を利用しているため、主記憶全域をランダムにアクセスするプログラムでは効果は低くなる。ア：主記憶より高速なメモリによって緩衝効果がある。イ：キャッシュメモリの容量を増やすと、ヒット率が上がり主記憶の実効アクセス時間は短くなるため、比例関係といえる。ウ：レジスタに比較すると、キャッシュメモリは低速なため代替するのは不可。

解説2
【解答】ウ

CPUの命令実行時間と主記憶のアクセス時間との差が大きい場合には、多段のキャッシュ構成にすることで実効アクセス時間を短縮する方法をとる。CPUに近いほうから、1次キャッシュ、2次キャッシュ、3次キャッシュと呼び、目的のデータを1次キャッシュから探し、なければ2次キャッシュ以降に順次アクセスを行う。効率的なアクセスを考慮し、1次キャッシュは最も高速動作するが容量は小さく、2次キャッシュは1次キャッシュよりも遅いが容量は大きいという形で階層化されている。

解説3
【解答】イ

キャッシュメモリに読み込む時は、必要なデータを含むまとまった単位で行う。一方書込み時は、CPUがキャッシュに書き込んだデータを、どこかのタイミングで主記憶に反映させる必要がある。この方式には、ライトスルー方式(そのつどキャッシュメモリと主記憶の両方に書き込む)と、ライトバック方式(いったんキャッシュメモリだけに書込みを行い、主記憶への書込みは、該当ブロックが主記憶に追い出されるときに行う)がある。

解説4
【解答】エ

実効アクセス時間からヒット率を求める計算問題である。ヒット率をxとして公式にあてはめると、

x×10〔ナノ秒〕＋(1－x)×60〔ナノ秒〕＝15〔ナノ秒〕
10x〔ナノ秒〕＋60〔ナノ秒〕－60x〔ナノ秒〕＝15〔ナノ秒〕
50x〔ナノ秒〕＝45〔ナノ秒〕
x＝0.9

解説5
【解答】イ

主記憶の実効メモリアクセス時間が問われていることから、それぞれのアクセス時間を求めて比較すればよい。また、A、Bについては、キャッシュメモリがないことから、主記憶のアクセス時間そのものになる。CとDは、公式にあてはめて計算すると、

C：60%×20〔ナノ秒〕＋(1－60%)×70〔ナノ秒〕
＝12〔ナノ秒〕＋28〔ナノ秒〕＝40〔ナノ秒〕
D：90%×10〔ナノ秒〕＋(1－90%)×80〔ナノ秒〕
＝9〔ナノ秒〕＋8〔ナノ秒〕＝17〔ナノ秒〕

したがって。A、D、B、Cの順になる。

シラバス ●大分類2：コンピュータシステム ●中分類3：コンピュータ構成要素 ●小分類2：メモリ

Lesson 09

コンピュータ構成要素

メモリの高速化と誤り制御

メモリは、プログラムの処理とデータの記憶の両方に使われるため、メモリの速度、容量、信頼性は、性能に大きく関わります。メモリインタリーブの仕組みのほか、メモリの誤り制御の特徴を問う出題もあるので、方式の違いを整理しておくとよいでしょう。

問1 メモリインタリーブ

check

メモリインタリーブに関する記述のうち、適切なものはどれか。

ア　新しい情報をキャッシュメモリに取り出すとき、キャッシュ上では不要になった情報を主記憶に書き込む。
イ　主記憶と磁気ディスク間のアクセス時間のギャップを補う。
ウ　主記憶の更新と同時にキャッシュメモリの更新を行う。
エ　主記憶を幾つかの並列にアクセス可能な区画に分割し、連続したメモリへのアクセスを効率よく行う。

問2 メモリの誤り制御方式

check

メモリの誤り制御方式で、2ビットの誤り検出機能と、1ビットの誤り訂正機能をもたせるのに用いられるものはどれか。

ア　奇数パリティ　　イ　水平パリティ
ウ　チェックサム　　エ　ハミング符号

問3 ECCによる誤り制御

check

メモリのエラー検出及び訂正にECCを利用している。データバス幅 2^n ビットに対して冗長ビットがn + 2ビット必要なとき、128ビットのデータバス幅に必要な冗長ビットは何ビットか。

ア　7　　イ　8　　ウ　9　　エ　10

ここがポイント！

《メモリインタリーブ》

主記憶装置を複数のバンクに分け、バンクごとに独立してアクセスできるようにアクセスバスを配置し、連続したアドレスへのアクセス効率を向上させる技術。図の例では、例えば0番地に読出し要求があった場合に、同時に連続した1～3番地のデータも読み出すよう指示が出される。これにより効率よく、連続してデータを転送できる。

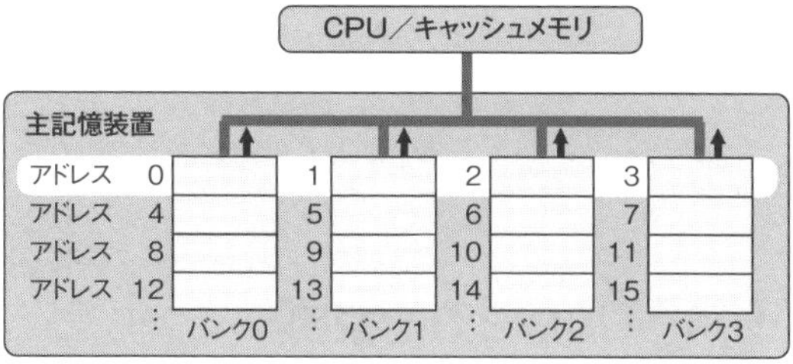

《メモリの誤り制御》

①パリティチェック（parity check）

1ビットのチェックビット（**パリティビット**）を用いてデータのエラーを検出する方式。パリティビットを含めて1の数が偶数になるようにするものを**偶数パリティ**、奇数になるようにするものを**奇数パリティ**という。例えば、0101001にパリティビットを付けると図のようになる。なおパリティチェックでは、エラーの検出はできるが訂正はできない。

〈偶数パリティ〉

1	0	1	0	1	0	0	1

↑パリティビット

〈奇数パリティ〉

0	0	1	0	1	0	0	1

↑パリティビット

②ECC（Error Correcting Code）

パリティチェックよりも信頼性の高いエラー訂正機構。ECC対応のメモリモジュールはメモリ内のデータのエラーを検出したり、自動的にエラーの訂正ができ、信頼性が求められるシステムに利用される。具体的には、**ハミング符号**が使われている。

・**ハミング符号（hamming code）**：データ中に含んだチェックビットにより、誤りの検出と訂正を行う方式。4ビットの情報ビットに対し、3ビットのチェックビットを付加したハミングコードにより、2ビットの誤り検出と1ビットの誤り訂正が可能になる。

解説1

【解答】エ

メモリインタリーブは、主記憶装置をいくつかの独立動作可能なバンクに分割（隣り合うアドレスを別々のバンクに割り当てる）し、各バンクごとにアクセスバスを設定することで、アクセスを効率よく行う方法。データの読み書き（アクセス）は、アドレスの順に行うことが多いため、並行して読み書きを行うと高速化できる。

解説2

【解答】エ

ハミング符号（コード）は、データの中にあらかじめ含ませたチェックビットを使って誤り検出と訂正を行うことができる自己訂正方式。選択肢のチェックサムは、簡易な計算による誤り検出方式。例えば、数字列であれば、各桁の和を求め、特定の数で割った余りをチェックサムとして元のデータに付加する。読み出しや転送時には同じ計算をして相違がないかを確かめる。

解説3

【解答】ウ

ECCは、ハミング符号を利用したもので、データの中にあらかじめ含ませたチェックビットを使って誤り検出と訂正を行うことができる。「データバス幅2^nビットに対して冗長ビットが$n+2$ビット必要」ということなので、128ビットで計算すると、128ビット＝2^7ビットなので、$7+2=9$ビットの冗長ビットが必要になる。

Lesson 10

コンピュータ構成要素

入出力インタフェース

コンピュータには、多様な周辺装置を接続するために、さまざまな入出力インタフェース仕様が用意されています。新しい規格も登場してきますが、試験対策としては、主流になっている規格を中心に、特徴と用途を押さえておくとよいでしょう。

問1 USB 3.0の説明

check

USB 3.0の説明として、適切なものはどれか。

ア　1クロックで2ビットの情報を伝送する4対の信号線を使用し、最大1Gビット／秒のスループットをもつインタフェースである。

イ　PCと周辺機器とを接続するATA仕様をシリアル化したものである。

ウ　音声、映像などに適したアイソクロナス転送を採用しており、ブロードキャスト転送モードをもつシリアルインタフェースである。

エ　スーパースピードと呼ばれる5Gビット／秒のデータ転送モードをもつシリアルインタフェースである。

問2 USBのコネクタの断面図

check

USB　Type-Cのプラグ側コネクタの断面図はどれか。ここで、図の縮尺は同一ではない。

ア
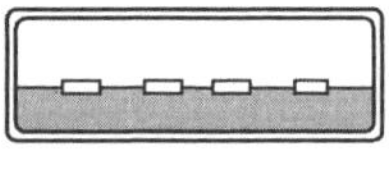

イ
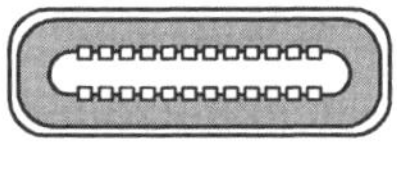

ウ
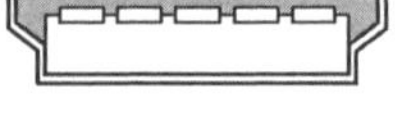

エ
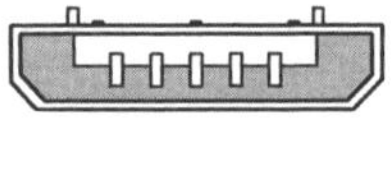

ここがポイント！

《主なインタフェース》

①USB（Universal Serial Bus）

キーボードやマウス、ハードディスク、プリンタなどの接続に利用され、ハブにより、最大127台の機器をツリー状に接続できる高速シリアルインタフェース規格。USB 3.0では5Gビット／秒のデータ転送モードを持ち、スーパースピードUSBと呼ばれる。また、現在普及しているUSB 3.1 Gen 2では、転送速度10Gbpsを可能としている。

・USBのコネクタ形状

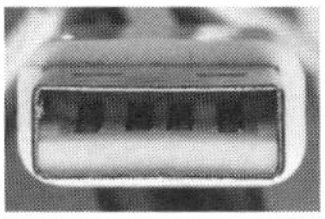
Type-A

Type-B

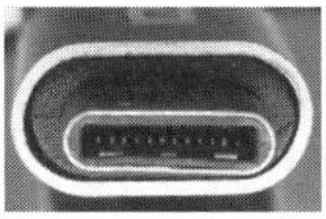
Type-C

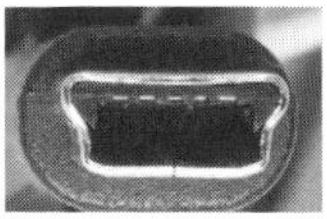
Mini-B

Micro-B

②シリアルATA（SATA）

従来のATA（パラレル伝送）を高速なシリアル伝送に置き換えた規格。シリアルATA 3.0の規格では6Gbps（実効速度4.8Gbps）の転送性能がある。各デバイスはホストコントローラに対して1対1で接続するのが基本になっている。eSATA（External Serial ATA）は、シリアルATAを外付けドライブに用いるための規格。

③IEEE1394（FireWire、iLink）

高速シリアルインタフェース規格で、外付けハードディスク装置との接続や、デジタルビデオと接続してビデオ画像の取り込みなどに利用される。400MbpsのIEEE1394aと800MbpsのIEEE1394bがある。

④HDMI（High-Definition Multimedia Interface）

パソコンとディスプレイとの接続に加え、オーディオやカメラ、AV機器などにも使われる規格。1本のケーブルで映像と音声、制御用の信号を送受信できる。

⑤DisplayPort（ディスプレイポート）

パソコンやAV機器とディスプレイ装置を接続するためのデジタル接続規格で、映像と音声をパケット化し、シリアル伝送を行う。HDMIと同様、1本のケーブルで映像と音声の入出力が可能なほか、著作権保護技術にも対応する。

《無線通信によるインタフェース》

①IrDA

1m程度の近距離赤外線通信規格。パソコンの周辺機器、携帯端末などとの無線通信を行うことができる。

②Bluetooth（ブルートゥース）

近距離無線通信の規格。データや音声の送受信に使われるインタフェースで、最大7台まで同時接続できる。キーボードやワイヤレスマウス、携帯電話などで幅広く利用されている。BLE（Bluetooth Low Energy）は、IoT機器を想定した低消費電力版。

（※111ページへ続く↘）

問3 USBを用いた機器の接続方法 check

パソコン(PC)の周辺装置用のバスインタフェースであるUSB(Universal Serial Bus)を用いた機器の接続方法として、正しいものはどれか。ここで、▭ はUSB周辺装置を、—— はケーブルを表すものとする。

ア
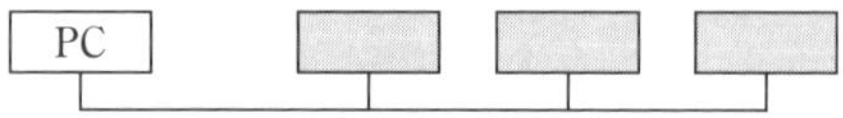

イ
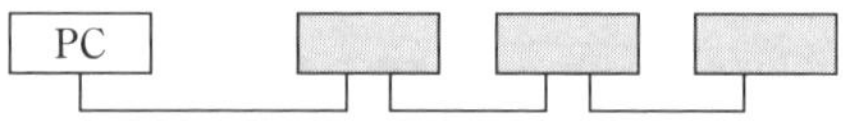

ウ
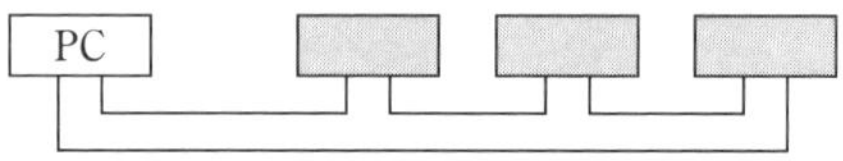

エ
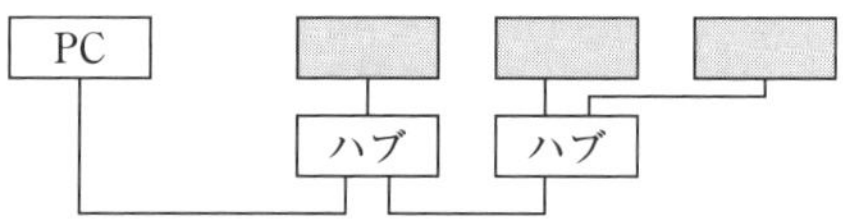

問4 ZigBeeの説明 check

ZigBeeの説明として、適切なものはどれか。

ア　携帯電話などのモバイル端末とヘッドセットなどの周辺機器とを接続するための近距離の無線通信として使われる。

イ　赤外線を利用して実現される無線通信であり、テレビ、エアコンなどのリモコンに使われる。

ウ　低消費電力で低速の通信を行い、センサネットワークなどに使われる。

エ　連絡用、業務用などに利用される小型の携帯型トランシーバに使われる。

（↘ 109 ページからの続き）

③ Zigbee（ジグビー）

多数の機器（最大 65,536 ノード）との接続を行うセンサネットワーク（防犯システムや家電ネットワークなど）での利用を前提とした近距離無線通信の規格。Bluetooth に比べて伝送距離が短く伝送速度は低いが、低消費電力で低コストであることが大きなメリット。また、中継機能によりZigbee ネットワークの端末どうしで情報のやりとりができるという特徴がある。

④ NFC（Near field radio communication）

電波によって近距離（10cm 程度）での無線通信を行う接続規格で、通信機能と識別・認証機能を持っている。

《接続形態の種類》

①EIDE（ATA/ATAPI-4）

マザーボード上の2つのコントローラから、それぞれ2台までデイジーチェーン接続。内蔵機器接続用。

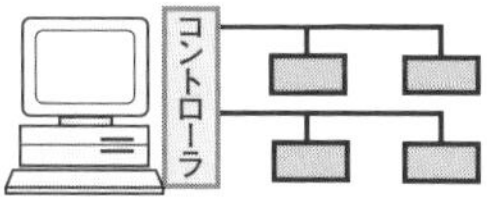

②シリアルATA

コントローラから1対1に接続するためポート数分の台数のみ。パソコン内蔵機器の接続に用いる。

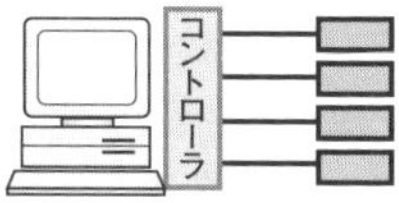

③IEEE1394

装置どうしを芋づる式に接続するデイジーチェーン接続により、最大17台、ハブを用いたツリー接続を加えることで最大63台まで接続可能。

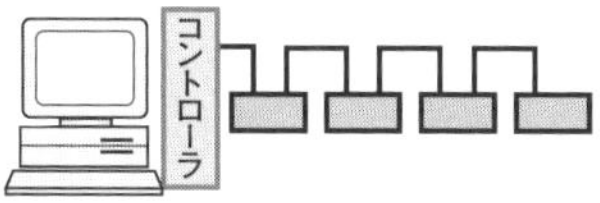

④USB

スター型接続により、理論上最大127台を接続できる。また、複数のハブを階層的に接続（カスケード接続）して、ツリー接続にすることもできる。

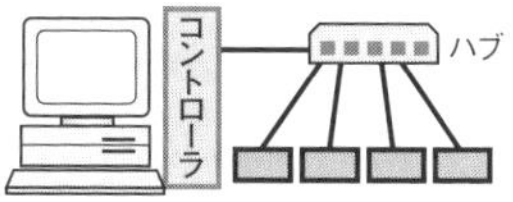

解説 1

【解答】エ

USB 3.0 は最大 5Gbps の転送速度を持つシリアルインタフェース。ア：1000BASE-T の説明。イ：シリアル ATA（SATA）の説明。ウ：IEEE1394 についての説明。USB3.0 では、ブロードキャスト転送（すべての機器にデータ送信）ではなく、ユニキャスト転送（目的の機器のみにデータ送信）を行う。また、アイソクロナス転送（同期転送）に対応している。

解説 2

【解答】イ

USBのコネクタ形状は、利用機器に合わせて大小さまざまなものがある。最も一般的な Type-A（ア）は、USB 3.0 では青色が用いられている。Type-B はプリンタなどの機器側で使われる。Type-C（イ）は、形状が小さくなり薄型の機器でも使われる。また、プラグのスペースが取りにくい小型機器では、小さい Mini-B（ウ）やさらに小さい Micro-B（エ）がよく使われる。

解説 3

【解答】エ

USBでは、ハブを用いてツリー上に接続する。例えばキーボードに、マウス用のUSBコネクタがある場合は、デイジーチェーンに見えるが、実際にはハブ機能が内蔵され、そこに 1 台をつないでいる形になる。なお、接続機器を通じて機器に電力を供給できるバスパワー方式を採用しているが、機器全体の消費電力が増えると電力が不足することがある。

解説 4

【解答】ウ

ZigBee（ジグビー）は、多数の機器との接続を伴うセンサネットワークでの利用を前提とした近距離無線通信の規格。Bluetooth に比べて伝送距離が短く、伝送速度は低いものの、低消費電力（乾電池で数年動作）で低コストのため、IoT によるネットワークなどに使われる。中継機能により ZigBee どうしがやりとりできるほか、ルータを使うことで他の機器とも通信できる。

Lesson 11

コンピュータ構成要素

入出力装置

入力装置は、コンピュータへの指示やデータを読み込む装置です。一方、出力装置は、コンピュータの情報を人間が理解できる形に表す装置です。試験では、さまざまな入出力装置の種類や特徴が問われます。また、計算問題による出題もあります。

問1 パッシブ方式のRFタグの説明 check

RFIDのパッシブ方式のRFタグの説明として、適切なものはどれか。

ア　アンテナで受け取った電力を用いて通信する。
イ　可視光でデータ通信する。
ウ　静電容量の変化を捉えて位置を検出する。
エ　赤外線でデータ通信する。

問2 タッチパネルの特徴 check

静電容量方式タッチパネルの記述として、適切なものはどれか。

ア　タッチすることによって、赤外線ビームが遮られて起こる赤外線反射の変化を捉えて位置を検出する。
イ　タッチパネルの表面に電界が形成され、タッチした部分の表面電荷の変化を捉えて位置を検出する。
ウ　抵抗膜に電圧を加え、タッチした部分の抵抗値の変化を捉えて位置を検出する。
エ　マトリックス状に電極スイッチが並んでおり、押された部分の電極で位置を検出する。

ここがポイント！

《入力装置の種類》

①**ポインティングデバイス**…位置情報を入力する装置の総称。

・**マウス、トラックボール**…マウスは最も一般的に使われる装置。トラックボールはマウスを逆さにした形で､手でボールをころがして操作する。小さなスペースで動作可。

・**トラックパッド**：指でなぞることで位置情報を入力。

・**ペンタブレット**：センサを埋め込んだボード状の装置。専用のペンを使って手書きの要領で位置情報を入力する。主に文字や絵を描いたりする用途に使われる。また、大型の**ディジタイザ**は正確な座標情報を入力でき、設計図面の作成などに利用される。

②**キーボード**

文字を入力する装置。用途やOSによって、さまざまなキー配列のものが使われる。

③**イメージスキャナ**

絵や写真などに光を当て、その反射の強弱をセンサが電気信号に変えて、イメージ情報（点の集まりの情報）として読み取る入力装置。

④**OCR（光学式文字読取装置）／OMR（光学式マーク読取装置）**

ともにスキャナの原理を利用した装置。OCRは、手書きの文字を文字データとして読み取る装置で、画像として読み込んだ画像をソフトウェアで文字として認識する。OMRは､鉛筆などで欄を塗りつぶしたマークシート上の位置を光学的に読み取る装置。

⑤**バーコードリーダ**

販売店のレジで使われる装置。バーコードの規格には、商品の販売用のJANコード、小面積でより多量の情報を表示できる**QRコード（2次元バーコード）**がある。

⑥**ICカード読取装置**

カードに埋め込まれたICチップの情報を読み取る装置。磁気カードに比べて偽造されにくいため、クレジットカードなどで使われる。また、交通機関などで使われている非接触型ICカードや商店などで使われるICタグ（RFタグ）は、無線通信によりICに記録したデータを管理する。この技術を**RFID**（Radio Frequency IDentification）と呼ぶ。

⑦**磁気カード読取装置**

クレジットカードなどで利用されている磁気ストライプカードを読み取る装置。広く普及しているが、記憶容量が少ないため、接触型のICカードとの併用型の採用が進んでいる。

⑧**生体認証装置**

指紋や網膜、虹彩や声紋など、生体認識技術に基づいた入力装置。

《タッチパネルの種類》

タッチパネルは、画面をなぞることで位置情報を入力する装置。次の方式がある。

①**静電容量方式**：導電性のある指先が近づく際の表面電荷の変化を捉えて位置情報を検出する。iPhoneなどのスマホやタブレットなどに採用されている。

②**抵抗膜方式**:指やペン先が触れた電圧を検知する方式。ゲーム機などに広く普及している。

③**電磁誘導方式**：ペンタブレットなどで採用されている方式。専用ペンが必要となる。

問3 ビットマップフォントの容量

check

1文字が、縦48ドット、横32ドットで表される2値ビットマップのフォントがある。文字データが8,192種類あるとき、文字データ全体を保存するために必要な領域は何バイトか。ここで、1Mバイト＝1,024kバイト、1kバイト＝1,024バイトとし、文字データは圧縮しないものとする。

ア　192k　　イ　1.5M　　ウ　12M　　エ　96M

問4 3Dプリンタの説明

check

3Dプリンタの機能の説明として、適切なものはどれか。

ア　高温の印字ヘッドのピンを感熱紙に押し付けることによって印刷を行う。
イ　コンピュータグラフィックスを建物、家具など凹凸のある立体物に投影する。
ウ　熱溶解積層方式などによって、立体物を造形する。
エ　立体物の形状を感知して、3Dデータとして出力する。

問5 画面表示に必要なVRAM容量

check

表示解像度が1,000×800ドットで、色数が65,536色（2^{16}色）の画像を表示するのに最低限必要なビデオメモリ容量は何Mバイトか。ここで、1Mバイト＝1,000kバイト、1kバイト＝1,000バイトとする。

ア　1.6　　イ　3.2　　ウ　6.4　　エ　12.8

《画像データの容量計算》

パソコンでは、ディスプレイに表示するためのデータ処理は、CPUの負荷を軽減するためビデオボード（またはビデオカード）が行う。画面表示の品質（解像度、色数）は、画面に表示するデータを一時的に蓄えておくVRAM（Video RAM）の容量によって決まる。

画像データ量（必要なVRAM容量）
＝画像の総ドット数（横ドット×縦ドット）×色情報〔バイト数〕

色数	ビット数
256色（2^8）	8ビット（1バイト）
65,536色（2^{16}）	16ビット（2バイト）
1,677万色（2^{24}）	24ビット（3バイト）

《入出力装置の性能を示す単位》

①dpi (dots per inch)

1インチ(約2.5cm)の直線上にいくつの画素(ドット)が入るかを示す。値が高いほど、画像をきめ細かく表現できる。スキャナ、プリンタの性能を表すときに用いる。

②ppm (pages per minute)

1分間あたりに印刷可能な出力枚数。ページ(レーザ)プリンタの性能指標となる。

《プリンタの種類》

	印字方法	その他の特徴
ドットインパクトプリンタ	字形を構成する細いピンの集合でインクリボンを叩いて印字	カーボン用紙による複写印字が可能
インクジェットプリンタ	プリンタヘッドのノズルからインクを吹き付けて印字	家庭用カラープリンタの主流
ページ(レーザ)プリンタ	1ページ分のイメージに従い、ドラム上にトナーを付着させて印字	高品質で高速
プロッタ(X-Yプロッタ)	ペンなどを紙の上で動かして線画を描く。CADなどの図形を出力する際に使用される	フラットベッド方式(ペンがX軸、Y軸上を移動)と、フリックションドライブ方式(ペンがX軸上を動き、紙がY軸方向へ動く)がある
3Dプリンタ	樹脂などを積み上げることで、3次元のオブジェクトを出力する	切削ではなく、熱溶解積層法による造形方式などがあり、方式により素材はさまざま

解説 1　【解答】ア

RFIDは、無線通信によってICタグ情報を読み出す技術。RFID技術によるICタグ(RFタグ)は、極小の集積回路とアンテナで構成され、電波による無線通信によって対象物の識別や位置確認を行うことができる。2つの方式があり、アクティブ方式は、電源を持っており通信可能距離が長いのが特徴。一方、パッシブ方式は電源を持たず、読み取り装置からの電磁波(電波方式)または磁界(電磁誘導方式)による電力で稼働する。

解説 2　【解答】イ

タッチ式ディスプレイなどに採用されているタッチパネルの方式について問う問題である。静電容量方式は、タッチした部分の表面電荷の変化を捉える方式。反応がよく、細かい操作が可能になるが、導電性のないペンなどでは反応しない。ア：赤外線方式の説明。ウ：抵抗膜方式の説明。エ：マトリクス方式の説明。

解説 3　【解答】イ

1文字は縦48ドット、横32ドットの2値で表されるので、48 × 32ビット。これが8,192文字あるので、掛け合わせれば必要な容量を算出できる。途中の計算を少なくするため、バイト単位に合わせながら2^nの形で考えるとよい。

48 × 32 × 8,192〔ビット〕= $6 \times 2^5 \times 2^{13} = 6 \times 2^{18}$〔バイト〕

Mバイト単位にすると、= $6 \times 2^{18} / 2^{20} = 6 / 2^2 = 1.5$〔Mバイト〕

解説 4　【解答】ウ

3Dプリンタは、3次元のオブジェクトを造形するプリンタ。造形方法は切削ではなく積層による。主な方式には、熱で溶かした熱可塑性樹脂を用いる熱溶解積層方式、液体樹脂を噴射して紫外線で固めるインクジェット方式、液体樹脂に紫外線を当てて硬化させる光造形方式などがある。これらは、精密さ、強度・耐久性、素材、造形の速度などによって使い分ける。

解説 5　【解答】ア

解答がMバイト単位で求められているので、バイト単位で考えると計算が楽。1ドットにつき色情報が16ビットなので、2バイトの情報量をもつ。1画面には全部で1,000 × 800のドットがあるので、情報量は、1,000 × 800 × 2。計算結果はM(メガ)バイトであるが、1Mバイトを1,000 × 1,000バイトとして計算するので、800 × 2 ／ 1,000 = 1,600 ／ 1,000 = 1.6Mバイト。

Lesson 12

シラバス ●大分類2：コンピュータシステム ●中分類3：コンピュータ構成要素 ●小分類5：入出力装置

コンピュータ構成要素

補助記憶装置

コンピュータに必須の補助記憶装置が磁気ディスク（ハードディスク）で、データを記録する磁性体を両面に塗った硬質素材のディスクを複数枚用いて構成されています。まずは構造を知ることが、問題を解く早道になります。そのほかSDカードの問題も出ています。

問1 磁気ディスクのアクセス効率

check

一つのファイルはハードディスク上の連続した領域に記録されているのがよいといわれる。その理由のうち、適切なものはどれか。

ア 磁気ヘッドの無駄な動きが減るので、ディスク表面の摩耗が少なくなる。

イ ハードディスク上にデータの記録されていない部分がなくなり、全領域が利用できる。

ウ ファイルの管理情報を格納する領域が少なくてすみ、その分ユーザが多く利用できる。

エ 連続してデータを読み取る場合、磁気ヘッドのシーク回数が少なくなるので、読取り時間が短くなる。

問2 ファイルの保存に必要なセクタ数

check

500バイトのセクタ8個を1ブロックとして、ブロック単位でファイルの領域を割り当てて管理しているシステムがある。2,000バイト及び9,000バイトのファイルを保存するとき、これら二つのファイルに割り当てられるセクタ数の合計は幾らか。ここで、ディレクトリなどの管理情報が占めるセクタは考慮しないものとする。

ア 22　　イ 26　　ウ 28　　エ 32

問3 アクセス時間の計算

check

回転速度が5,000回転/分、平均シーク時間が20ミリ秒の磁気ディスクがある。この磁気ディスクの1トラック当たりの記憶容量は、15,000バイトである。このとき、1ブロックが4,000バイトのデータを、1ブロック転送するために必要な平均アクセス時間は何ミリ秒か。

ア 27.6　　イ 29.2　　ウ 33.6　　エ 35.2

ここがポイント！

《磁気ディスクの構造と容量》

　磁気ディスクは、図のように複数枚のディスクが内蔵されており、小さい単位からセクタ、トラック、シリンダの概念を持つ。データの記憶単位であるレコードは、複数レコードがブロックにまとめられ、セクタ上に記憶される。

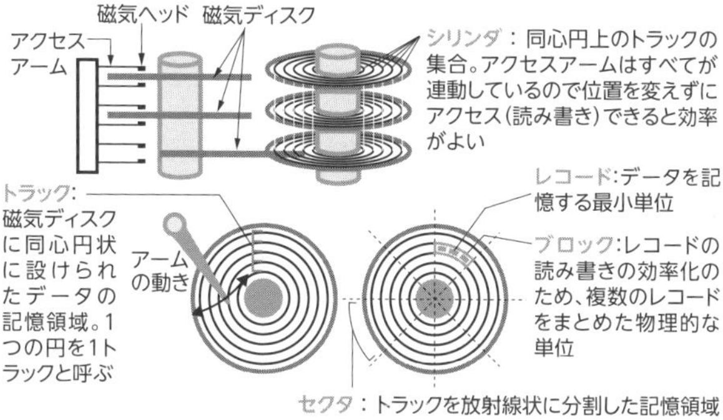

　ディスク全体の容量は、最小単位のセクタ容量から、すべてを掛け合わせた形になる（試験問題では、セクタの概念を省くこともある）。

　また、レコードを記憶するセクタ数やトラック数などを求める際には、それぞれの単位に満たない部分は切り捨てられることに注意しよう。

シリンダ：同心円上のトラックの集合。アクセスアームはすべてが連動しているので位置を変えずにアクセス（読み書き）できると効率がよい

レコード：データを記憶する最小単位

ブロック：レコードの読み書きの効率化のため、複数のレコードをまとめた物理的な単位

トラック：磁気ディスクに同心円状に設けられたデータの記憶領域。1つの円を1トラックと呼ぶ

セクタ：トラックを放射線状に分割した記憶領域

| 1セクタ当たりの記憶容量 | × | 1トラック当たりのセクタ数 | × | 1シリンダ当たりのトラック数 | × | 磁気ディスク全体のシリンダ数 |

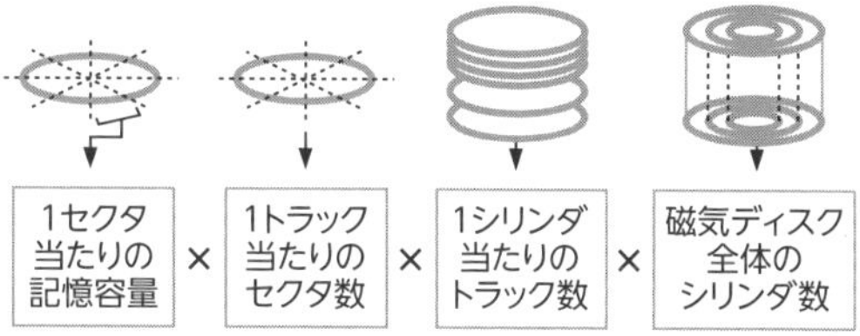

《磁気ディスクのアクセス時間》

　まず仕組みを理解することが重要。ハードディスク装置は、磁気ヘッドがディスク面を移動し、磁性体の磁性の向きを変えることでデータの読み書きを行う。また、ディスクは常に高速回転していることを意識するのがポイントである。

　アクセス時間は、制御装置がデータの入出力に関する要求を出してから、データの転送が完了するまでの時間なので、❶平均位置決め時間、❷平均回転待ち時間、❸データ転送時間の合計となる。

アクセス時間 ❺		データ転送時間 ❸
平均待ち時間 ❹		
平均位置決め時間 ❶	平均回転待ち時間 ❷	

磁気ディスクは高速で回転している

磁気ヘッドの移動範囲

磁気ヘッドは目的のデータのあるトラック上に移動する

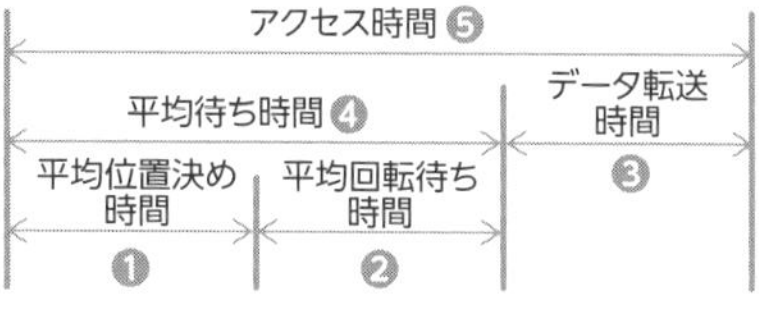

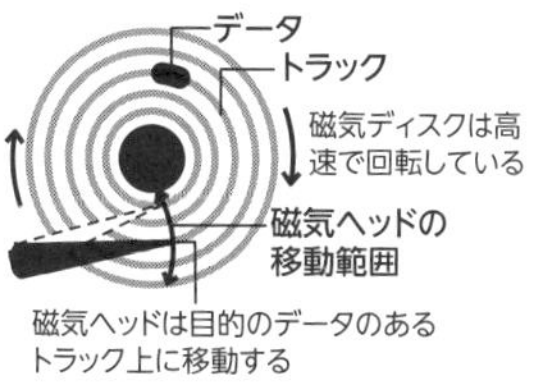

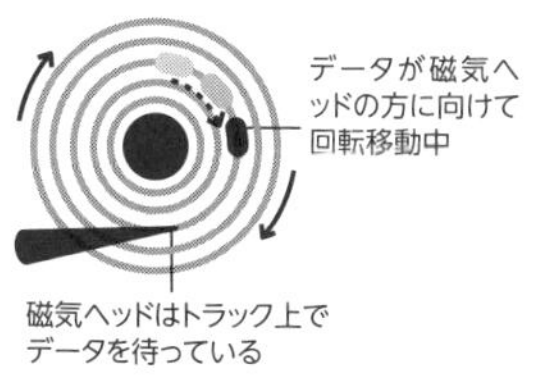

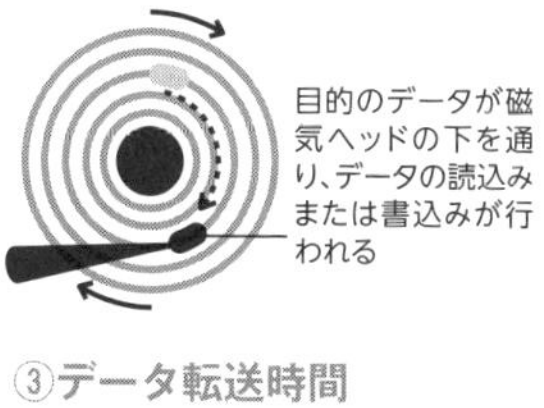

①平均位置決め時間

アクセスアームが動いて磁気ヘッドが目的のデータのあるトラック上に移動するまでの時間。シーク時間ともいう。

データが磁気ヘッドの方に向けて回転移動中

磁気ヘッドはトラック上でデータを待っている

②平均回転待ち時間

目的のデータが磁気ヘッドの真下に回転してくるまでの時間でサーチ時間ともいう。平均回転待ち時間は、1/2回転の時間。

目的のデータが磁気ヘッドの下を通り、データの読込みまたは書込みが行われる

③データ転送時間

目的のデータが磁気ヘッドの下を通過し、データの読込みや書込みが開始されてから、すべての転送が終わるまでの時間。

（※次ページへ続く↘）

問4 データ格納に必要なブロック数 check

磁気ディスク装置の仕様と格納対象データの条件が次のとおりに与えられている。ブロック化因数が20のときの必要領域は何トラックか。ここで、領域はトラック単位に割り当てるものとし、ファイル編成は順編成とする。

磁気ディスク装置の仕様

1トラック当たりの記憶容量	25,200バイト
ブロック間隔	500バイト

格納対象データ条件

レコード長	200バイト
レコード件数	10,000件

ア 80　　イ 83　　ウ 89　　エ 100

テクノロジ系

問5 SDXCの特徴 check

SDメモリカードの上位規格の一つであるSDXCの特徴として、適切なものはどれか。

ア GPS、カメラ、無線LANアダプタなどの周辺機能をハードウェアとしてカードに搭載している。

イ SDメモリカードの4分の1以下の小型サイズで、最大32Gバイトの容量をもつ。

ウ 著作権保護技術としてAACSを採用し、従来のSDメモリカードよりもセキュリティが強化された。

エ ファイルシステムにexFATを採用し、最大2Tバイトの容量に対応できる。

（↘前ページからの続き）

データ転送時間 ＝ 転送データ量÷データ転送速度

※データ転送速度＝1トラック当たりのデータ量÷磁気ディスクが1回転する時間

《フラグメンテーション（fragmentation）》

ハードディスクへの書込みと消去を繰り返すうちに、しだいに空き領域が分断され、ひとつながりのデータが飛び飛びの領域に保存されるようになった状態のこと。その結果、アクセス速度が落ちてしまう。**断片化**ともいう。分断化された1つのデータを連続した領域に移し、フラグメンテーションを解消することを**デフラグ**という。

《その他の記憶装置》

①SSD（Solid State Drive：ソリッドステートドライブ）

フラッシュメモリを用いた補助記憶装置。物理的な動作がないため、ハードディスクの代わりにすることでアクセス時間を大幅に短縮できる。また、省電力、静音性、熱を発生しにくいといった特徴もある。

②メモリカード

デジタルカメラや携帯電話などの記録メディアとして普及している補助記憶装置で、フラッシュメモリを用いている。さまざまな規格や種類がある。

- SDカード：最も馴染みのあるメモリカードで、サイズの違いで、SD、miniSD、microSDの3種類がある。また、ファイルシステムの規格の違いで、SD（FAT16、最大2GB）、SDHC（FAT32、最大32GB）、SDXC（exFAT、最大2TB）がある。
- CFexpressカード：高速・大容量のニーズに対応するため開発されたメモリーカード。主にデジタルカメラなどに用いられる。複数のTypeがあり、形状が異なる。

解説1
【解答】エ

1つのファイルがディスク上に不連続で記録されていると、磁気ヘッドの移動が頻発し、シーク時間（ヘッドを目的のトラックに移動させる時間）が増える。ア：ハードディスクは浮動磁気ヘッドを採用しているため、ディスク表面は磨耗しない。イ：ファイルを記録する物理領域は必ずしも連続している必要はなく、記録不可の領域は発生しない。ウ：ファイル管理情報を記録する領域は別途設けられており、データを格納する領域は増えない。

解説2
【解答】エ

領域はブロック単位に割り当てるので、「1ブロックに満たない分は記録されない」ということに注意。

- 1ブロック：500 × 8セクタ = 4,000バイト
- 2,000バイトのファイルの保存に必要なセクタ：1ブロック = 8セクタ
- 9,000バイトのファイルの保存に必要なセクタ：3ブロック = 24セクタ

　したがって、8 + 24 = 32セクタが必要。

解説3
【解答】イ

磁気ディスクの平均アクセス時間は、3つの時間から求めることができる。

平均位置決め時間（シーク時間）：20ミリ秒

平均回転待ち時間：1回転に要する時間 ÷ 2 = (60秒 ÷ 5,000回転) ÷ 2
　= 12ミリ秒 ÷ 2 = 6ミリ秒

データ転送時間：1回転は、12ミリ秒で、1トラック分（15,000バイト）を読むことができる。
　(4,000バイト ÷ 15,000バイト) × 12ミリ秒 = 3.2ミリ秒

平均アクセス時間：20ミリ秒 + 6ミリ秒 + 3.2ミリ秒 = 29.2ミリ秒

解説4
【解答】エ

領域はトラック単位に割り当てるので、「1ブロックがトラックをまたがって記録されることはない」ということに注意。

- 1ブロックに必要な記憶容量：200 × 20 + 500 = 4,500バイト
- 1トラックに格納できるブロック数：25,200 ÷ 4,500 = 5ブロック
- 格納対象データのブロック数：10,000 ÷ 20 = 500ブロック

　したがって、必要領域のトラック数は、500 ÷ 5 = 100トラックとなる。

解説5
【解答】エ

SDカードは、主にデジタルカメラ用メモリとして普及し、画像データの増大とともに規格を拡張しながら容量を増やしてきた。SD、SDHCではファイルシステムにFATを採用していたが、SDXCではexFATを採用し、最大容量2Tバイトまで拡張できる。著作権保護技術にはCPRMおよびCPXMに対応。なお容量のほか、データ転送速度や形状など、さまざまなものがある。

Lesson 13

システム構成要素

システムの処理形態

クライアントサーバシステムでは、サービスを提供する側（サーバ）と、サービスを要求する側（クライアント）のコンピュータで役割を分担して処理を行います。試験では、集中処理と分散システムの比較、3層クライアントサーバシステムの特徴などが問われます。

問1 サーバの配置

check

Webシステムにおいて、WebサーバとアプリケーションAP）サーバを異なる物理サーバに配置する場合のメリットとして、適切なものはどれか。

ア Webサーバにクライアントの実行環境が実装されているので、リクエストのたびにクライアントとAPサーバの間で画面データをやり取りする必要がなく、データ通信量が少なくて済む。

イ Webブラウザの文字コード体系とAPサーバの文字コード体系の違いをWebサーバが吸収するので、文字化けが発生しない。

ウ データへのアクセスを伴う業務ロジックは、Webサーバのプログラムに配置されているので、業務ロジックの変更に伴って、APサーバのプログラムを変更する必要がない。

エ 負荷が軽い静的コンテンツへのリクエストはWebサーバで処理し、負荷が重い動的コンテンツへのリクエストはAPサーバで処理するように、クライアントからのリクエストの種類に応じて処理を分担できる。

問2 3層クライアントサーバシステム

check

2層クライアントサーバシステムと比較した3層クライアントサーバシステムの特徴として、適切なものはどれか。

ア クライアント側で業務処理専用のミドルウェアを採用しているので、業務処理の追加・変更などがしやすい。

イ クライアント側で業務処理を行い、サーバ側ではデータベース処理に特化できるので、ハードウェア構成の自由度も高く、拡張性に優れている。

ウ クライアント側の端末には、管理が容易で入出力のGUI処理だけを扱うシンクライアントを使用することができる。

エ クライアントとサーバ間でSQL文がやり取りされるので、データ伝送量をネットワークに合わせて最少化できる。

ここがポイント!

《集中処理システム》

データや情報を1か所にまとめてホストコンピュータで処理する形態。

長所		短所	
長所	・データの一貫性を保ちやすい ・故障時の対応が容易 ・セキュリティが高い ・ホストコンピュータの効率的な運用が可能	短所	・開発・保守の負担が大きい ・信頼性はホストコンピュータに依存する ・大規模化により柔軟性が低下する

《分散処理システム》

分散処理システムは複数のコンピュータをネットワークで接続し、それぞれが所有する資源を共有して効率のよい処理を実現する形態。ホストを中心とした階層型の垂直機能分散システムと、従属関係のない水平分散システムがある。

長所	・メーカにとらわれず、最適なハード、ソフトを組み合わせてシステム構築できる(オープンシステム化) ・システムの機能や性能の拡張および増強が容易 ・障害による危険の分散により、信頼性が向上する	短所	・障害発生時の原因の特定が難しい ・セキュリティが保ちにくい ・運用コストが高くなる

《クライアントサーバシステム》

①クライアントサーバシステム(CSS;Client Server System)の特徴

・同一処理を複数のサーバで分散することができる。
・1台のサーバに複数の機能を持たせることもできる。
・サーバは必要であれば別のサーバに処理を要求することもできる。

②3層アーキテクチャ

クライアントサーバシステムのアプリケーションを3つの階層で実現する考え方。

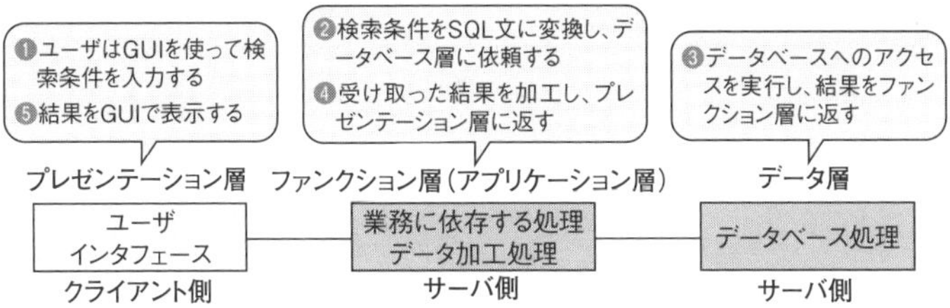

解説 1

【解答】エ

機能ごとに複数のサーバを設けるCSSのうち、3層アーキテクチャ形態での一般的なWebシステムを想定している。それぞれが受け持つ機能は、どちらかの負荷が増加してもいいように、論理的に分けるだけでなく、異なる物理サーバに配置するとよい。ア:両サーバは物理的に異なるため、データ通信量は多くなる。イ、ウ:異なる物理サーバにすることとは関係がない。また、ウの業務ロジックは通常APサーバに置かれる。エ:件数と負荷に応じて処理を分担しており、異なる物理サーバのメリットに合致している。

解説 2

【解答】ウ

3層クライアントサーバシステムでは、クライアント側の処理のうち検索結果の加工などを分離してファンクション層で行い、結果のみを受け取る。これにより、クライアント側の端末の負荷が減るため、機能を入出力や表示のみの最小限に抑えたシンクライアントでも対応できる。端末ごとのアプリケーション管理も不要になるほか、セキュリティの観点からも利点がある。

シラバス ●大分類2：コンピュータシステム ●中分類4：システム構成要素
●小分類1：システムの構成

Lesson 14

システム構成要素
システム構成

信頼性の高いシステムにするためには、複数のシステムを用意したり、バックアップ機器を設置するといったシステムの構成を考える必要があります。試験では、デュプレックスシステムやデュアルシステム、クラウドコンピューティングなどの特徴が問われます。

問1 デュアルシステムの特徴

check

冗長構成におけるデュアルシステムの説明として、適切なものはどれか。

ア　2系統のシステムで並列処理をすることによって性能を上げる方式である。

イ　2系統のシステムの負荷が均等になるように、処理を分散する方式である。

ウ　現用系と待機系の2系統のシステムで構成され、現用系に障害が生じたときに、待機系が処理を受け継ぐ方式である。

エ　一つの処理を2系統のシステムで独立に行い、結果を照合する方式である。

問2 クラスタ構成の比較

check

ロードバランサを使用した負荷分散クラスタ構成と比較した場合の、ホットスタンバイ形式によるHA (High Availability) クラスタ構成の特徴はどれか。

ア　稼働している複数のサーバ間で処理の整合性を取らなければならないので、データベースを共有する必要がある。

イ　障害が発生すると稼働中の他のサーバに処理を分散させるので、稼働中のサーバの負荷が高くなり、スループットが低下する。

ウ　処理を均等にサーバに分散できるので、サーバマシンが有効に活用でき、将来の処理量の増大に対して拡張性が確保できる。

エ　待機系サーバとして同一仕様のサーバが必要になるが、障害発生時には待機系サーバに処理を引き継ぐので、障害が発生してもスループットを維持することができる。

ここがポイント！

《信頼性を高めるシステム構成》

①デュプレックスシステム

待機冗長化方式とも呼ばれる。現用系（主系）で主要業務を、待機系（従系）でバッチ処理などリアルタイム性の低い業務を行う。現用系に障害が発生した場合は、待機系に切り替える。正常時の待機系の運用形態によって２つの形態がある。

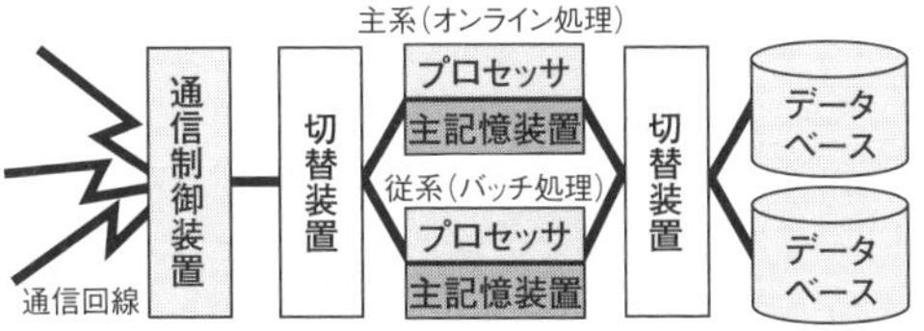

・**ホットスタンバイ方式**：待機系でも現用系の業務システムを起動しておき、いつでも現用系の業務を引き継げる方式。待機系を通信回線で結んだものを**ホットサイト**という。また、プログラムをロードして待機させておく方式を**ウォームスタンバイ**という。

・**コールドスタンバイ方式**：待機系でバッチ処理などの別処理を行い、現用系の業務を引き継ぐ際は、新たに業務システムを起動する方式。障害発生時、すぐに引き継げない。待機系を通信回線で結んだものを**コールドサイト**という。

②デュアルシステム

２系列で同一の処理を行い、結果を一定時間ごとに照合（クロスチェック）。いずれかの系列に障害が発生した場合は、その系を切り離して処理を続行する。デュプレックスシステムより信頼性および安全性が高く求められる場合に適用される。

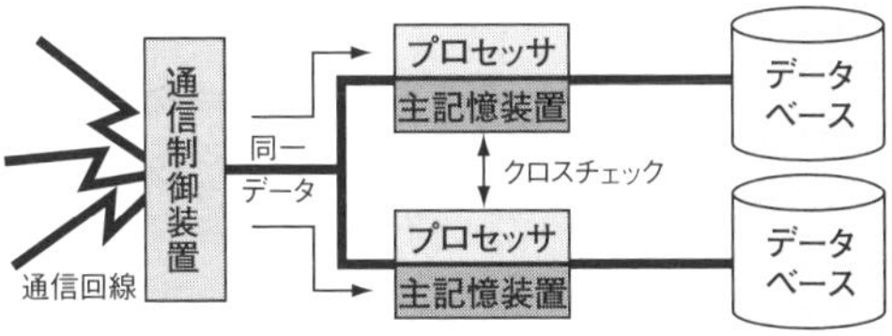

③ロードシェアシステム

複数の処理系で負荷を分散しながら処理を進める方式。負荷分散システムともいう。いずれかの系列に障害が発生した場合は、残った系のみで処理を続けることができる。ただし処理能力は低下する。

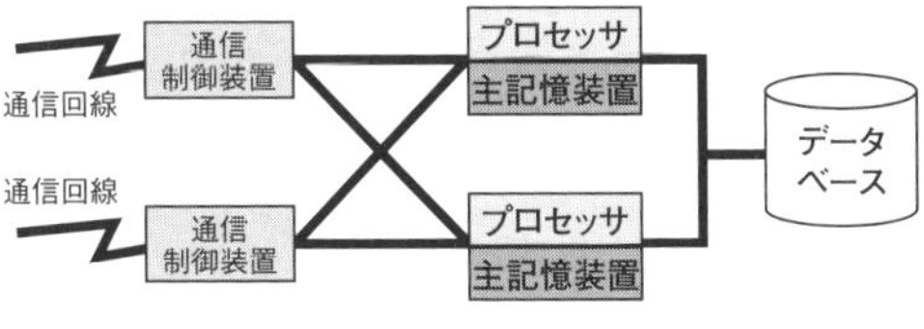

解説 1

【解答】エ

デュアルシステムは、2系統で同一処理を行い、一定時間ごとに照合（クロスチェック）を行う。信頼性が高く、障害をすぐさま検出できる。ア：並列処理システムの説明。イ:ロードシェアシステム（負荷分散システム）の説明。ウ：デュプレックスシステムの説明。

解説 2

【解答】エ

負荷分散クラスタ構成は処理効力を確保するための構成で、ロードバランサは負荷を振り分ける装置。これに対して、ホットスタンバイ方式によるHAクラスタ構成は、障害が発生したときも現用系と同じ能力を確保するための構成である。停止が許されない場合に利用される。ア：一方は待機しているので整合性は必要ない。イとウ：負荷分散クラスタ構成の特徴。

問 3 クラウドコンピューティング

check

クラウドコンピューティングの説明として、最も適切なものはどれか。

ア　あらゆる電化製品をインテリジェント化しネットワークに接続することによって、いつでもどこからでもそれらの機器の監視や操作ができるようになること。

イ　数多くのPCの計算能力を集積することによって、スーパコンピュータと同程度の計算能力を発揮させること。

ウ　コンピュータの資源をネットワークを介して提供することによって、利用者がスケーラビリティやアベイラビリティの高いサービスを容易に受けられるようになること。

エ　特定のサーバを介することなく、ネットワーク上のPCどうしが対等の関係で相互に通信を行うこと。

問 4 シンクライアントシステム

check

シンクライアントシステムの特徴として、適切なものはどれか。

ア　GPSを装備した携帯電話を端末にしたシステムであり、データエントリや表示以外に、利用者の所在地をシステムで把握できる。

イ　業務用のデータを格納したUSBメモリを接続するだけで、必要な業務処理がサーバ側で自動的に起動されるなど、データ利用を中心とした業務システムを簡単に構築することができる。

ウ　クライアントに外部記憶装置がないシステムでは、サーバを防御することによって、ウイルスなどの脅威にさらされるリスクを低減することができる。

エ　周辺装置のインタフェースを全てUSBに限定したクライアントを利用することによって、最新の周辺機器がいつでも接続可能となるなど、システムの拡張性に優れている。

《そのほかのシステム形態》

①クラスタコンピューティング

複数台のコンピュータを通信可能な媒体で接続し、単一のコンピュータとして使用する方式。クラスタシステムや単にクラスタ(cluster)と呼ぶこともある。処理能力と信頼性の両方を実現できる。

- HPC (High Performance Computing) クラスタ構成：クラスタコンピューティングのうち処理能力の向上を目的とした形態で、ハイパフォーマンスコンピューティングとも呼ばれる。流体力学や自然現象の解析など、計算量が多く高速演算が必要な処理を目的としている。
- HA (High Availability) クラスタ構成：可用性の向上を目的としたクラスタ構成。現用系と複数の待機系によるホットスタンバイ構成をとる。障害時に待機系に引き継ぐアクティブ-スタンバイ構成と、複数の業務を担当する現用系を相互に待機系とするアクティブ-アクティブ構成がある。

②グリッドコンピューティング

インターネットなどを介して分散するコンピュータを結びつけ、高い処理能力を得る方法。コンピュータの仕様を問わず、誰もがオープンな形で利用できるのが特徴。

《システムの利用形態》

①クラウドコンピューティング

インターネットを介して、ネットワーク上の環境を利用する形態。サーバ環境や開発環境、ストレージやアプリケーションを利用する形態など、さまざまなサービス(p.357参照)がある。初期費用が不要で場所や端末の種類を問わず利用できるほか、セキュリティを含む運用管理が不要、アプリケーションは常に最新のものを利用できるといったメリットがある。ただし、情報漏えいやデータ消失の危険も合わせ持つ。

②シンクライアントシステム

端末側のコンピュータに表示や通信など最低限の機能のみを持たせ、実際の処理やデータの蓄積はサーバ側で行う形態。端末が安価なもので済ませられるほか、クライアント側にデータを残さないことで情報漏えいを防ぐことができ、セキュリティ強化にもつながる。その反面、運用管理は煩雑になる。

解説 3

【解答】ウ

クラウドコンピューティングは、インターネットを介して、アプリケーションやデータストレージを使用可能とするサービス形態。サービス側で必要かつ最新のソフトウェアを用意したり、大容量のデータ領域を確保しておけることから、利用者は仕事に応じた柔軟性のある(スケーラビリティ)サービスを、必要に応じていつでも利用できる(アベイラビリティ)こととなる。ア：ホームネットワークの説明。イ：グリッドコンピューティングの説明。エ：P2P(ピアツーピア)によるネットワーク利用形態の説明。

解説 4

【解答】ウ

シンクライアントシステムは、クライアント側にデータやアプリケーションを持たせず、サーバ側で一元管理を行う。したがって、外部からの脅威もサーバ側で対処すればよいことになる。ア：GPS機能を持った携帯電話やスマホの特徴。ウ：USBメモリを核としたシステム運用形態。利便性に優れる反面、情報漏えいなどのデメリットが大きい。エ：インタフェースの種類と拡張性とは無関係であり、シンクライアントシステムの特徴でもない。

Lesson

シラバス ●大分類2：コンピュータシステム ●中分類4：システム構成要素
●小分類1：システムの構成

システム構成要素

15 RAID

大容量の磁気ディスクが故障すると影響が大きいため、復旧に緊急を要するデータベースシステムなどでは、RAIDを用いて高信頼化を図ります。ストライピングやミラーリングといった個々の技術、信頼性の高いRAID5のディスク構成などが問われます。

問1 RAID1～5の区別

check

RAID1～5の各構成は、何に基づいて区別されるか。

ア　構成する磁気ディスク装置のアクセス性能
イ　コンピュータ本体とのインターフェイスの違い
ウ　データおよび冗長ビットの記録方法と記録位置との組合せ
エ　保証する信頼性のMTBF値

問2 RAIDの仕組み

check

RAID5の記録方式に関する記述のうち、適切なものはどれか。

ア　複数の磁気ディスクに分散してバイト単位でデータを書き込み、さらに、1台の磁気ディスクにパリティを書き込む。
イ　複数の磁気ディスクに分散してビット単位でデータを書き込み、さらに、複数の磁気ディスクにエラー訂正符号(ECC)を書き込む。
ウ　複数の磁気ディスクに分散してブロック単位でデータを書き込み、さらに、複数の磁気ディスクに分散してパリティを書き込む。
エ　ミラーディスクを構成するために、磁気ディスク2台に同じ内容を書き込む。

問3 RAID5によるデータ容量

check

9Gバイトの磁気ディスク装置を10台導入する。5台一組でRAID5として使用する場合、データを格納できる容量は何Gバイトか。ここで、フォーマットによる容量の減少はないものとする。

ア　45　　イ　72　　ウ　81　　エ　90

ここがポイント！

RAID（Redundant Arrays of Inexpensive Disks）は、磁気ディスク装置を並列的に用い、各ディスクへ分散アクセスすることで、アクセス速度と信頼性を向上させる技術。

《RAIDの技術》

①ストライピング（RAID0）

複数のディスク装置に分散して異なるデータを同時に読み書きすることで高速化を図る。

②ミラーリング（RAID1）

データをディスク装置に書き込むとき、磁気ディスク装置を二重化しておき同時に書き込む。ただし、制御系が故障するとアクセスできない。

③エラー訂正符号

元のデータから算出する誤り検出用の情報。パリティ、ハミング符号を使用。

	ストライピングの単位	データ復元方法	冗長ディスク構成
RAID2	ビット	ハミング	固定
RAID3	ビット	パリティ	固定
RAID4	ブロック	パリティ	固定
RAID5	ブロック	パリティ	分散

④RAID3 ～ 5 の実データ容量

n台のディスクでRAIDを構築した場合の全体の容量は、（N － 1）／N台分になる。

《RAID5》

RAID2 ～ 4 では、エラー訂正用符号を専用ディスク装置へ記録するが、そのディスク装置が故障すると復旧できない。RAID5 ではエラー訂正用のパリティ情報も分散させて記録する。専用ディスク装置へのアクセス集中が防げるため、信頼性が向上する。

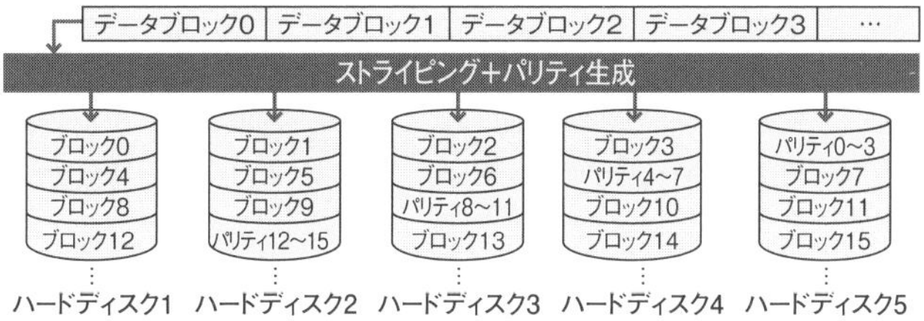

解説 1　【解答】ウ

RAID1 ～ 5 の各構成は、データと冗長ビットの記録方法によって異なり、データ容量と信頼性とのバランスを考慮して使い分ける。RAID2 ～ 4 は、データ復元のための冗長データを専用のディスクに書き込む方式だが、ストライピングの単位と復元のための方式が異なる。そのほか、RAID構成全体を多重化することにより信頼性を高める方法もある。

解説 2　【解答】ウ

ア～ウは、複数の磁気ディスクに分散してデータを書き込むとしていることからストライピングを行っており、エのみミラーリングを行う記述になっている。ストライピングを行うRAID2 ～ 5 の判別は、データを書き込む単位とデータ復元のための冗長データの持ち方。RAID5 は、ブロック単位でデータを書き込み、パリティを分散させて持つ。

解説 3　【解答】イ

まず、5 台から成るそれぞれの組を考える。5 台のディスクのうち、いずれか 1 台が故障した場合、残り 4 台のディスクの内容から完全な情報を復元できる。5 台を一組にした場合、1 台分がパリティ記憶領域になるのでデータを格納できるのは 4 台分になる。したがって、9Gバイト × 4 ＝ 36Gバイト。これが 2 組みあるので、36Gバイト × 2 組 ＝ 72Gバイトとなる。

Lesson 16

システム構成要素

システムの信頼性設計

システムには、鉄道、道路、銀行、病院など、不意に止まってしまうと、取り返しのつかなくなるものがあります。そのようなシステムの設計には、故障や障害が起きてもカバーできるように対策が取られます。試験では、用語を中心に問われます。

問1 信頼性システムの考え方

check

システムの信頼性を保証する設計に関する記述a～cと、それに対応する名称の組合せとして、正しいものはどれか。

a　システムの一部が故障しても、システムの全面的なサービス停止とならないようにする。

b　aのシステムにおいて、故障した装置を切り離して運用する。

c　システムの一部に故障や障害が発生したとき、その影響が安全側に働くようにする。

	a	b	c
ア	フールプルーフ	フォールバック	フェールソフト
イ	フールプルーフ	ホットスタンバイ	フェールソフト
ウ	フェールソフト	フォールバック	フェールセーフ
エ	フェールソフト	ホットスタンバイ	フェールセーフ

問2 フォールトトレラントシステム

check

フォールトトレラントシステムを実現する上で不可欠なものはどれか。

ア　システム構成に冗長性をもたせ、部品が故障してもその影響を最小限に抑えることによって、システム全体には影響を与えずに処理が続けられるようにする。

イ　システムに障害が発生したときの原因究明や復旧のために、システム稼働中のデータベースの変更情報などの履歴を自動的に記録する。

ウ　障害が発生した場合、速やかに予備の環境に障害前の状態を復旧できるように、定期的にデータをバックアップする。

エ　操作ミスが発生しにくい容易な操作にするか、操作ミスが発生しても致命的な誤りにならないように設計する。

ここがポイント！

《信頼性システムの考え方》

①フェールセーフ（fail safe）

システムが誤動作したとき、常に安全側にシステムを制御し、誤動作による影響範囲を最小限にとどめるように制御する考え方や方策。

→安全なほうへ停止

例えば、信号機が故障した場合には赤信号の状態へ制御、列車運行システムの故障時には走行中の列車をゆっくり停止させるといった処理を行う。

②フェールソフト（fail soft）

障害が発生したとき、性能の低下はやむを得ないとしても、システム全体を停止させず、機能を絞っても維持する考え方や方策。

→なんとしても稼働

例えば、病院の管理システムや銀行オンラインシステムなどでは、処理性能が低下しても止めずに維持する。

③フールプルーフ（fool-proof）

意図しない使われ方をしても、システムとして誤動作をしないように設計すること。

《フォールバック（fall back：縮退運転）》

障害が発生した場合に、部分的に使えなくなったり性能（資源）が落ちたりしても、システムの稼働を維持する考え方や運用方法。稼働を維持することが不可欠なシステムで行われ、このようなシステムでは、故障箇所を切り離したり予備機を稼働させるなどを自動的に行うように設計する。

《システムの信頼性向上技術》

①フォールトトレランス（fault tolerance）

耐故障技術。デュプレックスシステムやデュアルシステムのように、システムを構成する装置を多重化（冗長化）することで信頼性を高め、障害が起こったときの被害を最小限に抑える技術やシステムである。

②フォールトアボイダンス（fault avoidance）

システムや構成する部品の信頼性を高めていき、故障を発生させない技術。実際には故障をゼロにするのは無理であるうえに、多大なコストがかかるため、それに見合うかが前提になる。フォールトトレランスと組み合わせて運用するのが一般的。

解説 1

【解答】ウ

ａは、「全面的なサービス停止を避ける」ということからフェールソフトと判断できる。ｂは、「フェールソフトにおいて、故障が発生した装置を切り離して処理を続行する」ということからフォールバック（縮退運転）と判断できる。ｃは、「故障や障害の影響が安全側に働く」から、フェールセーフと判断できる。以上より、ウの組合せが正しい。

解説 2

【解答】ア

フォールトトレラントシステムは、システム障害による停止が許されない用途で用いられる。「システムを複数台のコンピュータで多重化する」などを行って冗長性を持たせることで実現する。イ：ログファイルについて述べたもの。ウ：システム運用におけるバックアップと復旧作業について述べたもの。エ：フールプルーフの考え方による設計について述べたもの。

Lesson 17

システム構成要素

システムの性能指標

システムの性能評価としては、ターンアラウンドタイム、レスポンスタイム、スループットの概念があります。まぎらわしい用語なので、時間の違いしっかりと違いを整理しておきましょう。また、SPECやベンチマークテストについては、具体的な内容も出題されます。

問1 スループット

check

スループットに関する記述のうち、適切なものはどれか。

ア　ジョブの終了と次のジョブの開始との間にオペレータが介入することによってシステムに遊休時間が生じても、スループットには影響を及ぼさない。

イ　スループットはCPU性能の指標であり、入出力の速度、オーバヘッド時間などによって影響を受けない。

ウ　多重プログラミングはターンアラウンドタイムの短縮に貢献するが、スループットの向上には役立たない。

エ　プリンタへの出力を一時的に磁気ディスク装置に保存するスプーリングは、スループットの向上に役立つ。

問2 SPECintベンチマーク

check

コンピュータの性能評価の基準に関する記述のうち、SPECintに関するものはどれか。

ア　1秒間に実行可能な浮動小数点演算の回数。主に科学技術計算の性能尺度として用いられるが、超並列コンピュータの評価指数としても用いられる。

イ　1秒間の平均命令実行回数。アーキテクチャが異なるコンピュータ間の性能比較には適さない。

ウ　UNIXが動作するコンピュータを主対象とした整数演算ベンチマーク。システム性能評価協会が開発し、標準的なベンチマークとして普及している。

エ　オンライントランザクション処理システム用ベンチマーク。対象とするモデル別にA、B、C、Dの4種のベンチマーク仕様が開発されている。

ここがポイント！

《システムの性能指標》

①ターンアラウンドタイムとレスポンスタイム

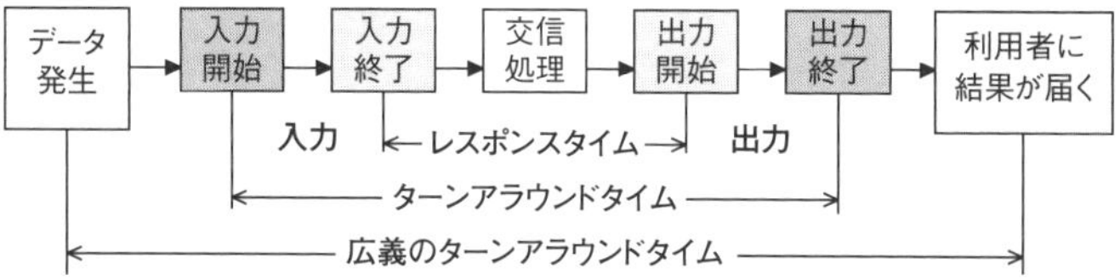

ターンアラウンドタイム	処理要求が発生してから、完全な出力を得るまでの時間を表す	月末の給与計算など一括でデータを処理するバッチ処理で用いる概念
レスポンスタイム	コンピュータシステムに対して、問合せまたは要求の終わりを指示してから、端末に最初の処理結果のメッセージが出始めるまでの時間を表す	銀行のATM端末のような、対話型処理やリアルタイム処理で用いる概念

②スループット

与えられた時間内に処理できる仕事量。バッチ処理では単位時間あたりのジョブ数、オンライントランザクション処理では単位時間あたりのトランザクション数で評価。

《ベンチマークテスト》

実際にプログラムを実行してその時間の測定を行い、相対的な性能比較をする。

①SPEC

CPUやメモリ性能を測るSPECには、整数演算を1秒間に実行できる回数で表す**SPECint**と、浮動小数点演算を1秒間に実行できる回数で表す**SPECfp**がある。

②TPCベンチマーク

オンライントランザクション処理の性能評価を行う。業務別に次のような種類がある。

TPC-A	基本性能評価用
TPC-B	データベース評価用
TPC-C	業務処理評価用
TPC-D	意思決定支援システム評価用

《モニタリング》

測定用のハードウェアまたはソフトウェア（プログラム）を組み込む評価方法。前者を**ハードウェアモニタリング**、後者を**ソフトウェアモニタリング**と呼ぶ。ソフトウェアモニタリングでは、測定用のソフトウェア自身がシステム資源を使用している点に注意。

解説1　【解答】エ

スループットは、与えられた時間内に処理できる仕事量。多重プログラミングやスプーリングによって並行作業を行うことで向上する。逆にオペレータの介入や入出力の待ち、OSなどが動作するオーバヘッド時間（本来の処理のためではない時間）が長くなることで低下する。

解説2　【解答】ウ

SPECintは、SPEC（Standard Performance Evaluation Corporation；システム評価協会）が定めた、整数演算処理能力を評価するベンチマークである。なお、アはFLOPS、イはMIPS、エはTPCの説明である。

問3 信頼性システムの考え方

check

仮想化マシン環境を物理マシン20台で運用しているシステムがある。次の運用条件のとき、物理マシンが最低何台停止すると縮退運転になるか。

〔運用条件〕
(1) 物理マシンが停止すると、そこで稼働していた仮想マシンは他の全ての物理マシンで均等に稼働させ、使用していた資源も同様に配分する。
(2) 物理マシンが20台のときに使用する資源は、全ての物理マシンにおいて70%である。
(3) 1台の物理マシンで使用している資源が90%を超えた場合、システム全体が縮退運転となる。
(4) (1)～(3)以外の条件は考慮しなくてよい。

ア 2　　イ 3　　ウ 4　　エ 5

問4 RASIS

check

システムを安全かつ安定的に運用するための指標としてRASISがある。稼働率はRASISのどれに含まれるか。

ア Availability　イ Integrity　ウ Reliability　エ Security

《RASとRASIS》

RASとRASISは、コンピュータシステムの広義の信頼性を表す用語で、指標となる単語の頭文字を組み合わせたもの。

R（Reliability）	信頼性	システムの故障のしにくさを示す。指標には、MTBFを用いる
A（Availability）	可用性	システムが使用できる可能性、つまりシステム機能を維持している時間の割合、確率を示す。指標には稼働率を用いる
S（Serviceability）	保守性	システムの保守のしやすさを示す。指標には、MTTR（平均修理時間）を用いる
I（Integrity）	保全性（完全性）	システムを複数の利用者が使用するときの、不都合の起こりにくさを示す
S（Security）	機密性	システムの犯罪や災害に対する強さを示す

《保守管理の目安》

システムの信頼性を確保するためには、稼働時期に応じた保守管理が必要になる。ハードウェアライフサイクルによるシステム故障率の推移を表したグラフは、右図のようなバスタブのような形の曲線を描くことが知られている。このような曲線を指標として、保守の時期や維持管理のためのコストのかけ方などを検討していく。

①初期故障

設計や製造工程での不具合、ソフトウェアや利用環境との不適合などが原因の故障。交換や調整などで次第に減っていく。

②偶発故障

安定した稼働状況になり、偶発的な故障だけが発生する。

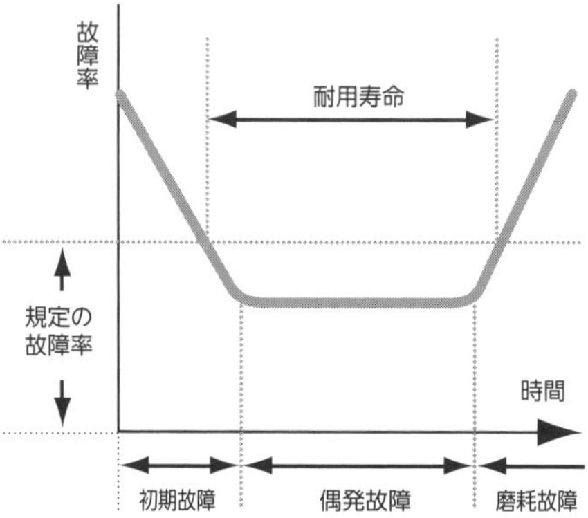

③摩耗故障

部品の経年変化や摩耗による故障、利用環境に合わなくなるなどの要因による故障。さらに故障が増え続け、最後は修理や保守に多大な費用がかかるようになる場合には廃棄される。

《システムの経済性評価》

システムは機能や性能だけでなく、その経済性も評価対象となる。

①初期故障と運用コスト

・初期コスト（イニシャルコスト）：導入に関わる費用。

・運用コスト（ランニングコスト）：運用に関わる費用。保守・改修分を含む。

②TCO（Total Cost of Ownership）

情報化コストに関する評価方法のひとつ。情報システムの導入、構築費用だけでなく、導入後の運用管理やユーザ教育のコストなどを含めた費用で考えること。

③直接コストと間接コスト

それぞれ運用コストにおいて、システムの運用を維持するためのコスト。

・直接コスト：リース代、消耗品、電気代、保守費用など。

・間接コスト：システム維持管理に関する社内人件費や教育・サポート費用など。

解説 3

【解答】エ

縮退運転とは、本来の性能（資源）を維持できなくなってしまうこと。また、仮想化マシン環境とは、複数の物理マシンを使って1台のマシンを作り上げることである。この問題の仮想化マシン環境では、20台それぞれの物理マシンが70%の資源（CPUやメモリなどのハードウェア能力）で動作していることから、20台× 0.7 ＝ 14台となり、実際には14台分の資源と同等の性能になる。ここで、物理マシンが故障などによって停止すると、14台分の資源分を維持するためには、各物理マシンの資源割合を増やす必要がある。問題では90%の資源を超えると縮退運転とみなされるため、x台× 0.9 ≧ 14台で、x ≧ 15.5となる。つまり16台以上動作している必要があるので、5台以上故障すると縮退運転とみなされる。

解説 4

【解答】ア

稼働率は、システムの機能を維持している時間の割合のこと。すなわち、システムが使用できる可能性であるAvailability（可用性）ということになる。稼働率を上げるためには、システムを稼働させるための装置を並列につなぎ、バックアップ体制をとるなどを行う。

Lesson 18

システム構成要素

キャパシティプランニング

キャパシティプランニング（capacity planning）とは、利用者が満足するように、動作するシステムを計画すること。これを実現するにはシステムの処理量を予測し、どの程度の性能のハードウェアをどのような構成で用意するかを決める必要があります。

問1 スケールアウトが適するシステム

check

システムの性能を向上させるために、スケールアウトが適しているシステムはどれか。

ア　一連の大きな処理を一括して実行しなければならないので、並列処理が困難な処理が中心のシステム

イ　参照系のトランザクションが多いので、複数のサーバで分散処理を行っているシステム

ウ　データを追加するトランザクションが多いので、データの整合性を取るためのオーバヘッドを小さくしなければならないシステム

エ　同一のマスタデータベースがシステム内に複数配置されているので、マスタを更新する際にはデータベース間で整合性を保持しなければならないシステム

問2 応答性能の悪化原因の特定

check

アプリケーションの変更をしていないにもかかわらず、サーバのデータベース応答性能が悪化してきたので、表のような想定原因と、特定するための調査項目を検討した。調査項目 c として、適切なものはどれか。

想定原因	調査項目
・同一マシンに他のシステムを共存させたことによる負荷の増加 ・接続クライアント数の増加による通信量の増加	a
・非定型検索による膨大な処理時間を要する SQL 文の発行	b
・フラグメンテーションによるディスク I/O の増加	c
・データベースバッファの容量の不足	d

ア　遅い処理の特定

イ　外的要因の変化の確認

ウ　キャッシュメモリのヒット率の調査

エ　データの格納状況の確認

ここがポイント！

《キャパシティプランニングの目的と概要》

①最適な機種の選定と設備の決定

ユーザの要求水準と必要な性能をもつ機種の選定

使用頻度、使用時間、データ量を考えた容量や台数の決定

②経済性と拡張性への配慮

将来のデータ量を考えた機能選択／資源共有を考慮して経済性を考えたシステム構築

③利用者へのサービスの向上

ヒューマンインタフェースの検討／待ち時間を作らないシステム性能の決定

《システムの利用増大や負荷への対応》

①スケールアップ／スケールアウト

スケールアップは、個々のコンピュータやサーバの能力を上げることで負荷をまかなう考え方。スケールアウトは、コンピュータやサーバの台数を増やして負荷分散することで能力を上げて対応する考え方。

②プロビジョニング

将来的なシステム利用予測に基づいて、あらかじめ必要となるシステム利用環境を準備しておくこと。通信環境、サービス環境、障害時の緊急対策などを含む。

《トランザクション処理時間の予測》

オンラインリアルタイム処理の応答時間を予測するためには、待ち行列モデルが使われる。代表的な「M/M/1」モデルは「不定期に到達する待ち行列で/処理時間がまちまちで/処理するCPUは１つのみ/（待ち行列はあふれない）」という条件で、平均到達時間を計算する。また、トランザクションの発生がポアソン分布に従い、処理時間が指数分布に従うとき、CPU使用率と平均応答時間の関係は、右のようなグラフになる。

M/M/1モデル

M／M／1（∞）
①　②　③　④

①単位時間あたりの到着数（ポアソン分布に従う）
②１件あたりのサービス時間（指数分布に従う）
③サービスを受ける窓口の数（１個）
④システム内の滞留可能数（無限大）

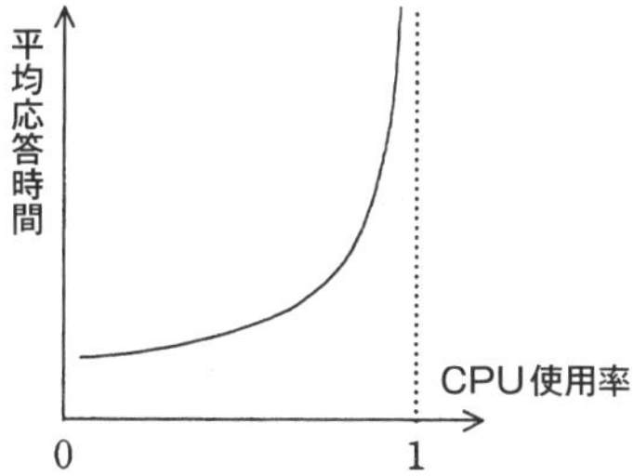

解説 1　【解答】イ

スケールアウトは、負荷分散の考え方なので、個々のコンピュータ能力依存する必要のある処理には適さない。ア：「並列処理が困難な処理が中心」ということなので適さない。イ：複数のサーバで分散処理を行っているシステムなので、スケールアウトに適している。ウとエ：どちらもデータの整合性を取る必要があるため、処理を分散させにくい。

解説 2　【解答】エ

問題文の要因としては、負荷による外的要因（アクセスの集中、回線速度の低下など）と、故障などによる内的要因（ハードウェアの故障、ディスクのフラグメンテーション）がある。調査項目cは、ハードディスクの記憶領域の分断化（フラグメンテーション）によってアクセス（入出力）に時間がかかるようになったことが考えられる。対策としては、データ格納状況を確認し、必要であればデフラグを行う。

シラバス ●大分類2：コンピュータシステム ●中分類4：システム構成要素 ●小分類2：システムの評価指標

Lesson 19

システム構成要素

システムの稼働率

システムの信頼性を表す指標の1つに稼働性（アベイラビリティ）があります。これは、稼働率で求められるもので、システムの全運転時間に対して、システムが正常に動いている時間の割合になります。試験では、さまざまな計算問題として問われます。

テクノロジ系

問1 MTBFとMTTR

check

MTBFとMTTRに関する記述として、適切なものはどれか。

ア　エラーログや命令トレースの機能によって、MTTRは長くなる。
イ　遠隔保守によって、システムのMTBFは短くなり、MTTRは長くなる。
ウ　システムを構成する装置の種類が多いほど、システムのMTBFは長くなる。
エ　予防保守によって、システムのMTBFは長くなる。

問2 MTTRを短くする方策

check

MTBFを長くするよりも、MTTRを短くするのに役立つものはどれか。

ア　エラーログ取得機能　　イ　記憶装置のビット誤り訂正機能
ウ　命令再試行機能　　エ　予防保守

問3 稼働率の向上

check

MTBFが1,500時間、MTTRが500時間であるコンピュータシステムの稼働率を1.25倍に向上させたい。MTTRを幾らにすればよいか。

ア　100　　イ　125　　ウ　250　　エ　375

ここがポイント！

《MTBFとMTTR》

図のように、システムは稼働と故障を繰り返すと考えると、全体の時間はすべての時間を足したものになる。

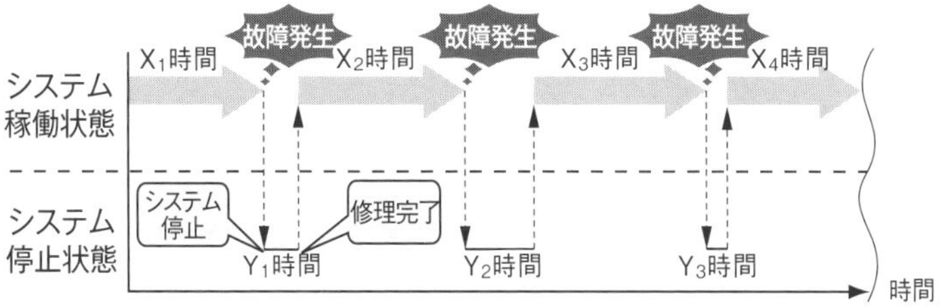

① MTBF（Mean Time Between Failures：平均故障間隔）
システムが連続して正しく動作している時間の平均値。

$$\mathrm{MTBF} = \frac{X_1+X_2+X_3+X_4+\cdots+X_m}{m}$$

② MTTR（Mean Time To Repair：平均修理時間）
故障によりシステムが停止してから、修理を完了して稼働を再開するまでの時間の平均値。

$$\mathrm{MTTR} = \frac{Y_1+Y_2+Y_3+\cdots+Y_n}{n}$$

《稼働率の求め方》

①稼働率　システムがある時点で稼働している確率（稼働率≦ 1）。

$$稼働率(A) = \frac{\mathrm{MTBF}}{\mathrm{MTBF}+\mathrm{MTTR}}$$

②故障率　システムがある時点で故障している確率。MTBFの逆数で求められる。

$$故障率 = \frac{1}{\mathrm{MTBF}}$$

解説 1

【解答】エ

MTBFを稼働している時間、MTTRをシステムが停止している時間と考えると判断しやすい。ア：エラーログや命令トレースはシステム稼働中に行われるのでMTTRとは関係ない。イ：遠隔保守が通常の保守に比べて速やかに行われると考えると、MTTRは短くなる。ウ：構成する装置の種類が多いと故障の要因も多くなるためMTBFは短くなる。エ：予防保守を行うことで故障を未然に防ぐことによりMTBFは長くなる（正解）。

解説 2

【解答】ア

MTTRは、システムが停止してから、稼働を再開するまでの時間の平均値なので、いかに修理時間を短縮するかがポイントになる。そのためには、障害の原因を特定する手がかりになる「エラーログ取得機能」が役に立つ。イ：訂正機能により障害要因を排除できるので、MTBFを長くする。ウ：再試行機能により障害を防げるのでMTBFを長くする。エ：予防保守により障害の発生を防ぐことでMTBFを長くする。

解説 3

【解答】ア

もとのシステムの稼働率は、$\frac{1{,}500}{1{,}500+500} = 0.75$

1.25 倍する式を立てると、$0.75 \times 1.25 = \frac{1{,}500}{1{,}500+x}$

$(1{,}500+x) = \frac{1{,}500}{(0.75 \times 1.25)}$　　$1{,}500+x = 1{,}600$　　$x = 100$

システム構成要素

20 複合システムの稼働率

稼働率の計算問題で多いのは直列システムと並列システムが混在した形。ネットワークシステム、クライアントサーバシステムなどの形で出題される場合は、まず、基本形に書き換えてみることです。一般式で解答する問題もあるのでよく理解しておきましょう。

問1 複合システムの稼働率 check

稼働率Rの装置を図のように接続したシステムがある。このシステム全体の稼働率を表す式はどれか。ここで、並列に接続されている部分はどちらかの装置が稼働していればよく、直列に接続されている部分は両方の装置が稼働していなければならない。

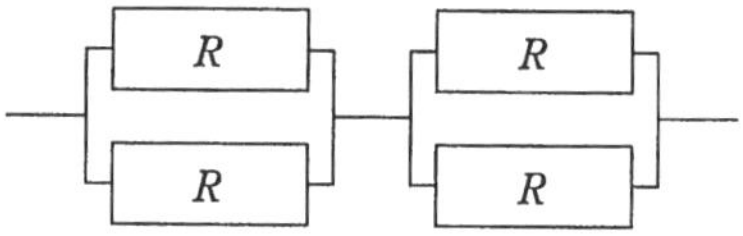

ア　$(1-(1-R^2))^2$　　イ　$1-(1-R^2)^2$

ウ　$(1-(1-R)^2)^2$　　エ　$1-(1-R)^4$

問2 ネットワークの稼働率 check

東京～福岡を結ぶネットワークシステムがある。このシステムの信頼性を向上させるために、東京～大阪～福岡を結ぶ回線を追加した。新しいネットワークシステムの稼働率はどれか。ここで、回線の稼働率は東京～福岡、東京～大阪、大阪～福岡とも0.9とする。

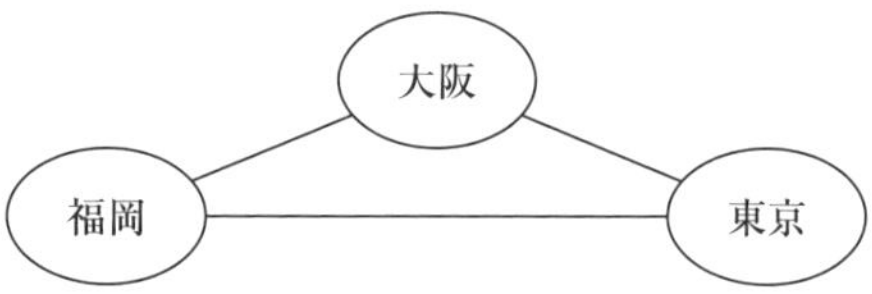

ア　0.729　　イ　0.81　　ウ　0.981　　エ　0.999

ここがポイント！

《直列システムの稼働率》

いずれかの装置が故障するとシステム全体が稼働しなくなるので、稼働率を掛け合わせればよい。

〔公式〕 直列システムの稼働率 ＝ 装置Ａの稼働率×装置Ｂの稼働率

《並列システムの稼働率》

システム全体の稼働率は、1（＝全体）から「並列に接続されているすべての装置が同時に故障している確率」を引いて求めることができる。

〔公式〕 並列システムの稼働率

＝ 1－（1－装置Aの稼働率）×（1－装置Bの稼働率）

（1－装置Aの稼働率）：装置Aが稼働していない確率
（1－装置Bの稼働率）：装置Bが稼働していない確率
両者の積：装置A、Bともに稼働していない確率

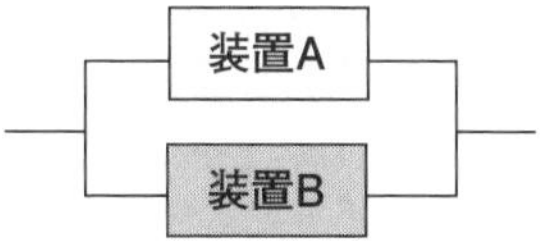

《直列と並列が混在するシステムの稼働率》

基本的には並列の部分と直列の部分を分けて計算を行う。

装置Ａの稼働率×装置Ｂの稼働率
×｛1 －（1 －装置Ｃの稼働率）×（1 －装置Ｄの稼働率）｝

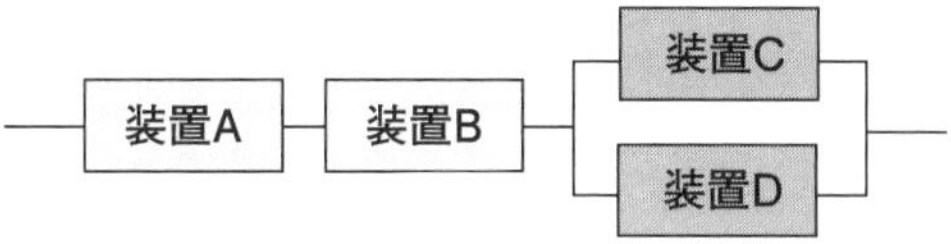

解説 1

【解答】ウ

まず、2つの並列システムが直列に繋がれたシステムと考えればよい。
並列システムの稼働率　$1-(1-R)\times(1-R)=1-(1-R)^2$
この並列システムを2つ直列に並べるので、
$(1-(1-R)^2)\times(1-(1-R)^2)$
$=(1-(1-R)^2)^2$

解説 2

【解答】ウ

東京～福岡を結ぶネットワークシステムを整理して図で表現すると、次のようになる。

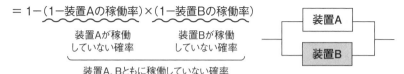

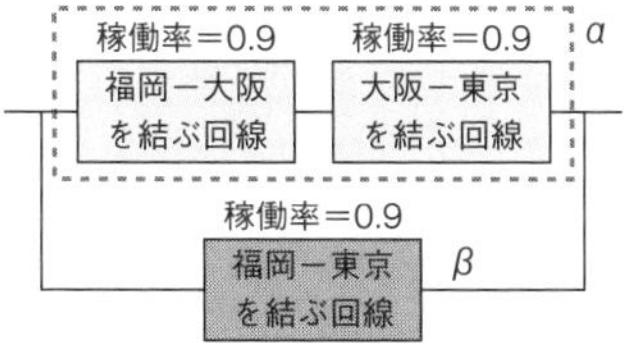

図の点線部分 α（福岡～大阪、大阪～東京）は直列型であるから、この部分の稼働率は、

$0.9\times0.9=0.81$

となる。また、α 部分と β 部分は並列型であるから、システム全体の稼働率は、 $1-(1-0.81)\times(1-0.9)=0.981$ と求められる。

シラバス ●大分類2：コンピュータシステム ●中分類5：ソフトウェア
●小分類1：オペレーティングシステム、2：ミドルウェア

Lesson 21

ソフトウェア

オペレーティングシステムの役割と機能

オペレーティングシステム（OS）は、応用（アプリケーション）ソフトウェアとハードウェアとの間に位置してプログラムの実行制御を行い、さまざまな役割を果たします。試験では、各役割に含まれる技術が問われます。特に代表的なものについては別途取り上げます。

テクノロジ系

問1 ミドルウェア

check

ミドルウェアに属するソフトウェアに関する記述として、適切なものはどれか。

ア　経理や人事部門などの業務合理化を支援するためのソフトウェアである。

イ　多数の応用ソフトウェアが共通に利用する基本処理機能を、標準化されたインタフェースで応用ソフトウェアから利用できるようにするためのソフトウェアである。

ウ　ハードウェア資源の状態を常時監視して、コンピュータシステムの効率的利用を実現するためのソフトウェアである。

エ　メモリ上のページごとの利用状況を監視して、ページの入替え作業を行い、効率のよい処理を行うためのソフトウェアである。

問2 APIの役割

check

OSにおけるAPI（Application Program Interface）の説明として、適切なものはどれか。

ア　アプリケーションがハードウェアを直接操作して、各種機能を実現するための仕組みである。

イ　アプリケーションから、OSが用意する各種機能を利用するための仕組みである。

ウ　複数のアプリケーション間でネットワークを介して通信する仕組みである。

エ　利用者の利便性を図るために、各アプリケーションのメニュー項目を統一する仕組みである。

ここがポイント！

《オペレーティングシステムの目的》

オペレーティングシステム（Operating System；OS）は、ハードウェア上で応用ソフトウェアを実行する基盤となるソフトウェアで、次のような目的がある。

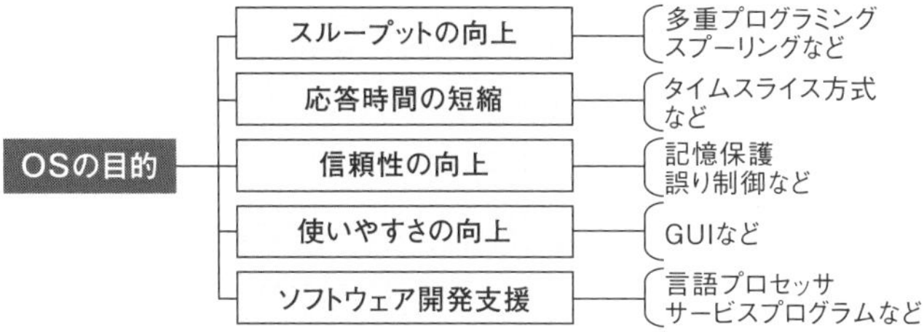

《OSと応用ソフトウェアとのインタフェース》

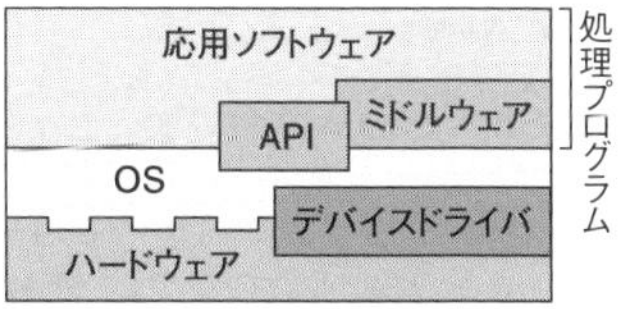

その他のソフトウェアとの関係は図のようになる。

①ミドルウェア（middleware）

OSと応用ソフトウェア（アプリケーションソフトウェア）の中間に位置するソフトウェア。OSの持つ機能はOSの種類によって異なるが、その違いを吸収して処理機能のインタフェースを標準化する機能を持つ。

②API（Application Program Interface）

アプリケーションから利用できる、さまざま機能を提供する関数やコマンド群のこと。開発者は、APIを使用することで、一から作ることなく基本的な機能をアプリケーションに実装できる。Windowsでは、実行時に動的に使用できる共有ライブラリ形式のものをDLL（Dynamic Link Library）という。

③デバイスドライバ（device driver）

パソコンのOSで利用される、接続された周辺装置を制御するためのソフトウェア。周辺装置ごとに必要で、同メーカでも、機種が異なれば別のプリンタドライバが必要。

《メモリ管理の障害》

○メモリリーク（memory leak）

アプリケーション実行中に動的に獲得されたメモリ領域が、不要となっても解放されず、使用できるメモリ領域が徐々に減少してしまう現象。システム障害の原因になる。

解説 1　【解答】イ

ミドルウェアは、応用ソフトウェアとOSの中間に位置するソフトウェアで、多様な応用ソフトウェアに対して、共通して利用する基本的機能を提供する。ファイル管理ツールや開発支援ソフト、データベース管理システム、通信管理システムなどがある。ミドルウェアの機能は、後にOSに組み入れられることもある。

解説 2　【解答】イ

APIは、応用ソフトウェアとOSの仲介をするインタフェースで、OSに用意されている各種機能を応用ソフトウェアから利用するための仕組み。APIを共通化することで、異なる機種間へのソフトの移植性、相互接続を可能にするなどのメリットがある。そのほかWeb-APIを利用して、Webサービスとして提供する別機能を組み込んで利用する方法もある。

問3 デバイスドライバの役割

デバイスドライバの説明として、適切なものはどれか。

ア　PCに接続された周辺機器を制御するソフトウェア
イ　アプリケーションプログラムをPCに導入するソフトウェア
ウ　キーボードなどの操作手順を登録して、その操作を自動化するソフトウェア
エ　他のPCに入り込んで不利益をもたらすソフトウェア

問4 メモリリーク

メモリリークの説明として、適切なものはどれか。

ア　OSやアプリケーションのバグなどが原因で、動作中に確保した主記憶が解放されないことであり、これが発生すると主記憶中の利用可能な部分が減少する。
イ　アプリケーションの同時実行数を増やした場合に、主記憶容量が不足し、処理時間のほとんどがページングに費やされ、スループットの極端な低下を招くことである。
ウ　実行時のプログラム領域の大きさに制限があるときに、必要になったモジュールを主記憶に取り込む手法である。
エ　主記憶で利用可能な空き領域の総量は足りているのに、主記憶中に不連続で散在しているので、大きなプログラムをロードする領域が確保できないことである。

問5 適切なバッファサイズ

図の送信タスクから受信タスクにT秒間連続してデータを送信する。1秒当たりの送信量をS、1秒当たりの受信量をRとしたとき、バッファがオーバフローしないバッファサイズLを表す関係式として適切なものはどれか。ここで、受信タスクよりも送信タスクのほうが転送速度は速く、次の転送開始までの時間間隔は十分にあるものとする。

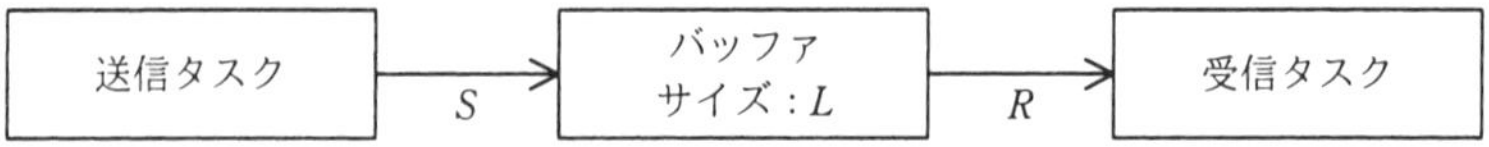

ア　$L < (R - S) \times T$　　イ　$L < (S - R) \times T$
ウ　$L \geqq (R - S) \times T$　　エ　$L \geqq (S - R) \times T$

ここがポイント!

《OSの機能》

①**ジョブ管理**　ジョブ(job)を効率よく行うための管理。　⇨p.144

②**タスク(プロセス)管理**　タスク(task)の生成、実行、消滅などの制御。　⇨p.146

③**記憶管理**　実記憶管理(⇨p.150)、仮想記憶管理などを行う(⇨p.152)。

④**データ管理**　物理的な入出力装置(ハードディスク、磁気テープなど)を意識せずに、データを取り扱うための**ファイル管理**(⇨p.156、p.158)などを提供する。

⑤**入出力(ファイル)管理**
ファイルの入出力に関する制御を行い、プログラムと使用するファイル結びつける。
〔主な技術〕**ブロッキング**：ファイルへ入出力する際、複数のレコードをまとめて行う。

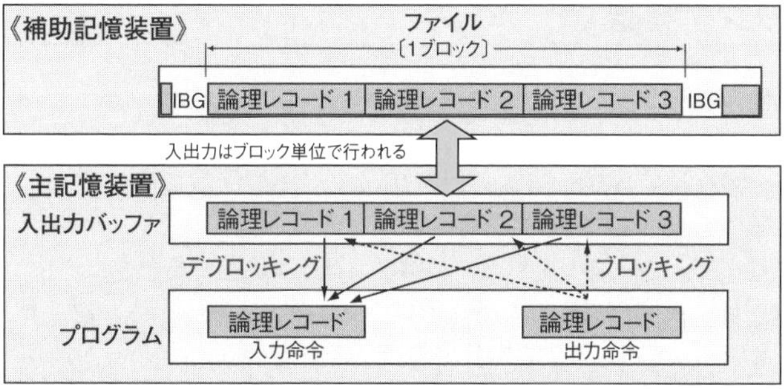

入力命令を行うと、いったんブロック単位に入出力バッファへ読み込み、そこからレコード単位に読み出される。また、出力命令では、入出力バッファにため込み、ブロックがいっぱいになったらファイルへの書き込みが行われる。なお、1ブロックに含まれる論理レコード数をブロッキングファクタという。

⑥**運用管理**
装置の故障、システムの破壊などに対して、信頼性とセキュリティを確保する。

⑦**障害管理**
異常を検知する**障害検知機能**、障害から回復する**障害回復機能**(命令再試行、誤り制御機能)、被害を最小限にとどめる**障害対策機能**(RAID、バックアップ⇨p.160)を提供。

⑧**通信・ネットワーク管理**
回線制御、伝送制御、ネットワーク管理、セキュリティ管理などを行う。

解説 3　【解答】ア

デバイスドライバは、OSに組み込まれる形で周辺装置などを制御するソフトウェアで、単にドライバと呼ぶこともある。通常、周辺装置はOSが制御を行うが、それぞれ制御方法が異なっており、次々に開発される装置のすべてをOSが網羅するのは困難になる。そこで、周辺装置のメーカーが、各OS用のデバイスドライバを提供することで解決している。

解説 4　【解答】ア

メモリリークとは、プログラムが終了時に使っていたメモリ(主記憶領域)を解放しないなどの理由で、他のプログラムが使うメモリ空間が減少する現象のこと。これにより、後に実行しようとするプログラムが必要なメモリ空間を確保できなくなる。イ：仮想記憶管理のスラッシングの説明。ウ：実記憶管理のオーバレイ方式の説明。エ：フラグメンテーションの説明。

解説 5　【解答】エ

バッファは容量や速度の差を減らすために設ける領域で、この問題では転送速度の差を埋めるため用いている。図を見ると送信タスクと受信タスクとの間にバッファが設けられており、一時的にデータが蓄えられる。送信タスクのほうが転送速度が速いので、送信量(S) − 送信量(R)に時間(T)を掛けたデータ量が、オーバーしないバッファサイズにすればよい。

Lesson

シラバス ●大分類2：コンピュータシステム ●中分類5：ソフトウェア
●小分類1：オペレーティングシステム

ソフトウェア

22 ジョブ管理

ジョブとは、人から見たコンピュータに実行させるまとまった仕事の単位です。ジョブ管理は、このジョブに基づいて、コンピュータが行う仕事の単位であるタスク管理に引き継ぎます。試験では、用語だけでなく、計算問題や具体例でも問われます。

テクノロジ系

問1 スプーリング機能

check

スプーリング機能の説明として、適切なものはどれか。

ア　あるタスクを実行しているときに、入出力命令の実行によってCPUが遊休(アイドル)状態になると、他のタスクにCPUを割り当てる。

イ　実行中のプログラムを一時中断して、制御プログラムに制御を移す。

ウ　主記憶装置と低速の入出力装置との間のデータ転送を、補助記憶装置を介して行うことによって、システム全体の処理能力を高める。

エ　多数のバッファから成るバッファプールを用意し、主記憶装置にあるバッファにアクセスする確率を上げることによって、補助記憶装置のアクセス時間を短縮する。

問2 ジョブの実行時間

check

あるシステムのバッチ処理では、次のようなジョブネットワークが定義されている。

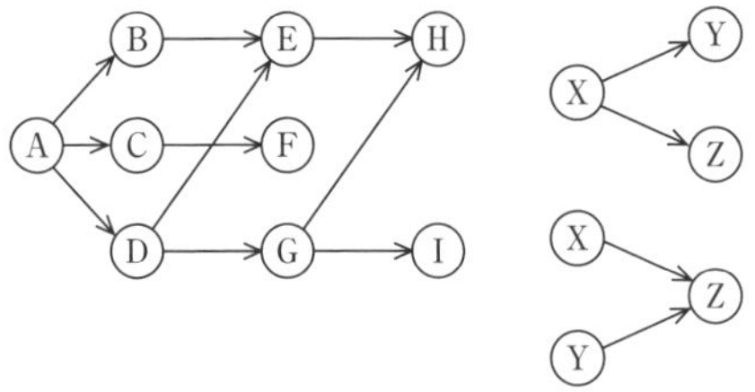

YとZの実行は、Xの終了後でなければ開始できない。なお、同時に実行できる処理は、2つまでである。

Zの実行は、XとYが終了しなければ、開始できない。

上記の条件下において、作業終了までにかかる時間は、最短で何時間か。ここで、→は1時間とする。

ア　4　　イ　5　　ウ　6　　エ　7

ここがポイント！

《ジョブの実行過程》

OSはジョブ管理において、ジョブの実行準備（資源の割当て）、実行、後始末、複数ジョブのスケジューリング、オペレータとの情報交換を行う。ジョブの実行過程は右図のようなものである。

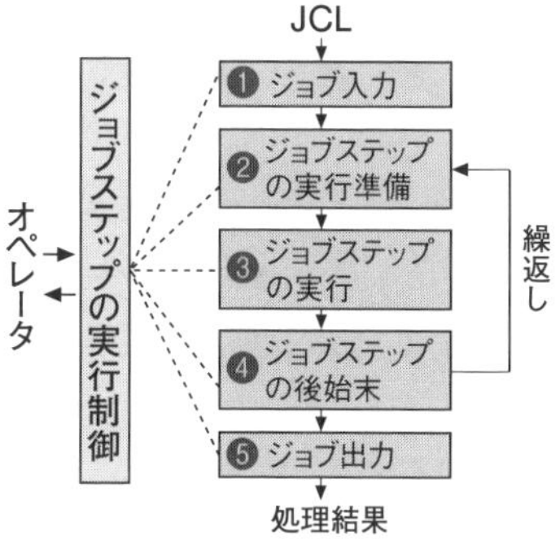

《ジョブ管理に関する用語》

①**ジョブステップ（job step）**

1つのジョブは、複数のジョブステップから構成される。

②**JCL（Job Control Language：ジョブ制御言語）**

ジョブステップを指定する言語。プログラムの実行順序、ジョブの実行に必要な資源、実行順序などを記述する。

③**スプーリング**

プリンタなどの低速の装置に出力する場合、いったん磁気ディスク装置などの高速の補助記憶装置にデータを書き込んでおき、後でCPU処理と並行して入出力処理を行う（ジョブ管理の機能）。一時的な出力領域を**スプール**（SPOOL）といい、スプールを使った入出力をスプーリングという。これにより、CPUをより早く解放することが可能になり、複数のジョブからの要求に効率よく応えられる。

解説 1

【解答】ウ

スプーリングは、データ出力の際に低速なプリンタなどでなく、比較的高速な磁気ディスクへ一時的に書き出すことでCPUを早期に解放し、並行処理を効率的に行う仕組み。なお、スプールと出力装置とのやりとりは、チャネル装置やDMAコントローラなどがCPUとは独立して行う。ア：多重プログラミング。イ：割込み。エ：ディスクキャッシュ。

解説 2

【解答】イ

ジョブネットワークとは、バッチ処理で複数のジョブを実行する場合の、ジョブの実行順序と開始条件を表したアローダイアグラムのことである。問題に示された条件から、次のことに注意する。

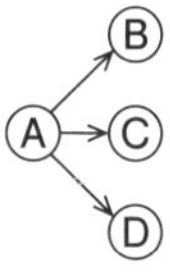

Aの終了後、B,C,Dの処理を行うが、同時に処理できるのは2つまでなので、BとCを並列に実行し、その後でDを実行する。

ジョブネットワークで示された作業順序は、例えば次のように実行される。

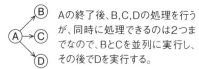

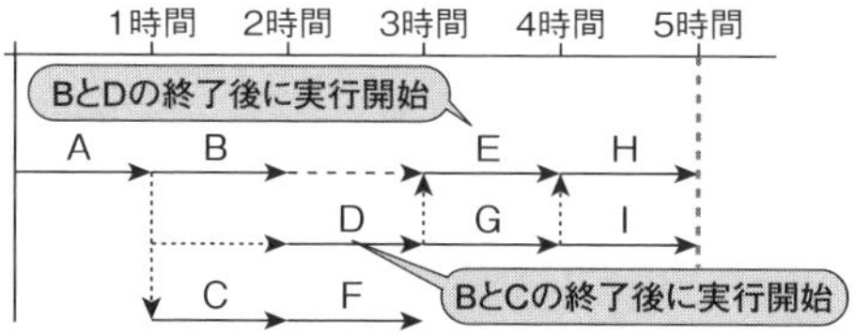

ソフトウェア

23 タスク管理

コンピュータの最小の仕事単位をタスク（プロセス）といいます。タスク管理は、タスクの状態を管理して、CPU資源の割り当て、割込み制御などを行い、CPUの利用効率を高めるのが目的です。試験では、タスクの役割や状態遷移について問われます。

問1 タスクの状態遷移 check

図はプロセスの状態と遷移を表している。a、b、cの状態の正しい組合せはどれか。

〔状態遷移の要因〕
①実行優先度の高いプロセスにCPU使用権が移された。
②CPU使用権が与えられた。
③入出力動作の完了を待つ。
④入出力動作が完了した。

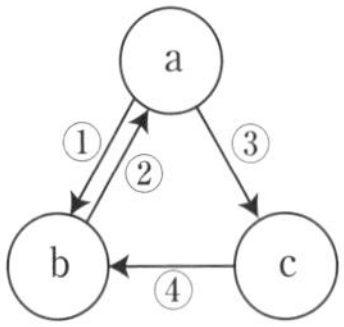

	a	b	c
ア	実行可能状態	実行状態	待機状態
イ	実行可能状態	待機状態	実行状態
ウ	実行状態	実行可能状態	待機状態
エ	実行状態	待機状態	実行可能状態

問2 ラウンドロビン方式の説明 check

スケジューリングに関する記述のうち、ラウンドロビン方式の説明として、適切なものはどれか。

ア　各タスクに、均等にCPU時間を割り当てて実行させる方式である。
イ　各タスクに、ターンアラウンドタイムに比例したCPU時間を割り当てて実行させる方式である。
ウ　各タスクの実行イベント発生に応じて、リアルタイムに実行させる方式である。
エ　各タスクを、優先度の高い順に実行させる方式である。

ここがポイント！

《タスクの状態遷移》

タスクは3つの状態を遷移しながら実行される。これにより複数のプログラム（ジョブ）を効率よく実行することができる。

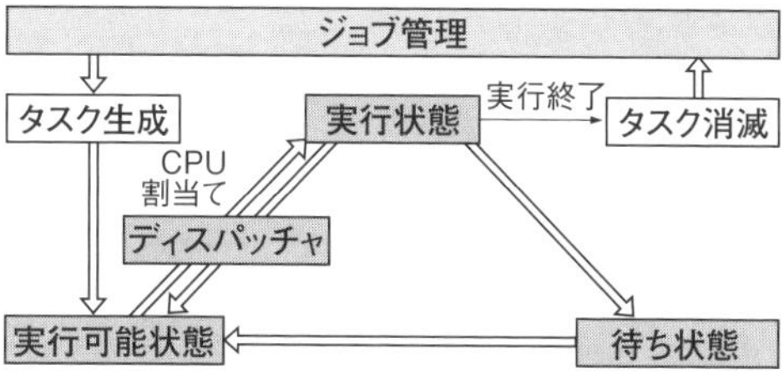

①実行可能状態

実行可能であるが、優先順位の高いタスクが実行中であるため、CPUの割当てを待っている状態。優先順位による切り替えはディスパッチャが行う。

②実行状態

タスクにCPUが割り当てられ、実行されている状態。処理の終了後タスクは消滅。

③待ち状態

入出力処理などを待っている状態。待ちが終了すると、実行可能状態に移される。

《タスクのスケジューリング》

複数のタスクを、どのような順で実行していくかを決める方法。

①ノンプリエンプション（到着順）方式

タスクに優先順位はなく、実行可能になった順に実行する方式。いつまでもCPUを解放しない（無限ループなどの）タスクが存在すると、ほかのタスクが実行できない。

②プリエンプション（優先度順）方式

優先順位の高いタスクからCPU使用権を与え、実行を行っていく。

③イベントドリブンプリエンプション方式

タスク状態の変更（入出力の終了、外部コマンドなど）をきっかけに切替えを行う方式。実行可能状態のタスクの中から最も優先順位の高いタスクにCPU使用権を与える。

④ラウンドロビン（ラウンドロビンスケジューリング）方式

タスクを順に一定時間（タイムクウォンタムと呼ぶ）ずつ実行するタイムスライス方式。時間内に終了しなかったタスクは、同じ優先順位内のタスクの最後に回される。

⑤処理時間順（SJF；Shortest Job First）方式

処理時間の短いタスクを先に実行する方式。処理時間が他のタスクに比べて極端に長いタスクがある場合、CPU資源が与えられない可能性がある。

解説1

【解答】ウ

〔状態a←→b〕：今まで実行状態aにあったプロセス（タスク）は、それより実行優先度の高いプロセスにCPU使用権限が移され実行可能状態bに移される（①）。再び優先権が与えられると実行状態に移る（②）。
〔状態a→c→b〕：実行状態aのプロセスから入出力要求が出されると、そのプロセスは待機状態cに移り、入出力動作が完了するまで待つ（③）。入出力動作が完了（割込みが発生）すると実行可能状態bに移る（④）。

解説2

【解答】ア

ラウンドロビン方式は、一定時間ごとにタスクを切り替える方式。時間内に終了しない場合は実行可能状態に回され、CPUの使用権を待つことになる。CPUのスケジューリングをOSが行うプリエンプション方式に含まれる。そのほかの選択肢は、イ：処理時間順方式、ウ：イベントドリブンプリエンプション方式、エ：プリエンプション方式。

Lesson 24

ソフトウェア

多重プログラミング

多重（マルチ）プログラミングとは、1台のコンピュータで同時に複数のプログラムを実行させ、システム全体のスループット（単位時間あたりの処理量）を向上させる手法です。実際に実行時間を求める問題は、間違いやすいので十分に慣れておきましょう。

問1 タスクの実行時間

check

三つのタスクの優先度、各タスクを単体で実行した場合の処理装置（CPU）と入出力装置（I/O）の占有時間は、表のとおりである。優先順位方式のタスクスケジューリングを行うOSのもとで、三つのタスクが同時に実行可能状態になってから、タスクCが終了するまでの間に、タスクCが実行可能状態にある時間は延べ何ミリ秒か。ここで、各タスクの入出力は並行して処理が可能であり、OSのオーバヘッドは無視できるものとする。

タスク	優先度	単独実行の占有時間（単位:ミリ秒）				
		CPU →	I/O →	CPU →	I/O →	CPU
A	高	4	4	3	5	3
B	中	2	6	3	6	2
C	低	2	5	3	4	1

ア　2
イ　5
ウ　8
エ　11

問2 2つのタスクの完了時間

check

2台のCPUからなるシステムがあり、使用中でないCPUは、実行要求のあったタスクに割り当てられるようになっている。

このシステムで、2つのタスクA、Bを動かすものとする。これらのタスクは共通の資源Cを排他的に使用する。更に、それぞれのタスクA、BのCPU使用時間、資源Cの使用時間と実行順序は図に示すとおりである。2つのタスクを同時に実行開始した場合、2つのタスクの処理が完了するまでの時間は何ミリ秒か。

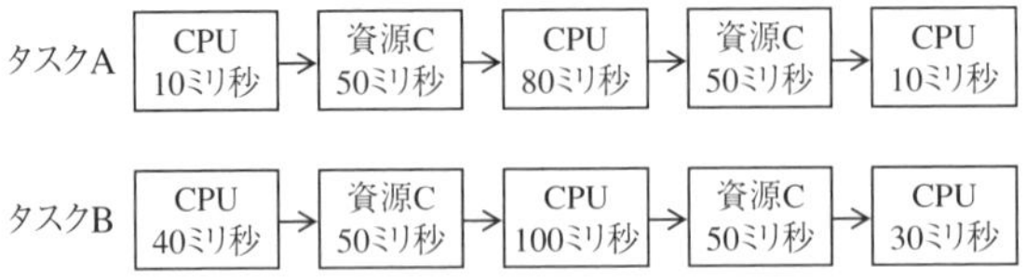

ア　200
イ　270
ウ　290
エ　320

ここがポイント！

《タスクの実行時間の計算》

多重プログラミングにおけるタスクの実行時間は、次の点を考慮して求める。

①CPUと入出力装置の数　②実行プログラム数と実行優先度
③CPUと入出力装置の中断条件　④タイムチャートを書いて時間を計算

〔例題〕 3つのタスクの優先度と、各タスクを単独で実行した場合のCPUとI/O（入出力装置）の動作順序と処理時間は、表のとおりである。3つのタスクが同時に実行可能状態になってから、すべてのタスクの実行が終了するまでのCPUの遊休時間は何ミリ秒か。CPUは1個、I/Oは競合せず、OSのオーバヘッドは考慮しないものとする。

タスク	優先度	単独実行時の動作順序と処理時間（単位:ミリ秒）
A	高	CPU(3)→I/O(5)→CPU(2)→I/O(5)→CPU(2)
B	中	CPU(2)→I/O(6)→CPU(2)→I/O(5)→CPU(2)
C	低	CPU(1)→I/O(5)→CPU(2)→I/O(4)→CPU(1)

①：CPUは1個、入出力装置は3台　②：プログラム数：3、優先度：A＞B＞C
③：CPU：中断される入出力装置：中断されない　④：以下の通り

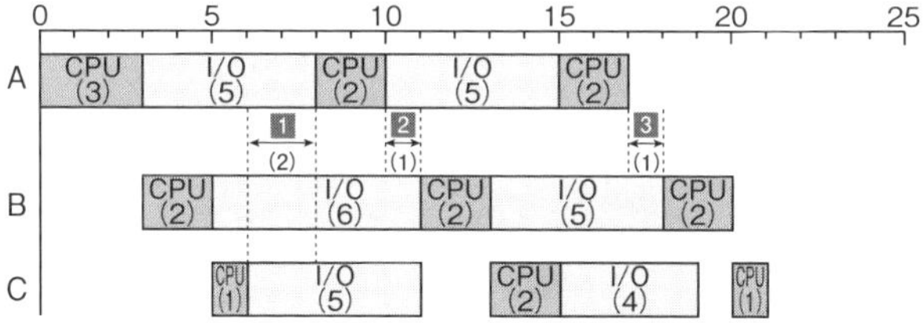

CPUの遊休時間は、1 2ミリ秒、2 1ミリ秒、3 1ミリ秒の3回、合計で4ミリ秒。

解説1

【解答】エ

特にことわりがないので、優先度の高いタスクが実行可能状態になった場合、優先度の低いタスクは中断されると考える。タスクCの実行可能状態は3回あり、延べ時間は、4＋2＋2＋3＝11ミリ秒となる。(□で囲った部分は遊休時間)

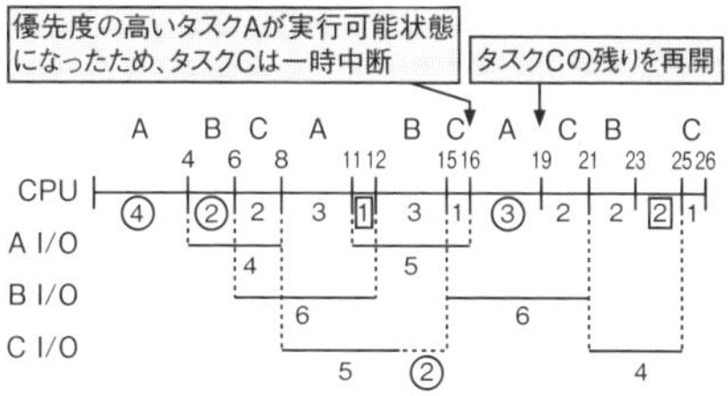

解説2

【解答】ウ

2台のCPU（CPU1、CPU2とする）で実行するため、それぞれのタスクの実行に際してCPUの競合はない。競合が起こるのは資源Cのみである。

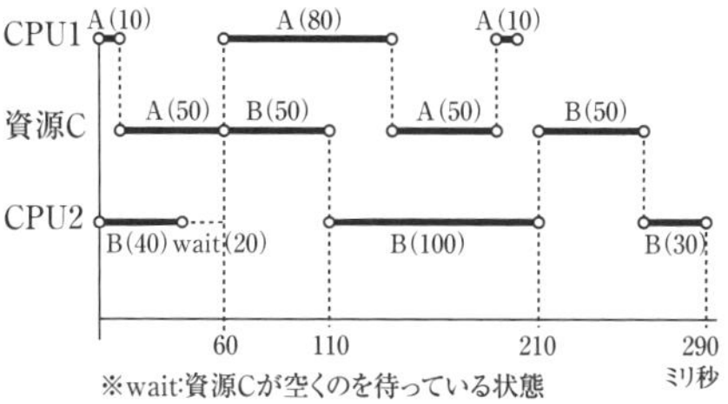

与えられたタスクA、BのCPU使用時間と資源Cの使用時間から、2つのタスクは図のように実行される。これより、2つのタスクの処理が完了するまでの時間は290ミリ秒である。

シラバス ●大分類2：コンピュータシステム ●中分類5：ソフトウェア
●小分類1：オペレーティングシステム

Lesson

ソフトウェア

25 実記憶管理

主記憶装置の記憶領域を効率的に使用するための、OSの管理機能を実記憶管理といいます。管理の方法には、区画（パーティション）方式、スワッピング（ロールインロールアウト）方式、オーバレイ方式、動的再配置方式（動的ローディング）などがあります。

問1 動的再配置

check

図のメモリマップで、セグメント2が解放されたとき、セグメントを移動（動的再配置）し、分散する空き領域を集めて一つの連続領域にしたい。1回のメモリアクセスは4バイト単位で行い、読取り、書込みがそれぞれ30ナノ秒とすると、動的再配置をするために必要なメモリアクセス時間は合計何ミリ秒か。ここで、1kバイトは1,000バイトとし、動的再配置に要する時間以外のオーバヘッドは考慮しないものとする。

セグメント1	セグメント2	セグメント3	空き
500kバイト	100kバイト	800kバイト	800kバイト

ア　1.5　　イ　6.0　　ウ　7.5　　エ　12.0

問2 記憶領域の管理

check

記憶領域の動的な割当て及び解放を繰り返すことによって、どこからも利用されない記憶領域が発生することがある。このような記憶領域を再び利用可能にする処理はどれか。

ア　コンパクション　　イ　メモリリーク
ウ　フラグメンテーション　　エ　ページング

ここがポイント！

《実記憶管理の種類》

①区画（パーティション）方式

主記憶領域をいくつかの区画（パーティション）に分け、区画ごとにプログラムを格納（ロード）する。記憶領域の断片化（フラグメンテーション）が起こることがあり、その際には**コンパクション**（**ガーベジコレクション**ともいう）を行う必要がある。

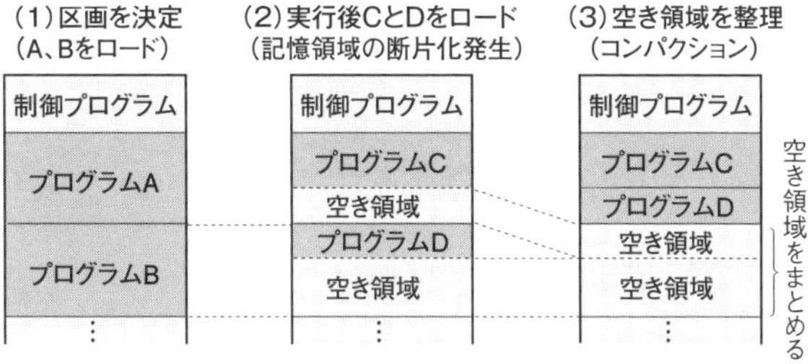

②オーバレイ方式（セグメント方式）

主記憶に格納できない大きなプログラムを、同時に実行しないセグメント単位に分割し、一度にロードさせる必要のあるセグメントのみを残して補助記憶装置へ退避させる方式（右図）。これにより、物理アドレス空間より大きなプログラムを実行できる。

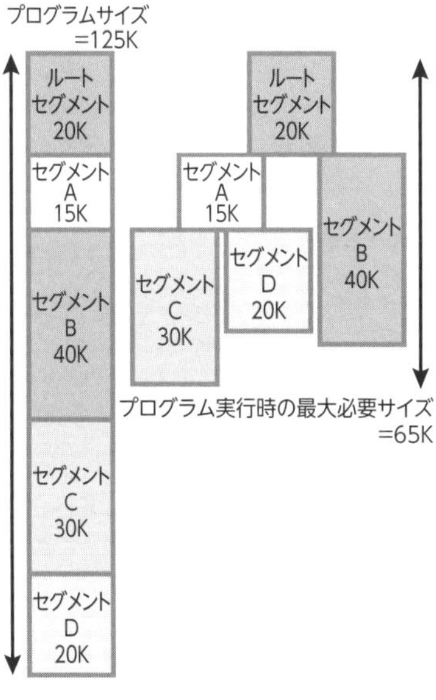

③スワッピング方式（ロールインロールアウト方式）

優先度の高いジョブが投入されたとき、実行中のプログラムを補助記憶に退避（ジョブ単位で行う）させる方式。主記憶から追い出されたプログラムは補助記憶装置に退避され（スワップアウトまたはロールアウト）、別のプログラムを実行した後、主記憶領域が空いた時点で、退避しておいたプログラムを再び主記憶に格納する（スワップインまたはロールイン）。

解説 1

【解答】エ

問題のメモリ空間においてセグメント2が解放されたとき、空き容量を一つの連続領域にするためには、セグメント3をセグメント1側に移動すればよい。これには、セグメント3の800kバイトを4バイト単位で読取り、書込みを繰り返す。1ミリ秒は10^6ナノ秒であることに注意して計算すると、

800k ÷ 4〔バイト〕= 200k回

200k回 ×（30 + 30）〔ナノ秒〕= 12,000,000〔ナノ秒〕= 12〔ミリ秒〕

解説 2

【解答】ア

主記憶装置を複数の区画に分割するパーティション方式では、プログラムのロードを繰り返していくうちに、こま切れの未使用領域が多数できてしまう。このような現象を、フラグメンテーションという。これを解消するためには、コンパクションを行い、こま切れの領域をまとめる必要がある。

シラバス ●大分類2：コンピュータシステム ●中分類5：ソフトウェア
●小分類1：オペレーティングシステム

Lesson 26 ソフトウェア

仮想記憶管理

補助記憶装置を使って、実際の主記憶（実記憶）の容量より大きな記憶空間を作り出すのが仮想記憶方式。主記憶の容量に制限されずに、プログラムの作成や実行が行えます。試験対策は、仮想記憶の仕組みや問題点などを理解しておきましょう。

テクノロジ系

問1 仮想記憶の効果

check

ページング方式の仮想記憶を用いることによる効果はどれか。

ア　システムダウンから復旧するときに、補助記憶のページを用いることによって、主記憶の内容が再現できる。

イ　処理に必要なページを動的に主記憶に割り当てることによって、主記憶を効率的に使用できる。

ウ　頻繁に使用されるページを仮想記憶に置くことによって、アクセス速度を主記憶へのアクセスよりも速めることができる。

エ　プログラムの大きさに応じて大小のページを使い分けることによって、主記憶を無駄なく使用できる。

問2 ページフォールト発生時の処理

check

ページング方式の仮想記憶において、主記憶に存在しないページをアクセスした場合の処理や状態の順番として、適切なものはどれか。ここで、現在主記憶には、空きページはないものとする。

ア　置換え対象ページの決定 → ページイン → ページフォールト → ページアウト

イ　置換え対象ページの決定 → ページフォールト → ページアウト → ページイン

ウ　ページフォールト → 置換え対象ページの決定 → ページアウト → ページイン

エ　ページフォールト → 置換え対象ページの決定 → ページイン → ページアウト

ここがポイント!

《仮想記憶の特徴》

- 実際の主記憶装置の容量より大きなプログラムを実行できる。
- 主記憶に格納できない複数のプログラムを同時に実行できる。
- 補助記憶装置の動作速度は、主記憶装置に比べて遅いため、全体のスループット(単位時間当たり処理量)が下がる。

《仮想記憶の仕組み》

ページング方式では、ページ単位に分割してやり取りが行われる。仮想記憶上のページと実記憶上のページ枠はページテーブルによって対応付けられている。

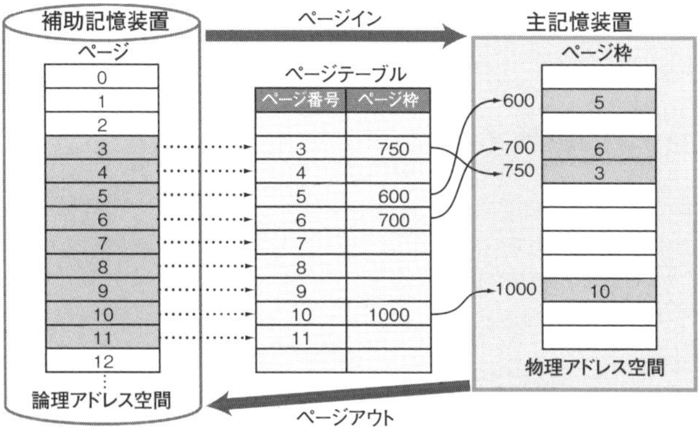

①ページイン

実行に必要なページを補助記憶装置から主記憶装置へロードすること。

②ページアウト

ページインするときに主記憶装置上に空き領域がない場合に、ページ置換えアルゴリズムに基づいて不要なページを補助記憶装置へ書き戻すこと。

③ページフォールト

実行すべきページが主記憶装置にないとき発生する割込み。これによってページの入替え(ページアウト→ページイン)が行われる。ページイン/ページアウト(主記憶から仮想記憶への退避/再ロード)が頻繁に発生している状態を**スラッシング**という。

④動的アドレス変換機構(DAT;Dynamic Address Translation)

プログラム実行時に、命令で使用している仮想アドレスを物理アドレスへ変換するハードウェア機構。プログラム動作中は、継続して変換が行われる。

⑤ページ置換えアルゴリズム

ページの入替えを決定するアルゴリズム。代表的なものに次のアルゴリズムがある。

FIFO(First In First Out)方式	実記憶装置のページの中で、最も古くから存在するものからページアウトする
LRU(Least Recently Used)方式	実記憶装置のページの中で、最も長い時間参照されなかったものからページアウトする
LFU(Least Frequently Used)方式	実記憶装置のページの中で、最も参照回数の少なかったものからページアウトする

問3 ページ置換えアルゴリズム

check

仮想記憶システムで使用されるページ置換えアルゴリズムには、FIFO方式やLRU方式などがある。これらのページ置換えアルゴリズムの基本的な考え方として、適切なものはどれか。

ア　その時点以降に参照される頻度が最も高いページがどれかを推測する。
イ　その時点以降に参照される頻度が最も低いページがどれかを推測する。
ウ　その時点以降の最も近い将来に参照されるページがどれかを推測する。
エ　その時点以降の最も遠い将来まで参照されないページがどれかを推測する。

問4 ページの置換え回数

check

仮想記憶方式のコンピュータにおいて、実記憶に割り当てられるページ数は3とし、追い出すページを選ぶアルゴリズムは、FIFOとLRUの二つを考える。あるタスクのページのアクセス順序が

1、3、2、1、4、5、2、3、4、5

のとき、ページを置き換える回数の組合せとして、適切なものはどれか。

	FIFO	LRU
ア	3	2
イ	3	6
ウ	4	3
エ	5	4

問5 スラッシング発生時の状況

check

ページング方式を用いて仮想記憶を実現しているシステムにおいて、スラッシングが発生しているときの状況はどれか。

ア　CPUの利用効率は高く、主記憶と補助記憶との間のページ転送量は多い。
イ　CPUの利用効率は高く、主記憶と補助記憶との間のページ転送量は少ない。
ウ　CPUの利用効率は低く、主記憶と補助記憶との間のページ転送量は多い。
エ　CPUの利用効率は低く、主記憶と補助記憶との間のページ転送量は少ない。

問6 ページフォールト発生率

check

主記憶へのアクセスを1命令当たり平均2回行い、ページフォールトが発生すると1回当たり40ミリ秒のオーバヘッドを伴うシステムがある。ページフォールトによる命令実行の遅れを1命令当たり平均0.4マイクロ秒以下にするために許容できるページフォールト発生率は最大幾らか。ここで、他のオーバヘッドは考慮しないものとする。

ア　5×10^{-6}　　イ　1×10^{-5}　　ウ　5×10^{-5}　　エ　1×10^{-4}

解説1　【解答】イ

仮想記憶管理のメリットは、主記憶装置に入りきらない大きなプログラムを実行したり、複数のプログラムを同時に実行できることにある。これは主記憶領域を効率的に利用することにつながる。なお、プログラムの実行中は、必要に応じて動的にページの交換が行われる。

解説2　【解答】ウ

ページング方式の仮想記憶における、ページフォールト発生時（必要なページが主記憶に存在しない）の処理手順が問われている。ポイントは、ページアウト（不要なページを補助記憶へ書き戻す）、ページイン（必要なページを補助記憶からへ主記憶へロードする）を間違えないこと。また、ページングに先立って、置き換え対象のページを決定しておく必要がある。

解説3　【解答】エ

FIFO方式は、最も早くページインしたページを置き換える方法。一般にプログラムは順次連続的に実行されることから「最も早くページインしたページを再び参照する可能性は低い」に基づく。また、LRU方式は、最も長い間参照されていないページを置換える方法で、「長い間参照されていないページを再び参照する可能性は低い」に基づく。以上から、基本的な考え方は、「最も遠い将来まで参照されないページを推測する」こと。

解説4　【解答】イ

ページ置換えアルゴリズムとして、FIFOは最も古くから存在するものから、LRUは最も長い時間参照されなかったものからページアウトする。これを踏まえると、下図の白抜きのタイミングでページが置き換わる。

FIFO　1→3→2→1→**4**→**5**→2→**3**→4→5　…3回
LRU　1→3→2→1→**4**→**5**→**2**→**3**→**4**→**5**　…6回

解説5　【解答】ウ

スラッシングとは、ページングが頻繁に生じて処理効率が低下する状態のこと。実行するプログラムに対して、実記憶装置の空き容量が小さくなるにつれ、発生しやすくなる。スラッシングの状況では、ページフォルトが頻発し、CPUの利用効率は低くなり（スループットの低下）、実記憶と仮想記憶との間でページ転送量が多くなる。

解説6　【解答】ア

ページフォールトは、1命令当たり平均2回行われることから、発生率をxとして次のような式を立てればよい。単位を秒に合わせるのがポイント。

$(80 \times 10^{-3}) \times x \leqq (0.4 \times 10^{-6})$　←ミリは10^{-3}、マイクロは10^{-6}

$x \leqq (0.4 \times 10^{-6}) \div (80 \times 10^{-3})$　←$(0.4 \div 80) = 0.005$

$x \leqq 0.005 \times 10^{-3} = 5 \times 10^{-6}$

Lesson 27 ソフトウェア

ファイル編成

ファイル編成は、データの特性に応じて適切なものを選択する必要があります。レコードを格納する順番や記憶媒体の特性、アクセス処理の効率などによって使い分けます。試験では、このようなファイル編成ごとの特性について問われます。

問 1 ファイル編成とその特徴

check

ファイル編成に関する記述として、適切なものはどれか。

ア 区分編成ファイルは、ディレクトリとメンバから構成され、メンバ単位での更新はできない。

イ 索引編成ファイルは、直接アクセスと順アクセスの両方を可能としている。レコードの削除や挿入によって、アクセス効率や記録効率が低下することはない。

ウ 順編成ファイルは、レコードを順番に記録しているだけなので、キーによるアクセスはできないが、記録効率は高い。

エ 直接編成ファイルは、キーの値の分布にかかわらず、アクセス時間が一定であり、記録効率も高い。

問 2 理想的なハッシュ法の説明

check

データ検索時に使用される、理想的なハッシュ法の説明として、適切なものはどれか。

ア キーワード検索のヒット率を高めることを目的に作成した、一種の同義語・類義語リストを用いることによって、検索漏れを防ぐ技術である。

イ 蓄積されている膨大なデータを検索し、経営やマーケティングにとって必要な傾向、相関関係、パターンなどを導き出すための技術や手法である。

ウ データとそれに対する処理を組み合わせたオブジェクトに、認識や判断の機能を加え、利用者の検索要求に対して、その意図を判断する高度な検索技術である。

エ データを特定のアルゴリズムによって変換した値を格納アドレスとして用いる、高速でスケーラビリティの高いデータ検索技術である。

ここがポイント!

《ファイル編成》

①順編成ファイルの特徴

- レコードを順に記憶媒体へ格納する。
- 記憶媒体の利用効率がよい。
- 記憶媒体にとらわれず利用できる。
- レコードの途中挿入は書換えが必要。

②直接編成ファイルの特徴

- 関数を用いてレコードのキー値をアドレスに変換し、記憶媒体の格納位置を決める。変換方法を**ハッシュ法**といい、関数を**ハッシュ関数**という。なお、変換されたハッシュ値は、偏りのない**一様分布**になっていることが望ましい。
- レコードを直接アクセスでき、途中挿入／追加が容易。
- 複数のレコードのキー値が同一アドレスに変換される**シノニム**が発生する。
- 記憶媒体の利用効率が悪い。
- 最初のブロックからの相対番号で直接アクセスを行うものを**相対編成ファイル**という。

③索引順編成ファイルの特徴

- 基本域、索引域、あふれ域から構成。
- アクセスのためのキーを持たせて順編成で記憶媒体へ格納する。
- キーによりレコードを直接アクセスできる。
- レコードの途中挿入／追加が容易。
- レコードの追加／削除を繰り返していくとフラグメンテーション（断片化）が発生し、ファイルの再編成が必要になる。

④区分編成ファイルの特徴

- **メンバ**と呼ばれる順編成ファイルと、メンバを管理する**登録簿**（ディレクトリ）で構成。
- 順編成ファイルを管理する用途（プログラムライブラリやモジュールライブラリの格納）に用いられる。

《ファイルへのアクセス方式》

アクセス方式とは、プログラムによるデータの読込み、書込み、およびデータやレコードの取扱い方法のこと。

順次アクセス	レコードの先頭から順番にアクセスする。特定のレコードをアクセスする場合、最初からレコードを順に読み取っていかなければならない
直接アクセス	レコードのキー値をもとにして、レコードの格納アドレスを指定し、特定のレコードに直接アクセスする
動的アクセス	最初に特定のレコードを直接アクセスし、以降は順次アクセスで処理したい場合に適用する

解説1　【解答】ウ

順編成は、物理的に連続して記録するため、記録効率は高い。ただし、キーによる直接アクセスはできない。ア：メンバ単位での更新が可能。イ：レコードの削除や挿入を繰り返すと空き領域が増え、アクセス効率や記録効率が低下する。エ：キー値の分布により格納アドレスの分布が一様にならず、アクセス時間は一定でない。空き領域が多く発生し、記録効率は低い。

解説2　【解答】エ

ハッシュ法は、関数（ハッシュ関数）や特定のアルゴリズムを用いて、データのキー値をデータ格納アドレスへ変換する。データ検索に際しては、何らかの検索動作が必要なく、格納時と同様の関数による変換を行うだけなので、データ件数に関わらず高速なデータ検索を実現できる。「変換した値を格納アドレスとして用いる」という記述から、エと判断できる。

ソフトウェア

28 ディレクトリ管理

パソコンのファイルは、ディレクトリ（またはフォルダ）と呼ばれる階層構造を持つ仕組みで管理されます。特定のファイルを参照するには、パス（参照するファイルまでの経路）を指定します。試験では、具体的なパスの指定方法についてよく出題されています。

問 1 相対パス指定

check

図の階層型ファイルシステムにおいて、カレントディレクトリがB1であるとき、ファイルC2を指す相対パス名はどれか。ここで、パス名の表現において“..”は親ディレクトリを表し、“/”は、パス名の先頭にある場合はルートディレクトリを、中間にある場合はディレクトリ名またはファイル名の区切りを表す。また、図中の □ はディレクトリを表すものとする。

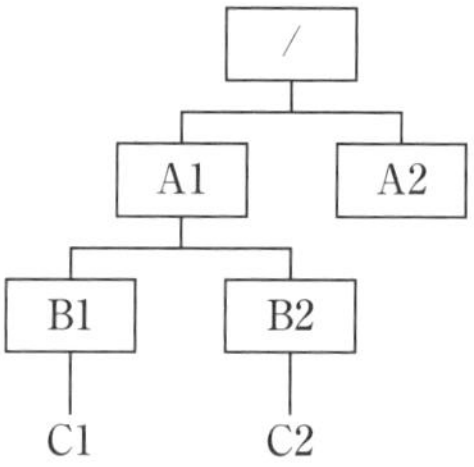

ア ../A1/B2/C2　　イ ../B2/C2

ウ A1/B2/C2　　エ B1/../B2/C2

問 2 カレントディレクトリの位置

check

A、Bというディレクトリ名をもつ複数個のディレクトリが図の構造で管理されている。¥A¥B → .. → ..¥B → .¥Aのようにカレントディレクトリを移動させた場合、最終的なカレントディレクトリはどこか。ここで、ディレクトリの指定は、次の方法によるものとする。

〔ディレクトリ指定方法〕

(1) “¥”で始まるときは、左端にルートが指定されているものとする。

(2) ディレクトリは“ディレクトリ名¥…¥ディレクトリ名”のように、経路上のディレクトリを上位のディレクトリから“¥”で区切って指定する。

(3) カレントディレクトリは“.”で表す。

(4) 1階層上のディレクトリを“..”で表す。

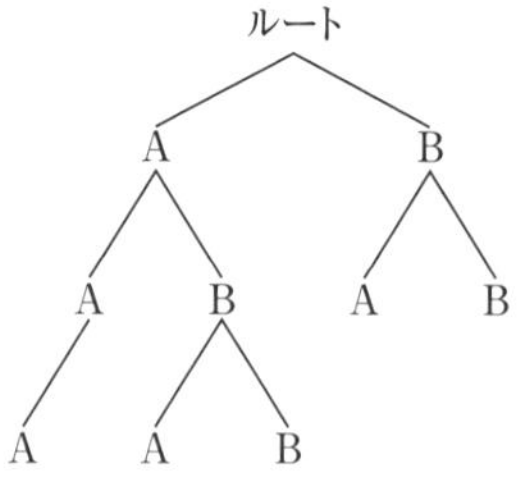

ア ¥A　　イ ¥A¥A　　ウ ¥A¥B¥A　　エ ¥B¥A

ここがポイント!

《ディレクトリの構造》

①カレントディレクトリ

現在アクセスしているディレクトリ。カレントディレクトリに含まれるファイルは、パス名を使わずに直接指定できる。

②ルートディレクトリ

ドライブの直下に1つだけ存在する最上位のディレクトリ。

③サブディレクトリ

あるディレクトリの下にあるディレクトリ。

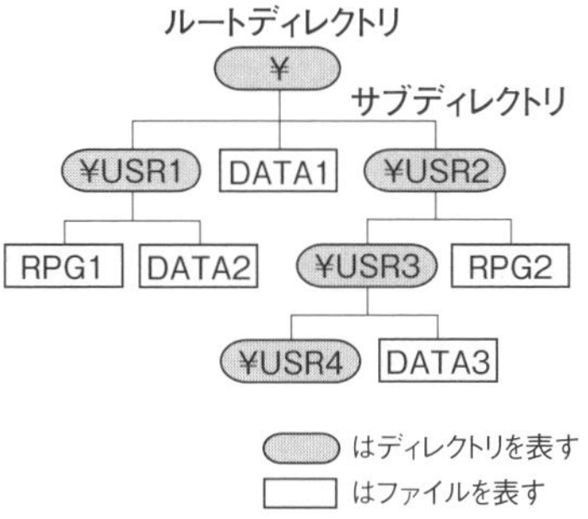

《パスの指定方法》

パスとは、参照したいファイルが含まれるディレクトリまでの経路のこと。「¥」(UNIX系OSでは「/」)で区切って指定する。上記図の「DATA3」を参照するときの例を示す。

①絶対パス指定

ルートディレクトリからの経路を指定する。

〔例〕 ¥USR2¥USR3¥DATA3 (最初の¥はルートディレクトリ)

②相対パス指定

カレントディレクトリからの経路を指定する(親ディレクトリへの移動を「..」で表すものとする)。

〔例1〕 カレントディレクトリがUSR2のとき
USR3¥DATA3

〔例2〕 カレントディレクトリがUSR4のとき
..¥DATA3

解説1

【解答】イ

相対パス名は、カレントディレクトリから目的のファイルまでをたどる経路を指定したもの。カレントディレクトリのB1からC2を相対パスで指定するには、B1の親ディレクトリのA1を経由して、B2のディレクトリへ移動すればよい。“..”は親ディレクトリを示すので、「../B2/C2」となる。ちなみに絶対パスで指定するには、“/”がパス名の先頭にあるとルートディレクトリを示すので、「/A1/B2/C2」とすればよい。

解説2

【解答】エ

カレントディレクトリとは、現在選択されているディレクトリ。最初のカレントディレクトリ“¥A¥B”は、「ルート¥A¥B」と解釈できるため、❶の位置である(右図参照)。次に、“..”で1階層上のディレクトリへ移動するため❷の位置へ。さらに、“..¥B”で1階層上のディレクトリ(ルート)の下にあるディレクトリBに移動するため❸の位置へ。最後に、“.¥A”で現在のカレントディレクトリの下にあるディレクトリAに移動するため❹の位置となる。以上から、最終的なカレントディレクトリは“¥B¥A”となる。

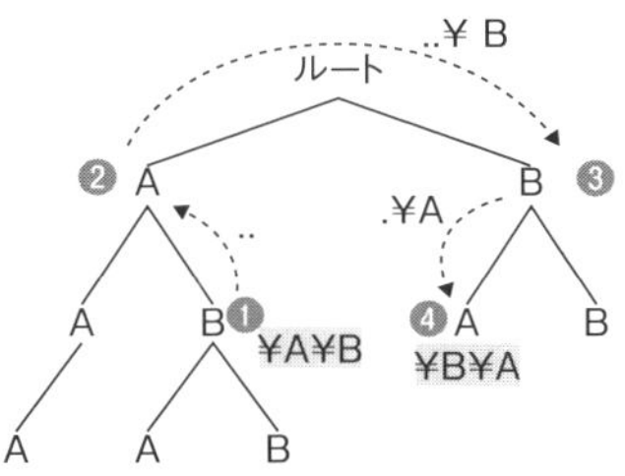

シラバス ●大分類2：コンピュータシステム ●中分類5：ソフトウェア ●小分類3：ファイルシステム

Lesson 29 ソフトウェア

障害管理とバックアップ

バックアップとは、装置の故障や人為的なミスなどで、業務データが失われないように、データやシステムを別媒体に保存しておくことです。障害が発生した場合は、データのリカバリ（復旧）が必要になります。試験ではバックアップやリカバリの方法が問われます。

テクノロジ系

問1 差分バックアップ方式

check

データベースのバックアップ処理には、フルバックアップ方式と差分バックアップ方式がある。差分バックアップ方式に関する記述として、適切なものはどれか。

ア　差分バックアップ方式だけでは、障害復旧はできない。

イ　差分バックアップ方式とフルバックアップ方式を交互に運用することはできない。

ウ　差分バックアップ方式は、フルバックアップ方式だけを利用した場合に比べ、障害時の復旧時間が短い。

エ　差分バックアップ方式は、フルバックアップ方式に比べ、通常はバックアップの処理時間が長い。

問2 増分バックアップによる復旧

check

次の仕様のバックアップシステムにおいて、金曜日に変更されたデータの増分バックアップを取得した直後に磁気ディスクが故障した。修理が完了した後、データを復元するのに必要となる時間は何秒か。ここで、増分バックアップは直前に行ったバックアップとの差分だけをバックアップする方式であり、金曜日に変更されたデータの増分バックアップを取得した磁気テープは取り付けられた状態であって、リストア時には磁気テープを1本ごとに取り替える必要がある。また、次の仕様に示された以外の時間は無視する。

〔バックアップシステムの仕様〕

バックアップ媒体	磁気テープ（各曜日ごとの7本を使用）
フルバックアップを行う曜日	毎週日曜日
増分バックアップを行う曜日	月曜日～土曜日の毎日
フルバックアップのデータ量	100Gバイト
磁気テープからのリストア時間	10秒／Gバイト
磁気テープの取替え時間	100秒／本
変更されるデータ量	5Gバイト／日

ア　1,250　　イ　1,450　　ウ　1,750　　エ　1,850

ここがポイント！

《バックアップの種類と復元方法》

①フルバックアップ

対象となるシステムに保存されている、すべてのファイル（システムやデータ）をバックアップする方法。週に１度や月に１度などの割合で、定期的に実施する。障害が起きたときは、システムやデータをフルバックアップのみで復元できる。バックアップ時には時間がかかるが、障害発生時の復旧時間と手間は最も少ない。

②差分バックアップ

フルバックアップ後に更新されたデータのみをバックアップする方法。一定期間ごとに行うフルバックアップと組み合わせて、差分バックアップを毎日実施する。日数が経つにつれ、データ量が多くなるが、前回のフルバックアップファイルと直前の差分バックアップファイルの２つを使うだけで、短時間でシステムやデータを復元できる。

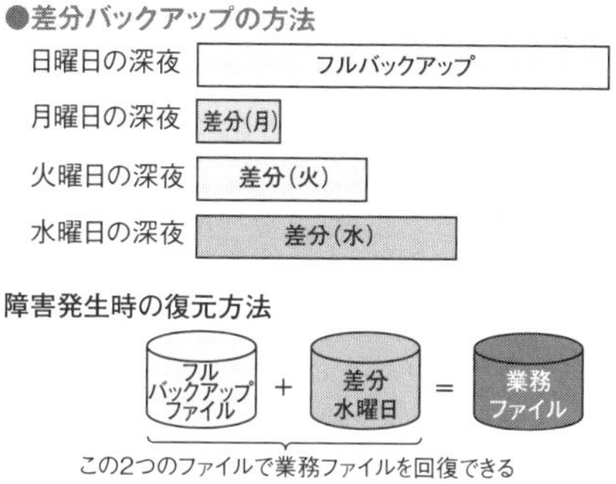

③増分バックアップ

前回のバックアップ後に更新、または追加されたデータのみバックアップする方法。一定期間ごとに行うフルバックアップと組み合わせて、増分バックアップを毎日実施する。復旧時には、フルバックアップのデータを戻した後、毎日の増分バックアップを順に戻していく必要がある。

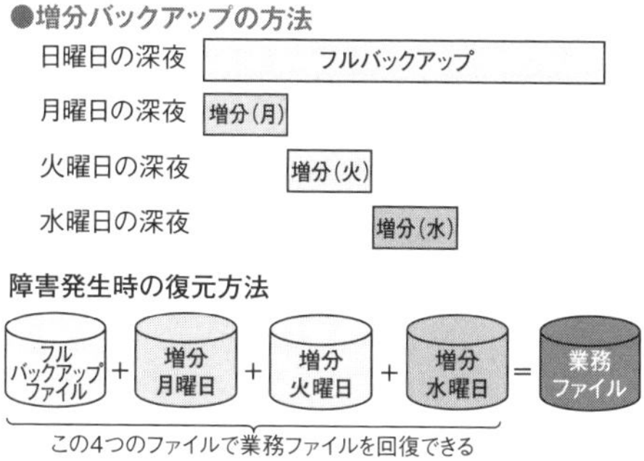

解説１
【解答】ア

差分バックアップ方式では、例えばフルバックアップを日曜日に取ったとすると、復旧を行うためには、差分の基準となる日曜日のフルバックアップデータと、障害発生前日の差分バックアップデータが必要となる。バックアップ時間は差分バックアップ方式のほうが短いが、復旧時間は、常に２つが必要なため、フルバックアップ方式よりも長くなる。

解説２
【解答】エ

増分バックアップからの復旧は、まずフルバックアップを復元してから、それに対する増分をすべて反映させていく必要がある。問題の条件では、日曜日のフルバックアップに対して、月～金曜までの５本分を反映させていく。なお、増分バックアップは日々の差分を記録していくため、復旧も古い順から順次行っていく必要がある。

フルバックアップ復旧	取替え時間 100 秒＋リストア 100G × 10 秒＝ 1,100 秒
増分バックアップ復旧	５本(取替え時間 100 秒＋リストア 5G × 10 秒) ＝ 750 秒
合計	1,100 秒＋ 750 秒＝ 1,850 秒

シラバス ●大分類2：コンピュータシステム ●中分類5：ソフトウェア ●小分類4：開発ツール

Lesson 30

ソフトウェア

開発支援ツール

開発ツールは、システム設計を自動化したり、テストデータを生成するなど、設計の各段階において、生産性を向上させるためのさまざまな支援を行います。試験では、用語の意味が問われることがほとんどなので、幅広く、しっかり覚えておきましょう。

問1 開発支援ツールの種類

check

ホワイトボックステストにおいて、コード中のどれだけの割合の部分を実行できたかを評価するのに使うものはどれか。

ア　アサーションチェッカ　　イ　シミュレータ

ウ　静的コード解析　　エ　テストカバレージ分析

問2 トレーサの説明

check

デバッグツールとして用いるトレーサの説明として、適切なものはどれか。

ア　誤りの箇所が特定できないときに、実行順に命令とその実行結果を出力する。

イ　磁気テープファイルや磁気ディスクファイルなどの内容を出力する。

ウ　プログラム実行中にエラーが発生したとき、メモリの内容を出力する。

エ　プログラムの特定の命令を実行するごとに、指定されたメモリの内容を出力する。

ここがポイント！

《設計支援ツール／構築ツール》

開発形態や開発内容に応じて、さまざまなツールが用意されている。

①静的解析ツール

プログラムを実行せずに、ソースプログラムの解析やテストケースの抽出などを行う。

・ソースコード解析ツール

ソースコードを解析し、コーディング規則に則っているか、使用されていないコードがないかを検査。また、モジュール間インタフェース(引数の型、値の相互関係など)を検査。

②動的解析ツール

テストデータを自動生成してプログラムを実行したり、制御の流れをトレース(追跡)して、解析に必要な情報の出力を行う。

・テストデータ生成ツール

プログラムの記述や入力データの構造をもとにテストデータを自動生成する。

・テストカバレージツール

テストデータ通ったプログラム経路を調べながら、カバー率を分析する。

・テストベッドツール

テストのための動作環境を提供するツール。トップダウン／ボトムアップテスト用のスタブ／ドライバを作成する。

③バージョン管理ツール

開発において、プログラムの作成・改変履歴を管理するためのツール。多数の開発者による開発においては最新の状態を把握することが欠かせない。

《デバッグツール》

デバッグとは、プログラム中の誤りを取り除き修正する作業。このデバッグを支援するサービスプログラムをデバッグツールという。次のようなものがある。

①スナップショットダンプ(ダンプルーチン)

レジスタや主記憶装置、ファイルなどの内容をそのままの状態で出力するツール。

②トレーサ(追跡プログラム)

プログラムの実行を追跡し、レジスタの内容や参照されたメモリのアドレス内容など、必要な情報を出力する。

③クロスリファレンス

プログラムで使用している関数・変数と、それらを定義しているプログラムを一覧化し、関連を示す機能をもつ。

④インスペクタ

構造体などのデータ構造について、その内容を見やすい形で表示し、容易に確認できるようにする。

⑤アサーションチェッカ

プログラム中に挿入して、変数の間で論理的に成立すべき条件が満たされているか否かを確認するツール。

解説 1

【解答】エ

テスト(コード)カバレージ分析は、プログラムの内部アルゴリズムがどれだけテストされたかをカバー率で示す。カバレージ分析(ツール)は、システムの検証において使用されるもので、仕様から設計、プログラムコードに至るまで、さまざまな段階のものが存在する。これらをテストの局面ごとに実施しても総合的にシステム評価を行うことが重要となる。

解説 2

【解答】ア

トレーサは追跡プログラムとも呼ばれ、プログラム実行時の制御の流れを追跡するときに使用される。プログラム中の誤り箇所を特定できないときに効果がある。そのほかの選択肢は、イ：ファイルダンプ、ウ：メモリダンプ、エ：スナップショットの記述。

Lesson

シラバス ●大分類2：コンピュータシステム ●中分類5：ソフトウェア ●小分類4：開発ツール

31 ソフトウェア

言語プロセッサ

プログラム言語で記述したプログラムは、コンピュータに理解できる機械語に変換しないと実行できません。このような機械語変換を行うプログラムを言語プロセッサといいます。試験対策は、用語の意味だけでなく一連の手順も押さえておきましょう。

テクノロジ系

問1 インタプリタの説明

check

インタプリタの説明として、適切なものはどれか。

ア　原始プログラムを、解釈しながら実行するプログラムである。
イ　原始プログラムを、推論しながら翻訳するプログラムである。
ウ　原始プログラムを、目的プログラムに翻訳するプログラムである。
エ　実行可能なプログラムを、主記憶装置にロードするプログラムである。

問2 コンパイルの手順

check

高水準言語で原始プログラムを作成した後、そのプログラムをコンパイル方式によって実行するまでの手順として、正しいものはどれか。

ア　原始プログラム作成 → コンパイル → 連係編集 → ロード → 実行
イ　原始プログラム作成 → コンパイル → ロード → 連係編集 → 実行
ウ　原始プログラム作成 → 連係編集 → コンパイル → ロード → 実行
エ　原始プログラム作成 → 連係編集 → ロード → コンパイル → 実行

ここがポイント！

《言語プロセッサの種類》

①コンパイラ

原始プログラム（ソースコード）を機械語の目的プログラム（オブジェクトプログラム）に変換する。Fortran、COBOL、C などがコンパイラ方式を用いている。

②インタプリタ

記述されたプログラムを、1 命令ずつ解釈しながら実行する。目的プログラムは生成しない。BASIC、Java（中間言語への変換はコンパイラで行う）、Perlなどで用いる。プログラムが完成していなくても実行できるが、コンパイラに比べて処理は遅くなる。

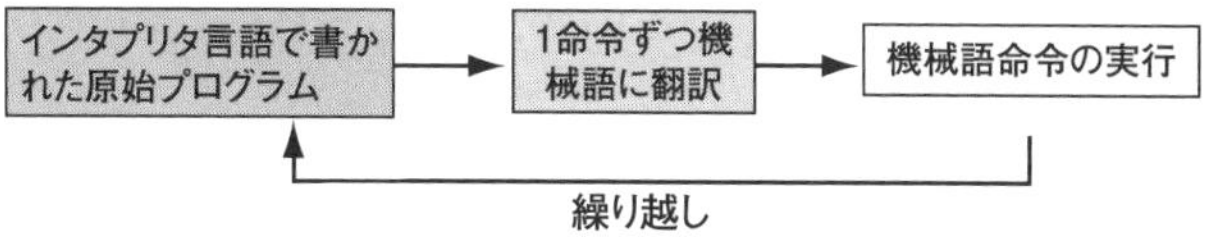

③アセンブラ

アセンブラ言語で書かれたプログラムを機械語に変換する。

④ジェネレータ

特定の問題についての入出力の条件や処理条件などを指示するパラメタを入力することで目的プログラムを生成する。

《コンパイラ言語によるプログラム作成手順》

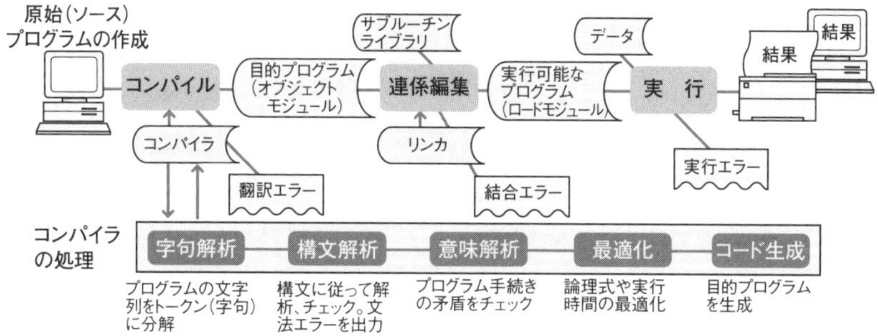

○リンカ（リンケージエディタ）

いくつかの目的プログラムやサブルーチンライブラリを組み合わせて 1 つの実行可能プログラムを作成する。連係編集プログラムともいう。

解説 1

【解答】ア

インタプリタは、原始プログラムを、解釈しながら実行する言語プロセッサ。すぐに実行を行えるため、プログラムをテストしながら開発を進めることができる。ただし、コンパイルを行う言語の場合と異なり、完成後も解釈しながら実行するのは変わらないため、実行速度は遅くなる。イ:「推論」を誤りとした選択肢。ウ：コンパイラの説明。エ：ローダの説明。

解説 2

【解答】ア

コンパイル：原始プログラムから目的プログラムを生成。文法チェックなども行われる。連係編集：実行に必要なモジュールを連係編集し、実行可能なロードモジュールを生成する。この連係編集を行うことを“リンクする”といい、行うプログラムをリンカ（連係編集プログラム）と呼ぶ。ロード：ローダによりロードモジュールを主記憶上に格納し、実行に備える。

シラバス ●大分類2：コンピュータシステム ●中分類5：ソフトウェア ●小分類5：オープンソースソフトウェア

Lesson 32

ソフトウェア

オープンソースソフトウェア

オープンソースソフトウェア（Open Source Software）とは、ソースコードが公開されているソフトウェアを指します。試験では用語のほか、著作者の権利を守りながら公開できるライセンス（ソフトウェアの使用許諾条件）の種類や特徴なども問われます。

問1 OSSのライセンス

check

GPLの下で公開されたOSSを使い、ソースコードを**公開しなかった場合**にライセンス違反となるものはどれか。

ア　OSSとアプリケーションソフトウェアとのインタフェースを開発し、販売している。

イ　OSSの改変を他社に委託し、自社内で使用している。

ウ　OSSの入手、改変、販売を全て自社で行っている。

エ　OSSを利用して性能テストを行った自社開発ソフトウェアを販売している。

問2 オープンソースの種類

check

ソフトウェアの統合開発環境として提供されているOSSはどれか。

ア　Apache Tomcat　　イ　Eclipse

ウ　GCC　　エ　Linux

ここがポイント！

《オープンソースソフトウェアの定義》

オープンソースソフトウェアとは、以下の基準を満たしているソフトウェアのこと。

(1) 再頒布の自由	(6) 利用する分野に対する差別の禁止（商用も可）
(2) ソースコードが入手可能	(7) 再頒布において追加ライセンスを必要としない
(3) 変更および派生ソフトウェアを作成可能で、同じライセンス下での頒布を許可	(8) 特定製品でのみ有効なライセンスの禁止
(4) 作者のソースコードの完全性を保障	(9) 他のソフトウェアを制限するライセンスの禁止
(5) 個人やグループに対する差別の禁止	(10) 技術的に中立でなければならない

《ライセンスの種類と特徴》

条件	GPL	BSDL	MPL
無保証	○	○	○
著作権表示の保持	○	○	○
同一ライセンスの適用	○	—	△

オープンソースライセンスは、一定の条件の下でソフトウェアの使用、コピー、改変、再頒布(販売を含む)を認めている。無保証とは、動作、および、動作の結果、何らかの損害が生じてもそれを保障しないこと、同一ライセンスの適用とは、改変したソフトウェアを頒布する際に、必ず元のライセンスを適用することを定めたものである。

①GPL (General Public License)
GNU (UNIX互換ソフトウェア群の開発プロジェクトの総称) で採用されているコピーレフト(著作権を保持し、利用、再配布、改変を制限しない)を実現するライセンスのこと。

②BSDL (Berkeley Software Distribution License)
BSDライセンスのソースコードをコピー･改変して作成したプログラムは、ソースコードを非公開にしたり、別ライセンスで頒布できる(コピーレフトではない)。

③MPL (Mozilla Public License)
原著作者だけに特別の権利を認めるライセンスのこと。

④デュアルライセンス
2種類のライセンス形態を用意しておき、利用側がその片方を選択できるもの。

《オープンソースソフトウェアの種類》

①LAMP/LAPP
OSのLinux、WebサーバのApache、DBMSのMySQL／PostgreSQL、Webページ作成用のPHPの頭文字を取ったもの。オープンソースで実現できるWebアプリケーションの構築環境として、システム規模を問わず広く利用されている。

②UNIX系OS
FreeBSD、NetBSDなどのBSD系UNIX、GNU/Linux、Solaris (オラクル社) などがある。

③Eclipse (イクリプス)
オープンソースの統合開発環境。プラグインとしてさまざまな機能を組み込める。

④GCC (GNU Compiler Collection：ジーシーシー)
GNUプロジェクトのコンパイラ群を指し、C言語を含めた多言語をサポートする。

⑤Tomcat (トムキャット)
Javaサーブレットや JSP を実行するソフトウェア (プラグインソフト)。Apacheソフトウェアが開発する。UNIXのほかWindows、macOSなどで動作する。

解説1
【解答】ウ

GPLは、コピーレフトに基づいたライセンスで、著作物の利用、コピー、再配布、改変を制限しないことが求められる。ソフトウェアを改変した場合も、この考え方をそのまま適用する必要があり、ソースコードを公開しない場合はライセンス違反となる。なお、BSDLなら、改変して作成したソフトウェアをソースコードを非公開にして頒布できる。

解説2
【解答】イ

Eclipseは、Javaの開発環境として知られている統合ソフトウェア開発環境。共通プラットフォームとしての役割を持ち、プラグインの形で提供される機能を追加しながら開発環境を構築できる。ア：Javaサーブレットを動作させるOSS、ウ：「GNU Compiler Collection」の頭文字を取ったもので、多言語に対応するコンパイラ群。エ：オープンソースのOS。

Lesson 33 ハードウェア

ハードウェアは、第1章の「計測・制御に関する理論」と合わせて毎回出題があります。論理回路以外の範囲についてはバリエーションに富んだ出題があるため、対策を立てにくいのですが、過去問を中心に演習しておけば解き方のコツがつかめてきます。

問1 D/A変換器の出力電圧の変化 check

分解能が8ビットのD/A変換器に、デジタル値0を入力したときの出力電圧が0Vとなり、デジタル値128を入力したときの出力電圧が2.5Vとなる場合、最下位の1ビットの変化による当該D/A変換器の出力電圧の変化は何Vか。

ア　2.5／128　　イ　2.5／255　　ウ　2.5／256　　エ　2.5／512

問2 機械電子制御の方式 check

モータの速度制御などにPWM（Pulse Width Modulation）制御が用いられる。PWMの駆動波形を示したものはどれか。ここで、波形は制御回路のポート出力であり、低域通過フィルタを通していないものとする。

ア
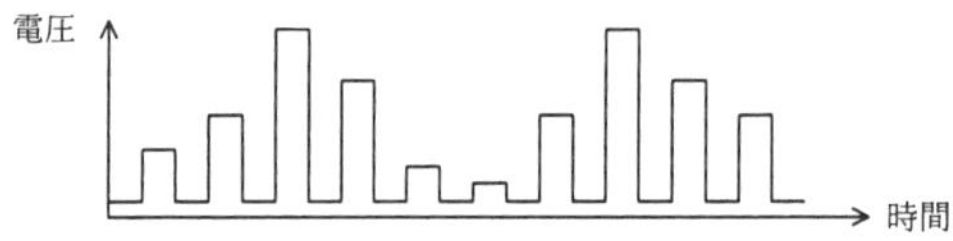

イ
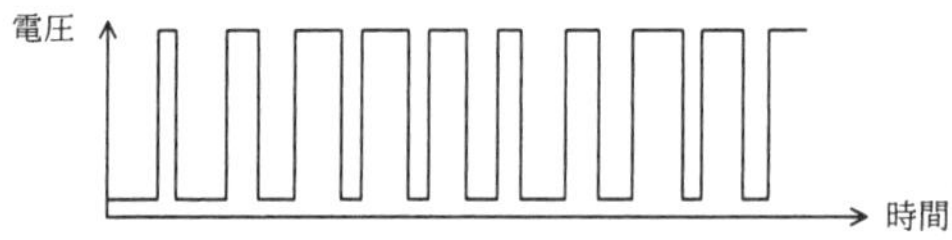

ウ
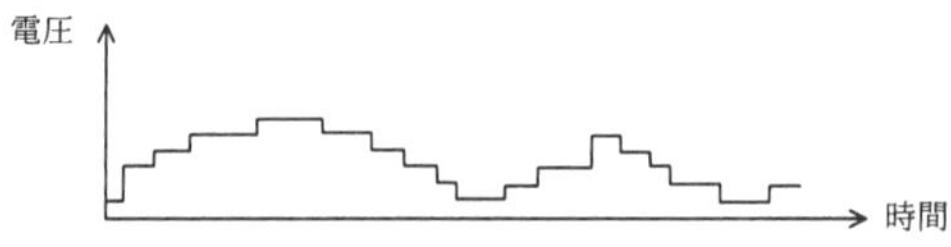

エ
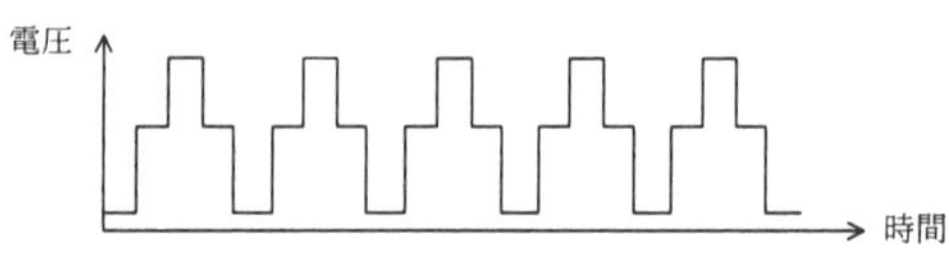

問3 消費電力の計算

check

家庭用の100V電源で動作し、運転中に10Aの電流が流れる機器を、図のとおりに0分から120分まで運転した。このとき消費する電力量は何Whか。ここで、電圧及び電流の値は実効値であり、停止時に電流は流れないものとする。また、力率は1とする。

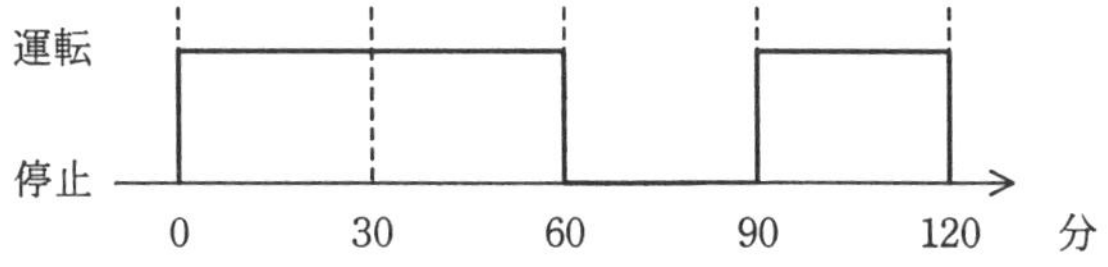

ア　1,000　　イ　1,200　　ウ　1,500　　エ　2,000

ここがポイント！

《電力量の計算》

①消費電力

〔公式〕 電力(W)＝電圧(V)×電流(A)

消費電力を求める際は、使用した時間を考慮する必要がある。

〔公式〕 Wh(ワット・アワー)＝電力(W)×時間(h)

②電池容量

電池容量は、Ah(アンペア・アワー)を求める。例えば、10Ahでは、1Aの機器なら10時間、2Aの機器なら5時間電流を流し続けられる。

〔公式〕 Ah(アンペア・アワー)＝電流(A)×時間(h)

解説1　【解答】ア

分解能が8ビットということから、このD/A変換器では $2^8 = 256$ 通りの出力電圧の変化が表現できることになる。ここで、デジタル値0を入力したときの出力電圧が0V、128を入力したときの出力電圧が2.5Vなので、1ビット当たり、2.5/128(V)変化することがわかる。この問題では、最下位1ビットの変化が求められているので、そのまま答えになる。なお、このD/A変換器では、最大の出力電圧が5Vとなる。

解説2　【解答】イ

機械電子制御とは、ロボットや自動車のエンジンなどのハードウェアの動作をコンピュータでコントロールすること。このうちのPWM制御は、一定電圧のオンとオフをパルスによって行うもので、オン/オフ比率を変える(パルス幅の変調)ことで電流を制御する。波形は、振幅(電圧の振り幅)は一定で、パルス幅(出力時間)が変化する。これには、選択肢イが該当する。

解説3　【解答】ウ

まず、機器の消費電力を求める。

　100(V)×10(A)＝1000(W)

図から、120分間で稼働している時間を読み取ると、90分＝1.5時間。

以上から、消費電力は、

　1000(W)×1.5(h)＝1500(Wh)

Lesson 34

ハードウェア

論理回路

論理回路とは論理演算を行う電気回路で、基本回路、組合せ回路を使ってさまざまな回路を作ることができます。試験では、論理回路の出力、等価な論理演算を選ぶ問題、加算器などが出ています。ていねいに真理値表を書くことで正解を導くことができます。

問1 全加算器からの出力値

check

図は全加算器を表す論理回路である。図中のxに1、yに0、zに1を入力したとき、出力となるc（桁上げ数）、s（和）の値はどれか。

	c	s
ア	0	0
イ	0	1
ウ	1	0
エ	1	1

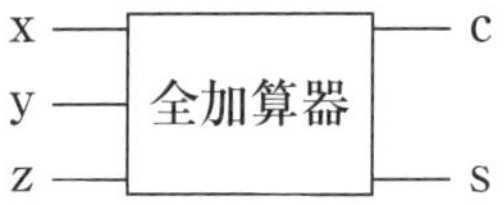

問2 半加算器を示す論理回路

check

1桁の2進数A、Bを加算し、Xに桁上がり、Yに桁上げなしの和（和の1桁目）が得られる論理回路はどれか。

ア

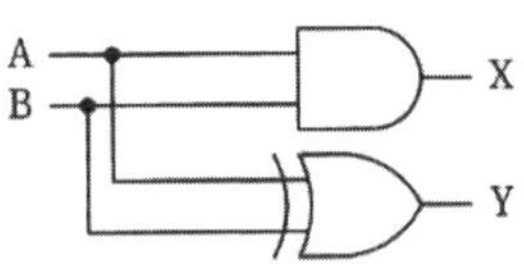

イ

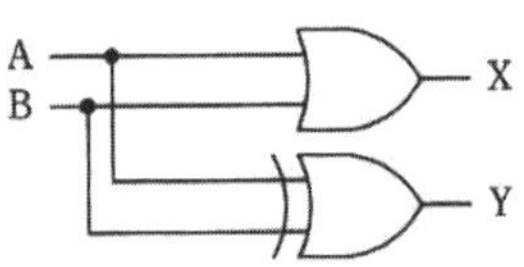

ウ

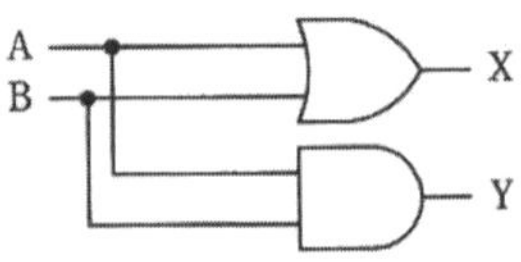

エ

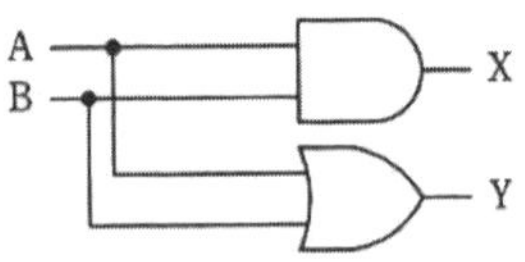

ここがポイント！

論理演算を行うコンピュータの電気回路を論理回路といい、AND、ORなどの論理回路を組み合わせることで、2進数の加算を行う加算回路（加算器）を作ることができる。

《基本回路と組合せ回路》

基本回路として、AND回路、OR回路、NOT回路がある。さらに、それらを組み合わせることで、XOR回路、NAND回路、NOR回路を実現している。

《基本回路》

① OR（論理和）

いずれか一方が1（真）であれば、1（真）。

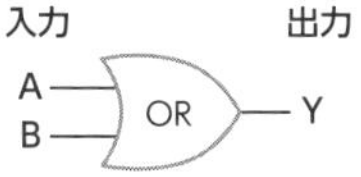

A	B	Y
0	0	0
0	1	1
1	0	1
1	1	1

② AND（論理積）

両方が1（真）のとき、1（真）となる。

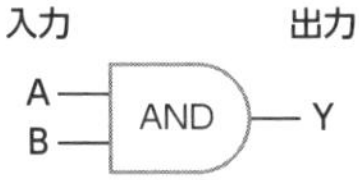

A	B	Y
0	0	0
0	1	0
1	0	0
1	1	1

③ NOT（否定）

Aが1（真）のときは0（偽）、0（偽）のときは1（真）となる。

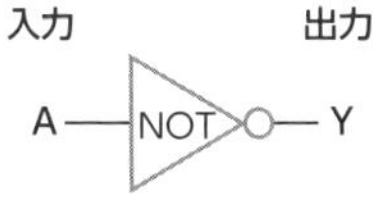

A	Y
0	1
1	0

《組合せ回路》

① NOR（否定論理和）

論理和の結果の否定。

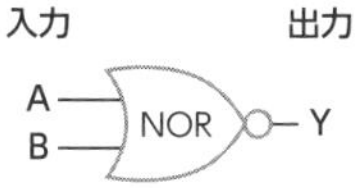

A	B	Y
0	0	1
0	1	0
1	0	0
1	1	0

② NAND（否定論理積）

論理積の結果の否定。

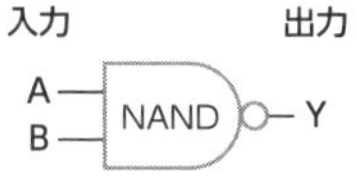

A	B	Y
0	0	1
0	1	1
1	0	1
1	1	0

③ XOR/EOR（排他的論理和）

A、Bの両方が1（真）または0（偽）のとき、結果は0（偽）となる。

A	B	Y
0	0	0
0	1	1
1	0	1
1	1	0

解説 1　【解答】ウ

全加算器は、ある桁のxとy、および下位からの桁上がりの値（z）を含めた3つの値を加算し、和（s）と桁上げ数（c）を出力する。
x = 1、y = 0、z = 1を入力したとき、

$1 + 0 + 1 = 10_{(2)}$

となるので、出力される桁上げ数cは1和sは0となる。

解説 2　【解答】ア

問題文が示す回路は、半加算器が該当する。この回路構成を知っていれば容易に解けるが、知らなくても値を当てはめながら確認すればよい。半加算器は、AとBの両方が1のときのみに桁上がりXに1が出力される（アとエが該当）。また、桁上げなしの和を示すYには0が出力される必要があるので、XORである必要がある（正解はア）。

問3 二つの安定状態をもつ順序回路 check

二つの安定状態をもつ順序回路はどれか。

ア　NANDゲート　　イ　加算器

ウ　コンデンサ　　エ　フリップフロップ

問4 等価な論理回路 check

図の論理回路と等価な回路はどれか。

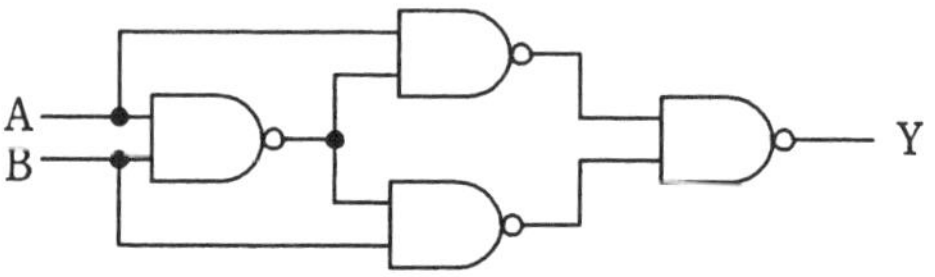

ア 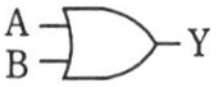

イ 

ウ 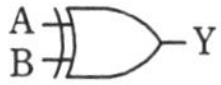

エ 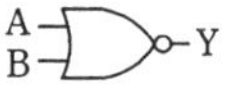

問5 回路を示す論理式 check

図に示すデジタル回路と等価な論理式はどれか。ここで、論理式中の“・”は論理積を、“+”は論理和を、$\overline{X}$はXの否定を表す。

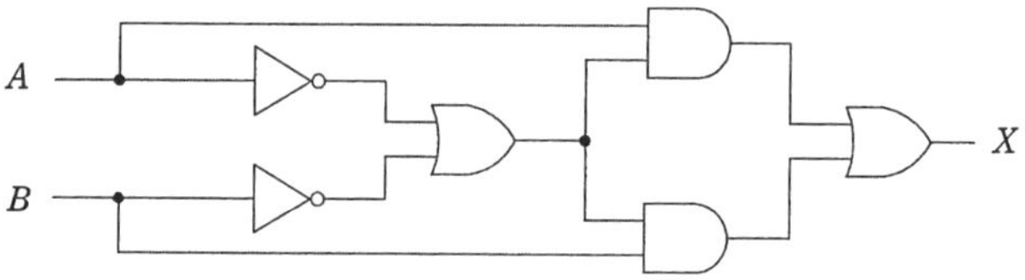

ア　$X = A \cdot B + \overline{A \cdot B}$　　イ　$X = A \cdot B + \overline{A} \cdot \overline{B}$

ウ　$X = A \cdot \overline{B} + \overline{A} \cdot B$　　エ　$X = (\overline{A} + B) \cdot (A + \overline{B})$

基本回路の組み合わせで、2進数の加算を行う加算回路（加算器）を作ることができる。

《加算回路》

①半加算回路（半加算器）（Half Adder ; HA）

1桁の2進数の加算を行う回路。桁上がりも考慮する。

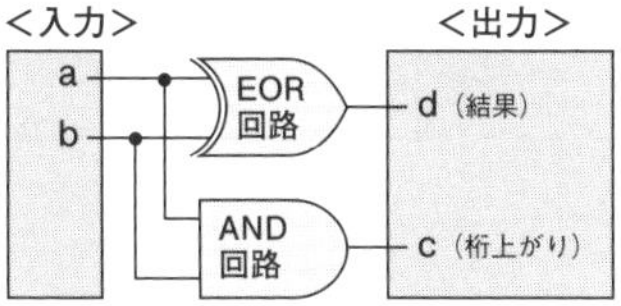

a
＋ b
c d

入力		出力	
a	b	c	d
0	0	0	0
0	1	0	1
1	0	0	1
1	1	1	0

②全加算回路（全加算器）

（Full Adder ; FA）

入力に下位桁からの桁上がりを含めて、1 桁の 2 進数の加算を行う回路。

c'
a
＋ b
e d

入力			出力	
c'	a	b	e	d
0	0	0	0	0
0	0	1	0	1
0	1	0	0	1
0	1	1	1	0

入力			出力	
c'	a	b	e	d
1	0	0	0	1
1	0	1	1	0
1	1	0	1	0
1	1	1	1	1

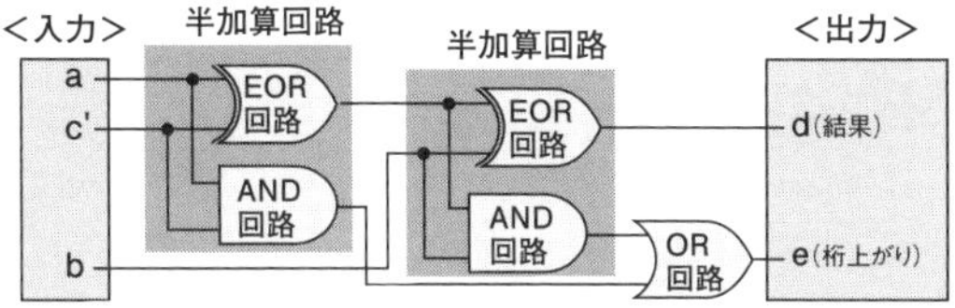

③ 3入力多数決回路

3つの入力のうち、2つ以上同じであれば、その値を出力する。

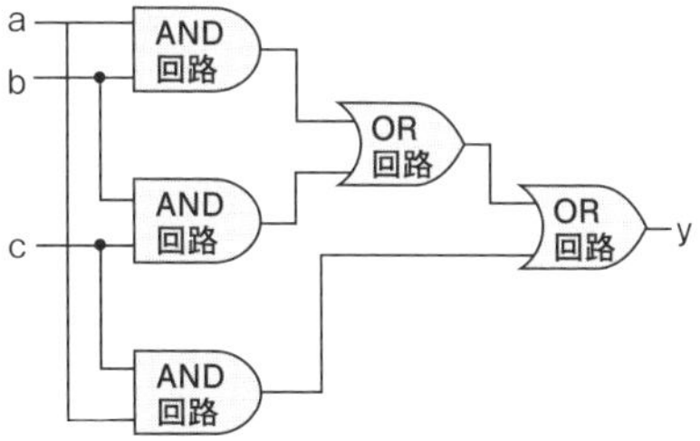

入力			出力
a	b	c	y
0	0	0	0
0	0	1	0
0	1	0	0
0	1	1	1
1	0	0	0
1	0	1	1
1	1	0	1
1	1	1	1

《順序回路》

○フリップフロップ回路

現在の入力と、過去の入力（保持されている値）の両方によって出力が決定する回路。レジスタ、SRAMなどに使われる。

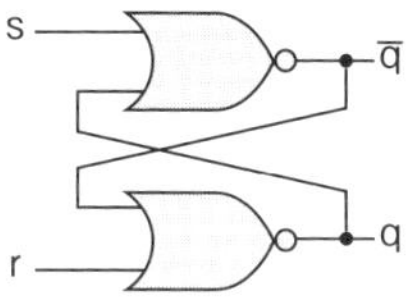

入力		出力
s	r	q
1	0	1
0	1	0
0	0	*

*保持されている値

解説 3

【解答】エ

現在の入力だけで出力が決まる組合せ回路に対し、現在の入力と過去の入力によって出力が決まる回路を順序回路と呼び、フリップフロップが該当する。ア：組合せ回路の1つ。論理積の否定の値を出力する。イ：組合せ回路によって作られる、2進数の演算を行う回路。ウ：電気を蓄えたり蓄えた電気を放出する電子部品の名称。抵抗としても機能する。

解説 4

【解答】ウ

問題の回路図の①～③において、A、Bの値の組合せを確認していけばよい。出力Yに該当するのはXOR（排他的論理和）であり、回路の図記号はウが該当する。

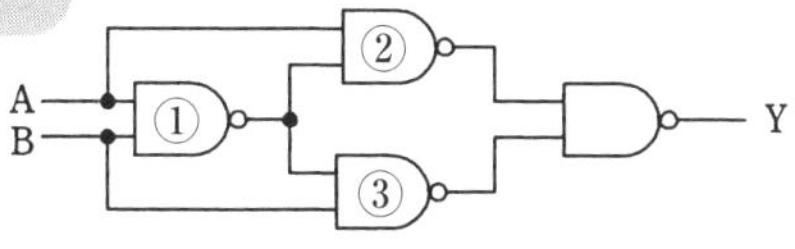

A	B	①	②	③	Y
0	0	1	1	1	0
0	1	1	1	0	1
1	0	1	0	1	1
1	1	0	1	1	0

問6 3入力多数決回路

check

真理値表に示す3入力多数決回路はどれか。

入力			出力
A	B	C	Y
0	0	0	0
0	0	1	0
0	1	0	0
0	1	1	1
1	0	0	0
1	0	1	1
1	1	0	1
1	1	1	1

ア
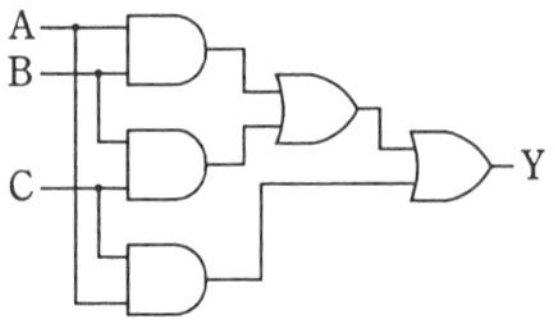

イ
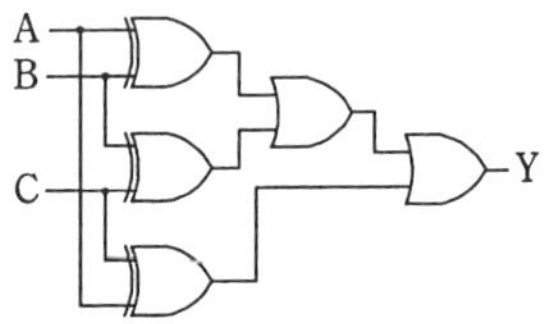

ウ
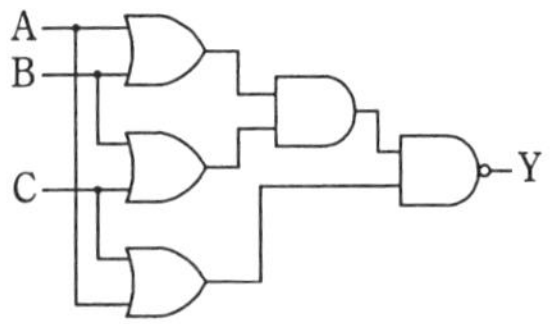

エ
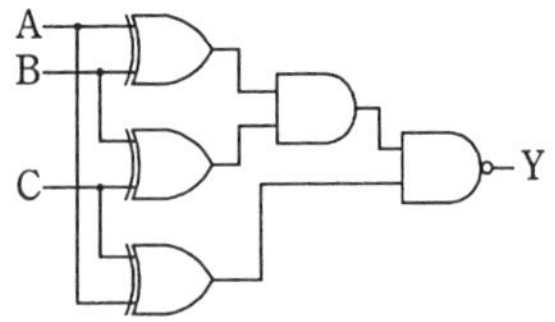

解説5

【解答】ウ

問題の回路図の①～④の部分について論理式に変換してみると、

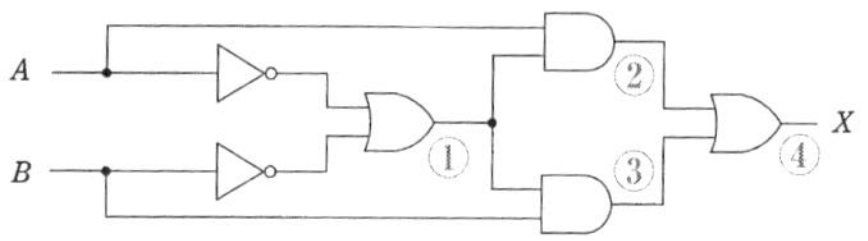

① $\overline{A}+\overline{B}$　② $A\cdot(\overline{A}+\overline{B})$　③ $(\overline{A}+\overline{B})\cdot B$

④ $A\cdot(\overline{A}+\overline{B})+(\overline{A}+\overline{B})\cdot B$　である。④を変形すると、

$A\cdot\overline{A}+A\cdot\overline{B}+\overline{A}\cdot B+\overline{B}\cdot B$　論理積の法則により $A\cdot\overline{A}=0$ なので、

$A\cdot\overline{B}+\overline{A}\cdot B$　これはウである。

解説6

【解答】ア

選択肢のそれぞれの回路について詳細に確認していけば正解を得られるが、回路図A、B、Cが入力される前半部分にそれぞれ同じ基本回路が使われているので、すべてが0か1のときについて、真理値表の出力Yと比べてみる。

- 前半部分…すべてが0または1のとき　AND、ORは同じ結果が出力されるがXORの結果は異なる。
- 後半部分…AND回路とNAND回路の組み合わせでは出力が逆転する。

以上より、すべてが0のときはイとエは1となるので結果がYと異なる。さらに、すべてが1のときはウは0となり結果がYと異なる。以上よりアが正解。

第3章 テクノロジ系

技術要素

この章の

攻略法

本章の特徴と対策

●80問中10問を占めるセキュリティ問題！

この章は、さまざまなシステムに使われる基本的な技術要素である「ヒューマンインタフェース」、「マルチメディア」、「データベース」、「ネットワーク」、「セキュリティ」の5つのカテゴリで構成されており、試験全体で大きなウエイトを占めています。

特にセキュリティ関連は10問程度と、飛び抜けて多いのが特徴です。しかも、常に「新しい攻撃手法の発覚→防御技術の開発」が繰り返されているため、試験でも新たな問題の頻度が高くなります。ただし暗号技術やアクセス制御など、すでに定番のセキュリティ対策も多数出題されますので、まずは本書で解説した項目をしっかり理解して過去問に臨むとよいでしょう。

●早めに始めたいSQL対策

データベースの定義・操作に用いられるSQLは、他のプログラム言語と同様に、習得に時間がかかります。文法を理解したうえで、基本的なSQL文を読み慣れておくことが必要なため早めに準備をしておきたい項目です。なお、午後試験でもSQL文が出題されるので※、午後試験対策も兼ねて学習しておくと効率的です。

※選択問題であるため、データベース以外の分野の問題を選ぶことも可能。

注目の出題テーマベスト8

1位	29 情報セキュリティ対策
2位	31 ネットワークセキュリティ
3位	24 攻撃手法
4位	27 アクセス管理と利用者認証技術
5位	11 トランザクション処理
6位	19 通信プロトコル
7位	10 関係データベースのデータ操作
8位	17 インターネット技術

※テーマ左の数字は、この章のLesson番号

第3章はセキュリティを中心とした重要テーマが含まれるため、出題割合は全体の約25%を占めます。注目の出題テーマもセキュリティが中心で、特に「情報セキュリティ対策」と「ネットワークセキュリティ」に対する「攻撃手法」は、攻撃と防御の関係にあるので、関連を意識しておくとよいでしょう。ネットワークの「通信プロトコル」は種類が多いので覚えるのがたいへんですが、セキュリティの「セキュア／認証プロトコル」とあわせて、根気よく進めていきましょう。

覚えておきたい頻出用語

※数字は、この章の Lesson 番号

ここが問われやすい!!

マルチメディア

03 □ **VR (Virtual Reality：仮想現実)**
3D 映像をヘッドマウントディスプレイに映し、使用者の動きをセンサで読み取って画像の動きを合わせる技術。

03 □ **AR (Augmented Reality：拡張現実)**
カメラで撮影している現実空間の映像に、別の映像や文字情報などを重ね合わせて投影する技術。

データベースの障害対策

12 □ **ロールバック処理**
障害発生時、その時点のデータベースの内容と、更新前イメージ（BI）を使用して、障害発生直前の状態までデータベースを復元。

12 □ **ロールフォワード処理**
ロールバック処理で復元できない、装置の異常などに行う。最新のバックアップファイルと、更新後イメージ（AI）を使用し、障害発生直前の状態まで復元。

プロトコルの種類

19 □ **TCP (Transmission Control Protocol)**
データを送信する前に、送信側と受信側で論理的な通信路を確立するコネクション型の伝送を行うプロトコル。高品質な通信路を提供する。

19 □ **UDP (User Datagram Protocol)**
信頼性より速度を重視したコネクションレス型（データが相手に届いたかの確認をしない）の伝送を行うプロトコル。即時性が重要な通信に利用。

暗号技術

25 □ **公開鍵暗号方式**
2 つの鍵（秘密鍵と公開鍵）を用いる。ある公開鍵で暗号化したデータは、対の秘密鍵でしか復号できない。不特定多数の相手との通信に向く。

25 □ **共通鍵暗号方式**
送信側と受信側で同じ鍵（共通鍵）を使い、暗号化と復号を行う。相手ごとに異なる共通鍵を用意して、あらかじめ両者で共有しておく必要がある。鍵が漏れると第三者でも復号可能なため、特定の相手との通信に向く。

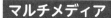

理解しておきたい基礎知識

関係データベースの演算

3つの集合演算

同じ構造（同じ項目を持つ）の表どうしなら、次のような3つの集合演算を行うことができる。

和（合併）	差	積（交差）
複数の表をつなげて、新たな表を作る。各項目の値が同じ行は、1行にまとめられる	表1から、表2と共通する行を除いて、新たな表を作る	複数の表で、共通する行だけを抽出し、新たな表を作る
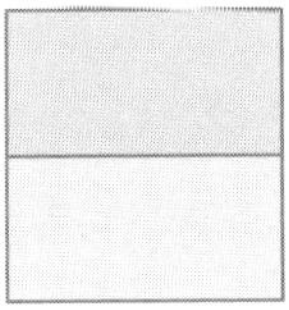	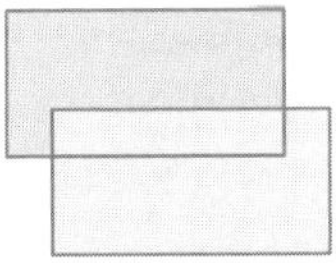	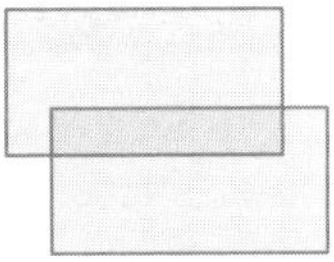

表1

社員番号	氏名
201	朝倉愛子
202	斉藤咲子
301	高崎滝子

表2

社員番号	氏名
101	亀井佳世
102	山田靖男
202	斉藤咲子

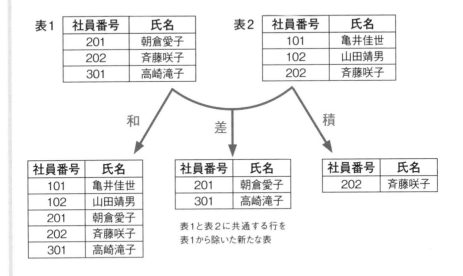

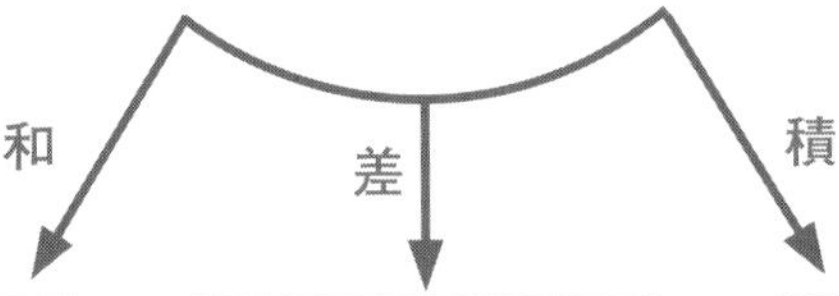

社員番号	氏名
101	亀井佳世
102	山田靖男
201	朝倉愛子
202	斉藤咲子
301	高崎滝子

社員番号	氏名
201	朝倉愛子
301	高崎滝子

表1と表2に共通する行を表1から除いた新たな表

社員番号	氏名
202	斉藤咲子

和（合併）では、すべての項目が同じ行が複数存在する場合、その行は1行にまとめられる。差の演算では、どちらの表から共通する行を除くのか、混乱しやすいので注意が必要。

3つの関係演算

関係演算では、条件に合う行や項目だけを抽出したり、異なる構造の表を結合することができる。

選択	射影	結合
条件を満たす行を抽出して新たな表を作る	必要な列だけを取り出して新たな表を作る	特定の列の値をもとにして、複数の表を結合し、新たな表を作り出す
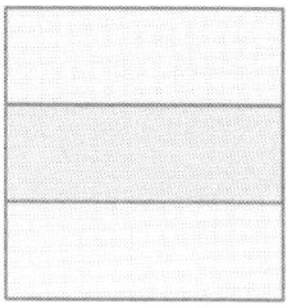	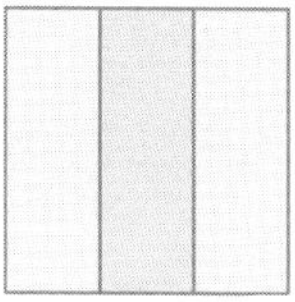	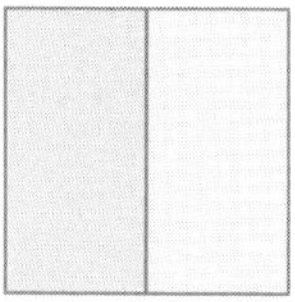

社員番号	氏名	年齢	部番号
201	朝倉愛子	26	C3
202	斉藤咲子	29	C3

条件を満たす行を抽出

選択（年齢＜30）

社員番号	氏名	年齢	部番号
201	朝倉愛子	26	C3
101	亀井佳世	44	C2
202	斉藤咲子	29	C3
301	高崎滝子	36	C1

射影

氏名	年齢
朝倉愛子	26
亀井佳世	44
斉藤咲子	29
高崎滝子	36

指定した項目を抽出

部番号	部名
C1	設計部
C2	総務部
C3	営業部

結合

社員番号	氏名	年齢	部番号	部名
201	朝倉愛子	26	C3	営業部
101	亀井佳世	44	C2	総務部
202	斉藤咲子	29	C3	営業部
301	高崎滝子	36	C1	設計部

関連付けられたキーで表を結合

アクセス制御の仕組み

パケットフィルタリングの仕組み

インターネットやLANなど、TCP/IPを用いたネットワークでは、すべてのデータをパケットと呼ばれる単位に分割して送信する。パケットフィルタリングは、送信するデータが納められているパケットの情報を手がかりに、不正なデータを通過させないように設定する方法。

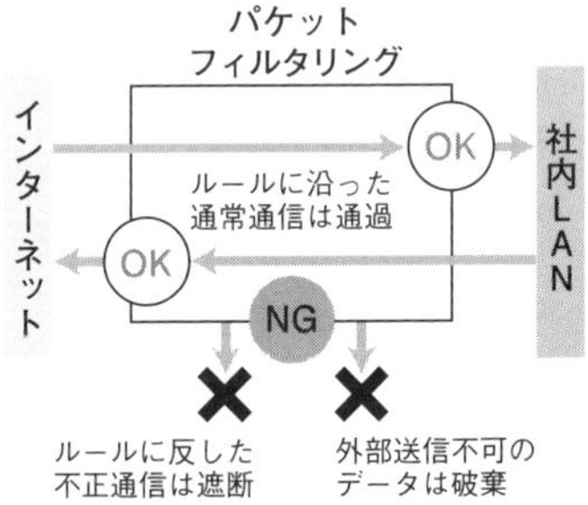

実際には、パケットのIPヘッダ情報から相手のコンピュータを特定し、相手側が要求するサービスによって通信の許可／不許可を判断を行う。これに使われるのがポート番号（データを引き渡す先のアプリケーションを示す番号、右ページ参照）である。

参照するヘッダ情報

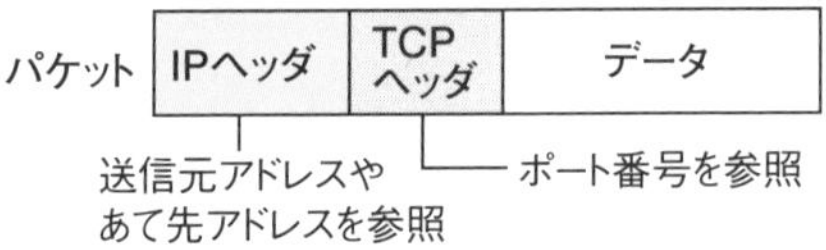

ルータ内のフィルタリングテーブルに、あらかじめ「発信元・あて先のアドレス・ポート番号、通過の許可・不許可」といった通信ルールを設定して、それに基づいてパケットの通過または廃棄を行っている。

フィルタリングテーブルの設定例 (0は制限しないことを表す)

	IP層		動作
	発信元IPアドレス	あて先IPアドレス	
行き	0	100.1.1.1	許可
帰り	100.1.1.1	0	許可

	TCP層		動作
	発信元ポート番号	あて先ポート番号	
行き	0	80	許可
帰り	80	0	許可

あて先ポート番号が80（HTTP）で、IPアドレスが100.1.1.1の、Webサーバあてのパケットの通過を許可する場合

シーケンス番号とポート番号

パケットには、IPアドレスやMACアドレスの他に、シーケンス番号とポート番号も付加されている。各パケットは、あて先まで必ずしも同じルートを経由して行くわけではなく、また送出された順番どおりに到着するとも限らない。

そのため、到着した各パケットは、順序を示すシーケンス番号をもとに組み立てられ、復元されたデータはポート番号で示されるアプリケーションへ引き渡される。

HTTP（Webブラウザへ引き渡し）やPOP3（メールソフトへ引き渡し）など、一般的なプロトコルで使うポート番号はあらかじめ決められており（表参照）、ウェルノウンポート（Well-Known Port）番号と呼ばれている。

代表的なウェルノウンポート番号

ポート番号	対応するプロトコル
20／21	FTP（ファイル転送）
23	Telnet（遠隔操作端末）
25	SMTP（メール転送）
53	DNS（名前解決）
80	HTTP（ハイパーテキスト転送）
110	POP3（メール取出し）
143	IMAP（メール取出し）
161	SNMP（ネットワーク管理）

MACアドレス

ネットワーク層（OSI基本参照モデル p.223）に、TCP/IP以外のプロトコルを用いたネットワークも存在する。しかし、TCP/IPのネットワークは、そのネットワークとIPアドレスとの整合性が取れないため、接続ができない。そのため、実際のパケット転送では、双方のコンピュータが競合しない固有番号を持つ必要がある。これが、MACアドレス（Media Access Control Address）で、通信機器を製造するメーカが、ハードウェア（ネットワークカードなど）ごとに割り当てた世界で唯一のアドレスである。

MACアドレスは、下図の構成になっており、IEEE（米電気電子技術者協会）が製造メーカ識別子を、通信機器メーカが製品番号を管理している。

MACアドレス（48ビット）

メーカ識別子（IEEEが管理）	製品番号（メーカが管理）
24ビット	24ビット

Lesson

シラバス ●大分類3：技術要素 ●中分類7：ヒューマンインタフェース
●小分類1：ヒューマンインタフェース技術

ヒューマンインタフェース

01 ヒューマンインタフェース

ヒューマンインタフェースとは、人とコンピュータとの間を結ぶ入出力機器や入出力方式を指します。ユーザにとって使いやすいシステムを構築するには、画面や帳票などのヒューマンインタフェースが重要です。試験では、設計の留意点なども問われます。

問1 Webページの要素名称

check

利用者が現在閲覧しているWebページに表示する、Webサイトのトップページからそのページまでの経路情報を何と呼ぶか。

ア　サイトマップ　　　　イ　スクロールバー
ウ　ナビゲーションバー　　エ　パンくずリスト

問2 ユーザビリティの評価

check

ユーザインタフェースのユーザビリティを評価するときの、利用者の立場からの評価手法と専門家の立場からの評価手法の適切な組みはどれか。

	利用者の立場からの評価手法	専門家の立場からの評価手法
ア	アンケート	回顧法
イ	回顧法	思考発話法
ウ	思考発話法	ヒューリスティック評価法
エ	認知的ウォークスルー法	ヒューリスティック評価法

ここがポイント！

《画面設計とWebデザイン》

①文字フォント

・ビットマップフォント：決められた数のドットパターン（点の集まり）によって、作られた文字フォント。大きく拡大するとジャギー（ギザギザの線）が目立つ。
・アウトラインフォント：文字の輪郭線を円と線の情報（ベクトルデータ）によって持つフォント。拡大・縮小しても文字が崩れずに表示できる。

②Web画面をわかりやすくするための技法

フレーム	Web画面のレイアウトをナビ、メインコンテンツ、ガイドやメニューなどの形にブロック化した場合の枠取り
ナビゲーション	利用者がスムーズに検索や移動を行ったり、現在の位置を知るための情報(階層を把握する情報をパンくずリストと呼ぶ) やメッセージのこと
チャンク	Webページを見やすくしたり、直感的にわかりやすくするためのまとまりのこと。見出しやタグ、色付けを行うことによって効果が高まる

《GUIの部品》

GUI (Graphical User Interface) は、パソコンのOSで一般的な、アイコンやボタン、メニューなどを使って利用者が直感的に操作できるようなヒューマンインタフェース。

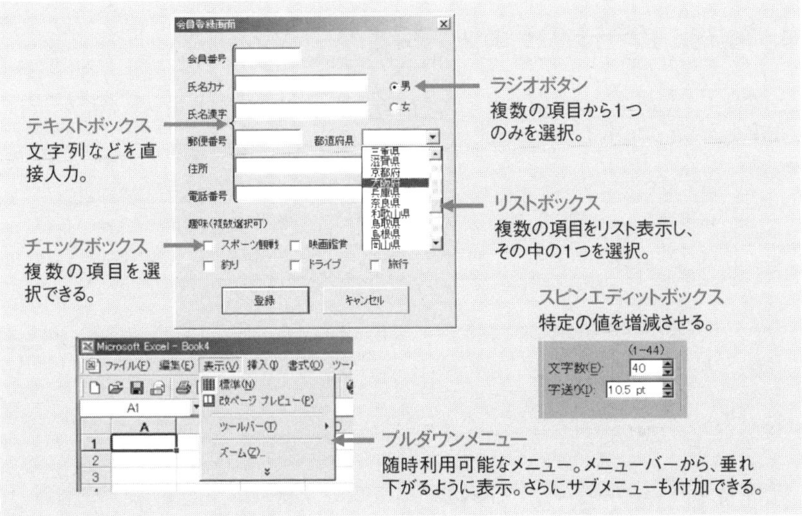

《ユーザビリティの評価》

ユーザインタフェースのユーザビリティを評価するための方法には次のものがある。

- ヒューリスティック評価法：数人の専門家が行う手法で、ソフトウェア製品の仕様書が設計ガイドライン沿っているかを判定し、改良点をリストアップしていく。
- ユーザビリティテスト：ソフトウェア製品の試作品などをユーザに操作してもらい、間違ったり混乱したりした箇所を見つけ出し、その原因を分析していく。

解説 1

【解答】エ

「パンくずリスト」は、操作ナビゲーションの1つで、トップページからの経路を表示する。これにより、現在閲覧しているWebページの位置を知ることができる。童話「ヘンゼルとグレーテル」の「パンくずを落としながら帰り道の目印とした」話に由来している。ア:Webページの全体構成をまとめたもの、イ：画面表示を移動させる目的で使う、ウ：操作ガイドを表示する領域。

解説 2

【解答】ウ

専門家の立場で行うユーザビリティの評価には、ヒューリスティック評価法(上記参照)や認知的ウォークスルー法(人の認知過程を基準に評価)がある。一方、利用者の立場や視点で行うのがユーザビリティテストで、ユーザの操作を観察して問題点を見つけ出す。同様に回顧法は、後からユーザに質問して振り返る方法、思考発話法は操作中の思考を発話してもらう方法である。

Lesson

シラバス ●大分類3：技術要素 ●中分類7：ヒューマンインタフェース
●小分類2：インタフェース設計

ヒューマンインタフェース

02 コード設計と入力データチェック

情報をコード化すると個々の識別が容易になり、コンピュータによる分類や整列の処理が行いやすくなります。ただし、コード設計を誤まると処理効率が悪くなるので注意が必要です。試験では、コードの種類、入力データチェックの種類が問われます。

問1 入力データのチェック方法

check

次のような注文データが入力されたとき、注文日が入力日以前の営業日かどうかを検査するために行うチェックはどれか。

注文データ

伝票番号	注文日	商品コード	数量	顧客コード
（文字）	（文字）	（文字）	（数値）	（文字）

ア　シーケンスチェック
イ　重複チェック
ウ　フォーマットチェック
エ　論理チェック

問2 割り当てるコードの桁数

check

顧客に、A～Zの英大文字26種類を用いた顧客コードを割り当てたい。現在の顧客総数は8,000人であって、毎年2割ずつ顧客が増えていくものとする。3年後まで全顧客にコードを割り当てられるようにするためには、顧客コードは少なくとも何桁必要か。

ア　3　　イ　4　　ウ　5　　エ　6

ここがポイント！

《コードの種類》

順番コード	データの発生順やアイウエオ順に一連番号を付けたもの(例：JIS都道府県コード)
区分コード	対象を一定のブロックに分け、その範囲内で付けた一連番号(例：JIS市区町村コード)
桁別コード	各桁に大・中・小分類などの意味をもたせたもの(例：勘定科目コード、職業分類コード)
表意コード	内容を表す略号(例：JIS国名コード)
合成コード	上記コードを組み合わせて用いる

《入力データチェック》

照合チェック	入力データと原本のデータを突き合わせて、不一致がないかを検査する
リミットチェック	入力された値が規定の範囲内に収まっているかを検査する
ニューメリックチェック	数値を入力すべきところに、数字以外の文字が入力されていないかを検査
シーケンスチェック	ある項目をキーとして、指定された順になっているかを検査
論理チェック	入力されたデータが論理的に妥当かどうかを検査する
フォーマットチェック	入力されたデータが入力項目の桁数や桁位置に合致しているかを検査する
重複チェック	データが誤って重複入力されていないかを検査する

《チェックディジットを求める手順》

①各桁ごとに重みを掛け合わせる　②重みを掛け合わせたものを加算する
③条件に合わせて調整する

〔例〕 4桁のコードに対し、各桁の重み付き係数を順に5432とし、各桁の積の合計を11で割った余りを検査文字とする。

コード：3795 → $3\times\underline{5}+7\times\underline{4}+9\times\underline{3}+5\times\underline{2}=80$
80÷11=7　余り3
(チェックディジット計算ルーチン)
チェックディジット付きコード：3795$\underline{3}$

解説 1

【解答】エ

システムに入力されたデータは、さまざまな方法でチェックが行われる。問題文は、例えば未成年者のデータを入力する際に、年齢として20以上の数値を入力するとエラーが出るように、入力値が論理的な範囲内に納まっているかどうかをチェックするような場合を指している。ア：入力が指定された順になっているかの検査法。イ：データの入力に重複がないかを調べる検査法。ウ：入力項目の桁数や桁位置の誤りを見つける検査法。

解説 2

【解答】ア

3年後の顧客数は、8000×1.2^3〔人〕となり、この値を超えるコードの桁が必要となる。選択肢から計算してみると、3桁なら26^3なので、

$26^3 \geqq 8000 \times 1.2^3$

が成り立つかを確認する。計算を省くため両辺を割っていくと、

$26 \times 26 \times 26 \geqq 8000 \times 1.2 \times 1.2 \times 1.2$

$26 \times 26 \times 26 \geqq 8 \times 12 \times 12 \times 12$

$13 \times 13 \times 13 \geqq 12 \times 12 \times 12$

この時点で式が成り立つので3桁が正解となる。

シラバス ●大分類3：技術要素 ●中分類8：マルチメディア ●小分類1：マルチメディア技術

Lesson 03

マルチメディア

マルチメディア

マルチメディアの範囲は広いものですが、試験では、コンピュータ上で扱う、画像、音声、動画、文書などが主な出題になっています。また、急速な進化を遂げているVRやARなどのマルチメディアを応用した技術に関する用語も押さえておくとよいでしょう。

テクノロジ系

問1 H.264/MPEG-4 AVC

check

H.264/MPEG-4 AVCの説明として、適切なものはどれか。

ア　5.1チャンネルサラウンドシステムで使用されている音声圧縮技術

イ　携帯電話で使用されている音声圧縮技術

ウ　デジタルカメラで使用されている静止画圧縮技術

エ　ワンセグ放送で使用されている動画圧縮技術

問2 動画配信に必要な帯域幅

check

800 × 600ピクセル、24ビットフルカラーで30フレーム／秒の動画像の配信に最小限必要な帯域幅はおよそ幾らか。ここで、通信時にデータ圧縮は行わないものとする。

ア　350kビット／秒　　イ　3.5Mビット／秒

ウ　35Mビット／秒　　エ　350Mビット／秒

ここがポイント！

《動画の形式と配信方法》

①動画の圧縮形式

動画の標準的な規格としてMPEGがある。MPEGには、ビデオテープ並の品質のMPEG-1、デジタルテレビ放送などで使用される高品質のMPEG-2、そして、低速データ通信での使用を見込んで策定され、圧縮効率の高いMPEG-4などがある。H.264/MPEG-4 AVCは、MPEG-4をもとに規格化した名称。

②ストリーミング（streaming）

ネットワーク上にある音声や動画データの配信方式のこと。データファイル全体をダウンロードしなくても、その一部を読み込んだ時点で再生が可能になる。

③ビデオオンデマンド

ネットワークを通じた動画配信サービスのこと。オンデマンドサービスにより、映画やアニメ、TVで放送された番組などをいつでも視聴できる。

《3次元CGの描画手順》

①モデリング

被写体となる3次元の物体を数値と式で記述する形状データとして作成する。物体の表面を、無数の小さな多角形であるポリゴンに分割して表現するモデリング手法がある。

②幾何学的モデルの決定

被写体となる3次元の物体を、どの視点から描くのかを決定すること。複数の被写体の位置関係、画角（視点から被写体までの距離による角度範囲）やアングルを決定する。

③光学的モデルの決定

光の当たり具合を決定する。光源の種類や光の強さ、光源からの距離や方向などを決めるが、これによって被写体表面の反射や影の付き方が変わってくる。

④レンダリング

ここまでは、仮想の3次元空間を数値で表現したが、これをディスプレイに表示するには、2次元の画像に変換する必要がある。3次元形状モデルから2次元画像への変換処理をレンダリングという。レンダリングには、以下の処理が含まれている。

1. 透視投影：3次元形状を2次元画像に投影。画角や消失点によって表示領域外となる部分を除外（クリッピング）。
2. 隠面消去：手前にある物体によって隠れる部分を削除する。カメラから物体へ届く光（レイ）を追跡し、物体と光の交点ごとに一番手前になる面（ポリゴン）を計算する方法を、レイトレーシングという。
3. ラスタライズ：数値で表されていた形状を、対応する画素（点）によって表現する。ラスタ化する際に、斜線や曲線の部分に階段状のジャギーが発生することがあるが、これを目立たないように加工する処理をアンチエイリアシングという。
4. 陰影付け：光の当たり具合や物質表面の性質によって、表面の色の濃淡を描き分けるシェーディングを行う。また、光が遮られる部分に影を付ける（シャドーイング）。シャドーイングにもレイトレーシング技法が使われる。
5. 効果付与：物質表面の模様や微細な凹凸などを、写真や平面の画像から3次元形状の表面に対応付けて素材感を付与する手法をテクスチャマッピングという。

《アニメーションの制作》

①モーフィング

ある物体から別の物体へと変化していく動きを見せる方法で、2つの物体を静止画で描くと、その間の動きが自動的に作成される。

②モーションキャプチャ

身体の関節などのポイントにマーカを付けて撮影し、マーカの動きをキャラクタの動きとして計算させる。

問 3 画像処理の手法

check

液晶ディスプレイなどの表示装置において、傾いた直線を滑らかに表示する手法はどれか。

ア　アンチエイリアシング　　イ　テクスチャマッピング
ウ　モーフィング　　エ　レイトレーシング

問 4 モーフィングの説明

check

コンピュータアニメーション技法のうち、モーフィングの説明はどれか。

ア　画像A、Bを対象として、AからBへ滑らかに変化していく様子を表現するために、その中間を補うための画像を複数作成する。
イ　実際の身体の動きをデジタルデータとして収集して、これを基にリアルな動きをもつ画像を複数作成する。
ウ　背景とは別に、動きがある部分を視点から遠い順に重ねて画像を作成することによって、奥行きが感じられる2次元アニメーションを生成する。
エ　人手によって描かれた線画をスキャナで読み取り、その閉領域を同一色で彩色処理する。

問 5 ARの説明

check

AR (Augmented Reality) の説明として、最も適切なものはどれか。

ア　過去に録画された映像を視聴することによって、その時代のその場所にいたかのような感覚が得られる。
イ　実際に目の前にある現実の映像の一部にコンピュータを使って仮想の情報を付加することによって、拡張された現実の環境が体感できる。
ウ　人にとって自然な3次元の仮想空間を構成し、自分の動作に合わせて仮想空間も変化することによって、その場所にいるかのような感覚が得られる。
エ　ヘッドマウントディスプレイなどの機器を利用し人の五感に働きかけることによって、実際には存在しない場所や世界を、あたかも現実のように体感できる。

《マルチメディアの応用》

① VR（Virtual Reality：仮想現実感）

3D映像をヘッドマウントディスプレイ（ゴーグルのようなディスプレイ）に映し出し、使用者の動きをセンサで読み取って画像の動きを合わせることで、コンピュータが作り出した空間にいるように感じられる手法。

② AR（Augmented Reality：拡張現実感）

実際に見えているもの（現実の風景など）に、別映像や文字情報などを重ね合わせる手法。

③ バーチャルサラウンド

利用者を取り囲むように複数のスピーカを設置することにより得られる立体音響を2つのスピーカやヘッドフォンで仮想的に実現したシステム。

④ オーサリング

文字、画像、動画、音声などの素材を組み合わせて、マルチメディアコンテンツを作成すること。また、それを行うためのソフトをオーサリングツールと呼ぶ。

解説 1　【解答】エ

「H.264/MPEG-4 AVC」は動画ファイル形式の1つで、ワンセグ放送からYouTubeなどの動画共有サービスまで幅広く使われている。そのほか、4K/8Kなどの大容量のデータ配信に適した動画圧縮形式として、「H.265/MPEG-H HEVC」が規格化されている。なお、現在多く使われているMP4は、映像は「H.264/MPEG-4 AVC」、音声は「AAC」などが採用されたコンテナフォーマット（動画や音声など、複数のデータを格納できる規格）である。

解説 2　【解答】エ

問題文で問われている帯域幅とは、転送レートのことで、1秒間に送信できるデータ量である。動画像1フレームの大きさは、800 × 600 = 480,000ピクセル。これが、フルカラーで30フレーム／秒なので、

$48 \times 10^4 \times 24$ ビット × 30 フレーム／秒

$= 3456 \times 10^5$ ビット／秒　　345.6Mビット／秒

解説 3　【解答】ア

ジャギー（ギザギザ）を目立たないように加工するのはアンチエイリアシングである。イ：2次元画像を貼り付けて素材感を出すこと。ウ：ある形から別の形へ変化させる技法。エ：隠面消去やシャドーイングに用いられる技法。（ア～エとも、詳しくは、ここがポイント「3次元CGの描画手順」を参照）。

解説 4　【解答】ア

モーフィングについて述べているのは選択肢アである。イ：モーションキャプチャの説明。ウ：セルアニメの撮影で用いられるマルチプレーンの説明。複数枚のセル画を、カメラからの距離を変えて層状に重ねて配置し、撮影する。ピントの合わない層のセルがぼけることで遠近感を表す。エ：デジタル彩色の説明。線画からコンピュータで作成するデジタルアニメや、3次元のCGからアニメーションを作る3DCGアニメーションなどの制作方法もある。

解説 5　【解答】イ

AR（拡張現実）は、実際に見えている映像に、CGなどによる別の映像や文字などを重ね合わせて見せる手法（イ）。「ポケモンGO」などが代表的な応用例。ア：実際に見えている映像に過去の映像を映し出して錯覚を起こさせる手法にSR（代替現実）があるが、選択肢の文面からは単なるビデオ視聴と考えられる。ウ、エ：VR（仮想現実）の説明。

シラバス ●大分類3：技術要素 ●中分類9：データベース
●小分類1：データベース方式

Lesson

データベース

04 データベースとスキーマ

データベース (database) とは、互いに関連のあるデータを組織的に管理・蓄積し、検索や更新が効率的にできるようにしたものです。試験では、システム開発を行う技術者として、データベースを構築するためのスキーマの知識が問われます。

テクノロジ系

問1 スキーマの役割

check

データベースを記録媒体にどのように格納するかを記述したものはどれか。

ア　概念スキーマ
イ　外部スキーマ
ウ　サブスキーマ
エ　内部スキーマ

問2 3層スキーマアーキテクチャ

check

DBMSが、3層スキーマアーキテクチャを採用する目的として、適切なものはどれか。

ア　関係演算によって元の表から新たな表を導出し、それが実在しているように見せる。

イ　対話的に使われるSQL文を、アプリケーションプログラムからも使えるようにする。

ウ　データの物理的な格納構造を変更しても、アプリケーションプログラムに影響が及ばないようにする。

エ　プログラム言語を限定して、アプリケーションプログラムとDBMSを緊密に結合する。

ここがポイント！

《データベースの利点》

①データの一貫性が保たれる（完全性）

複数の業務で使用するデータを一元管理するための機能が充実しているため、データの追加・更新・削除などの保守作業が容易で、常にデータの整合性を保つことができる。

②データの独立性が高い（独立性）

データとそのデータ特性（桁数やデータの型）を含めて管理することで、データを特定のプログラムから独立させることができる。これにより、データ構造に変化が生じた際もプログラムの修正が不要となり、プログラムの保守性が向上する。

③データを同時に利用できる（安全性）

複数の利用者が同時に利用してもデータの整合性が保たれる。また、データの破壊や漏えいなどが起こらないように管理されている。

《データベース構築とスキーマ》

データベースの構築には、現実世界のデータをどのように構造化して、コンピュータ内部で表現するかを考える必要がある。これをデータのモデル化という。また、データベースの構造を表す仕様をスキーマ（schema）と呼ぶ。

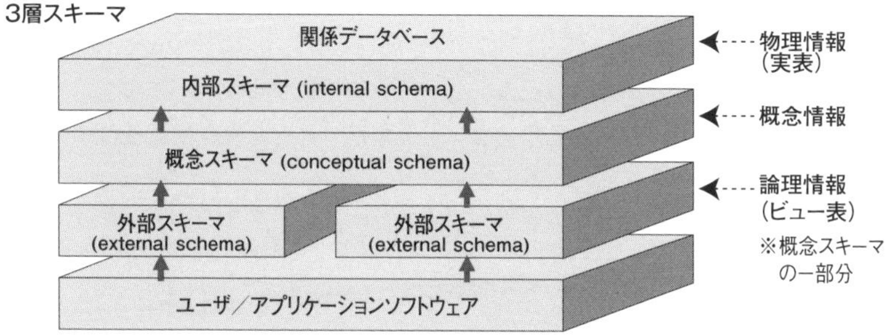

①内部スキーマ（記憶スキーマ）

記憶装置にどうデータを格納しアクセスするのかなど、記憶装置上に格納するデータベースの物理的な情報（物理構造）を定義する。

②概念スキーマ（スキーマ）

データベースが扱う個々のデータの意味や関係を明らかにする。コンピュータの制約に依らない、現実世界のデータ関係の定義。関係データベースでは実表が該当する。

③外部スキーマ（サブスキーマ）

利用者（またはアプリケーションソフト）から見たデータの形を定義する。関係データベースでは、ビュー表が該当する。

解説 1　【解答】エ

データベースを記録媒体にどのように格納するかといった物理構造は、内部スキーマで定義する。ア：概念スキーマは、データベースが対象とする外界の事象をモデル化して、データの論理的関係を表現したもの。データベースにただ一つだけ存在する。イ、ウ：外部スキーマは、利用者側が必要とするデータの見方を定義するもので、サブスキーマともいう。

解説 2　【解答】ウ

スキーマとはデータベースの定義情報を記述したもので、3層スキーマの特長は、データの概念と論理構造、物理構造が独立させている点にある。これは、物理的な格納位置に変更があったときも、プログラム（アプリケーション）に影響しないという利点がある。

シラバス ●大分類3：技術要素 ●中分類9：データベース
●小分類1：データベース方式、2：データベース設計

Lesson 05

データベース

関係モデルと論理設計

関係モデルでは、データを2次元の表形式で持ち、表中のデータ値によりデータ相互の関係を確立します。このモデルを採用したものが関係（リレーショナル）データベースです。試験では、主キーと外部キーの役割などが出やすいポイントです。

問1 インデックス設定の目的

check

関係データベースの表の列に利用者がインデックスを設定する目的はどれか。

ア 外部キーの列の値を別の表の主キーの値に一致させる。

イ データの格納位置への効率的なアクセスが可能となり、検索速度の向上が期待できる。

ウ 一つの大きなテーブルを複数のディスクに分散格納する場合、ディスク容量が節約できる。

エ 列内に重複する値がないようにする。

問2 関係データベースの外部キー

check

3つのリレーションからなるデータベーススキーマがある。次の項目の中で外部キーはどれか。ここで、スキーマの中の下線は主キーを表す。

学生（<u>学生番号</u>，学生名，住所，生年月日）
成績（<u>学生番号</u>，<u>科目番号</u>，点数）
科目（<u>科目番号</u>，科目名，講師番号）

ア リレーション“学生”の属性“学生番号”

イ リレーション“学生”の属性“学生番号”とリレーション“科目”の属性“科目番号”

ウ リレーション“科目”の属性“科目番号”

エ リレーション“成績”の属性“学生番号”と“科目番号”

ここがポイント！

《関係データベースの構造》

①表（relation：関係）

従来のファイルに相当するもので、通常、1つのデータベース内に構成が異なる複数の表が存在する。表内の個々のデータを実現値と呼ぶ。

②列（attribute：属性）

フィールド（項目）に相当し、実際のデータ（実現値）が格納される。

③行（tuple：組）

レコードとも呼ばれ、1行（1レコード）が1件分のデータになる。

④定義域（domain：ドメイン）

各列（属性）が取り得る値（データ型や桁数およびその範囲など）の集合。

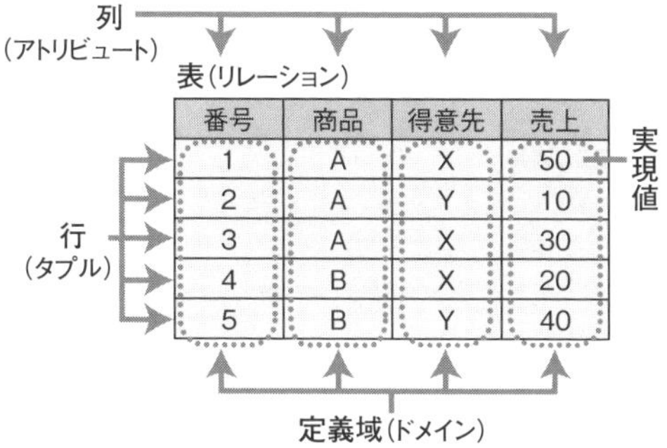

番号	商品	得意先	売上
1	A	X	50
2	A	Y	10
3	A	X	30
4	B	X	20
5	B	Y	40

《主キーと外部キーの役割》

①主キー

関係データベースの行を一意に特定できる1つあるいは複数の項目。主キーの値は重複がなく、ヌル（空値）は認められない。列中の値が重複しない性質を**一意性制約**という。

②外部キー

他の表の主キーと関連づける外部キーを設定しておくことで、参照されている主キーをもつ行は削除できなくなり（または警告が出され）、データの整合性を保つことができる。これを**参照整合性制約**（**一貫性制約**）という。

③インデックスの設定

検索効率の向上を図る目的で設定するもので、データ量が膨大な場合に効果がある。

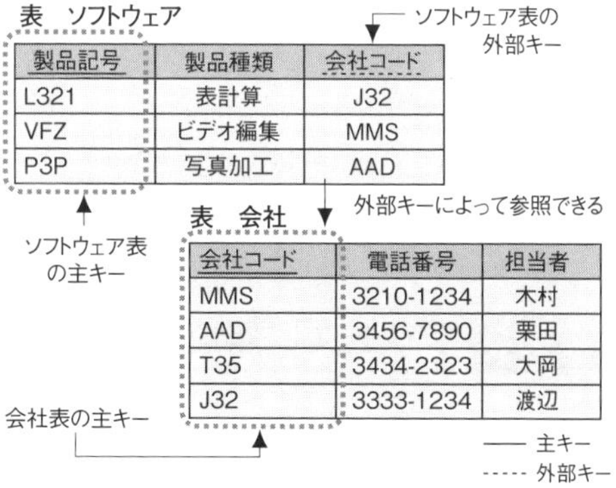

表　ソフトウェア

製品記号	製品種類	会社コード
L321	表計算	J32
VFZ	ビデオ編集	MMS
P3P	写真加工	AAD

表　会社

会社コード	電話番号	担当者
MMS	3210-1234	木村
AAD	3456-7890	栗田
T35	3434-2323	大岡
J32	3333-1234	渡辺

解説 1　【解答】イ

インデックスについて述べているのは、選択肢イである。インデックスの設定目的は検索速度の向上にあるが、インデックスの数が増えるに従い、インデックスを保存するための記憶領域が大きくなること、またあまりにインデックスが多いと、インデックステーブルの更新に時間がかかるようになるので注意したい。

解説 2　【解答】エ

この問題のスキーマは右図のようになる。ここで、リレーション“成績”の主キーは複数項目からなっており、ア、イ、ウは、主キーの一部しか参照していないことから、外部キーではないことがわかる。

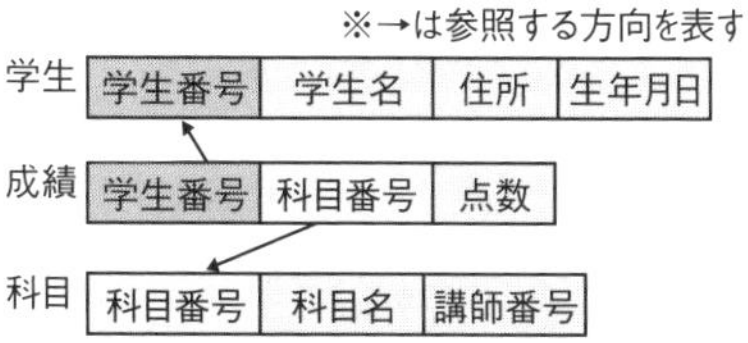

Lesson 06

シラバス ●大分類3：技術要素 ●中分類9：データベース
●小分類1：データベース方式

データベース

データベース管理システム

DBMS（データベース管理システム）は、データベースとその利用者の間に介在して、データベースの管理を効率よく行うソフトウェアです。試験では、DBMSの持つ主な機能が問われます。なお、排他制御については「Lesson 11」で取り上げます。

問1 ストアドプロシージャ

check

クライアントサーバシステムにおいて、クライアント側からストアドプロシージャを利用したときの利点として、適切なものはどれか。

ア　クライアントとサーバの間の通信量を削減できる。
イ　サーバ内でのデータベースファイルへのアクセス量を削減できる。
ウ　サーバのメモリ使用量を削減できる。
エ　データベースファイルの格納領域を削減できる。

問2 アクセス経路を選択する機能

check

SQL文を実行する際に、効率がよいと考えられるアクセス経路を選択する関係データベース管理システム（RDBMS）の機能はどれか。

ア　オプティマイザ　　イ　ガーベジコレクション
ウ　クラスタリング　　エ　マージソート

ここがポイント！

《DBMSの機能》

①データベースの定義機能
データベース作成を行う機能。データスキーマを決定し、与えられた論理構造から物理構造を決める。データ定義言語（DDL；Data Definition Language）を用いる。

②データベースの操作機能
データに指示を出し、データベースへの操作を行う機能。データベースへの操作（検索・

抽出など）は、データの格納場所やアクセス方式など詳細な情報を知らなくても可能。操作は、データ操作言語（DML；Data Manipulation Language）を用いる。

③データベースの管理（制御）機能

データベースは複数の利用者が同時にデータ要求を行っても、矛盾のないようにデータを保つ必要がある。そのため、保全機能（排他制御、障害回復など）、データ機密保護機能（アクセス制御、データの暗号化など）といった機能を持つ。

・アクセス権：まず、ユーザIDやパスワードを使ってユーザ認証を行う。さらに、ユーザが属するグループごとにアクセス権限を設定し、権限外のデータアクセスを防ぐ。

《ストアドプロシージャ》

頻繁に使うSQL文などの命令群を、サーバ側に格納しておき、クライアントはそれら命令群の実行を指示する方式。命令群はあらかじめ実行形式に変換してサーバに格納してあり、即時に実行できるため処理速度が向上する。また、クライアントは短い要求のみ送ればよいため、ネットワークの負荷も軽減される。

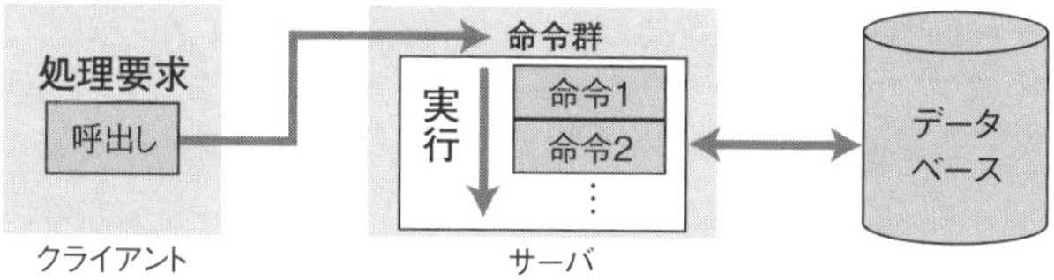

《SQL文の処理》

①クエリ実行までの流れ

受けたクエリ（問合せ）の実行までの流れは、構文解析→オプティマイザ（最適化）→コード生成→実行といった順で処理される。

②オプティマイザ

SQLによるクエリに対して、最も効率がいいように最適化を行うこと。具体的には、アクセス経路（順次検索かインデックスを使うかなど）や結合方法の選択がある。

《再編成と再構成》

①再編成

レコードの追加や更新などを繰り返していると、物理的な記憶場所がちらばるフラグメンテーションが発生し、検索や読出し時間の遅延などの影響が出てくる。そこで、いったん別媒体に読み取って、もう一度保存し直すことで、処理効率を上げることができる。

②再構成

業務の状況が変わった場合など、データベースの構成そのものを変更すること。

解説1

【解答】ア

ストアドプロシージャは、クライアントサーバシステムにおいて、利用頻度が高い命令群をあらかじめサーバ上のDBMSに格納する仕組み。クライアントからの要求は実行の指示のみを行うことで、サーバ間のネットワーク負荷を軽減することができる。

解説2

【解答】ア

DBMSがクエリに対して、処理を効率的に行うために最適化する機能をオプティマイザと呼ぶ。その他は、DBMSとは関係ない選択肢。イ：ガーベジコレクションは断片化した記憶領域を連続した領域に集約すること。ウ：クラスタリングは、データ解析手法の1つまたはクラスタコンピューティングのこと。エ：マージソートは、ソート（整列）のアルゴリズムの1つ。

Lesson

シラバス ●大分類3：技術要素 ●中分類9：データベース
●小分類2：データベース設計

データベース

07 図式手法によるデータベース設計

データベース設計では、UMLやE-R図といった図解表現がよく使われます。試験では、各図式を使ってデータモデルを解釈する出題が多いので、E-R図ではエンティティ間の関係性、UMLでは多重度の表記について慣れておくとよいでしょう。

テクノロジ系

問1 E-R図の説明

check

E-R図に関する記述のうち、適切なものはどれか。

ア　関係データベースの表として実装することを前提に表現する。
イ　管理の対象をエンティティおよびエンティティ間のリレーションシップとして表現する。
ウ　データの生成から消滅に至るデータ操作を表現する。
エ　リレーションシップは、業務上の手順を表現する。

問2 データモデルの解釈

check

UMLを用いて表した図のデータモデルの解釈のうち、適切なものはどれか。

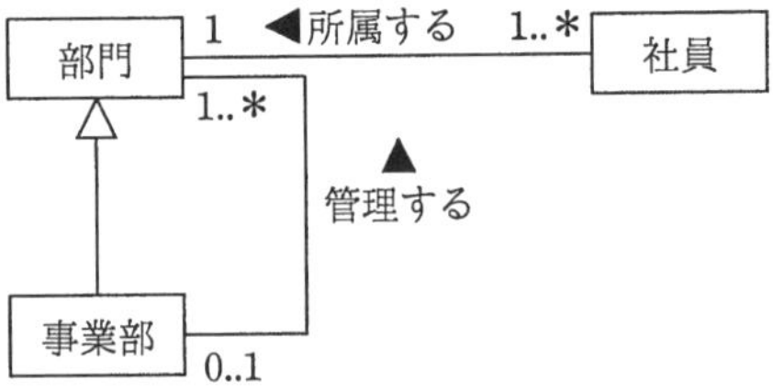

ア　事業部以外の部門が、部門を管理できる。
イ　社員は事業部に所属できる。
ウ　所属する社員がいない部門が存在する。
エ　部門は、いずれかの事業部が管理している。

ここがポイント！

《E-R図の表記ルール》

現実の世界を実体（エンティティ）と実体との関連（リレーションシップ）、さらに実体や関連が持つ属性（アトリビュート）という概念を用いて表した図解表現。

①関連と属性を記述した表現

実体	関連	属性
実体（エンティティ）は、人、場所、商品のような具体的なものや、技能、納品などの抽象的な概念を表す。識別子（主キー）が必要となる。	関連（リレーションシップ）：2つのエンティティ間にある関係を表す。	属性（アトリビュート）：実体や関連が持つ特徴や性質などを表す。

〔例〕 実体「商品」と「顧客」の間には、「発注する」および「納入する」という関連が存在する。また、実体「商品」には、「商品コード」と「商品名」、「顧客」には、「顧客番号」と「顧客名」という属性がある。識別子（主キーと同じ意味）の属性には下線を引く。これにより、下のようなデータベースの表（ファイル構造）ができる。

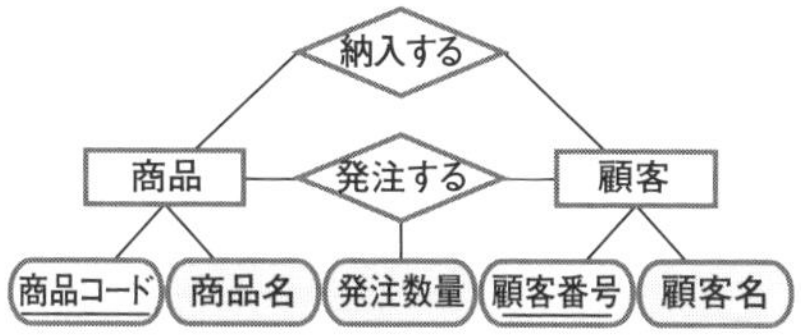

商品表	商品コード	商品名	単価
発注表	商品コード	顧客番号	発注数量
顧客表	顧客番号	顧客名	

—— は、主キー

②関連を省略した表現

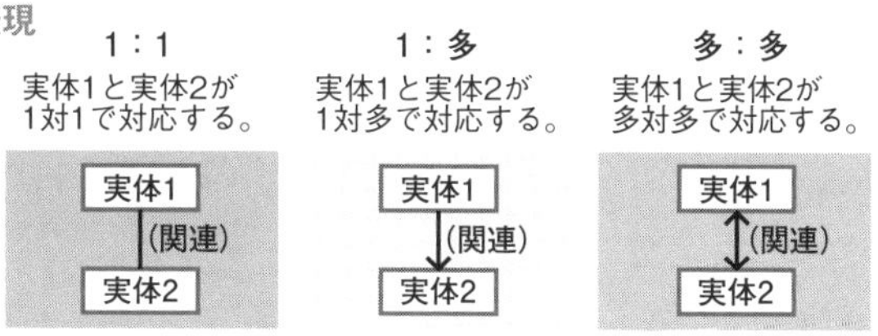

※矢印のある側が多、ない側が1

《UMLの多重度表記》

※UMLについてはp.283を参照。

右表のような表記が使われる。

記述	*	1	1.. *	0,1	0..2
意味	0以上	1	1以上	0または1	0～2

解説 1 【解答】イ

E-R図は、実体（エンティティ）と実体との関連（リレーションシップ）により、業務などの管理対象を表現する図式手法である。ア：関係データベースの表として実装する目的だけではなく、さまざまな用途で使用する。ウ：データの流れを表現することはできない。この場合はDFD（p.281を参照）を用いる。エ：リレーションシップは実体間の「関連」を示す。

解説 2 【解答】イ

図中の黒三角は関連名の方向、白い矢印は汎化（関係を一般化・抽象化）を示している。ア：事業部のみ、部門に対して「管理する」関連がある。イ：部門と事業部は親子関係にあることから、部門に所属する社員は事業部にも所属できる（正解）。ウ：「部門」から「社員」を見たときの多重度は1以上なので、必ず1人以上存在する。エ：部門から事業部を見たときは0または1なので、事業部が管理していない部門が存在する。

データベース

08 データの正規化

正規化の意義はデータの冗長性をなくし、一貫性と整合性を維持することを目的としてデータの更新を効率よくするために表を分割することです。一般的には第1正規化から、第3正規化まで行います。具体的な問題も出るので、十分に慣れておきましょう。

問1 正規化の目的

check

関係を第３正規形まで正規化して設計する目的はどれか。

ア　値の重複をなくすことによって、格納効率を向上させる。

イ　関係を細かく分解することによって、整合性制約を排除する。

ウ　冗長性を排除することによって、更新時異状を回避する。

エ　属性間の結合度を低下させることによって、更新時のロック待ちを減らす。

問2 第3正規形にした表

check

項目a～fからなるレコードがある。このレコードの主キーは、項目aとbを組み合わせたものである。また、項目fは項目bによって特定できる。このレコードを第３正規形にしたものはどれか。

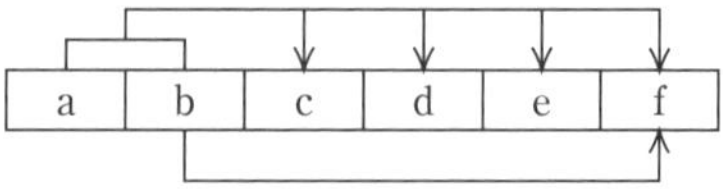

ア　[a | b]　[c | d | e]　[b | f]

イ　[a | b | c | d | e]　[b | f]

ウ　[a | b | f]　[c | d | e]　[b | f]

エ　[a | c | d | e]　[b | c | d | e]　[b | f]

ここがポイント！

《正規化の手順》

正規化は、各表に含まれるデータ項目に矛盾や重複がなくなるように、項目移動や表の分割を行うこと。これにより、データベース構造の変更やデータの更新時に他表へ及ぼす影響を最小限に抑えることができる。

①**第1正規化（第1正規形）**

繰返し部分が1つの独立したレコードとなるように、固定部分を補う。

②**第2正規化（第2正規形）**

主キーの一部だけから特定できる（部分関数従属性がある）項目を別の表にする。

③**第3正規化（第3正規形）**

第2正規形の表のうち、主キー以外の項目でも特定できる（推移関数従属性がある）項目を別の表にする。

〔例〕 会員は複数の講座を受講できる。通常1つの講座には複数の会員の受講申込みがあるが、受講申込みがない講座もある。受講人数に関係なく受講料金は一定である。レコードのキーは会員コード、受講情報のキーは講座コードである。

会員コード	会員名	会員住所	受講講座1						受講講座2						
			講座コード	講座名	講師ID	講師名	受講料金	申込日	講座コード	講座名	講師ID	講師名	受講料金	申込日	…

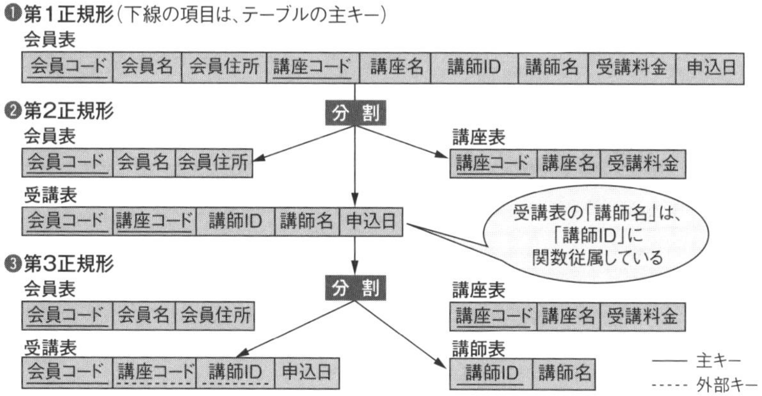

解説1

【解答】ウ

正規化の目的は、データベースを構成する各表から、データの重複をなくし、更新時異状が起こらないようにすることである。上の例では、第2正規形の受講表には、講師IDによって講師名が決まるという推移関数従属性が残っている。もし講師名に変更が生じると、すべてのレコードを更新する手間がかかり、さらに更新の漏れによる矛盾の恐れが残る。

解説2

【解答】イ

問題のレコードは、繰返しや集団項目がないので第1正規形になっている。しかし、項目fが主キー（aとb）の一部である項目bによって特定できる（これを部分従属という）ため、完全関数従属となっていない。そこで、項目fを別の表に分割する。

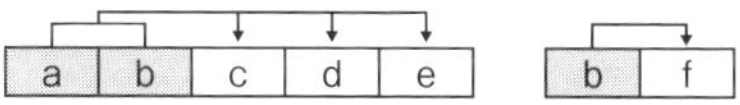

分割された2つのレコードを見ると、第2正規形であり、かつ主キー以外の非キー間で従属関係がない。したがって、この時点で第3正規形となる。

シラバス ●大分類3：技術要素 ●中分類9：データベース ●小分類3：データ操作

Lesson 09

データベース

SQLによるデータ定義

関係データベースのデータ定義では、SQL（Structured Query Language）を用いて、論理構造や物理的な記憶場所などを、スキーマとして記述します。試験では、制約条件の種類や制約条件の指定を中心としたデータ定義などが問われます。

テクノロジ系

問1 SQL-DDLの指定

check

SQL文においてFOREIGN KEYとREFERENCESを用いて指定する制約はどれか。

ア キー制約　イ 検査制約　ウ 参照制約　エ 表明

問2 GRANT文の説明

check

表に対するSQLのGRANT文の説明として、適切なものはどれか。

ア パスワードを設定してデータベースへの接続を制限する。

イ ビューを作成して、ビューの基となる表のアクセスできる行や列を制限する。

ウ 表のデータを暗号化して、第三者がアクセスしてもデータの内容がわからないようにする。

エ 表の利用者に対し、表への問合せ、更新、追加、削除などの操作権限を付与する。

ここがポイント！

SQL（Structured Query Language）は、関係データベースの定義や操作を行うための言語。データ定義を行うSQL-DDLと、データ操作を行うSQL-DMLがある。

《スキーマの定義》

```
CREATE SCHEMA AUTHORIZATION スキーマ名
```

スキーマ名は作成者を表し、通常はユーザIDを指定する。

《テーブル(表)の定義》

正規化されたデータに基づいて、あらかじめ次のような項目を決めておく必要がある。

①テーブル(表)名　②列名
③列に格納されるデータ型とその最大長　④主キーとなる列(または列の組合せ)
⑤外部キーである列

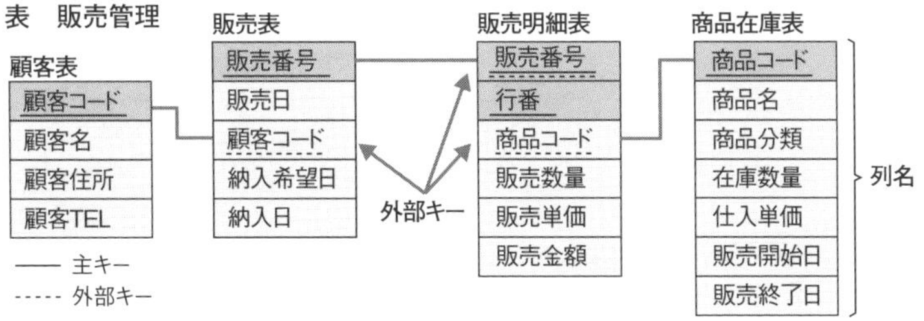

SQLで記述すると以下のようになる。

```
CREATE TABLE　販売明細表(
    販売番号 CHAR(6) NOT NULL,
    行番 INT NOT NULL,
    商品コード CHAR(4) NOT NULL,
    販売数量 INT NOT NULL,
    販売単価 INT NOT NULL,
    販売金額 INT NOT NULL,
    PRIMARY KEY (販売番号, 行番),
    FOREIGN KEY 販売番号 REFERENCES 販売表,
    FOREIGN KEY 商品コード
          REFERENCES 商品在庫表)
```

- データの型
  CHAR…文字型　INT…整数型
- 一意性制約
  PRIMARY KEY …主キー(NULLは不可)
- 参照制約
  FOREIGN KEY ～REFERENCES
  …外部キー
- 検査制約
  CHECK(検査条件)
- 非NULL制約
  NOT NULL …NULL(空値)は不可

《権限の設定と取消し》

テーブル(表)またはスキーマなどに対する処理の権限を設定する。

GRANT 権限1, 権限2, … ON 表名 TO 許可識別子

「権限1, 権限2, …」は、権限の種類(挿入、更新、削除、読取り、定義など)を指定する。「許可識別子」は、権限を付与する者を識別子として指定する。

また付与した権限を取り消す場合には、REVOKE文を用いて次のように指定する。

REVOKE 権限1, 権限2, … ON 表名 TO 許可識別子

解説1

【解答】ウ

「FOREIGN KEY～REFERENCES」によって指定するのは、ウ：参照制約(他の表の外部キー、削除不可)。ア：一意性制約(同じ列内の同値不可)や参照制約などのこと。イ：CHECKによる検査制約(値の種類や範囲に制限)。エ：表明は、条件を指定して複数の表にまたがる検査を行うことができる。CREATE ASSERTIONにより指定する。

解説2

【解答】エ

GRANT文は、処理権限を設定するもの。データベースは重要な情報を格納しているため、情報の漏えいを防ぐ目的で表の使用者を認証(許可識別子で指定)し、処理権限に沿った利用内容に制限する。テーブル(表)に対する権限の種類としては、読取り(SELECT)、行の追加(INSERT)、削除(DELETE)、更新(UPDATE)、すべて(ALL PRIVILEGES)などがある。

問3 SQLによるビュー定義

“商品”表のデータが次の状態のとき、〔ビュー定義〕で示すビュー“収益商品”表に現れる行数が減少する更新処理はどれか。

商品

商品コード	品名	型式	売値	仕入値
S001	パソコンT	T2003	150,000	100,000
S003	パソコンS	S2003	200,000	170,000
S005	パソコンR	R2003	140,000	80,000

〔ビュー定義〕

```
CREATE VIEW 収益商品
    AS SELECT * FROM 商品
      WHERE 売値 − 仕入値 >= 40000
```

ア 型式がR2003の売値を130,000に更新する。

イ 型式がR2003の仕入値を90,000に更新する。

ウ 型式がS2003の仕入値を150,000に更新する。

エ 型式がT2003の売値を130,000に更新する。

問4 カーソルの用途

関係データベースにおけるカーソルの用途として、適切なものはどれか。

ア アプリケーションプログラムからのデータベース操作

イ 対話的なデータベース操作

ウ データベース利用者の認証

エ ビュー定義

《ビュー表の定義》

ビュー(view)とは、実在の表の一部または複数の表を組み合わせて作成した仮想の表で、読取りのみが可能。ビューにより、実表の安全性を確保することができる。

〔例〕 発注内容の確認に使用するため、次の「発注伝票表」をビュー表として定義する。

発注伝票表

問屋名	発注日	商品名	数量	金額
会田商店	2011-03-01	A4ノート	100	10000
イイダ商店	2011-03-02	スティックのり	200	20000
⋮	⋮	⋮	⋮	⋮

テクノロジ系

```
CREATE VIEW 発注伝票表 ←①
   AS SELECT T.問屋名, H.発注日, S.商品名, H.数量,   ⎫
      S.単価*H.数量 AS 金額                        ⎭←②
      FROM 発注表 H, 商品表 S, 問屋表 T ←③
      WHERE H.商品コード=S.商品コード   ⎫
      AND S.問屋コード=T.問屋コード     ⎭←④
```

SELECT句の中で指定されているASは、計算式などで求めた列に新たな名前を付けるもので、ここでは単価×数量から「金額」という列を作り出している。また、FROM句で指定されているH、S、Tは相関名と呼ばれ、表名の代わりに使用することができる。複数の表に同じ列名が存在する場合は、表名または相関名と列名をピリオド(.)でつないで表す。

①ビュー表の表名の定義

②項目名(列名)

問屋名、発注日、商品名、数量の列と単価に数量を乗じた値を「金額」という列名で表示

③データの導出元(実表)

発注表(相関名をHとする;相関名とは簡略化した表名のこと)、商品表(相関名はSとする)、問屋表(相関名はTとする)

④導出条件

商品コードが発注表と商品表の両方に存在し、かつ問屋コードが商品表と問屋表の両方に存在する行を選択する

《親言語方式でのSQLの利用》

親言語方式とは、アプリケーションを作成したプログラム言語(親言語)中にデータベース操作命令(SQL文)を埋め込む方法(埋め込みSQL)。このとき、表から1行ずつデータを読み込む機能をカーソル(cursor)という。

カーソルを使った読み出し方法は、ファイル処理と同様の操作手順である。まず、DECLARE文でカーソル(ファイルに当たる)を定義。読み出す前にOPENし、FETCH文(リード文に当たる)で1行(レコード)ずつ読み込む。読み出した行は、「WHERE CURRENT OF カーソル名」で条件文として記述。すべての処理が終わったら、カーソルをCLOSEする、という流れになる。

解説3

【解答】エ

更新前のビュー"収益商品"表は、商品表から「売値－仕入値≧40000」である行が抽出されている。「エ」の更新を行うと、仕入値＝100,000に対し、売値＝130,000と更新されるので、「売値－仕入値≧40000」という関係が成立しなくなり、行数が減少する。

なお、「ア」、「イ」の更新処理を行ってもビュー表の行数に変化はないが、「ウ」の更新処理を行うと行数が増える。

収益商品

商品コード	品名	型式	売値	仕入値
S001	パソコンT	T2003	150,000	100,000
S005	パソコンR	R2003	140,000	80,000

解説4

【解答】ア

アプリケーションプログラム中にSQL文を埋め込んで使う親言語方式では、関係データベースから複数行のデータを読み取るカーソルを使う。

手順としては、

①DECLARE文に書かれたSELECT文により、複数行のデータを読み込む。

②読み込む行をカーソルで指定し、1行ずつ取り出す。

といった手順になる。

シラバス ●大分類3：技術要素 ●中分類9：データベース
●小分類3：データ操作

Lesson 10

データベース

関係データベースのデータ操作

関係データベースの基本的なデータ操作には、集合演算と関係演算があります。関係演算の「選択」は、表からデータを検索したり、必要なデータを選び出すといった最もよく使う演算です。抽出条件となるSELECT文の各句や、副問合せなどは要注意です。

問1 射影の操作

check

関係データベースの操作のうち、射影(projection)の説明として、適切なものはどれか。

ア　ある表の照会結果と、別の表の照会結果を合わせて一つの表にする。
イ　表の中から特定の条件に合致した行を取り出す。
ウ　表の中から特定の列だけを取り出す。
エ　2つ以上の表の組から条件に合致した組どうしを合わせて新しい表を作り出す。

問2 表を導き出す操作

check

関係XとYを結合した後、関係Zを得る関係代数演算はどれか。

X

学生番号	氏名	学部コード
1	山田太郎	A
2	情報一郎	B
3	鈴木花子	A
4	技術五郎	B
5	小林次郎	A
6	試験桃子	A

Y

学部コード	学部名
A	工学部
B	情報学部
C	文学部

Z

学部名	学生番号	氏名
情報学部	2	情報一郎
情報学部	4	技術五郎

ア　射影と選択　　イ　射影と和
ウ　選択　　エ　選択と和

ここがポイント！

《集合演算》

和（union、または、sum）	複数の表を併合する操作。併合後の表に行の重複はない（同一行は一行に吸収される）
差（difference）	表a－表bの演算。表aにあって表bにない行の表が作成される
積（product）	2つの表の両方に存在する行からなる表を作成する操作
直積（cartesian product）	2つの表を掛け合わせる操作。行の数は、それぞれの表の行数を掛けた数になる

《関係演算》

選択（selection）	条件を指定して、表から特定の行だけを取り出す操作
射影（projection）	表から指定した列だけを取り出す操作
結合（join）	複数の表を、列の値の関連で結合して、新しい表を作り出す操作

〔例〕

元の表

売上表

品番	数量
Y320	49
G102	20
Y320	84
S450	60

商品表

品番	商品名	単価
A250	商品A	1250
G102	商品G	3540
S450	商品S	2640
Y320	商品Y	1860

―― 主キー

①選択

売上表から数量≧ 50 の行を選択する。

表1

品番	数量
Y320	84
S450	60

②射影

商品表から、品番と単価の列を射影する。

表2

品番	単価
A250	1250
G102	3540
S450	2640
Y320	1860

③結合

表 1 と商品表を品番をキーにして結合する。

表3

品番	商品名	単価	数量	金額
S450	商品S	2640	60	158400
Y320	商品Y	1860	84	156240

※金額は単価×数量より計算

解説 1

【解答】ウ

射影は、指定した列（属性）を取り出す操作である。他の選択肢は、ア：和（複数の表を併合する集合演算で、重複行は併合時に排除）、イ：選択、エ：結合。

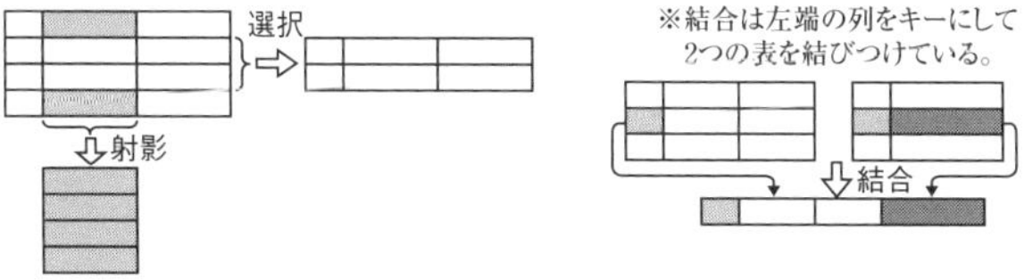
選択
射影
※結合は左端の列をキーにして
2つの表を結びつけている。
結合

解説 2

【解答】ア

Z表の要素は、X表から学生番号と氏名、Y表から学部名を抜き出している。また、2つの表を結びつけているのは学部コードである。したがって、まず射影が行われていることがわかる。さらにZ表の要素は、学部名が「情報学部」のみであり、これは選択が行われている。なお和演算は、複数の表を併合する演算であり、関係演算には含まれない。

問3 平均点を求めるSQL文

“中間テスト”表からクラスごと、教科ごとの平均点を求め、クラス名、教科名の昇順に表示するSQL文中のaに入れるべき字句はどれか。

中間テスト（クラス名，教科名，学生番号，名前，点数）

〔SQL文〕

```
SELECT クラス名, 教科名, AVG(点数) AS 平均点
    FROM 中間テスト
    [ a ]
```

ア　GROUP BY クラス名, 教科名 ORDER BY クラス名, AVG(点数)

イ　GROUP BY クラス名, 教科名 ORDER BY クラス名, 教科名

ウ　GROUP BY クラス名, 教科名, 学生番号
　　　　ORDER BY クラス名, 教科名, 平均点

エ　GROUP BY クラス名, 平均点 ORDER BY クラス名, 教科名

問4 データの更新処理

“商品”表に対してデータの更新処理が正しく実行できるUPDATE文はどれか。ここで、“商品”表は次のCREATE文で定義されている。

```
CREATE TABLE 商品
  (商品番号 CHAR(4), 商品名 CHAR(20), 仕入先番号 CHAR(6),
   単価 INT, PRIMARY KEY(商品番号))
```

商品

商品番号	商品名	仕入先番号	単価
S001	A	XX0001	18,000
S002	A	YY0002	20,000
S003	B	YY0002	35,000
S004	C	ZZ0003	40,000
S005	C	XX0001	38,000

ア　UPDATE 商品 SET 商品番号 = 'S001' WHERE 商品番号 = 'S002'

イ　UPDATE 商品 SET 商品番号 = 'S006' WHERE 商品名 = 'C'

ウ　UPDATE 商品 SET 商品番号 = NULL WHERE 商品番号 = 'S002'

エ　UPDATE 商品 SET 商品名 = 'D' WHERE 商品番号 = 'S003'

《SELECT文によるデータ抽出》

データ抽出（検索）では、SELECT文に続く数多くの句が含まれる。試験でもまぎらわしい文法が問われるため、それぞれの意味をしっかりと理解しておく必要がある。

〔例〕 受注額表から、次のような抽出を行うSQL文を記述する。
「一顧客当たりの今年（2021年9月1日以降）に入ってからの平均受注額が、すべての受注額の平均より高額な顧客について、顧客番号とその顧客の平均受注額を、平均受注額の多い順に並べる」

受注額表

受注番号	日付	顧客番号	受注額

```
SELECT 顧客番号, AVG(受注額) AS 平均受注額      ← ❻顧客番号と、受注額の平均値を「平均受注額」として表示せよ
  FROM 受注額表                                  ← ❶受注額表から
  WHERE 日付>='21 / 09 / 01'                     ← ❷日付が2021年9月1日以降の行を
  GROUP BY 顧客番号                              ← ❸顧客番号でグループ化し
  HAVING AVG(受注額) >
    (SELECT AVG(受注額) FROM 受注額表)           ← ❹受注額表の受注額の平均値より大きいグループのみを
  ORDER BY AVG(受注額) DISC                      ← ❺受注額平均の多い順（降順）に並べて
```

①FROM句
FROMの後に、検索を行う表を指定する。複数の表を使う場合は間にカンマ' , 'で区切る。

②WHERE句
WHEREの後に、指定された表から特定の行を選択する条件を記述する。GROUP BY句などがある場合も、WHERE句が先に実行される。

③GROUP BY句
どの列の値が同じ行をグループ化するのかを指定する。GROUP BY句を用いる場合、SELECT句で指定する結果表に表示させる列名は、集計関数を使った列を除いて、すべてGROUP BY句にも記述しなければならない。

④HAVING句
GROUP BY句で作られたグループを、さらに選択する条件を記述する。WHERE句と似ているが、「WHERE句は行の選択条件、HAVING句はグループの選択条件」と区別して覚えよう。() 内のSELECT文は副問合せ。AVG（受注額）により、受注額表の全行の受注額の平均値が計算されて、主問合せに渡される。

⑤ORDER BY句
導出された結果を、ORDER BYの後に指定した列の値で並べ替える。複数の列名が指定されている場合は、階層的な並べ替えが行われる。ASCは昇順（小→大）、DESCは降順（大→小）に並べ替えられる。

⑥SELECT句
結果の表に表示する列を指定する。集計関数などを使って処理した列には列名が付かない。そのため、AS演算子を使って新しい列名を付ける場合が多い。

問5 集約関数による最大値

"出庫記録"表に対するSQL文のうち、最も大きな値が得られるものはどれか。

出庫記録

商品番号	日付	数量
NP200	2015-10-10	3
FP233	2015-10-10	2
NP200	2015-10-11	1
FP233	2015-10-11	2

ア SELECT AVG(数量) FROM 出庫記録 WHERE 商品番号 = 'NP200'

イ SELECT COUNT(*) FROM 出庫記録

ウ SELECT MAX(数量) FROM 出庫記録

エ SELECT SUM(数量) FROM 出庫記録 WHERE 日付 = '2015-10-11'

問6 SQLによるデータ抽出

"商品"表、"在庫"表に対する次のSQL文の結果と同じ結果が得られるSQL文はどれか。ここで、下線部は主キーを表す。

```
SELECT 商品番号 FROM 商品
    WHERE 商品番号 NOT IN (SELECT 商品番号 FROM 在庫)
```

商品

<u>商品番号</u>	商品名	単価

在庫

<u>倉庫番号</u>	<u>商品番号</u>	在庫数

ア
```
SELECT 商品番号 FROM 在庫
    WHERE EXISTS (SELECT 商品番号 FROM 商品)
```

イ
```
SELECT 商品番号 FROM 在庫
    WHERE NOT EXISTS (SELECT 商品番号 FROM 商品)
```

ウ
```
SELECT 商品番号 FROM 商品
    WHERE EXISTS (SELECT 商品番号 FROM 在庫
                      WHERE 商品.商品番号=在庫.商品番号)
```

エ
```
SELECT 商品番号 FROM 商品
    WHERE NOT EXISTS (SELECT 商品番号 FROM 在庫
                          WHERE 商品.商品番号=在庫.商品番号)
```

《集約関数》

集約関数の値を問合せの条件として指定する場合は、HAVING句を使用する。

① **AVG（列名）**…列の平均値を返す。　② **COUNT（＊）**…結果の行数を返す。
③ **MAX（列名）**…列の最大値を返す。　④ **MIN（列名）**…列の最小値を返す。
⑤ **SUM（列名）**…列の合計値を返す。

解説 3

【解答】イ

各選択肢に含まれるGROUP BY句は、あるキー項目の値が同じものをグループ化する処理。指定する際は、SELECT句に続く列名をすべて（集約関数を除く）記述する。また、整列はORDER BY句の指定により行われる。
ア：クラス名、教科名の階層構造の整列になっていない（誤り）。
イ：クラス名、教科名で整列され、表示される（正しい）。
ウ：適切なグループ化が行われず、平均点も計算できない（誤り）。
エ：表示する教科名がGROUP BY句に含まれていない（誤り）。

解説 4

【解答】エ

問題文のCREATE文のPRIMARY KEYより、主キーが商品番号であることがわかる。したがって、主キーの制約条件を調べていけばよい。
ア：主キーに重複は許されないため、すでに存在する値と重なってしまう更新になるため不可。
イ：WHERE条件で商品名Cを指定しており、商品名Cが2つあることから、更新された主キーが重複してしまうため不可。
ウ：主キーにNULL（空値）をセットするはできないので不可。
エ：主キーの値により、他の列の値（商品名）を置き換えているため、更新可能。このUPDATE文により、S003の商品名“B”が“D”に更新される。

解説 5

【解答】イ

選択肢それぞれで集約関数が異なるので、実際に確認していく。
ア：商品番号がNP200の行を対象に、数量の平均値。(3 + 1) ÷ 2 = 2
イ：出庫記録表の行数。＝ 4
ウ：出庫記録表における数量が最大のもの。＝ 3
エ：日付が2015-10-11の行を対象に、数量の合計値。1 + 2 = 3

解説 6

【解答】エ

副問合せは二重構造になった問合せ方法で、まず（ ）内のSELECT文により最初の問合せ（副問合せ）を行い、取り出された結果について、顧客表から取り出す（主問合せ）。また問題の問合せでは、NOT IN演算子が使われているので、「商品表の中から、在庫表に存在しない商品番号の行を取り出す」という意味になる。一方、選択肢は、EXISTS演算子による相関副問合せを行っている。これは、主問合せの結果を1行ずつ副問合せに引き渡し、判定結果（結果が存在すれば真）を受け取りながら順次処理を行う。
ア：在庫表の中から、商品表に存在する商品番号の行を取り出す（不一致）。
イ：在庫表の中から、商品表に存在しない商品番号の行を取り出す（不一致）。
ウ：商品表の中から、2つの表に存在する商品番号の行を取り出す（不一致）。
エ：NOT EXISTSにより、2つの表に存在する商品番号は偽を返すので、商品表の中から、在庫表に存在しない商品番号の行を取り出す（一致）。

Lesson 11

データベース

トランザクション処理

座席やチケットの予約／取消、ATMを利用した預金の引き出しなど、利用者から見た一連の取引（処理）をトランザクションと呼びます。トランザクション処理について述べたACID特性、2相コミットメント、排他制御は、しっかり押さえておきましょう。

問1 ACID特性

check

トランザクションのACID特性のうち、耐久性（durability）に関する記述として、適切なものはどれか。

ア　正常に終了したトランザクションの更新結果は、障害が発生してもデータベースから消失しないこと

イ　データベースの内容が矛盾のない状態であること

ウ　トランザクションの処理が全て実行されるか、全く実行されないかのいずれかで終了すること

エ　複数のトランザクションを同時に実行した場合と、順番に実行した場合の処理結果が一致すること

問2 2相コミットプロトコル

check

分散トランザクション管理において、複数サイトのデータベースを更新する場合に用いられる2相コミットプロトコルに関する記述のうち、適切なものはどれか。

ア　主サイトが一部の従サイトからのコミット準備完了メッセージを受け取っていない場合、コミット準備が完了した従サイトに対してだけコミット要求を発行する。

イ　主サイトが一部の従サイトからのコミット準備完了メッセージを受け取っていない場合、全ての従サイトに対して再度コミット準備要求を発行する。

ウ　主サイトが全ての従サイトからコミット準備完了メッセージを受け取った場合、全ての従サイトに対してコミット要求を発行する。

エ　主サイトが全ての従サイトに対してコミット準備要求を発行した場合、従サイトは、コミット準備が完了したときだけ応答メッセージを返す。

ここがポイント！

《ACID特性》

①Atomicity（原子性）

データベースに対する操作を最小単位まで細分化し、処理単位は「操作する」か「操作しない」のどちらかである性質（途中までしか操作していない状態を認めない）。

②Consistency（一貫性）

更新処理などによりデータが変更された場合でも、データベースを構成するデータ間に矛盾が生じないという性質。

③Isolation（独立性、分離性）

複数のトランザクションが同時にデータベースをアクセスしても、相互に干渉せず、順序付けて実行した場合の結果と一致するという性質。

④Durability（耐久性、持続性、永続性）

いったん更新されたデータベースの内容が消失することはないという性質。

《コミットメント制御》

データベースの更新は、常にトランザクション単位で管理される。取引が正常に完了した場合は更新を確定（commit：コミット）し、途中で異常終了した場合は元に戻す（rollback：ロールバック）処理が行われる。

○ 2相コミットメント制御

ネットワークを利用した分散型データベースで、更新時に障害が発生時にデータベースの内容に矛盾が生じないようにする制御方法。コミットメントもロールバックもできる中間状態（セキュア状態）を設定して、すべてが正常であれば更新を確定する。

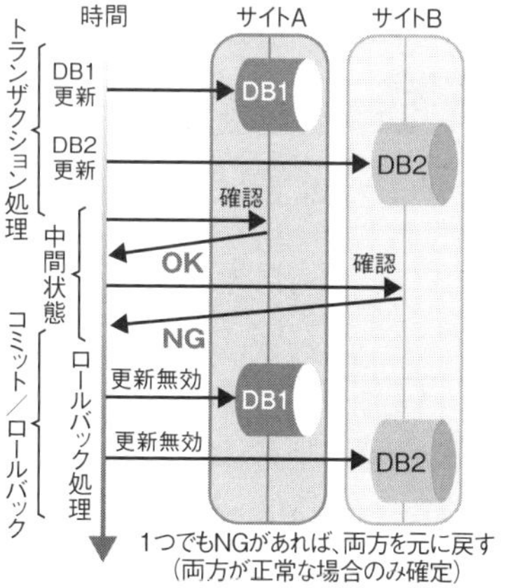

解説 1

【解答】ア

ACID特性のうちのDurability（耐久性）とは、トランザクションの更新結果について、システムに障害が発生したとしても保存されていることを保障する性質である。持続性、永続性などとも訳される。他の選択肢は、イ：Consistency（一貫性）、ウ：Atomicity（原子性）、エ：Isolation（分離性）。

解説 2

【解答】ウ

分散データベース環境では、トランザクションの原子性を維持するために、実際の更新前に更新確定でもロールバックが可能な中間状態を経由する仕組みである2相コミットメント制御を行う。まず、クライアント（主サイト）から各サーバ（従サイト）へ「コミット可否の問合せ」を行う（第１相）。この問合せに対し、1つでも「否」と応えたサーバがあったならクライアントは全サーバに対してロールバックを指示し、トランザクションが「全く実行されなかった状態」を維持する。また、すべてのサーバが「可」と応えたときに限り、クライアントはデータベースコミット（更新）を指示し、トランザクションが「完全に実行された状態」とする。

問3 ロックの両立性

check

ロックの両立性に関する記述のうち、適切なものはどれか。

ア　トランザクションT_1が共有ロックを獲得している資源に対して、トランザクションT_2は共有ロックと専有ロックのどちらも獲得することができる。

イ　トランザクションT_1が共有ロックを獲得している資源に対して、トランザクションT_2は共有ロックを獲得することはできるが、専有ロックを獲得することはできない。

ウ　トランザクションT_1が専有ロックを獲得している資源に対して、トランザクションT_2は専有ロックと共有ロックのどちらも獲得することができる。

エ　トランザクションT_1が専有ロックを獲得している資源に対して、トランザクションT_2は専有ロックを獲得することはできるが、共有ロックを獲得することはできない。

問4 ロックの粒度

check

ロックの粒度に関する説明のうち、適切なものはどれか。

ア　データを更新するときに、粒度を大きくすると、他のトランザクションの待ちが多くなり、全体のスループットが低下する。

イ　同一のデータを更新するトランザクション数が多いときに、粒度を大きくすると、同時実行できるトランザクション数が増える。

ウ　表の全データを参照するときに、粒度を大きくすると、他のトランザクションのデータ参照を妨げないようにできる。

エ　粒度を大きくすると、含まれるデータ数が多くなるので、一つのトランザクションでかけるロックの個数が多くなる。

問5 適切なインデックス設定

check

“売上”表への次の検索処理のうち、B^+木インデックスよりもハッシュインデックスを設定したほうが適切なものはどれか。ここで、インデックスを設定する列を＜＞内に示す。

売上（伝票番号，売上年月日，商品名，利用者ID，店舗番号，売上金額）

ア　売上金額が１万円以上の売上を検索する。＜売上金額＞

イ　売上年月日が今月の売上を検索する。＜売上年月日＞

ウ　商品名が‘DB’で始まる売上を検索する。＜商品名＞

エ　利用者IDが‘1001’の売上を検索する。＜利用者ID＞

《排他制御》

排他制御は、複数のタスク（プログラム）が同時に同じデータを更新しようとしても、データに矛盾が生じないようにする機能である。

①共有ロックと専有ロック

ロックには、更新処理中のプログラム以外の読み書きを一切許可しない**専有ロック**と、複数のプログラムが同時に読出すことのみ（更新は不可）許可する**共有ロック**がある。共有ロックがかかっているデータには専有ロックはかけられず（共有ロックは可）、専有ロックがかかっているデータには、専有ロックも共有ロックもかけられない。

②デッドロック（deadlock）

デッドロックとは、２つのプログラムが、互いに相手が要求するデータ（資源）の解放を待ったまま、永久に待ち状態から抜け出せなくなる状態のこと。

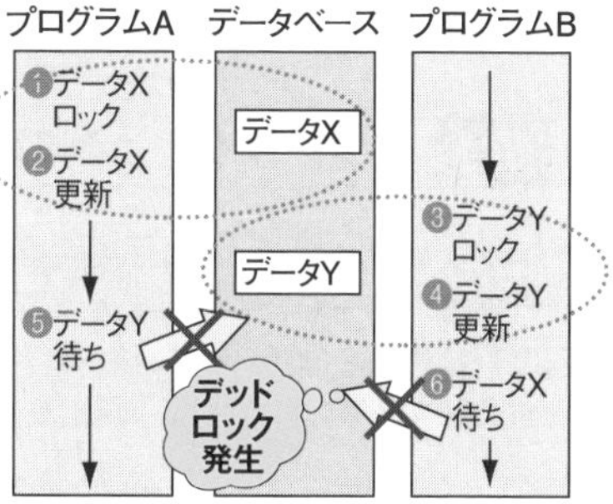

③ロック粒度

ロックをかける範囲のことで、**粒度を細かくする**と待ちが減ることで同時に実行できるトランザクションは増えるが、オーバヘッド時間も増えて処理効率は悪くなる。一方**粒度を粗くする**と同時に実行できるトランザクションが減るが、処理効率はよくなる。

《データベースの性能向上》

①インデックスの設定

膨大な量のデータがデータベースに格納されている場合、データ検索には時間がかかる。そこで、アクセス頻度の高い列に対して、検索の手がかりとなる**インデックス**をあらかじめ設定しておくことで、検索効率の向上を図る方法が用いられている。

②インデックスの実現方法

木構造を利用した**B⁺木インデックス**、一意に特定する**ハッシュインデックス**がある。後者は一致検索では高速化を実現できるが、範囲検索や不一致検索は行えない。

解説 3
【解答】イ

トランザクションT_1が共有ロックを獲得している資源に対して、トランザクションT_2は共有ロックはかけられるが専有ロックはかけられない（アは誤り、イは正解）。また、トランザクションT_1が専有ロックを獲得している資源に対して、トランザクションT_2は専有ロックも共有ロックもかけられない（ウ、エともに誤り）。

解説 4
【解答】ア

ロック粒度とは、ロックをかける資源の範囲のこと。ア：粒度を大きくすると待ちが増え、同時に実行できるトランザクションは減るため、スループット（処理能力）は低下する。イとウ：粒度を小さくする。エ：含まれるデータ数とロック個数は関係がない。

解説 5
【解答】エ

インデックスは木構造で構成されるもので、最も一般的。一方のハッシュインデックスは、ハッシュ関数によりキーとデータを結びつけるもので、一対一にアクセスする場合（エ）には非常に高速となる。ただし、条件によって検索する場合や順次読み込んで絞り込むといった場合は不利になる。また、異なったキーから同一の格納場所が算出されることがある。

Lesson

シラバス ●大分類3：技術要素 ●中分類9：データベース
●小分類4：トランザクション処理

12 データベース
データベースの障害対策

データベースに障害が発生した場合の業務への影響は、通常のファイルよりはるかに大きいため、障害からの迅速な回復（リカバリ：recovery）機能は非常に重要です。試験対策としては、それぞれの処理方法について具体的な手順を理解しておきましょう。

問1 トランザクションの復旧

check

トランザクションTはチェックポイント取得後に完了したが、その後にシステム障害が発生した。トランザクションTの更新内容をその終了直後の状態にするために用いられる復旧技法はどれか。ここで、チェックポイントの他に、トランザクションログを利用する。

ア　２相ロック　　イ　シャドウページ
ウ　ロールバック　　エ　ロールフォワード

問2 ロールバックに必要な情報

check

トランザクション処理プログラムが、データベース更新の途中で異常終了した場合、ロールバック処理によってデータベースを復元する。このとき使用する情報はどれか。

ア　最新のスナップショット情報
イ　最新のバックアップファイル情報
ウ　ログファイルの更新後情報
エ　ログファイルの更新前情報

ここがポイント！

《障害対策の機能》

①バックアップ（backup）の取得

業務終了後などのタイミングでデータベース全体のバックアップを別の記憶媒体に取っておく。このバックアップデータを**アーカイブ**（archive）と呼ぶ。

②ログ（log）の取得

レコードの更新前後の内容を、**ログファイル**（またはジャーナルファイル：journal fileとも呼ぶ）に書き込む。更新前の内容を**更新前イメージ**（BI；Before Image）、更新後の内容を**更新後イメージ**（AI；After Image）と呼ぶ。

③チェックポイント

メモリ上の更新バッファの内容をデータベースに書き出す処理。万が一システム障害が発生しても、チェックポイントまでのデータベース内容は保証される。

④ロールバック処理

障害発生時、その時点のデータベースの内容と、更新前イメージ（BI）を使用して、障害発生直前の状態までデータベースを復元すること。通常、DBMSが自動的に行う。

⑤ロールフォワード処理

ロールバック処理で復元できない、装置の異常などに行う。最新のバックアップファイルと、更新後イメージ（AI）を使用し、障害発生直前の状態まで復元する処理。

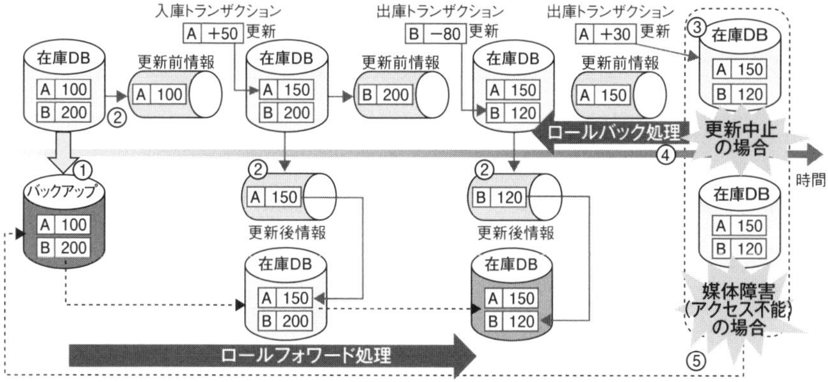

※図中の数字は、ここがポイント！の解説に対応しています

解説 1

【解答】エ

システム障害が発生したときの処理が求められている。チェックポイントまでのデータは、データベースに書き出されているので保証されるが、トランザクションTが完了したのはチェックポイント取得後で、障害発生時にはTの更新内容が反映されていない。そこで、まずチェックポイントの内容を復旧し、更新後ログを用いて**ロールフォワード**を行う。

解説 2

【解答】エ

データベースに対する更新が行われると、更新履歴（変更情報）が採取され、時系列に記録される。これを、ログファイルと呼び、トランザクション処理では、「更新前情報の取得→更新処理→更新後情報の取得」の順で行われる。更新途中で障害が発生した場合は、**更新前情報**によって元の状態に戻す。これがロールバック処理である。その後、再び更新処理を実施する。

Lesson 13

シラバス ●大分類3：技術要素 ●中分類9：データベース ●小分類5：データベース応用

データベース

データベースの応用

シラバスのデータベース応用の範囲には、蓄積したデータを分析して有効活用する技術、分散データベースの取扱い、データ資源の管理が含まれています。ビッグデータの活用などは重要性が高まっている範囲であるため確実に押さえておきましょう。

テクノロジ系

問1 キーバリューストア

check

ビッグデータの処理で使われるキーバリューストアの説明として、適切なものはどれか。

ア “ノード”、“リレーションシップ”、“プロパティ”の3要素によってノード間の関係性を表現する。

イ 1件分のデータを“ドキュメント”と呼び、個々のドキュメントのデータ構造は自由であって、データを追加する都度変えることができる。

ウ 集合論に基づいて、行と列から成る2次元の表で表現する。

エ 任意の保存したいデータと、そのデータを一意に識別できる値を組みとして保存する。

問2 レプリケーションが有効なもの

check

レプリケーションが有効な対策となるものはどれか。

ア 悪意によるデータの改ざんを防ぐ。

イ コンピュータウイルスによるデータの破壊を防ぐ。

ウ 災害発生時にシステムが長時間停止するのを防ぐ。

エ 操作ミスによるデータの削除を防ぐ。

ここがポイント！

《データベースの応用》

データを時系列で整理し、蓄積していく情報系データベースをデータウェアハウス(DWH；dataware house)と呼ぶ。企業内のさまざまなデータを保有し、企業戦略の立案や意思決定を支援するデータ提供を目的として構築される。また、さらに大量、多種でリアルタイムに更新されるデータをビッグデータと呼んでいる。また、ビッグデータの処理に用いられるデータ格納方式として、キーバリューストアが注目されている。

①データマート（data mart）

データウェアハウスで蓄積された膨大なデータの中から、特定の利用者が必要とするデータだけを抽出して作成されるデータベース。対象となるデータが絞り込まれているため、検索や分析を効率的に行うことができる。

②データマイニング（data mining）

マイニングとは「発掘」の意味。データウェアハウスで蓄積されたデータの中から統計学的手法を活用して、ある規則性や法則性を見つけ出すこと。

③データクレンジング

データの誤りや表記のゆれなどを取り除いてデータベースの品質を向上させること。これによって、正確なデータ検索や分析が行えるようになる。

《分散データベース》

分散データベースとは、データをネットワークを介した複数のサーバ上に置いて、それらのすべてを1つのデータベースとして一元管理するシステムを指す。次の形態がある。

①レプリケーション

同じデータを持つデータベースを複数箇所に配置する形態。整合性を保つため、即時または定期的に書き換えを行う必要がある。

②分散配置

全体のデータベースを各所に分散させる形態です。トランザクション処理（入力や更新などの処理）が発生するごとにデータベースを順次更新する。

《分散問合せと結合法》

分散環境では、負荷のかかる結合演算の影響が大きいため、表の特性やデータ量などにより効率のよい方法を選択する。

①ネスト（入れ子）ループ結合法

表の結合する列を順に読み出し、他表の列と突き合わせて結合する。処理の負荷が大きく低速。一方にインデックスを定義して負荷を軽減する方法もある。

②ソートマージ結合法

双方の表をまず結合する列で並べ替えてから、他方に転送して突き合わせを行う。

③ハッシュ結合法

一方の表の結合する列からハッシュ表を作成し、他表の列と結合する。データ量が小さく、最も高速。

解説1　【解答】エ

キーバリューストア（KVS: Key-Value Store）は、データ格納方式の1つで、データと識別に用いるキーをペアで保存する。読み出しは、キーを指定することで行う。シンプルな構造のため、リレーショナルデータベースに比べて、高速性、スケーラビリティ（台数や容量を増やしても性能を維持できる）が高く、ビッグデータの処理にも用いられている。

解説2　【解答】ウ

レプリケーションとは、複数箇所に配置された複製データベースを随時更新しながら維持していく方法。災害などで、いずれかのデータベースに障害が発生してもすみやかに復旧できる。ア、エ：悪意によるデータ改ざんやデータ削除は、更新によってレプリケーションにも反映されてしまうため防げない。イ：ウイルスによる破壊はレプリケーションにも及ぶ。

Lesson

シラバス ●大分類3：技術要素 ●中分類10：ネットワーク
●小分類1：ネットワーク方式

14 ネットワーク データ伝送時間の計算

回線速度は、さまざまな要因によって伝送効率が下がるため、100%にはなりません。これを回線利用率で表しています。伝送時間の計算は複雑な計算ではありませんが、出題によって問われ方が異なるので、十分に演習して慣れておきましょう。

問1 回線利用率

check

本社と工場との間を専用線で接続してデータを伝送するシステムがある。このシステムでは2,000バイト／件の伝票データを2件ずつまとめ、それに400バイトのヘッダ情報を付加して送っている。伝票データは、1時間に平均100,000件発生している。回線速度を1Mビット／秒としたとき、回線利用率はおよそ何%か。

ア 6.1　　イ 44　　ウ 49　　エ 53

問2 データ伝送時間の計算

check

1.5Mビット／秒の伝送路を用いて12Mバイトのデータを転送するのに必要な伝送時間は何秒か。ここで、伝送路の伝送効率を50%とする。

ア 16　　イ 32　　ウ 64　　エ 128

問3 必要な回線速度

check

制御用符号を含む長さ400バイトのデータを1時間当たり3,600件送信したい。伝送効率が60%であるとき、要件を満足する最低の回線速度は何ビット／秒か。

ア 2,400　　イ 4,800
ウ 9,600　　エ 14,400

ここがポイント！

《データ伝送時間の公式》

①データ伝送時間

＝伝送データ量〔ビット〕÷（データ伝送速度〔ビット／秒〕×回線利用率）

②回線利用率

＝実際のデータ伝送速度〔ビット／秒〕

÷データ伝送速度（伝送可能な最大データ量）〔ビット／秒〕

〔例題〕

通信速度 6,400bpsの専用線で接続された端末間で、平均 1,000 バイトのファイルを 2 秒ごとに転送するときの回線利用率は何%か。ここで、ファイル転送に伴い、転送量の 20%の制御情報が付加されるものとする。

①実際の伝送データ量を求める。

1,000〔バイト〕＋（1,000〔バイト〕× 0.2）＝ 1,200〔バイト〕

② 1 秒当たりの伝送データ量を求める。

1,200〔バイト〕÷ 2 秒＝ 600〔バイト／秒〕

③バイトをビット単位に変換する。

600〔バイト／秒〕× 8 ＝ 4,800〔ビット／秒〕

④回線利用率を求める。

4,800〔ビット／秒〕÷ 6,400〔ビット／秒〕＝ 0.75 ＝ 75%

解説 1

【解答】ウ

1 時間あたりに発生する伝送量を求めると、

100,000 件 ÷ 2 件 = 50,000 ブロック

1 秒間あたりの伝送ビット量〔ビット／秒〕は、

$$\frac{(2{,}000 \times 2 + 400) \times 8 \times 50{,}000}{1{,}000{,}000} = 1{,}760\text{〔ビット／秒〕}$$

したがって、回線利用率は、

1,760 ÷ 3,600（= 1 時間）= 0.488… × 100 = 48.8

解説 2

【解答】エ

伝送データ量の単位がバイトであることに注意して計算する。回線利用率が 50%であることから、データ伝送速度は、半分の 0.75M ビット／秒。

計算はともに M ビット単位なので、

(12M × 8)〔ビット〕÷ 0.75M〔ビット／秒〕

= (12M × 32)〔ビット〕÷ 3M〔ビット／秒〕 = 4 × 32〔秒〕= 128〔秒〕

途中、分母と分子を 4 倍して、0.75 を 3 にしてしまえば、手計算が楽になる。

解説 3

【解答】ウ

求める回線速度を x〔ビット／秒〕とすると、伝送効率が 60%なので実効回線速度は、$0.6x$〔ビット／秒〕。1 時間あたりに伝送できるデータ容量は、

$0.6x \times 60 \times 60 = 3{,}600 \times 0.6x$〔ビット〕 …①

一方、1 時間当たりに送信したいデータは 3,600 件で、その容量は、

3,600 × 400〔バイト〕 = 3,600 × 3,200〔ビット〕 …②

①、②から、回線速度 x が次の不等式を成立させれば、送信要件を満足する。

$$3{,}600 \times 0.6x \geqq 3{,}600 \times 3{,}200$$

$$0.6x \geqq 3{,}200 \qquad x \geqq 5{,}333.3\cdots$$

この不等式が成立する最低の回線速度は、ウの 9,600 である。

ネットワーク

15 メディアアクセス制御

データを送受信するための伝送路は、共有して使用します。そのため、各コンピュータが好き勝手にデータを送信すると、通信路でデータの衝突が起きてしまいます。これを防ぐのがアクセス制御です。試験では、各制御方式の特徴が問われます。

問1 CSMA/CD方式の送信動作 check

CSMA/CD方式のLANに接続されたノードの送信動作として、適切なものはどれか。

ア　各ノードに論理的な順位付けを行い、送信権を順次受け渡し、これを受け取ったノードだけが送信を行う。

イ　各ノードは伝送媒体が使用中かどうかを調べ、使用中でなければ送信を行う。衝突を検出したらランダムな時間の経過後に再度送信を行う。

ウ　各ノードを環状に接続して、送信権を制御するための特殊なフレームを巡回させ、これを受け取ったノードだけが送信を行う。

エ　タイムスロットを割り当てられたノードだけが送信を行う。

問2 無線LANの規格 check

日本国内において、無線LANの規格IEEE 802.11acに関する説明のうち、適切なものはどれか。

ア　IEEE 802.11gに対応している端末はIEEE 802.11acに対応しているアクセスポイントと通信が可能である。

イ　最大通信速度は600Mビット／秒である。

ウ　使用するアクセス制御方式はCSMA/CD方式である。

エ　使用する周波数帯は5GHz帯である。

ここがポイント!

《LANのアクセス制御》

LANでは、共有する伝送路が長時間占有されてしまうのを防ぐため、データをパケットやフレームと呼ばれる小さい単位に分割して転送を行う。

①CSMA/CD方式

・イーサネットLANで採用
・データを送る際には、伝送路が空いているかどうかをチェックしてから送信
・データ衝突(コリジョン)を検出した場合はランダムな時間待って再送信
・回線が混雑すると衝突と待ちが繰り返されることになり、スループットが低下する

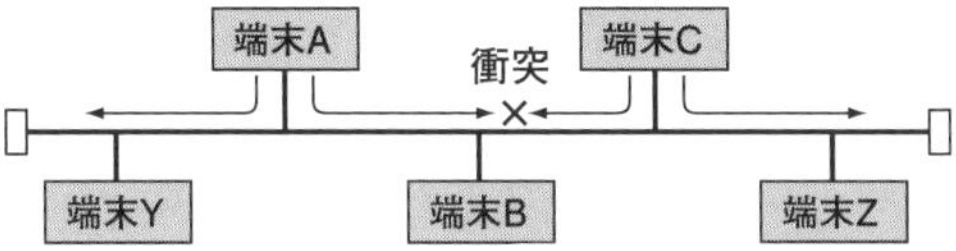

※ 送信データは伝送路の左右へ流れる
※ 端末AとCが同時に送信したため衝突が起きた

②CSMA/CA方式

・無線LANで採用
・CSMA/CD方式と同様に、データの送信に先立って伝送路を検知
・受信側から送信側へのACK信号(ACKnowledgement:確認通知信号)が正しく送られてこなかった場合、衝突(コリジョン)が発生したと見なして再送を行う

③トークンパッシング方式

トークンという送信権を表す信号が1つだけネットワーク内を循環し、トークンを受け取った端末だけが、データ送信を行うことができる。送信が完了すると、再びトークンを巡回させる。

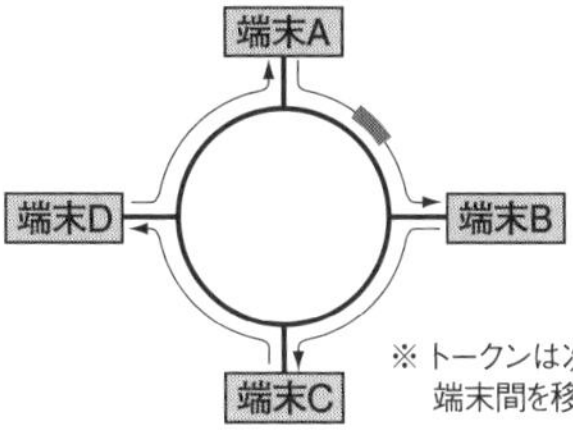

※トークンは次々と端末間を移動する

④TDMA(Time Division Multiple Access)方式

時間を分割して(分割された時間をタイムスロットと呼ぶ)各端末に送信権を与える決定的アクセス方式。端末は割り当てられた順番になるまでデータを送信できない。

解説1 【解答】イ

CSMA/CD方式は、あらかじめネットワークの使用状況を確認して、使用可能(伝送路上に伝送データが存在しない)であればパケットを送出する。2台以上のコンピュータから同時にパケットが送出されてしまうと、ケーブルやハブ内部でパケットの衝突が発生するので、衝突を検出したらランダムな時間の経過後に再送信を行う。その他の選択肢は、ア:優先度方式。ウ:トークンパッシング方式。エ:TDMA方式。

解説2 【解答】エ

IEEE 802.11acは、無線LAN規格「IEEE 802.11」の詳細規格である。5GHz帯のみを使い、最大約6.9Gbpsの速度で通信ができる。また、同じ帯域を使用するIEEE 802.11aや802.11nとは通信が可能だが、2.4GHz帯のみを使う802.11bや802.11gとは通信の互換性はない。その他の選択肢は、ア:通信はできない。イ:802.11nの最大値。ウ:アクセス制御はCSMA/CA方式。

シラバス ●大分類3：技術要素 ●中分類10：ネットワーク ●小分類2：データ通信と制御

Lesson 16

ネットワーク

OSI基本参照モデルとLAN間接続装置

OSI基本参照モデルは、ネットワークどうしの効率的な接続や、機能拡充や変更への柔軟な対応などを目的としてネットワークを7階層で表したものです。また、LAN間接続装置は複数のLANどうしを中継する装置で、どの層で接続するかで使い分けます。

テクノロジ系

問1 LAN間接続装置の種類 check

2つのLANセグメントを接続する装置Aの機能をTCP/IPの階層モデルで表すと図のようになる。この装置Aはどれか。

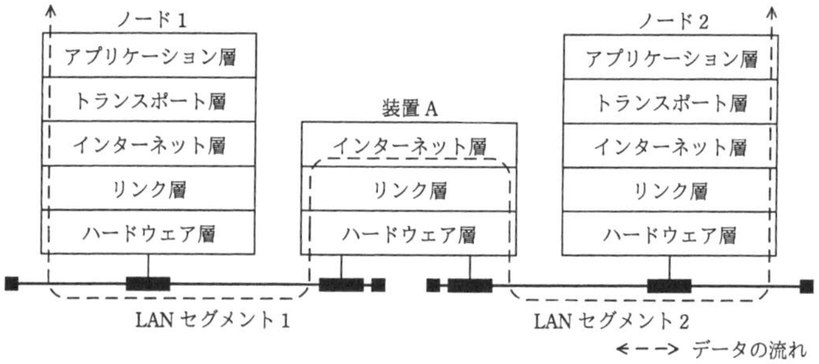

ア　スイッチングハブ　　イ　ブリッジ

ウ　リピータハブ　　エ　ルータ

問2 ネットワーク層の説明 check

OSI基本参照モデルにおけるネットワーク層の説明として、適切なものはどれか。

ア　エンドシステム間のデータ伝送を実現するために、ルーティングや中継などを行う。

イ　各層のうち、最も利用者に近い部分であり、ファイル転送や電子メールなどの機能が実現されている。

ウ　物理的な通信媒体の特性の差を吸収し、上位の層に透過的な伝送路を提供する。

エ　隣接ノード間の伝送制御手順（誤り検出、再送制御など）を提供する。

ここがポイント！

《OSI基本参照モデル各層の役割》

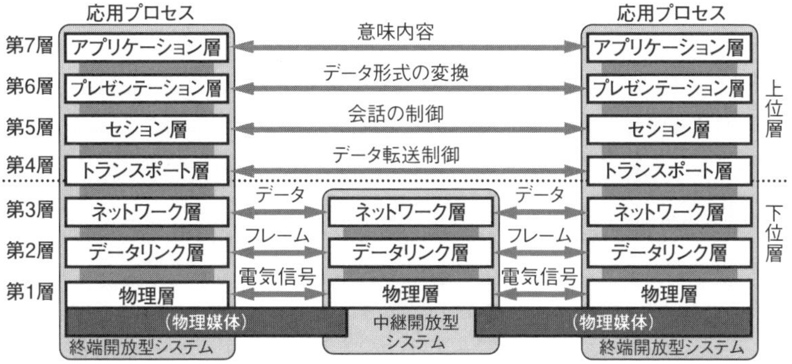

第1層 物理層	通信回線に流れる電気信号の取り決めや、接続用のケーブルやコネクタのピン形状などを規定する
第2層 データリンク層	隣接する端末間での確実なデータ伝送を行うためのプロトコルを規定。これは、一般に伝送制御手順（**HDLC**；High level Data Link Controlなどが相当）と呼ばれる
第3層 ネットワーク層	ネットワークアドレスを用い、目的の**端末までの経路を選定し（ルーティング）**、データ（パケット）を中継するためのプロトコルを規定
第4層 トランスポート層	通信網に依存しない高品質な通信路（全二重通信路）を設定する。データを**送信用の単位（パケットなど）の分解または組み立て**、送信権制御、誤り制御、フロー制御（データの流れる量を調節）などを行う
第5層 セション層	送信先との**論理的な通信路の確立や切断**を行い、通信方法を決める役割を果たす。また、半二重通信（一方が送信中に他方からは送信不可）、全二重通信（両方から同時に送信可）の制御を行う
第6層 プレゼンテーション層	アプリケーション層のデータを共通な形式に変換したり、**暗号化やデータ圧縮**などを行う
第7層 アプリケーション（応用）層	アプリケーションに応じたデータ通信機能を提供。例えば、メールソフトで作成したメッセージを下の層に引き渡したり、下の層からのメッセージをソフトに引き渡すなど

解説 1

【解答】エ

図の装置Aはインターネット層までの接続に対応していることからルータが該当する。ア：スイッチングハブはブリッジの一種で、図ではリンク層までの接続に対応する。イ：ブリッジは、OSI基本参照モデルのデータリンク層（第2層）での接続を行う装置。ウ：リピータハブは、ケーブルを物理的に接続する装置。図ではハードウェア層に対応する。

解説 2

【解答】ア

ネットワーク層（第3層）は、ネットワークアドレスを用いて、目的の端末までの経路を選定し、データ（パケット）を中継するためのプロトコルを規定している。イ：アプリケーション層（第7層）、ウ：物理層（第1層）、エ：データリンク層（第2層）の説明。

問3 セション層の規約

OSI基本参照モデルのセション層の規約に関する記述のうち、適切なものはどれか。

ア　伝送するデータの順序やデータの紛失に対する誤り検出・回復処理、データの多重化などについての規約がある。

イ　リモートデータアクセス、ファイル転送などについての規約がある。

ウ　隣接するシステム間で透過的で誤りのないデータ転送を行うための誤り制御や、回復制御の手順、送信や受信のタイミングなどについての規約がある。

エ　論理的な通信路を確立し、順序正しいデータ交換を支援するための相互動作の管理、例外報告などについての規約がある。

問4 レイヤ3スイッチだけがもつ機能

メディアコンバータ、リピータハブ、レイヤ2スイッチ、レイヤ3スイッチのうち、レイヤ3スイッチだけがもつ機能はどれか。

ア　データリンク層において、宛先アドレスに従って適切なLANポートにパケットを中継する機能

イ　ネットワーク層において、宛先アドレスに従って適切なLANポートにパケットを中継する機能

ウ　物理層において、異なる伝送媒体を接続し、信号を相互に変換する機能

エ　物理層において、入力信号を全てのLANポートに対して中継する機能

問5 OSI基本参照モデルとの関係

インターネットで使われるプロトコルであるTCPおよびIPと、OSI基本参照モデルの7階層との関係を適切に表しているものはどれか。

	ア	イ	ウ	エ
トランスポート層	IP		TCP	
ネットワーク層	TCP	IP	IP	TCP
データリンク層		TCP		IP

《LAN間接続装置の種類》

リピータ	・LANケーブルどうしを物理層で接続し、伝送路を延長する
ブリッジ	・LANどうしをデータリンク層で接続する ・MACアドレスを識別してフィルタリングを行う
ルータ	・ネットワークアドレスの異なるLANどうしを接続する ・ルーティング機能により最適な経路選択を行う ・NATやIPマスカレード機能によりLANをインターネットに接続する ・パケットフィルタリング機能により不正アクセスを防ぐ
ゲートウェイ	・ネットワークアーキテクチャの異なるLANどうしを接続する ・アプリケーション層までのすべてのプロトコル変換機能を持つ ・TCP/IPとOSIプロトコルの変換などに用いる

◯ネットワーク機器の種類

・ハブ(リピータハブ):リピータの一種。スター型LANの中央に設置する集線装置。10BASE-Tでは最大4台まで連結(カスケード接続)して接続台数を増やすことができる。

・スイッチングハブ(レイヤ2スイッチ):ブリッジの一種。MACアドレスをもとに、パケットの送信先だけにデータを送信する機能を持つ。

・レイヤ3スイッチ:ソフトウェア的に行っていたルータの機能をハードウェアで実現した機器。より高速に処理を行うことができる。

《OSI基本参照モデルとの対応》

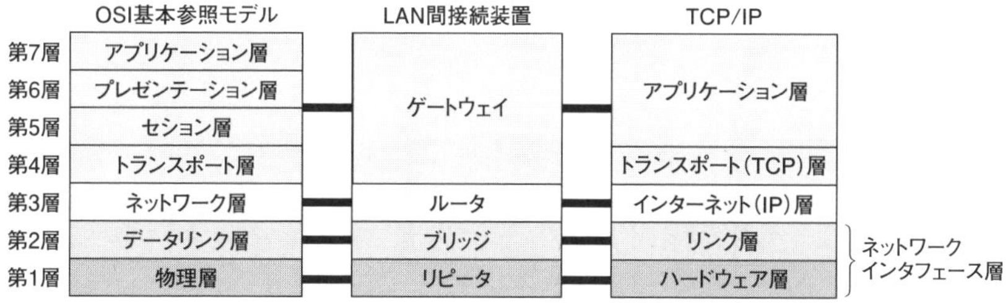

解説3
【解答】エ

セション層は、下位のトランスポート層で提供されるエンドツーエンド間のデータ転送を制御、管理する機能層。主な機能として、全二重、半二重という通信管理、異常時にデータ転送をやり直すため、一連の転送データの途中に目印となる同期点を入れる同期点制御などがある。アはトランスポート層、イはアプリケーション層、ウはデータリンク層の説明。

解説4
【解答】イ

レイヤ3スイッチは、ルータの機能をハードウェアで実現したもの。ルータはネットワーク層でパケットを中継するので正解はイ。なお、メディアコンバータは、異なる種類のケーブル(光ファイバケーブルとツイストペアケーブルなど)を接続する中継装置。そのまま変換するだけのリピータ型と通信速度などの違いを吸収できるブリッジ型がある。ア:レイヤ2スイッチ、ウ:メディアコンバータ、エ:リピータハブの説明。

解説5
【解答】ウ

TCPは、送信側と受信側で論理的な通信路を確立し、信頼性のあるデータ転送サービスを提供する。これは、OSI基本参照モデルのトランスポート層とほぼ同じ役割を果たす。IPは、ネットワークを介してデータ転送を行うためのルーティングや中継機能を提供し、2つの端末間でコネクションレス型のデータ伝送を実現する。OSIのネットワーク層に該当する。

Lesson

シラバス ●大分類3：技術要素 ●中分類10：ネットワーク
●小分類1：ネットワーク方式、2：データ通信と制御

ネットワーク

17 インターネット技術

インターネット上ではTCP/IPのプロトコルを用いており、IPアドレスを指定することで相手先のネットワークに届けられます。試験では、IPアドレスの変換を行うNATやNAPT機能のほか、宛先情報やコネクション情報の内容について問われます。

問1 IPv6の特徴

check

IPv4にはなく、IPv6で追加・変更された仕様はどれか。

ア　アドレス空間として128ビットを割り当てた。
イ　サブネットマスクの導入によって、アドレス空間の有効利用を図った。
ウ　ネットワークアドレスとサブネットマスクの対によってIPアドレスを表現した。
エ　プライベートアドレスの導入によって、IPアドレスの有効利用を図った。

問2 ウェルノウンポート番号

check

TCP/IPネットワークで、データ転送用と制御用に異なるウェルノウンポート番号が割り当てられているプロトコルはどれか。

ア　FTP　　イ　POP3　　ウ　SMTP　　エ　SNMP

ここがポイント！

《IPアドレス》

IPアドレスとは、コンピュータやネットワーク機器に割り当てられたアドレス（番地）のこと。インターネットにおいては、IPアドレスにより通信経路を確立する。

①グローバルIPアドレス

ネットワーク上の住所となるIPアドレスのこと。世界中で重複しないように、グローバルIPアドレスは公的機関が世界的に管理している。

②プライベートIPアドレス

社内LANなどの閉じたネットワーク内で使用されるアドレス。プライベートIPアド

レスは、運営者が自由に割り当てる。ただし、ホスト部のビットがすべて「0」(ネットワーク自体のアドレス)、およびすべて「1」(ネットワーク内のすべてのホストに発信するブロードキャストアドレス)のものは使用できない。

《IPv6(IP version 6)》

インターネットユーザの増加に伴って、現状の32ビットのIPアドレス体系(IPv4)を128ビットに拡張した体系。これにより、IPアドレス不足の問題が解決された。

《IPアドレスの仕組み》

IPv4のIPアドレスは32ビットの2進数で構成される。ただし、2進数の数字の羅列では使いにくいため、8ビットずつ4つのブロックに分けてピリオドで区切り10進数で表す。

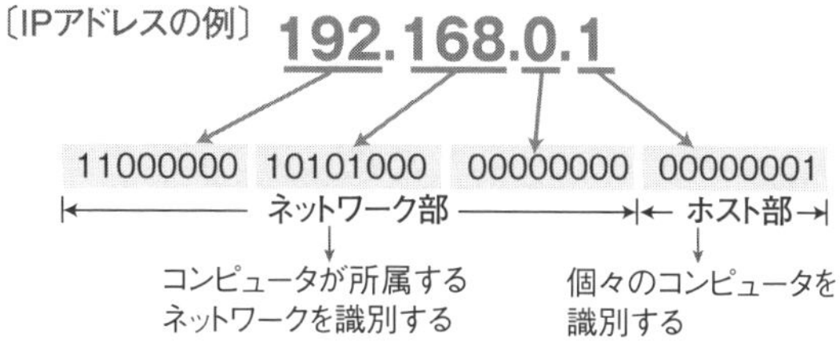

《MAC(Media Access Control)アドレス》

ネットワーク機器には、出荷時点でその機器ごとに固有のアドレス(メーカ識別子+製造番号)が割り当てられる。これをMACアドレスとよび、世界中で重複しないように管理されている。MACアドレスにより、TCP/IP以外のプロトコルを用いたネットワークでも接続が可能になる。

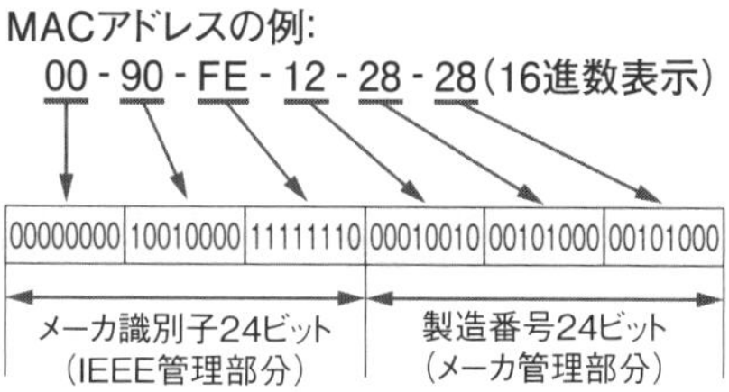

《ポート番号》

IPアドレスによって特定されたネットワーク機器において、パケットをどのアプリケーションに引き渡すかを特定するための番号。ポート番号は、上位のトランスポート層のプロトコルで扱う情報で、16ビットの値で表現されるが、そのうちの0～1023までの番号は、ウェルノウン(Well-Known)ポートとしてあらかじめ用途が決められている(右表)。

ポート番号	プロトコルとその働き
20, 21	FTP(ファイル転送)
23	TELNET(仮想端末)
25	SMTP(メール送信)
80	HTTP(WWWの閲覧)
110	POP3(メール受信)
119	NNTP(ネットニュース)

解説1

【解答】ア

IPv6で追加・変更された仕様としては、IPアドレスの自動設定(Plugin and Play)や、IPSecによるセキュリティ機能の実装、効果的なルーティング機構などである。なお、アドレスを表す場合は、128ビットを16ビットずつに分けて16進数に変換し、「:」で区切って記述する。

解説2

【解答】ア

ウェルノウンポート番号は、よく使うポート番号としてあらかじめ割り振られているもの。ファイル転送を行うFTP(File Transfer Protocol)には、データのやり取りを行うための20番ポートと制御用の21番ポートが割り当てられている。イ:メール受信用で110番ポート。ウ:メール送信用で25番ポート。エ:機器管理用で、管理側から管理される側へは161番、その逆には162番ポート。

問3 ルータの動作

図のように３台のIPルータが専用線で接続されている。端末aから端末bあてのTCP/IPのパケットに対するルータaの動作として、適切なものはどれか。

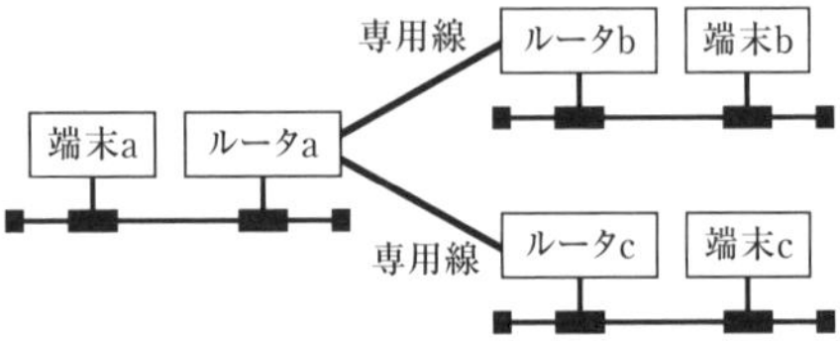

ア　すべてのパケットを、ルータbとルータcの両方に中継する。

イ　常にパケットに指定されている中継ルートに従って、ルータbだけに中継する。

ウ　パケットの宛先端末のIPアドレスに基づいて、ルータbだけに中継する。

エ　パケットの宛先端末のMACアドレスから端末bの所在を知り、ルータbだけに中継する。

問4 ポート番号8080になるパケット

クライアントAがポート番号8080のHTTPプロキシサーバBを経由してポート番号80のWebサーバCにアクセスしているとき、宛先ポート番号が常に8080になるTCPパケットはどれか。

ア　AからBへのHTTP要求及びCからBへのHTTP応答

イ　AからBへのHTTP要求だけ

ウ　BからAへのHTTP応答だけ

エ　BからCへのHTTP要求及びCからBへのHTTP応答

問5 NAPT機能で書き換えられるもの

PCが、NAPT（IPマスカレード）機能を有効にしているルータを経由してインターネットに接続されているとき、PCからインターネットに送出されるパケットのTCPとIPのヘッダのうち、ルータを経由する際に書き換えられるものはどれか。

ア　宛先のIPアドレスと宛先のポート番号

イ　宛先のIPアドレスと送信元のIPアドレス

ウ　送信元のポート番号と宛先のポート番号

エ　送信元のポート番号と送信元のIPアドレス

《インターネットの通信機能》

①ルーティング

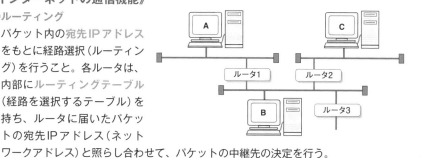

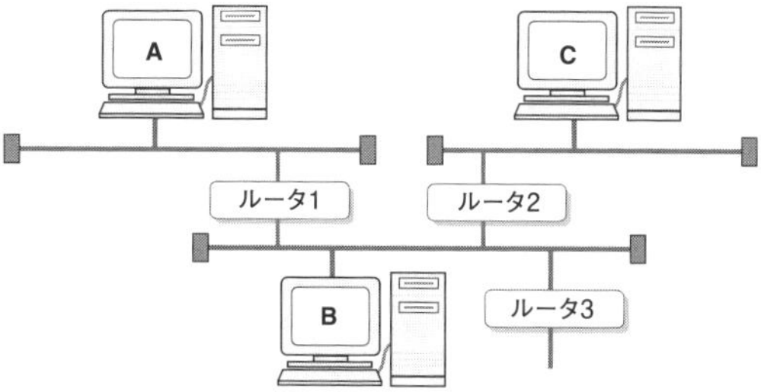

パケット内の宛先IPアドレスをもとに経路選択(ルーティング)を行うこと。各ルータは、内部にルーティングテーブル(経路を選択するテーブル)を持ち、ルータに届いたパケットの宛先IPアドレス(ネットワークアドレス)と照らし合わせて、パケットの中継先の決定を行う。

②ネットワークアドレスの変換

・NAT:LAN内だけで用いるプライベートIPアドレスを、インターネット上で使われるグローバルIPアドレスに変換する。1つのグローバルIPアドレスに変換できるのは、1つのプライベートIPアドレスのみ。

・NAPT(IPマスカレード):NAPT(Network Address Port Translation)機能は、ポート番号との組み合わせで、1つのグローバルIPアドレスに、複数のプライベートIPアドレスを対応させることができる。ただし同時接続は、ルータが管理できるセション数(アドレス変換テーブルのサイズ)の上限までとなる。

③パケットフィルタリング

パケットに含まれる情報を手がかりに、不正なデータの通過を防ぐ機能。ルータ内のフィルタリングテーブルに、あらかじめ発信元と宛先のアドレスとポート番号(データを引き渡すアプリケーションを示す)、通過の許可・不許可といった通信ルール設定しておき、ルータはそれに基づいてパケットの通過または廃棄を行う。

解説3 【解答】ウ

ルータのルーティング機能は、パケットの宛先IPアドレスを基に、ルータ内のアドレステーブル(ルータ間で情報を交換して、内容を更新している)を参照し、適切な経路にパケットを転送する。この問題では、端末aから端末bにパケットを転送するので、宛先IPアドレスに基づいて端末bがつながっているルータbにのみ中継を行い、ルータcには中継を行わない。

解説4 【解答】イ

TCPやUDPのやり取りでは、互いのアプリケーションを特定するためにポート番号が使われる。この問題では、プロキシサーバBにポート番号8080が、Webサーバ側Cにはポート番号80が割り当てられている。つまり、クライアントAからBへの要求では宛先ポート番号が8080、送信元ポート番号は任意の番号(仮に100)となり、BからCは宛先が80、送信元は任意の番号(仮に200)となる。逆にCからBへの応答パケットは送信元が80、宛先は200、BからAへの応答パケットは送信元が8080、宛先は100となる。

解説5 【解答】エ

NAPT機能を使うと、複数のPCを1個のグローバルIPアドレスでインターネット接続することが可能になる。パケットをインターネット上に送出する場合、プライベートIPアドレスをグローバルIPアドレスに変換する必要がある。その際は、ルータのグローバルIPアドレスに変換し、空きポート番号を割り当てて(変換して)送出する。したがって、エが正解となる。なお、元のプライベートIPアドレスとポート番号はルータの変換テーブルに保存しておき、インターネットからの戻りのパケットは再び変換してPCに届ける。

シラバス ●大分類3：技術要素 ●中分類10：ネットワーク ●小分類3：通信プロトコル

Lesson 18

ネットワーク

IPアドレスの割当て

IPアドレスはクラス単位に割り当てるのが基本となります。クラスとは、1つのネットワークに設置できるコンピュータの台数を、一般にA～Cの3通りに分類したもの。試験では、サブネットマスクを使った、具体的なIPアドレスの算出問題がよく出ています。

問1 サブネットマスク

check

2台のPCにIPv4アドレスを割り振りたい。サブネットマスクが255.255.255.240のとき、両PCのIPv4アドレスが同一サブネットに所属する組合せはどれか。

ア　192.168.1.14と192.168.1.17
イ　192.168.1.17と192.168.1.29
ウ　192.168.1.29と192.168.1.33
エ　192.168.1.33と192.168.1.49

問2 ブロードキャストアドレスの求め方

check

IPv4ネットワークにおいて、あるホストが属するサブネットのブロードキャストアドレスを、そのホストのIPアドレスとサブネットマスクから計算する方法として、適切なものはどれか。ここで、論理和、論理積はビットごとの演算とする。

ア　IPアドレスの各ビットを反転したものとサブネットマスクとの論理積を取る。
イ　IPアドレスの各ビットを反転したものとサブネットマスクとの論理和を取る。
ウ　サブネットマスクの各ビットを反転したものとIPアドレスとの論理積を取る。
エ　サブネットマスクの各ビットを反転したものとIPアドレスとの論理和を取る。

問3 ブロードキャストアドレス

check

IPアドレス192.168.57.123/22が属するネットワークのブロードキャストアドレスはどれか。

ア　192.168.55.255
イ　192.168.57.255
ウ　192.168.59.255
エ　192.168.63.255

ここがポイント！

《IPアドレスの割当て》

先頭8ビットの値の範囲	種別
1～127（先頭ビットが'0'）	クラスA
128～191（先頭が'10'）	クラスB
192～223（先頭が'110'）	クラスC
224～239（先頭が'1110'）	クラスD

IPアドレスのクラスは、Aが大規模なネットワーク、B・Cは中・小規模と、アドレスを申請した組織の規模に応じて割り当てられる。ネットワーク部のビット数は、クラスAが先頭から8ビット、クラスBが16ビット、クラスCが24ビットまでであり、クラスDは特殊用途で使用される。なお、ホスト部（ホストアドレス）のビットがすべて'0'のものは**ネットワークアドレス**（ネットワーク自体を示す）、すべて'1'のものは**ブロードキャストアドレス**（同一ネットワーク内のすべての端末を指す）と用途が決められている。

①プライベートIPアドレス

社内LANなどで自由に使用できるアドレスは、右のように定義されている。

クラスA	10.0.0.0～10.255.255.255
クラスB	172.16.0.0～172.31.255.255
クラスC	192.168.0.0～192.168.255.255

②クラスレス

ネットワーク部を固定長とせずに、クラスに依存せずにサブネットマスクによって長さを識別する方式。**CIDR**（Classless Inter-Domain Routing）ともいう。各組織に割り当てるグローバルIPアドレスを必要最低限にでき、アドレス不足に対応できる。

《サブネットマスク》

クラスレスを用いたIPアドレスでは、ネットワーク部を判別できない。そこで、右図のようにネットワーク部のビットを「1」、ホスト部のビットを「0」としたサブネットマスクを使い、IPアドレスとAND演算をすることでネットワーク部を算出する。

IPアドレス	11000000	10101000	00000011	00000001
	192.168.3.1			
サブネットマスク	11111111	11111111	11111111	00000000
	255.255.255.0			
ネットワーク部	11000000	10101000	00000011	00000000
	192.168.3.0			

AND演算を行うことでこの部分が抜き出される

解説1　**【解答】イ**

サブネットマスクの最下位桁240は2進数で「11110000」なので、下位4ビットがホストアドレスに使える（サブネットごとのIP数は16）。ただし、ネットワークの認識に使う全ビット0と、ブロードキャスト用である全ビット1は割り振れない。つまり、選択肢の範囲で同一サブネットに所属するためには、10進数で1～14、17～30、33～46、49～62のいずれかの範囲内の組合せとなる。

解説2　**【解答】エ**

ブロードキャストアドレスは、ホスト部のビットがすべて"1"のアドレスなので、サブネットマスクを反転したものとOR演算を取れば、ネットワーク部はそのままに、ホスト部をすべて"1"にすることができる。上記の例を示す。

```
   11000000 10101000 00000011 00000001  ←IPアドレス
OR 00000000 00000000 00000000 11111111  ←反転したサブネットマスク
   11000000 10101000 00000011 11111111
```

解説3　**【解答】ウ**

「/22」はネットワーク部のビット数を示しているので、ホスト部は10ビット。つまり、アドレスの末尾10ビットがすべて"1"のものがブロードキャストアドレスである。選択肢の末尾8ビットは共通なので、残り2ビットを"11"にすればよい。問題文のIPアドレスの3ブロック目の57は、2進数"00111001"であり、この末尾2ビットを"11"にすると"00111011"＝59となる。

シラバス ●大分類3：技術要素 ●中分類10：ネットワーク
●小分類3：通信プロトコル

Lesson 19

ネットワーク

通信プロトコル

通信先の相手とデータをやり取りするには、あらかじめ通信手順を決めておく必要があります。この手順が通信プロトコルです。なかでもTCP/IPは、インターネットで採用される事実上の標準プロトコルです。試験では各層のプロトコルの役割が問われます。

問1 トランスポート層のプロトコル check

トランスポート層のプロトコルであり、信頼性よりもリアルタイム性が重視される場合に用いられるものはどれか。

ア HTTP　イ IP　ウ TCP　エ UDP

問2 インターネット層のプロトコル check

IPv4においてIPアドレスからMACアドレスを取得するために用いるプロトコルはどれか。

ア ARP　イ DHCP　ウ ICMP　エ RARP

問3 電子メールのプロトコル check

インターネットにおける電子メールの規約で、ヘッダフィールドの拡張を行い、テキストだけでなく、音声、画像なども扱えるようにしたものはどれか。

ア HTML　イ MHS　ウ MIME　エ SMTP

ここがポイント！

《TCP/IPのプロトコルの種類》

TCP/IPは、4つの階層化がされており、各層ごとにさまざまなプロトコルが用意されている。また、上位層のプロトコルは下位層のプロトコルを利用している。

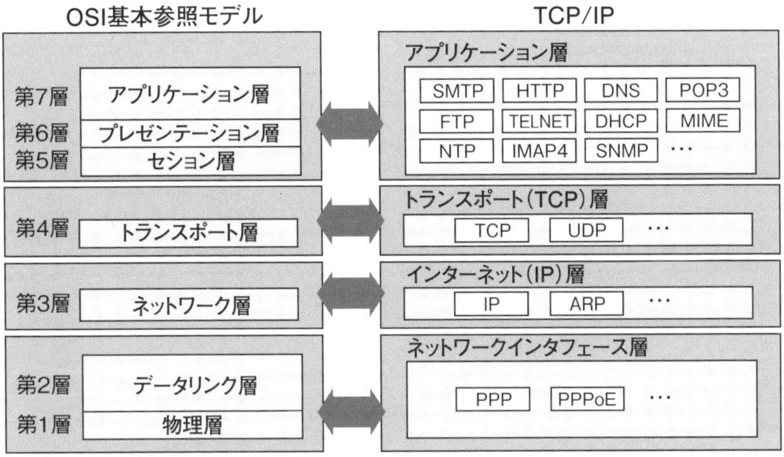

①ネットワークインタフェース層のプロトコル

・PPPoE(PPP over Ethernet)：メールの送信およびサーバ間で電子メールを転送する。光ファイバやADSLによるインターネット接続サービスで採用されている。

②インターネット層のプロトコル

・IP(Internet Protocol)：ネットワークを介してデータ転送を行うためのルーティング(経路選択)や中継機能を提供し、2つのノード間でコネクションレス型のデータ伝送を実現する。目的のノードまでのデータ送信は、ベストエフォート(最善の努力をするが、確実な伝送の保証はしない)で行う。

・ARP(Address Resolution Protocol)：IPアドレスからMACアドレスを求めるためのプロトコル。指定したIPアドレスをもつノードのMACアドレスを、同一ネットワーク内にブロードキャスト(すべてのノードに対して問合せを行う)する。

(※次ページへ続く↘)

解説 1

【解答】エ

UDP(User Datagram Protocol)は、コネクションなしに伝送を行うプロトコル。信頼性よりも速度を重視しているため、データが届かなかったり、抜け落ちても影響の少ない用途で利用される。時刻合わせに用いるアプリケーション層のNTP(Network Time Protocol)はUDPを利用している。

解説 2

【解答】ア

IPアドレスからMACアドレスを求めるのはARPである。イ：重複しないように自動的にIPアドレスを割り振る。ウ：ICMP(Internet Control Message Protocol)は、IP通信のエラーや通信状態の通知(ping機能)などを行うネットワーク層のプロトコル。エ：RARP(Reverse Address Resolution Protocol)は、MACアドレスからIPアドレスを求める。

解説 3

【解答】ウ

MIMEは、文字情報しか転送できなかった従来の電子メールを拡張し、英語以外の言語を使ったり、音声ファイル、画像ファイルなどのマルチメディアデータをメールに添付して送受信することを可能にする規格である。選択肢に含まれるHTML(HyperText Markup Language)は、マークアップ言語。MHS(Message Handling System)は、メッセージ通信処理システム。

問 4 UDPを使用するプロトコル

check

UDPを使用しているものはどれか。

ア　FTP　　イ　NTP　　ウ　POP3　　エ　TELNET

問 5 DNSの役割

check

TCP/IPネットワークでDNSが果たす役割はどれか。

ア　PCやプリンタなどからのIPアドレス付与の要求に対し、サーバに登録してあるIPアドレスの中から使用されていないIPアドレスを割り当てる。

イ　サーバにあるプログラムを、サーバのIPアドレスを意識することなく、プログラム名の指定だけで呼び出すようにする。

ウ　社内のプライベートIPアドレスをグローバルIPアドレスに変換し、インターネットへのアクセスを可能にする。

エ　ドメイン名やホスト名などとIPアドレスとを対応付ける。

（↘前ページからの続き）

③トランスポート層のプロトコル

・TCP（Transmission Control Protocol）：データを送信する前に、送信側と受信側で論理的な通信路を確立するコネクション型の伝送を行う。OSIの第4層と同様に、上位層に対して個々の通信網に依存しない高品質な通信路を提供する。

・UDP（User Datagram Protocol）：コネクションレス型の伝送を行う。これは、信頼性よりも速度を重視したもので「データが相手に届いたか」という確認を行わない。UDPを使用するアプリケーション層のプロトコルには、DNS、DHCP、SNMP、NTPなどがある。

④アプリケーション層のプロトコル

代表的なものに次ページ表のようなプロトコルがある。

《DNS（Domain Name Systems）》

ドメイン名とはグローバルIPアドレスと対になった英数字による文字列で、ネットワークを表す。DNSはこのIPアドレスとドメイン名の対応づけを行う仕組み。インターネット上には、階層化された多くのDNSサーバがあり、それぞれのサーバがその下層にあるホスト（ネットワークに含まれるコンピュータ）のアドレスを示す対応表を持つことで、名前解決のサービスを提供している。

・主なアプリケーション層のプロトコル

メール関連	**SMTP** (Simple Mail Transfer Protocol)	メールサーバ間のメール転送、クライアントからのメール送信を行うためのプロトコル
	POP3 (Post Office Protocol Version 3)	メールサーバからメールを取り出すためのプロトコル
	IMAP4 (Internet MessageAccess Protocol 4)	メールをサーバに置いたまま管理するプロトコル。一覧から必要なメールのみダウンロードできる
	MIME (Multipurpose Internet Mail Extensions)	メールで文字以外のデータ（画像や音楽）を添付して送るプロトコル
ファイル転送	**HTTP** (HyperText Transfer Protocol)	HTMLファイルを転送し、WWWを実現するためのプロトコル
	FTP (File Transfer Protocol)	ファイルを転送するためのプロトコル
	NNTP (Network News Transfer Protocol)	ネットニュースの交換を行うプロトコル
管理用ほか	**DNS** (Domain Name System)	ドメイン名とIPアドレスを対応させる名前解決のサービスを提供するプロトコル。ホスト名からIPアドレスを割り出すために利用する
	DHCP (Dynamic Host Configuration Protocol)	TCP/IPのLANに接続されたコンピュータに、あらかじめ設定された範囲から未使用のIPアドレスを自動的に割る振るサービスを提供する
	SNMP (Simple Network Management Protocol)	TCP/IPネットワーク環境において、ネットワーク上の機器の管理を行うためのプロトコル
	NTP (Network Time Protocol)	ネットワークを介して、コンピュータの時計を合わせるプロトコル
	Telnet、**SSH** (Secure Shell)	コンピュータの遠隔操作に用いるプロトコル

・**FQDN（Fully Qualified Domain Name：完全修飾ドメイン名）**：ドメイン名やサブドメイン名をなどを省略せずに記述した形。これに対し、ホスト名などを省略した形を複数持つことも可能（例：gihyo.jp）。どちらもDNSによりグローバルIPアドレスと関連づけられる。

www.gihyo.co.jp
ホスト名（www）　ドメイン名（gihyo.co.jp）

解説 4

【解答】イ

UDP（User Datagram Protocol）は、コネクションなしに伝送を行うプロトコル。信頼性よりも速度を重視しているため、データが届かなかったり、抜け落ちても影響の少ない用途で利用される。選択肢の中では時刻合わせに用いるNTP（Network Time Protocol）が該当する。そのほかの選択肢はコネクションを行うTCPを使用している。

解説 5

【解答】エ

DNSは、TCP/IP環境において、接続されたコンピュータのURL（ドメイン名＋ホスト名）とIPアドレスを相互に変換する機能を持つ。URLとIPアドレスはDNSサーバが管理している。ア：DHCPの説明。イ：RPC（Remote Procedure Call：遠隔手続き呼出し）の説明。ネットワークでつながれたコンピュータ上のプログラムを実行する仕組みである。ウ：NAT機能の説明。

Lesson

シラバス ●大分類3：技術要素 ●中分類10：ネットワーク
●小分類4：ネットワーク管理

ネットワーク

20 ネットワーク管理

ネットワーク管理は、構成管理、障害管理、性能管理、運用管理、機密管理など多岐に渡ります。試験では、構成管理や障害管理を中心にプロトコルやネットワーク管理ツールなどの知識が問われます。特に、SDNについては、しっかり押さえておきましょう。

問1 SDNの説明

check

OpenFlowを使ったSDN（Software-Defined Networking）の説明として、適切なものはどれか。

ア　RFIDを用いるIoT（Internet of Things）技術の一つであり、物流ネットワークを最適化するためのソフトウェアアーキテクチャ

イ　さまざまなコンテンツをインターネット経由で効率よく配信するために開発された、ネットワーク上のサーバの最適配置手法

ウ　データ転送と経路制御の機能を論理的に分離し、データ転送に特化したネットワーク機器とソフトウェアによる経路制御の組合せで実現するネットワーク技術

エ　データフロー図やアクティビティ図などを活用し、業務プロセスの問題点を発見して改善を行うための、業務分析と可視化ソフトウェアの技術

問2 ネットワーク管理ツール

check

IPネットワークにおいて、ICMPのエコー要求、エコー応答、到達不能メッセージなどによって、通信相手との接続性を確認するコマンドはどれか。

ア　arp　　イ　echo　　ウ　ipconfig　　エ　ping

ここがポイント！

《主なネットワーク管理技術》

① SDN (Software-Defined Networking)

ソフトウェアによる仮想ネットワーク技術の総称。物理的なネットワーク構成や設定を、ソフトウェア制御によって論理的に変更する技術。拡張や資源管理が容易になる。

② OpenFlow

SDNを実現するための標準化された実装技術。ハードウェアの制御機能とデータ転送機能を分離して抽象化し、ソフトウェア的にネットワーク制御を一元管理する。

《ネットワーク管理プロトコルSNMP》

SNMP (Simple Network Management Protocol) は、TCP/IPにおけるネットワーク管理を行うためのプロトコルの一つ。サーバやネットワーク機器(ルータやブリッジなど)、サービスの状態や稼働状況、トラフィックを監視することが可能。

① SNMPマネージャとエージェント

管理対象を管理する側をマネージャ、管理される側をエージェントと呼ぶ。それぞれで専用のアプリケーションソフトを動作させることで、メッセージをやりとりし、監視を行うことができる。障害発生時にはエージェント側から自発的に通知を行う。

② MIB (Management Information Base)

マネージャとエージェントが持つ、ネットワーク管理用のデータベース。

《ネットワーク管理ツール》

① ping

TCP/IPネットワークにおいて、接続確認のために利用される。接続確認の仕組みは、指定したノードと自ノードとの間のパケット返送の往復時間を監視し、一定時間経過しても戻ってこないときは未接続と判断する。

② ipconfig

IPネットワークにおいて、設定情報(ホスト名、最優先のDNSサフィックス、名前解決方法、ネットワークのDNS、NIC名、MACアドレスなど)を確認できる。

③ arp (address resolution protocol)

IPアドレスによってMACアドレスを知ることができる。

④ netstat

ネットワークの通信状態(TCPコネクション)やルーティング状況などを確認できる。

解説 1

【解答】ウ

SDNでは、物理的なネットワーク構成や設定をソフトウェア制御によって動的に変更できることから、ネットワーク構築や拡張、資源管理を容易にし、ネットワーク障害への対応やセキュリティの強化にも柔軟に対応できる。またOpenFlowは、SDNの実装技術で、経路制御とデータ転送制御を論理的に分離して抽象化し、ソフトウェア的にネットワーク制御を一元管理する。

解説 2

【解答】エ

pingは、TCP/IPネットワークにおいて、接続確認のために利用される。パケット転送中に発生したエラーを送信元に返送するプロトコルであるICMP (Internet Control Message Protocol) を利用している。接続確認の仕組みは、指定したノードと自ノードとの間のパケット返送の往復時間を監視し、一定時間経過しても戻ってこないときは未接続と判断する。

Lesson

シラバス ●大分類3：技術要素 ●中分類10：ネットワーク ●小分類5：ネットワーク応用

ネットワーク

21 ネットワーク応用

ネットワーク応用の範囲には、電子メールやWebシステム、検索エンジン、イントラネット、通信サービス、モバイルシステムなどが含まれます。幅広い範囲からピンポイントに出題されるため、比較的新しい技術を含めて仕組みや用途を理解しておきましょう。

問1 電子メールのヘッダフィールド

check

電子メールのヘッダフィールドのうち、SMTPでメッセージが転送される過程で削除されるものはどれか。

ア　Bcc　　イ　Date　　ウ　Received　　エ　X-Mailer

問2 電子メールのプロトコル

check

電子メールシステムで使用されるプロトコルであるPOP3の説明として、適切なものはどれか。

ア　PPPのリンク確立後に、利用者IDとパスワードによって利用者を認証するときに使用するプロトコルである。

イ　メールサーバ間でメールメッセージを交換するときに使用するプロトコルである。

ウ　メールサーバのメールボックスから電子メールを取り出すときに使用するプロトコルである。

エ　利用者が電子メールを送るときに使用するプロトコルである。

ここがポイント！

《電子メールの仕組み》

①メールアドレス

記述形式は、“アカウント名@ドメイン名”で、手紙の例でいえば、アカウント名は名前に、ドメイン名は住所に相当する。

②電子メールの構成

電子メールは、メール本文とメールヘッダから構成される。**ヘッダ情報**には、次のような、さまざまな情報が格納されている。

項　目	内　容
From／To	発信元／送信先のメールアドレス
Cc／Bcc	カーボンコピー／ブラインドカーボンコピー先のメールアドレス
Received	メールサーバの転送経路
Reply-To	返信先のメールアドレス
Subject	メールのタイトル
Date	メールの送信日時
Message-Id	一意に決められるメール識別子
X-Mailer	使用しているメールソフト

《電子メール転送の仕組み》

①メールの送信～転送

❶電子メールを作成したら、❷電子メールは、まず自分の所属するメールサーバに送信される。❸メールサーバではMTA（Message Transfer Agent）と呼ばれるプログラムが起動しており、このMTAがメールアドレスを見てインターネット上のどのメールサーバに転送すればよいかを決定し、メールの送信を開始する。メールはSMTPでインターネット上を配送され、目的のメールサーバに届けられる。

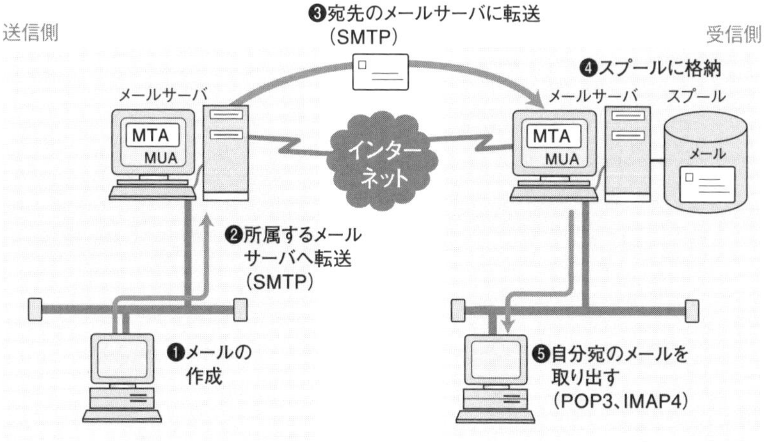

（※次ページへ続く↘）

解説 1

【解答】ア

メールヘッダには、さまざまな情報が格納されている。Cc（Carbon copy）は、受信者とは別の宛先に同一メールを送る機能で、情報を共有したいときに指定する。Bcc（Blind carbon copy）も同様の機能だが、Ccのアドレスはすべての受信者に見えるのに対し、Bccのアドレスは見せない意味を持つ。したがって、送信側のサーバにおいてヘッダから削除される。

解説 2

【解答】ウ

POP3は、メールサーバ上の電子メールを受取人のコンピュータへ取り出すときに用いられるプロトコル。ア：PPP認証用のプロトコルCHAP（Challenge Handshake Authentication Protocol）などの説明。CHAPはパスワードをハッシュ化して送信するのが特徴。イとエ：ともにSMTPの説明。SMTPは電子メールの送信と転送に使われる。

問3 Webサーバと外部プログラムの連携 check

Webサーバにおいて、クライアントからの要求に応じてアプリケーションプログラムを実行して、その結果をWebブラウザに返すなどのインタラクティブなページを実現するために、Webサーバと外部プログラムを連携させる仕組みはどれか。

ア　CGI　　イ　HTML　　ウ　MIME　　エ　URL

テクノロジ系

問4 携帯電話網で使用される通信規格 check

携帯電話網で使用される通信規格の名称であり、次の三つの特徴をもつものはどれか。

(1) 全ての通信をパケット交換方式で処理する。
(2) 複数のアンテナを使用するMIMOと呼ばれる通信方式が利用可能である。
(3) 国際標準化プロジェクト3GPP (3rd Generation Partnership Project) で標準化されている。

ア　LTE (Long Term Evolution)
イ　MAC (Media Access Control)
ウ　MDM (Mobile Device Management)
エ　VoIP (Voice over Internet Protocol)

(↘前ページからの続き)

②メールの受信

❹宛先のメールサーバに届いたメールは、アカウントごとに仕分けされ、メールボックス(スプール)に格納される。メールサーバでは、MUA (Mail User Agent)と呼ばれるプログラムが起動しており、MTAからメールを受け取ってユーザに提示したり、ユーザから送られたメールをMTAに転送する作業を行う。❺メールはユーザの要求によりPOP3やIMAP4で受取人に渡される。

《電子メールのプロトコル》

①SMTP (Simple Mail Transfer Protocol)

送信やメールサーバ間でメールのやり取りを行うプロトコル。

②POP3 (Post Office Protocol version 3)

メールサーバ上の電子メールを受取人のコンピュータへ取り出すプロトコル。メールをメールサーバからクライアント側へダウンロードすると、メールサーバからは削除される。

③IMAP4 (Internet Message Access Protocol version 4)

POP3と同様に、メール受信に利用されるプロトコル。IMAP4はメールボックス管理機能を持ち、メールはメールサーバ上で管理される。メール本文や添付ファイルをサーバに置いたままでタイトルや送信者の情報だけを先に受け取ることができ、そこから件名や送信者のアドレスを見て、受信(ダウンロード)や破棄を選択できる。

《Webシステム》

①CGI (Common Gateway Interface)

CGIは、HTML文書からWebサーバ上のプログラムを起動して、実行結果を返す仕組み。アクセスカウンタやアンケート集計など、HTMLだけでは記述できない複雑な処理や対話的な処理も、CGIによってプログラムと連携させることで実現可能になる。

②cookie (クッキー)

cookieは、閲覧しているユーザの情報などを、一時的にユーザのパソコンに保存する仕組み。あるWebページでユーザ登録をすると､次にそのWebページを開いたときに、自動的にそのユーザ専用のページが表示される仕組みなどに利用される。便利な仕掛けではあるが、ユーザが意図しない間に、保存している情報を盗まれたり、システムを改変されるなど、悪意をもったプログラムの可能性もあるので注意が必要となる。

《モバイルシステム》

①LTE (Long Term Evolution)

4Gとも呼ばれる高速な携帯電話通信規格で､3GPP (3rd Generation Partnership Project) で仕様が標準化されている。回線はパケット交換網のみのため、音声はVoLTE技術によりパケット化を行う。複数のアンテナを使用して高速化が可能で、これをMIMO (Multiple Input Multiple Output) と呼ぶ。

②キャリアアグリゲーション (carrier aggregation)

異なる複数の周波数帯の電波を結合して1つの回線として使い、仮想的に帯域幅を広げる技術。通信速度の向上、周波数を分散することで回線を効率的に利用できる。

③テザリング (tethering)

スマートフォンなどのネットワーク接続環境を利用してパソコンやタブレットをインターネットに接続すること。接続にはBluetoothやWi-Fiなどが使われる。

解説3

【解答】ア

CGIは、Webブラウザなどからの要求によって、Webサーバ上のプログラムを起動するための仕組み。CGIを使うことで、要求に応じた返答を返すことが可能になる。アクセスカウンタやアンケート集計など、HTMLだけでは記述できない複雑な処理や対話的な処理が実現できる。

解説4

【解答】ア

3つの特徴を持つものは、LTEである。LTEは、第3世代携帯の通信規格(3G)に続く高速な携帯電話通信規格で、4Gとも呼ばれる。LTEの高速化に用いられるMIMO (Multiple Input／Multiple Output) は、複数のアンテナを使い同時伝送することで通信を高速化させる技術。また、LTE回線はパケット交換網のみのため、通話時の音声は別途VoIP技術によりパケット化を行う。これをVoLTE (Voice over LTE) と呼んでいる。

Lesson セキュリティ

22 情報セキュリティと脅威

情報セキュリティの第一歩は、情報に対する脅威を知ることです。企業や個人相互間のインターネットによる商業行為が増えたことで、犯罪も増加傾向にあります。試験では情報に対する脅威や不正行為の種類などに関する問題が出ています。

問1 不正のトライアングル

check

不正が発生する際には“不正のトライアングル”の3要素全てが存在すると考えられている。“不正のトライアングル”の構成要素の説明として，適切なものはどれか。

ア “機会”とは，情報システムなどの技術や物理的な環境，組織のルールなど，内部者による不正行為の実行を可能または容易にする環境の存在である。

イ “情報と伝達”とは，必要な情報が識別，把握及び処理され，組織内外及び関係者相互に正しく伝えられるようにすることである。

ウ “正当化”とは，ノルマによるプレッシャなどのことである。

エ “動機”とは，良心のかしゃくを乗り越える都合のよい解釈や他人への責任転嫁など，内部者が不正行為を自ら納得させるための自分勝手な理由付けである。

問2 サラミ法の手口

check

コンピュータ犯罪の手口の一つであるサラミ法はどれか。

ア 回線の一部にひそかにアクセスして他人のパスワードやIDを盗み出してデータを盗用する方法である。

イ ネットワークを介して送受信されているデータを不正に傍受する方法である。

ウ 不正行為が表面化しない程度に，多数の資産から少しずつ詐取する方法である。

エ プログラム実行後のコンピュータの内部または周囲に残っている情報をひそかに探索して，必要情報を入手する方法である。

ここがポイント！

《不正のトライアングル》

人は、①**動機**（不正を行いたいと考える原因）、②**機会**（行動を起こせるチャンス）、③**正当化**（これは不正ではないと思う理由）の３要件が揃ったとき、不正を起こしやすくなる。

《脅威の分類》

情報資産は、**機密性**（情報が守られていること）、**完全性**（常に正確なデータであること）、**可用性**（いつでも使えること）が確保されていることで価値を生み出す。これらを維持することが、情報セキュリティの目的である。

①盗聴

ネットワーク上を流れるデータを傍受して、情報を不正に入手する行為。盗聴を防ぐには、傍受されても内容を解読できないように、通信データを暗号化することが必要。

②なりすまし

悪意の第三者が正当な利用者であるかのようにふるまい、システムへの不正侵入や不正な取引を行う行為。正当な利用者かどうかを確認する認証やデジタル署名が有効。

③改ざん

不正な手段でデータ（電子メール、ファイルなど）を書き換える行為。伝送データと生成されたダイジェストの整合性により改ざんの有無を検出するメッセージ認証が有効。

《人的脅威やリスクを生み出す行為》

①ソーシャルエンジニアリング

のぞき見や管理者を装った電話など、電子的方法を用いずにパスワードや機密情報などを調べ出す行為。

②サラミ法

被害者にわからないように、ほんの少額ずつ詐取する手法。少額ずつ銀行口座に振り込ませたり、複数の顧客の口座から少額ずつ引き落としを行うなどの例がある。

③BYOD（Bring Your Own Device）

私物のパソコンやスマートホンなどを、業務に使用したり社内ネットワークに接続すること。この行為によって持ち込まれたウイルスに社内のシステムが感染したり、許可されていないソフトウェアの使用などのリスクがあり、禁止する企業が多い。

④スニファの悪用

スニファとは、ネットワーク上に流れるパケットをモニタして、ネットワークトラブルの検出などに使うツール。これを悪用することで盗聴ツールになる。

解説 1　【解答】ア

不正のトライアングルとは、組織犯罪研究者のD・R・クレッシーが発表したもの。その中で、行動を起こす3つの要因とは、①動機：不正を行いたいと考える原因、②機会：不正を起こせる環境やチャンス、③正当化：これは不正ではない、仕方がないと思う理由や言い訳。これらの3つが揃ったときに不正が発生しやすくなるとされている。

解説 2　【解答】ウ

サラミ法とは、不正がわからないように、少量ずつ搾取する手法。名称は薄切りにするサラミソーセージからきている。ア：盗聴行為や不正アクセス行為、なりすまし行為などが該当する。イ：盗聴行為の説明。エ：スキャベンジング（ゴミあさり）行為の説明。デジタルデータだけでなく、実際にゴミ箱から情報を取得する行為もあり、人的脅威の1つになっている。

Lesson

シラバス ●大分類3：技術要素 ●中分類11：セキュリティ
●小分類1：情報セキュリティ

セキュリティ

23 マルウェアと不正プログラム

「マルウェアの種類やその行動」、「不正プログラムや不正行為」が出題の中心です。本来は不正プログラムでなくても、目的外の使い方によって不正行為につながるものもあります。また、知らないうちに加害者になるケースがあることも知っておく必要があります。

テクノロジ系

問1 キーロガーの説明

check

キーロガーの悪用例はどれか。

ア　通信を行う2者間の経路上に割り込み、両者が交換する情報を収集し、改ざんする。
イ　ネットバンキング利用時に、利用者が入力したパスワードを収集する。
ウ　ブラウザでの動画閲覧時に、利用者の意図しない広告を勝手に表示する。
エ　ブラウザの起動時に、利用者がインストールしていないツールバーを勝手に表示する。

問2 C&Cサーバの役割

check

ボットネットにおけるC&Cサーバの役割として、適切なものはどれか。

ア　Webサイトのコンテンツをキャッシュし、本来のサーバに代わってコンテンツを利用者に配信することによって、ネットワークやサーバの負荷を軽減する。
イ　外部からインターネットを経由して社内ネットワークにアクセスする際に、CHAPなどのプロトコルを用いることによって、利用者認証時のパスワードの盗聴を防止する。
ウ　外部からインターネットを経由して社内ネットワークにアクセスする際に、チャレンジレスポンス方式を採用したワンタイムパスワードを用いることによって、利用者認証時のパスワードの盗聴を防止する。
エ　侵入して乗っ取ったコンピュータに対して、他のコンピュータへの攻撃などの不正な操作をするよう、外部から命令を出したり応答を受け取ったりする。

ここがポイント！

《マルウェアの種類》

①コンピュータウイルス

コンピュータに潜入し、プログラムやデータに対して、故意に障害を引き起こしたりするソフトウェア。**自己伝染機能**、**潜伏機能**、**発病機能**の１つ以上を持つ。

・**マクロウイルス**：ワープロや表計算ソフトなどに備えられているマクロ機能を悪用したもので、ファイルを開くだけで自動的に実行されて感染する。

②ワーム（worm）

ネットワークを通じて自ら次々に複製を繰り返し、伝染する性質を持つ不正プログラム。

③ボット（bot）

感染したコンピュータを、ネットワークを通じて外部から操ることを目的とした遠隔操作型の不正プログラム。ボットネットは、**C&Cサーバ**（攻撃を指示するサーバ）と、ゾンビコンピュータ（ボットに感染して遠隔操作できる複数のコンピュータ）から成るネットワークのことで、一斉攻撃などに使われる。

④トロイの木馬

正規のプログラムに見せかけてコンピュータに入り込み、潜伏後にユーザの意図しない動作（システムやデータの改変や破壊、情報収集活動など）を行う。

⑤スパイウェア

システム内に潜伏し、個人情報などのデータを特定のサイトに勝手に送信したり、メールを送ったりを行う。

《不正プログラムの種類と不正行為》

悪意を持ったものだけでなく、目的以外の使い方によっても不正行為が可能となる。

①キーロガー（キーロギング）

キーボードのタイピング情報を記録するソフトウェアやハードウェアを使って、入力したIDやパスワードを盗み出す行為を指す。

②バックドア

侵入者が不正アクセス用にシステムに設けた裏口。一度システムに侵入されてしまうと、攻撃の踏み台として使われるなど、知らぬ間に加害者になってしまうこともある。

③rootkit（ルートキット）

攻撃者が不正侵入した後に利用するソフトウェア。侵入の痕跡を隠すログ改ざんツール、バックドア用ツール、偽システムコマンドなど。rootは、システム管理者のユーザ名を指す。

解説 1

【解答】イ

キーロガーは、不正なソフトウェアを仕掛けることなどによって、キーボードのタイピング情報を入手する行為。IDやパスワードを入力するネットバンキングやネットショップなど利用する際、情報を読み取られることによって、悪用される恐れがある。

解説 2

【解答】エ

ボットは、感染したコンピュータをネットワーク経由で操作することを目的とする遠隔操作型ウイルスである。C&C(Command and Control server)サーバは、攻撃を指示するサーバのことで、ゾンビコンピュータ（ボットに感染して遠隔操作できるようになった複数のコンピュータ）と合わせてボットネットを構成する。

シラバス ●大分類3：技術要素 ●中分類11：セキュリティ
●小分類1：情報セキュリティ

Lesson 24

セキュリティ

攻撃手法

攻撃のための手法は日々増え続けており、攻撃パターンを理解することが、対策の第一歩といえます。試験では攻撃の名称や攻撃内容を答える問題、実際の手順を示した問題など多くのパターンが出題されています。確実に押さえておきましょう。

問1 セキュリティ攻撃の種類

check

手順に示すセキュリティ攻撃はどれか。

〔手順〕
(1) 攻撃者が金融機関の偽のWebサイトを用意する。
(2) 金融機関の社員を装って、偽のWebサイトへ誘導するURLを本文中に含めた電子メールを送信する。
(3) 電子メールの受信者が、その電子メールを信用して本文中のURLをクリックすると、偽のWebサイトに誘導される。
(4) 偽のWebサイトと気付かずに認証情報を入力すると、その情報が攻撃者に渡る。

ア　DDoS攻撃
イ　フィッシング
ウ　ボット
エ　メールヘッダインジェクション

問2 ドライブバイダウンロード攻撃

check

ドライブバイダウンロード攻撃に該当するものはどれか。

ア　PC内のマルウェアを遠隔操作して、PCのハードディスクドライブを丸ごと暗号化する。

イ　外部ネットワークからファイアウォールの設定の誤りを突いて侵入し、内部ネットワークにあるサーバのシステムドライブにルートキットを仕掛ける。

ウ　公開Webサイトにおいて、スクリプトをWebページ中の入力フィールドに入力し、Webサーバがアクセスするデータベース内のデータを不正にダウンロードする。

エ　利用者が公開Webサイトを閲覧したときに、その利用者の意図にかかわらず、PCにマルウェアをダウンロードさせて感染させる。

ここがポイント！

《Web閲覧者をだます攻撃》

①フィッシング

Webサイトやメールなどを利用した詐欺行為のこと。金融機関からのメールやWebサイトに見せかけて、クレジットカード番号などの個人情報を入力させて詐取する。

②クロスサイトスクリプティング

書き込みができるWebサイトの脆弱性を突いた攻撃。スクリプト（命令）を埋め込んで偽ページを表示させ、別のサイトに誘導することでフィッシングなどを行う。

③クロスサイトリクエストフォージェリ（CSRF）

攻撃の仕組みが仕込まれたWebサイトにアクセスすることで、ログイン中の他のサイトの掲示板やネットショップで書込みや決済をさせられる攻撃。悪意ある要求（request）が、本人のように偽って（forgery）実行されることから名付けられた。

④クリックジャッキング

ユーザを視覚的にだまして（表示が透明になるように細工するなど）、正常に見えるWebページ上のコンテンツをクリックさせ、個人情報などを不正に取得する。

⑤ドライブバイダウンロード

Webサイトを閲覧した際、利用者の意図に関わらず、ウイルスなどの不正プログラムをPCにダウンロードさせる行為。

⑥DNSキャッシュポイズニング／SEOポイズニング

DNSキャッシュポイズニング（DNS cache poisoning）は、偽のDNS応答をDNSサーバのキャッシュに記憶させ、ユーザを有害サイトに誘導する攻撃。SEOポイズニング（SEO poisoning）は、Web検索の際、自サイトが上位に来るようにする技術を利用して、上位の検索結果に悪意のあるサイトを仕込んでおく行為。

《パスワードを盗み取る攻撃》

①ブルートフォース攻撃（総当たり攻撃）

ユーザIDに対するパスワードを手当たり次第にデータを入力し、パスワードの割り出しなどを行う行為。総当たり攻撃ともいう。

②パスワードリスト攻撃／辞書攻撃

パスワードリスト攻撃は、別のシステムから流出したIDとパスワードなどを使って不正ログインを試みる攻撃。辞書攻撃は、他人のIDで不正ログインする目的で、辞書などに載っている言葉を自動的に片っ端から試すことでパスワードを探る行為。

解説 1

【解答】イ

問題文の攻撃の手順・仕組みは、フィッシングについて述べている。偽のWebページを作成し、閲覧者にそのページへの入力を行わせることで、IDやパスワード、クレジットカード番号などを盗み取るのがフィッシングの特徴。その他の選択肢は、ここがポイント！を参照。

解説 2

【解答】エ

ドライブバイダウンロード攻撃は、Webサイトに仕掛けられたマルウェアを強制的にPCにダウンロードさせて感染させる攻撃方法。ア：システムやデータを勝手にロックしたり暗号化するランサムウェアが該当する。使用不能の状態にしておいて、解除と引き替えに金品を要求する。イ：一連の不正侵入行為を述べている。ウ：SQLインジェクションが該当する。

問3 検索サイトで行われる攻撃 check

検索サイトの検索結果の上位に悪意のあるサイトが表示されるように細工する攻撃の名称はどれか。

ア　DNSキャッシュポイズニング　　イ　SEOポイズニング
ウ　クロスサイトスクリプティング　　エ　ソーシャルエンジニアリング

問4 第三者中継と判断できるログ check

自社の中継用メールサーバで、接続元IPアドレス、電子メールの送信者のメールアドレスのドメイン名、および電子メールの受信者のメールアドレスのドメイン名から成るログを取得するとき、外部ネットワークからの第三者中継と判断できるログはどれか。ここで、AAA.168.1.5とAAA.168.1.10は自社のグローバルIPアドレスとし、BBB.45.67.89とBBB.45.67.90は社外のグローバルIPアドレスとする。a.b.cは自社のドメイン名とし、a.b.dとa.b.eは他社のドメイン名とする。また、IPアドレスとドメイン名は詐称されていないものとする。

	接続元IPアドレス	電子メールの送信者のメールアドレスのドメイン名	電子メールの受信者のメールアドレスのドメイン名
ア	AAA.168.1.5	a.b.c	a.b.d
イ	AAA.168.1.10	a.b.c	a.b.c
ウ	BBB.45.67.89	a.b.d	a.b.e
エ	BBB.45.67.90	a.b.d	a.b.c

問5 ブルートフォース攻撃の試行回数 check

AES-256で暗号化されていることがわかっている暗号文が与えられているとき、ブルートフォース攻撃で鍵と解読した平文を得るまでに必要な試行回数の最大値はどれか。

ア　256　　イ　2^{128}　　ウ　2^{255}　　エ　2^{256}

《システムダウンを狙う攻撃》

①DoS（Denial Of Service：サービス妨害）攻撃

攻撃対象のシステムに対して、大量のサービス要求を送り付け、通信回線やサーバの処理をパンクさせることで、サービスを提供ができない状態に陥れる攻撃。

②DDoS（分散サービス妨害）攻撃

ウイルスなどによって第三者のマシンに攻撃プログラムを仕掛けて踏み台にし、踏み台とした多数のマシンから標的に大量のパケットを同時に送信する攻撃。

③バッファオーバフロー攻撃

許容量を超えるデータを送り付けることで、システムの機能停止や誤動作を狙う攻撃。

《システムの脆弱性を狙う攻撃》

①SQLインジェクション

データベースと連動するWeb画面で、検索キーワードの入力用のテキストボックスに、SQL文を打ち込むことで、データベースを操作し、データを改ざんしたり破壊する攻撃。

②ディレクトリトラバーサル攻撃

あるファイルに対する要求を行うための文字列に親ディレクトリへの移動指示を入れ込むことで、非公開ファイルにアクセスして閲覧・取得したり書き換えたりする手法。

③第三者中継

メールサーバの転送機能（SMTPサーバの機能）を利用して、全く関係のない組織のメールサーバを踏み台にすること。出所を隠しつつサーバに負荷をかけずにスパムメールなどを大量発信する、ウイルスメールを発信するといった攻撃に使われる。

《その他の攻撃》

①セッションハイジャック

通信における一連のやりとりを乗っ取り、データを盗んだり、不正操作を行う手法。

②標的型攻撃

標的とする企業などの社員に偽メールを送り、添付ファイルを開かせるなどでウイルスに感染させ、企業情報を入手する方法。

解説 3　【解答】イ

SEOポイズニングは、Web検索の際に自サイトが上位に来るようにする技術（SEO；Search Engine Optimization）を利用して、上位の検索結果に悪意のあるサイトを仕込んでおく行為。同様に悪意のあるサイトへの誘導行為として、DNSキャッシュポイズニング（ア）、クロスサイトスクリプティング（ウ）がある。詳細は、ここがポイント！を参照（エは、p.243）。

解説 4　【解答】ウ

選択肢を順に見ていく。ア:接続元IPアドレスと送信者のドメイン名が社内、受信者のドメイン名が社外であることから、社内から社外へのメール送信。イ:送信、受信とも社内のドメイン名ということから、社内間のメール。ウ:接続元IPアドレスが社外であり、送信、受信ともに社外のドメイン名であることから、第三者中継のログと判断できる。エ：接続元IPアドレスと送信が社外で、受信が社内のドメイン名であることから通常のメール受信。

解説 5　【解答】エ

ブルートフォース攻撃では、ユーザIDに対応するパスワードを手当たり次第に入力して割り出す。AES-256は、鍵の長さが256ビットの共通鍵暗号方式であることから、2^{256} 通りの鍵が存在する。これをすべて試行すれば解読できることになる。

Lesson

シラバス ●大分類3：技術要素 ●中分類11：セキュリティ
●小分類1：情報セキュリティ

セキュリティ

25 暗号技術

暗号技術とは、データをある規則のもとに変換することで元の内容がわからないようにする技術です。送信側は暗号鍵によって暗号化し、受信側は復号鍵で復号します。試験では、共通鍵暗号方式、公開鍵暗号方式について用語や具体例により問われます。

テクノロジ系

問1 暗号方式の種類

check

楕(だ)円曲線暗号の特徴はどれか。

ア　RSA暗号と比べて、短い鍵長で同レベルの安全性が実現できる。
イ　共通鍵暗号方式であり、暗号化や復号の処理を高速に行うことができる。
ウ　総当たりによる解読が不可能なことが、数学的に証明されている。
エ　データを秘匿する目的で用いる場合、復号鍵を秘密にしておく必要がない。

問2 公開鍵暗号方式

check

Aさんが Bさんの公開鍵で暗号化した電子メールを、BさんとCさんに送信した結果のうち、適切なものはどれか。ここで、Aさん、Bさん、Cさんのそれぞれの公開鍵は3人全員がもち、それぞれの秘密鍵は本人だけがもっているものとする。

ア　暗号化された電子メールを、Bさんだけが、Aさんの公開鍵で復号できる。
イ　暗号化された電子メールを、Bさんだけが、自身の秘密鍵で復号できる。
ウ　暗号化された電子メールを、Bさんも、Cさんも、Bさんの公開鍵で復号できる。
エ　暗号化された電子メールを、Bさんも、Cさんも、自身の秘密鍵で復号できる。

ここがポイント！

《暗号方式》

①共通鍵暗号方式

送信者が秘密鍵（共通鍵）で暗号化したデータを、受信者も同じ鍵で復号する方式。1対1の通信ではよく用いられるが、1対多の通信では、通信相手ごとに異なる鍵が必要になるため実用的ではない。第三者に鍵が漏れないように鍵の扱いにも注意が必要。

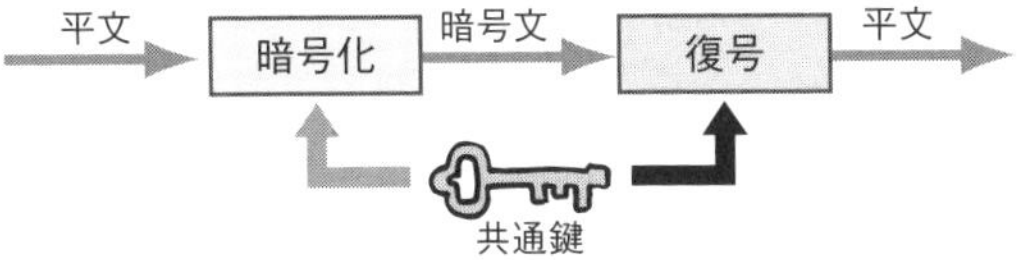

◯代表的な共通鍵暗号方式

・**AES**：鍵の長さが128ビット、192ビット、256ビットのいずれでも選択できる。これまで主流だったDESに比べて解読されにくい。

②公開鍵暗号方式

暗号化するときの鍵と、復号するときの鍵が異なる方式。送信者は、まず受信者の公開鍵を手に入れる。次にその公開鍵を使って暗号化して送信する。一方受信者は、自分だけが持つ秘密鍵を使って復号する。一方の鍵が公開されるので、1対多での通信に適す。受信者は、自分の持つ秘密鍵の管理だけに注意を払えばよい。

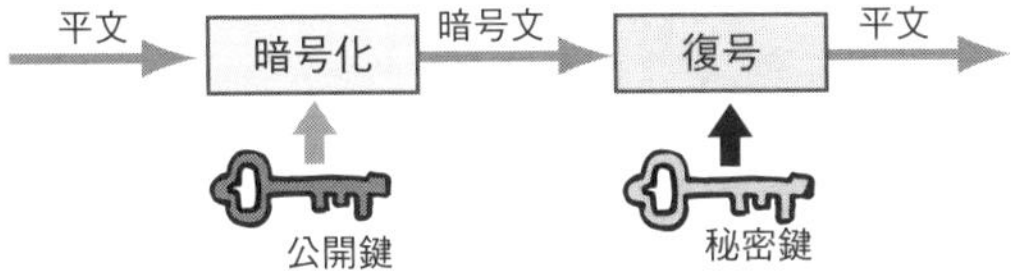

◯代表的な公開鍵暗号方式

・**RSA**：大きな数の素因数分解の困難さを利用。その計算量が膨大となるため、安全性を保つことができる。デジタル署名に利用できる。
・**エルガマル暗号**：離散対数問題の困難さを利用。改良したものに**DSA**がある。
・**楕円曲線暗号**：RSAに比べて鍵のサイズが小さく、高速処理が可能。楕円曲線暗号を利用してDSAを改良したECDSAが考案されている。

③ハイブリッド暗号

共通鍵暗号方式（鍵の受け渡し）と公開鍵暗号方式（暗号化/復号に時間がかかる）の弱点を補う方法。最初に公開鍵暗号方式で共通鍵を送り、以降は共通鍵でやりとりを行う。

解説1　【解答】ア

楕円曲線暗号は、楕円曲線上の離散対数問題の解読の困難さを応用して安全性を確保する暗号方式の総称。公開鍵暗号方式の一つであるRSA暗号と比べて短い鍵長で同レベルの安全性を実現できるのが特徴。計算量が少なく処理速度が速いことから、次世代の暗号方式とされている。

解説2　【解答】イ

公開鍵暗号方式では、公開鍵と秘密鍵の2つの鍵を用い、公開鍵のみを公開する方法である。Bさんの公開鍵で暗号化した電子メールは、ペアとなるBさんの秘密鍵でのみ復号できる（イ）。ア：Bさんだけが、Bさんの秘密鍵を使って復号できる。ウ：Bさんの公開鍵では復号できない。エ：Bさんの公開鍵とペアになったBさんの秘密鍵でしか復号できない。

シラバス ●大分類3：技術要素 ●中分類11：セキュリティ ●小分類1：情報セキュリティ

Lesson 26

セキュリティ

デジタル署名と公開鍵基盤

デジタル署名（電子署名）とは、公開鍵暗号方式を利用し、送信者が本人であり、かつ情報が改ざんされていないことを保証する手法です。試験では、デジタル署名の役割と仕組みが問われます。公開鍵暗号方式との違いをしっかり押さえておきましょう。

テクノロジ系

問1 デジタル署名の検証鍵と使用法

check

メッセージにRSA方式のデジタル署名を付与して2者間で送受信する。そのときのデジタル署名の検証鍵と使用方法はどれか。

ア 受信者の公開鍵であり、送信者がメッセージダイジェストからデジタル署名を作成する際に使用する。

イ 受信者の秘密鍵であり、受信者がデジタル署名からメッセージダイジェストを算出する際に使用する。

ウ 送信者の公開鍵であり、受信者がデジタル署名からメッセージダイジェストを算出する際に使用する。

エ 送信者の秘密鍵であり、送信者がメッセージダイジェストからデジタル署名を作成する際に使用する。

問2 認証局の役割

check

PKIにおける認証局が、信頼できる第三者機関として果たす役割はどれか。

ア 利用者からの要求に対して正確な時刻を返答し、時刻合わせを可能にする。

イ 利用者から要求された電子メールの本文に対して、デジタル署名を付与する。

ウ 利用者やサーバの公開鍵を証明するデジタル証明書を発行する。

エ 利用者やサーバの秘密健を証明するデジタル証明書を発行する。

ここがポイント！

《デジタル署名（電子署名）の役割と仕組み》

(1) 送信者は、送信するメッセージ（平文）からハッシュ関数を使ってメッセージダイジェストを作成する（❶）。

(2) さらにメッセージダイジェストを送信者の秘密鍵（＝署名鍵）で暗号化（❷）したもの（デジタル署名）をメッセージと一緒に送信する。

(3) 送信されてきたデジタル署名を送信者の公開鍵（＝検証鍵）で復号し、メッセージダイジェストを得る（❸）。➡ ここで送信者の公開鍵でなければ復号できないことから、送信者本人が送っていることが証明できる。

(4) また受信者は、送信されてきたメッセージから、送信者と同じハッシュ関数を使ってメッセージダイジェストを作成する（❹）。

(5)作成したメッセージダイジェストと復号したメッセージダイジェストを照合（❺）し、一致すれば送られてきたメッセージが改ざんされていないことが証明できる。

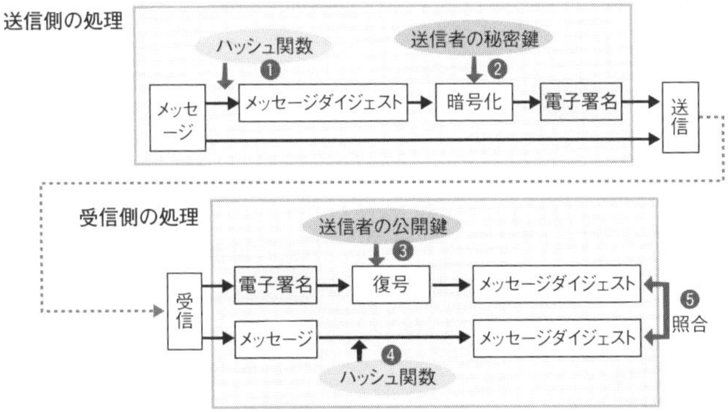

《認証局（CA；Certificate Authority）の役割》

認証局の役割は、Webページや電子メールなどについて、現実に存在する組織や個人が作成したことを電子証明書（デジタル証明書）を発行することで証明する。これにより、送信者が本当に名前どおりの本人で、なりすまし行為が行われていないかを証明できる。証明書は規約に沿った形式で発行され、主に右のような内容を含んでいる。

- バージョン　・シリアル番号
- 証明書の発行者（認証局）
- 有効期限（開始と終了）
- 証明書の所有者（証明される人）
- 所有者の公開鍵情報
- 発行者ID　・所有者ID
- デジタル署名のアルゴリズム
- 発行者（認証局）のデジタル署名

解説 1

【解答】ウ

デジタル署名における検証鍵の使用方法は、次のようである。

- 送信者：送信者は検証鍵を公開鍵として公開。ハッシュ関数でメッセージダイジェストを作成し、署名鍵で暗号化してデジタル署名を作成。
- 受信者:送信者の検証鍵を使ってデジタル署名を復号し、メッセージダイジェスト算出。また、送信者と同じハッシュ関数でダイジェストを作成し照合。

解説 2

【解答】ウ

認証局の役割は、上記「ここがポイント！」を参照。なお、PKI（Public Key Infrastructure：公開鍵基盤）とは、公開鍵暗号技術を利用した、情報セキュリティを実現するためのインフラ（基盤）を指す。具体的には、デジタル証明書（公開鍵証明書）と、その正当性を証明する認証局および、それらの運営や管理の仕組みのこと。

Lesson

シラバス ●大分類3：技術要素 ●中分類11：セキュリティ
●小分類1：情報セキュリティ

セキュリティ

27 アクセス管理と利用者認証技術

認証にはさまざまな方法があり、情報の重要性や運用方法によって使い分けられています。高度な認証方法は、使う側の手間と予算がかかりますが、安全性は高くなります。試験では、さまざまな認証方法の種類とその特徴が問われます。

問1 アクセス権の設定

check

利用者情報を格納しているデータベースから利用者情報を検索して表示する機能だけをもつアプリケーションがある。このアプリケーションがデータベースにアクセスするときに用いるアカウントに与えるデータベースへのアクセス権限として、情報セキュリティ管理上、適切なものはどれか。ここで、権限の名称と権限の範囲は次のとおりとする。

〔権限の名称と権限の範囲〕

参照権限：	レコードの参照が可能
更新権限：	レコードの登録、変更、削除が可能
管理者権限：	テーブルの参照、登録、変更、削除が可能

ア 管理者権限　　イ 更新権限

ウ 更新権限と参照権限　　エ 参照権限

問2 CAPTCHAの目的

check

CAPTCHAの目的はどれか。

ア Webサイトなどにおいて、コンピュータではなく人間がアクセスしていることを確認する。

イ 公開鍵暗号と共通鍵暗号を組み合わせて、メッセージを効率よく暗号化する。

ウ 通信回線を流れるパケットをキャプチャして、パケットの内容の表示や解析、集計を行う。

エ 電子政府推奨暗号の安全性を評価し、暗号技術の適切な実装法、運用法を調査、検討する。

ここがポイント！

《アクセス権の管理》

不正防止のためユーザがデータを利用する際、利用者に与える使用権限を管理すること。権限は対象者の業務と役職などによって決定する。

右図は、ログイン時に入力したユーザIDをもとにアクセス権テーブルを参照し、各フォルダへのアクセスの許可／不許可を決定する例。ユーザID「A008」の利用者は、フォルダAに対しては読込みが、フォルダBに対しては読込みと書込みが可能。

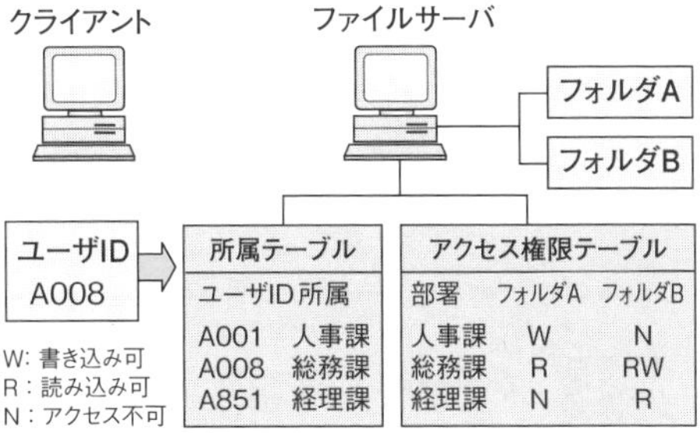

《認証技術と利用者認証》

①ICカードとPIN（Personal Identification Number）

ICカードは、ICチップを搭載したカードのこと。CPUやメモリを内蔵し、外部からの信号を受け取って計算処理を行う。PINは、ICカードなどのデバイスそのものに結びつけられた、システム側と利用者の間で共通のパスワードとして使われる番号のこと。

②2要素認証／多要素認証

漏えいや不正使用のリスクに備えるため、性質の異なる複数の認証を組み合わせる方法。例えば入退室管理では、IDとパスワードに生体認証を組み合わせる。

③タイムスタンプ（時刻）認証

文書（電子データ）が、ある時刻に存在していたこと（存在性）、改ざんされていないこと（完全性）を証明する。TSA（Time Stamp Authority：時刻認証局）によるサービス。

④チャレンジレスポンス認証

サーバが送信したチャレンジデータに対し、アクセスを行うクライアントが取り決めた規則に基づいてレスポンスデータを生成し、それをサーバが確認する方法。双方で保存してあるパスワードはそのまま使わないため安全性が高い。

⑤CAPTCHA

CAPTCHAは、Web上での登録や投稿などで、自動化されたコンピュータによる大量アクセスを避ける目的で使用される。方法は、歪められた文字や自動認識しにくい画像を提示し、利用者に判断を求める。

解説 1

【解答】エ

問題文のアプリケーションは「利用者情報を検索して表示する機能だけを持つ」としていることから、アクセス権限としては、参照はできるが登録、変更、削除ができない「参照権限」が適している。なお、このデータベースは顧客の会員登録を目的としたもので、「更新権限」は顧客自身、「管理者権限」はシステム管理者のアカウントに与えられていると想定できる。

解説 2

【解答】ア

CAPTCHAとは、「人間とコンピュータを判別するためのテスト」の英語の頭文字を略したもの。人間がアクセスしていることを確認するための仕組み。ゆがめた文字を入力させる、パズルのピースを埋める、質問に該当する画像をすべて選ぶなどの方法がある。ユーザ認証時などに求められることが多く、自動化された大量のリクエストなどを防ぐ目的がある。

問3 2要素認証

check

2要素認証に該当するものはどれか。

ア　2本の指の指紋で認証する。
イ　虹彩とパスワードで認証する。
ウ　異なる2種類の特殊文字を混ぜたパスワードで認証する。
エ　異なる二つのパスワードで認証する。

問4 メッセージ認証の仕組み

check

ファイルの提供者は、ファイルの作成者が作成したファイルAを受け取り、ファイルAと、ファイルAにSHA-256を適用して算出した値Bとを利用者に送信する。そのとき、利用者が情報セキュリティ上実現できることはどれか。ここで、利用者が受信した値Bはファイルの提供者から事前に電話で直接伝えられた値と同じであり、改ざんされていないことが確認できているものとする。

ア　値BにSHA-256を適用して値Bからデジタル署名を算出し、そのデジタル署名を検証することによって、ファイルAの作成者を確認できる。
イ　値BにSHA-256を適用して値Bからデジタル署名を算出し、そのデジタル署名を検証することによって、ファイルAの提供者がファイルAの作成者であるかどうかを確認できる。
ウ　ファイルAにSHA-256を適用して値を算出し、その値と値Bを比較することによって、ファイルAの内容が改ざんされていないかどうかを検証できる。
エ　ファイルAの内容が改ざんされていても、ファイルAにSHA-256を適用して値を算出し、その値と値Bの差分を確認することによって、ファイルAの内容のうち改ざんされている部分を修復できる。

問5 バイオメトリクス認証

check

バイオメトリクス認証には、身体的特徴を抽出して認証する方式と行動的特徴を抽出して認証する方式がある。行動的特徴を用いているものはどれか。

ア　血管の分岐点の分岐角度や分岐点間の長さから特徴を抽出して認証する。
イ　署名するときの速度や筆圧から特徴を抽出して認証する。
ウ　瞳孔から外側に向かって発生するカオス状のしわの特徴を抽出して認証する。
エ　隆線によって形作られる紋様からマニューシャと呼ばれる特徴点を抽出して認証する。

《メッセージ認証》

メッセージ認証は、メッセージが改ざんされたものではない（完全性）ことを証明する技術。一般的には、MAC（Message Authentication Code：メッセージ認証符号）を用いた方法を指し、次のような手順で行う。

〔送信側の処理〕メッセージを受信側へ送信するとともに、ハッシュ化したメッセージダイジェストを共通鍵で暗号化したMACを作成して受信側へ送信する。

〔受信側の処理〕受信したメッセージを同様に共通鍵で暗号化してMACを作成。作成したMACと受信したMACを照合し、相違がなければ、そのメッセージに改ざんがないことを確認できる。共通鍵を使うため、否認防止の証明にはならない。

《バイオメトリクス認証（生体認証）》

人間の生体情報を利用する認証技術。ほぼ同じものが存在しないため信頼性が高い。また、精度を表す値として、本人なのに認証されない確率を本人拒否率、本人ではないのに認証されてしまう確率を他人受入率と呼ぶ。両者は相反する関係にあり、安全性と利便性との兼ね合いで認証方法を選択したり、精度の調整を行う。

①身体的特徴による方法

加齢などによる変化に対応するため、パターン更新が必要。

指紋	指紋パターンを登録しておき、照合する
網膜	網膜にある毛細血管パターンを登録しておき、照合する
虹彩	目の瞳孔を調整する組織（虹彩）を登録し、照合する
声紋	声をサンプリングした発声パターンで照合

②行動的特徴による方法

サイン認証（座標と筆圧を登録）やまばたきなど、本人の行動や癖を見分けて認証する。

《ネットワークでの認証方法》

①ワンタイムパスワード

プログラムによって作り出す1回限りのパスワード。パスワードの漏えいを避けられ、安全性も高いが、容易に推測できないパスワードを作り出さなければならない。

②コールバック（callback）

受信側システムが利用者からの回線をいったん切断し、システム側から改めて掛け直し、回線を接続して通信を行う方法。他の場所から不正にアクセスできない効果がある。

解説3　【解答】イ

2要素認証（多要素認証）は、2つの認証方法を組み合わせることで、より強固なセキュリティを確立する方法である。このとき、性質の異なる認証を組み合わせることでより確実性が高まる。選択肢エのように2種類のパスワードでは、同時に漏洩することも考えられるので、生体認証の虹彩を組み合わせた選択肢イが正しい。

解説4　【解答】ウ

問題はメッセージ認証の手順について述べたもので、値Bは、元のデータをハッシュ関数SHA-256によってハッシュ化したメッセージダイジェストである。あらかじめ値Bが改ざんされていないことが確認できているので、利用者はファイルAにSHA-256を適用して算出した値と、送られてきた値Bを比較して、一致すればファイルAが改ざんされていないことを確認できる。

解説5　【解答】イ

バイオメトリクス認証（生体認証）は、人間の生体情報を利用する方法である。このうち身体的特徴とは、先天的な体の特徴を指しており、指紋、虹彩、網膜などが該当する。ほぼ同じものが存在しないため信頼性が高い。一方、行動的特徴は、対象者の動作の習慣やクセといった後天的な特徴を見るもので、署名などが該当する。選択肢の中ではイのみが行動的特徴である。

Lesson 28

セキュリティ

情報セキュリティ管理

情報リスクとは情報資産に損害を与える可能性のことで、情報資産＋脅威＋脆弱性で構成されます。リスクマネジメントとは、障害や問題が発生した場合に掛かる費用と、その発生を防ぐ対策のための費用のバランスをとって管理していくことです。

問1 情報の"完全性"を脅かす攻撃

check

情報の"完全性"を脅かす攻撃はどれか。

ア　Webページの改ざん
イ　システム内に保管されているデータの不正コピー
ウ　システムを過負荷状態にするDoS攻撃
エ　通信内容の盗聴

問2 リスク対策の方法

check

リスク共有(リスク移転)に該当するものはどれか。

ア　損失の発生率を低下させること
イ　保険への加入などで、他者との間でリスクを分散すること
ウ　リスクの原因を除去すること
エ　リスクを扱いやすい単位に分解するか集約すること

ここがポイント！

《情報セキュリティマネジメントシステム》

情報セキュリティマネジメントシステム(ISMS；Information Security Management Systems)は、企業などの組織がセキュリティレベルを保つための仕組みや取り組みのこと。ISMSに関する規格(JIS Q 27001：2014)では、組織が保護すべき情報資産について、三大要素をバランスよく維持し改善することとしている。

○情報セキュリティの３大要素＋４要素

機密性（情報資産を正当なユーザのみに使用可能にすること）、**完全性**（資産の正確さ、完全さ）、**可用性**（必要なとき使用可能な状態にあること）。そのほかの４要素は、**責任追跡性**（情報の履歴をたどれること）、**真正性**（主張するとおりであること）、**信頼性**（矛盾がなく一貫していること）、**否認防止**（事実ではない主張をされないようにすること）。

《リスクマネジメント》

①リスク特定

保有する情報資産を調査して重要性の分類を行い、この結果に基づき、要求されるセキュリティの水準を定める。

②リスク分析と評価

情報資産を取り巻く脅威の発生頻度（発生確率）、および、発生した際の被害の大きさ（損失額など）を分析。リスクの大きさ（リスクレベル）を評価し、優先順位を付ける。

③リスク対応

リスクの大きさによって優先順位を付け、リスクを回避したり、リスクを減らすための措置を講じ、不利益が発生する確率を減らす。

《リスク対策の方法》

①リスクコントロール

（1）**リスク軽減（リスク最適化）**：予想できるリスクの大きさに応じて、さまざまな措置を講じ、リスクをできるだけ少なくする方法。性能が安定し故障が少ない機器を導入する、作業者の教育訓練を充実して作業ミスを減らすといった対策をとる。

（2）**リスク回避**：リスクが発生する可能性のある業務を止めて、リスク回避を行う方法。ただし利便性が低下することがある。

（3）**リスク分散（リスク分離）**：大きなリスクや同時多発リスクが発生しないように、業務や情報資産を分離する方法。運用をアウトソーシングしたり、システムを分散させるなどの方法がある。ただし、別のリスクを生み出す要因にもなり得る。

（4）**リスク集中**：リスクとなる要因を１か所に集中させ、そこを重点的に管理する方法。管理コストがかかってもかまわない機密情報などが該当する。

②リスクファイナンシング

（1）**リスク共有（リスク移転）**：保険をかけるなどして、リスクを他者に移転する方法。万一のときには保険会社が損害額を支払う。

（2）**リスク保有（リスクを無視・受容する）**：予想リスクが小さく、万一発生しても大きな影響を与えない場合は、特にリスク対策を行わない。

解説 1

【解答】ア

完全性（インテグリティ）とは、「情報資源が完全な形で保存されているか」を表す指標。データの一部を誤って消してしまったり、攻撃者によってファイルを破壊される事態は、完全性が脅かされていることになる。ア：Webページの改ざんは完全性を脅かす行為（正解）。イ、エ：機密性を脅かす行為。ウ：可用性を脅かす行為。

解説 2

【解答】イ

リスクは完全にコントロールすることは不可能であるため、リスクに対する資金的な手当てを行うことをリスクファイナンスと呼ぶ。リスクファイナンスの代表的な方法が保険である。これは、リスク移転（共有）に該当するもので、保険に加入することで、自社が抱えるリスクを第三者に移転する。

シラバス ●大分類3：技術要素 ●中分類11：セキュリティ
●小分類3：セキュリティ技術評価、4：情報セキュリティ対策

Lesson 29

セキュリティ

情報セキュリティ対策

マルウェアや不正アクセスは、最も身近に遭遇する不正行為の一つです。感染対策はもちろんのこと、感染した場合の適切な対処法も求められます。試験では、マルウェア対策やその評価についての基本的な考え方などが具体例などで問われます。

問1 マルウェア対策

check

クライアントPCで行うマルウェア対策のうち、適切なものはどれか。

ア　PCにおけるウイルスの定期的な手動検査では、ウイルス対策ソフトの定義ファイルを最新化した日時以降に作成したファイルだけを対象にしてスキャンする。

イ　ウイルスがPCの脆(ぜい)弱性を突いて感染しないように、OS及びアプリケーションの修正パッチを適切に適用する。

ウ　電子メールに添付されたウイルスに感染しないように、使用しないTCPポート宛ての通信を禁止する。

エ　ワームが侵入しないように、クライアントPCに動的グローバルIPアドレスを付与する。

問2 ビヘイビア法

check

ウイルス検出におけるビヘイビア法に分類されるものはどれか。

ア　あらかじめ検査対象に付加された、ウイルスに感染していないことを保証する情報と、検査対象から算出した情報とを比較する。

イ　検査対象と安全な場所に保管してあるその原本とを比較する。

ウ　検査対象のハッシュ値と既知のウイルスファイルのハッシュ値とを比較する。

エ　検査対象をメモリ上の仮想環境下で実行して、その挙動を監視する。

ここがポイント！

《マルウェア対策》

①ウイルスの予防

- ワクチンソフトの導入：ワクチンソフト（ウイルス対策ソフト）とは、ウイルスの検出と除去を行うプログラム。ワクチンソフトが参照するウイルス定義ファイル（既知のウイルスが登録されているファイル）は最新にしておく。

  〔パターンマッチング方式〕…既知のウイルスの特徴（シグネチャコードという）をデータベース化しておき、それと比較することでウイルスの検出を行う。

- 修正プログラム（パッチ）の実行：OSやアプリケーションソフトのセキュリティホールを悪用されないように、メーカから提供される修正プログラムを実行しておく。

②ウイルス感染時の対処

- ネットワークから切り離す：他のコンピュータへの感染を防ぐために、ただちにウイルスに感染したコンピュータをネットワークから切り離す。これにより二次感染を防ぐ。
- システム管理者に連絡する：ネットワークを通じて感染が広がっている可能性があるため、すぐにシステム管理者に連絡し、他の利用者に連絡してもらう。
- ウイルスへの処置：ワクチンによる除去、感染していないバックアップからの復元などを行う。

③そのほかのウイルス対策法

- ヒューリスティック法：ウイルスそのものの特徴ではなく、ウイルスの行動を登録しておきチェックする方法。ウイルス定義ファイルが作られていない未知のウィルスや亜種のウイルスに対しても効果がある。
- ビヘイビア法：ウイルスが疑われる実行ファイルを、感染しても影響のない別環境で動作させ、ウイルスかどうかを確認する。動的ヒューリスティック法ともいう。

《セキュリティ技術評価》

①ペネトレーションテスト

サーバやネットワークシステムに対して、攻撃者が実際に侵入できるかという点に着目してテストを行うこと。実際に侵入を試みることから、侵入テストともいう。

②デジタルフォレンジックス

犯罪捜査などを行う際、パソコンやスマートフォンなどに残されている電子記録を収集・解析し、証拠とすること。証拠データの証明にはハッシュ値を利用する。

（※263ページへ続く↘）

解説 1

【解答】イ

コンピュータウイルスはOSやアプリケーションの脆弱性を突いてくるため、ソフトウェアメーカーは、そのつど修正パッチ（脆弱性をふさぐプログラム）を作成している。一般にソフトウェアアップデートという形で行っているので、面倒でも適用しておくことが確実な対策につながる。なお、アのウイルスの手動検査では、感染したウイルスが広がっている可能性を考え、全ファイルを対象にすべきである。

解説 2

【解答】エ

ビヘイビア法は、ウイルスの行動をもとに検出を行うもので、感染しても影響のない環境で実行してみて、その挙動を確認する。メモリ上の仮想環境で実行すれば、たとえウイルスとして行動を起こしても他の環境に影響を及ぼさない。

問3 デジタルフォレンジックス

check

デジタルフォレンジックスでハッシュ値を利用する目的として、適切なものはどれか。

ア　一方向性関数によってパスワードを復元できないように変換して保存する。

イ　改変されたデータを、証拠となり得るように復元する。

ウ　証拠となり得るデータについて、原本と複製の同一性を証明する。

エ　パスワードの盗聴の有無を検証する。

問4 SIEMの機能

check

SIEM (Security Information and Event Management) の機能はどれか。

ア　隔離された仮想環境でファイルを実行して、C&Cサーバへの通信などの振る舞いを監視する。

イ　さまざまな機器から集められたログを総合的に分析し、管理者による分析と対応を支援する。

ウ　ネットワーク上のさまざまな通信機器を集中的に制御し、ネットワーク構成やセキュリティ設定などを変更する。

エ　パケットのヘッダ情報の検査だけではなく、通信先のアプリケーションプログラムを識別して通信を制御する。

問5 IoTデバイスのセキュリティ

check

IoTデバイスの耐タンパ性の実装技術とその効果に関する記述として、適切なものはどれか。

ア　CPU処理の負荷が小さい暗号化方式を実装することによって、IoTデバイスとサーバとの間の通信経路での情報の漏えいを防止できる。

イ　IoTデバイスにGPSを組み込むことによって、紛失時にIoTデバイスの位置を検知して捜索できる。

ウ　IoTデバイスに光を検知する回路を組み込むことによって、ケースが開けられたときに内蔵メモリに記録されている秘密情報を消去できる。

エ　IoTデバイスにメモリカードリーダを実装して、IoTデバイスの故障時にはメモリカードをIoTデバイスの予備機に差し替えることによって、IoTデバイスを復旧できる。

（↘ 261ページからの続き）

③耐タンパ性

システムの内部構造や記憶しているデータにおける解析困難度を表す指標。例えば、ICカードに記憶されているデータであれば、盗み出そうとする行為に対する耐性の度合い。

《セキュリティ製品・サービス》

①SIEM（シーム：Security Information and Event Management）

統合的なログ管理システム。ログを一元管理しリアルタイムに分析を行うことで、異常を早期発見して警告を発することができる。

②IDS（Intrusion Detection System）／IPS（Intrusion Prevention System）

IDS（侵入検知システム）は、ネットワーク上のパケットやコンピュータ内部の挙動を監視して不正な侵入を検知する。IPS（侵入防止システム）は検知と同時に防止を行う（接続を遮断）。また攻撃を定義した検出パターンにより、さまざまな攻撃に対応できる。

③MDM（Mobile Device Management）

スマートフォンやタブレットなどのモバイル端末用管理ツール。利用状況やバージョン管理、機能やアプリの利用制限、パスワードや紛失時の漏えい対策などを行える。

《IoTのセキュリティ》

不正アクセスによる盗撮や盗聴被害のほか、マルウェア感染やIoTネットワーク全体への侵入などが考えられる。また、IoTデバイスは管理者から離れたところに設置されるため、デバイス自体の盗難対策も必要となる。主に次のような対策方法がある。

- IoTネットワークの接続機器が把握できるように、全体構成を明確にしておく。
- 導入時には、初期設定のログイン情報（ユーザ名、パスワード）を必ず変更する。
- 機器自体にセキュリティ機能がない場合、ホストや中継機器において対策を行う。
- IPアドレスやポート番号によって接続先を制限する。
- 入力および出力データを監視し、不正アクセスを防ぐ。
- ユーザ認証、メッセージ認証により、なりすましや改ざん、情報漏えいを防止する。
- データの通信路やデータそのものを暗号化する。
- 耐タンパ性の向上手段として、筐体の開封感知による自動消去、内部構造やデータ解析を困難にするといった対策をとる。また遠隔操作による機能のロック、データの消去を可能にしておく。

解説3　【解答】ウ

デジタルフォレンジックスは、情報漏洩などの犯罪捜査などを行う際、パソコンやスマートフォンなどに残されている電子記録を収集・解析し、証拠とすること。またハッシュ値は、ハッシュ関数によって作り出されるデータで、同一データのハッシュ値は同じ値になり、解読も復元もできない。そのため、押収データの解析や、原本と複製の同一性の証明に利用される。

解説4　【解答】イ

SIEM（シーム）は、セキュリティ情報（ネットワーク機器やセキュリティ機能として記録されたログ情報）を一元的に管理・分析するシステムである。単独のログ分析では察知しにくい、異常や攻撃の兆候を自動かつ迅速に見つけ出すことができるため、人の負担を軽減でき、早期の対応が可能になる。その他の選択肢は、ア：サンドボックス、ウ：SDN、エ：IPSの説明。

解説5　【解答】ウ

IoTデバイスにおける耐タンパ性は、機密データの漏洩やハードウェアの解析などを防ぐ能力。機器そのものを持ち去られてしまうことを想定する必要がある。選択肢の中で、ウは、筐体の開封を感知したときに、データの自動消去を行うことで、ハードウェアによる耐タンパ性を実現している。その他の選択肢は、機器解析による情報漏洩を防ぐことはできない。

シラバス ●大分類3：技術要素 ●中分類11：セキュリティ
●小分類5：セキュリティ実装技術

Lesson 30

セキュリティ

セキュアプロトコルと認証プロトコル

セキュアプロトコルは、通信データの盗聴、不正アクセスなどを防ぐ目的で使われます。また認証プロトコルは、なりすましによる不正アクセスやメールの偽装などを防ぐため、正当な利用者かどうかを特定するために使います。種類が多いので整理しておきましょう。

問1 セキュアプロトコル

check

HTTPS（HTTP over SSL/TLS）の機能を用いて実現できるものはどれか。

ア　SQLインジェクションによるWebサーバへの攻撃を防ぐ。
イ　TCPポート80番と443番以外の通信を遮断する。
ウ　Webサーバとブラウザの間の通信を暗号化する。
エ　Webサーバへの不正なアクセスをネットワーク層でのパケットフィルタリングによって制限する。

問2 認証プロトコル

check

電子メールをドメインAの送信者がドメインBの宛先に送信するとき、送信者をドメインAのメールサーバで認証するためのものはどれか。

ア　APOP　　イ　POP3S　　ウ　S/MIME　　エ　SMTP-AUTH

ここがポイント！

《セキュアプロトコル》

①SSL（Secure Socket Layer）／TLS（Transport Layer Security）

SSLは、Webブラウザと Webサーバ間で認証と暗号化通信を行うためのトランスポート層のプロトコル。相手方のサーバから電子証明書を受け取り、なりすましでないことが確認できたら、公開鍵暗号方式を使って共通鍵を送る。SSLをベースにしたものがTLS（Transport Layer Security）で、SSL3.0以降のバージョンはTSLになる。

・HTTPS（HTTP over SSL/TLS）：SSLを用い、Webサーバと Webブラウザ間の通信を暗号化して行う技術。HTMLファイルの転送プロトコルであるHTTPは平文でデータをやり取りするため、Webブラウザ上での決済などではHTTPSが利用される。HTTPSの使用中はWebブラウザのアドレス欄に「https://」と表示される。

②IPsec（Security Architecture For Internet Protocol）

IP層で安全に通信を行うための技術の総称で、IPパケットの暗号化とカプセル化、ユーザ認証などの機能がある。IPv6から標準でサポートされている。

③S/MIME

公開鍵暗号方式を用い、メールを暗号化して送受信する電子メールの標準方式。送信側と受信側の両方のメールソフトが、S/MIMEに対応している必要がある。

④PGP（Pretty Good Privacy）

公開鍵暗号方式を用いて、メールやファイルを暗号化するための仕組みおよびプロトコル。デジタル署名を使い、改ざんを検出する機能も持つ。

《認証プロトコル》

①SMTP-AUTH（SMTP Authentication）

SMTP-AUTHは、メール送信に使うSMTPプロトコルに、ユーザ認証機能を追加したもの。RFC 2554としてIETFにより文書化されている（現RFC 4954）。

②SPF（Sender Policy Framework）

SMTPを利用したメール送受信において、送信者のドメイン偽装を防ぎ、正当性を検証する仕組み。電子メールを受信したメールサーバが、送信元メールアドレスのドメインのDNSサーバからメールサーバのIPアドレスを取得し、SMTP接続元のサーバのIPアドレスと比較することで正規サーバからのメールであることを検証する。

③APOP（Authenticated POP）／POP3S（POP3 over SSL/TLS）

APOPは、メール受信に用いられるPOP3（p.240参照）において認証時のパスワードの暗号化を行う方式。一方、POP3Sでは、SSL/TLSを用いて伝送路そのものを暗号化する。ID、パスワード、メッセージ本文が暗号化されるので、盗聴リスクが低くなる。

④DKIM（DomainKeys Identified Mail）

受信したメールが「正当な送信者からのメールで改ざんされていない」ことを検証できる送信ドメイン認証技術。送信時に秘密鍵で生成した署名をメールヘッダに添付する。

解説1　【解答】ウ

HTTPSは、Webサーバと Webブラウザ間の通信を暗号化する技術。実際にはSSL/TLSを利用しており、「HTTP over SSL/TLS」を略したもの。ネットショップなどの決済時になどで利用されることが多い。ア：WAFの機能。イ、エ：パケットフィルタリングの機能。

解説2　【解答】エ

SMTP-AUTHは、電子メールの送信に使うSMTPプロトコルに、ユーザ認証機能を追加したもので、ユーザIDとパスワードによって認証を行う。ア：APOP（Authenticated POP）は、メール受信の際に用いるPOP3における認証時のパスワードを暗号化する方式。イ：POP3S（POP3 over SSL/TLS）は、POP3を暗号化する方式で、SSL/TLSを用いて伝送路そのものを暗号化する。ウ：電子メールを暗号化して送受信する方式。

シラバス ●大分類3：技術要素 ●中分類11：セキュリティ
●小分類5：セキュリティ実装技術

セキュリティ

31 ネットワークセキュリティ

インターネットは、企業や個人が自由に接続することできますが、ネットワーク自体が防護されているわけではありません。このため、さまざまなセキュリティ技術を組み合わせて、セキュリティを確保する必要があります。試験では、関連する技術について問われます。

問1 DMZに設置するもの

check

1台のファイアウォールによって、外部セグメント、DMZ、内部セグメントの三つのセグメントに分割されたネットワークがあり、このネットワークにおいて、Webサーバと、重要なデータをもつデータベースサーバから成るシステムを使って、利用者向けのWebサービスをインターネットに公開する。インターネットからの不正アクセスから重要なデータを保護するためのサーバの設置方法のうち、最も適切なものはどれか。ここで、Webサーバでは、データベースサーバのフロントエンド処理を行い、ファイアウォールでは、外部セグメントとDMZとの間、及びDMZと内部セグメントとの間の通信は特定のプロトコルだけを許可し、外部セグメントと内部セグメントとの間の直接の通信は許可しないものとする。

ア　Webサーバとデータベースサーバを DMZに設置する。
イ　Webサーバとデータベースサーバを内部セグメントに設置する。
ウ　WebサーバをDMZに、データベースサーバを内部セグメントに設置する。
エ　Webサーバを外部セグメントに、データベースサーバをDMZに設置する。

問2 WPA3

check

WPA3はどれか。

ア　HTTP通信の暗号化規格
イ　TCP/IP通信の暗号化規格
ウ　Webサーバで使用するデジタル証明書の規格
エ　無線LANのセキュリティ規格

ここがポイント！

《ファイアウォール》

外部のネットワークからの攻撃や不正侵入から、社内のLANを守るための仕組みを**ファイアウォール**(防火壁:firewall)と呼ぶ。具体的な方法として代表的なものに、パケットフィルタリングとアプリケーションゲートウェイなどがある。ファイアウォールは、ルータなどのハードウェア機能だけでなく、ソフトウェアで実現する方法もある。

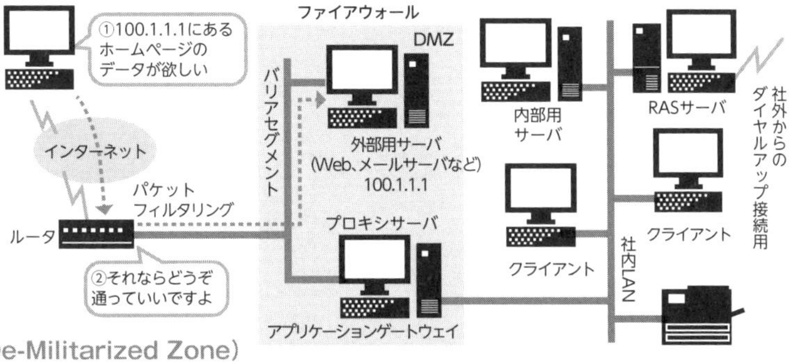

①DMZ (De-Militarized Zone)

外部とのやりとりが直接発生するサーバを社内LANとは別セグメントに分けることで、システムやデータを外部の攻撃から守る役割をする緩衝領域を指す。実際には、外部からの要求に応える機能を持つWebサーバなどをDMZのセグメントに置き、DMZの内側(内部)にある社内LANへの直接アクセスは原則不許可とする。

②パケットフィルタリング

パケットに含まれる情報を手がかりに、不正なデータの通過を防ぐ機能。ルータ内のフィルタリングテーブルに、あらかじめ発信元と宛先のアドレスとポート番号(データを引き渡すアプリケーションを示す)、通過の許可・不許可といった通信ルールを設定しておき、ルータはそれにもとづいてパケットの通過または廃棄を行う。

〔例〕 社内LAN内部から発信されたパケットのうち、宛先ポート番号が80(HTTP)のパケットの通過を許可する設定。

	IP層		TCP層		動作
	送信元IPアドレス	宛先IPアドレス	送信元ポート番号	宛先ポート番号	
行き	内部PC	Webサーバ	1024以上	80	許可
帰り	Webサーバ	内部PC	80	1024以上	許可

※1024は内部PCに一時的に割り振られるポート番号

③VPN (Virtual Private Network)

暗号化技術などを用いることで、安価な公衆網を仮想的な専用線(仮想私設網)として利用するセキュリティ技術。データをパケットで包んでカプセル化するので、社内LAN用にプライベートIPアドレスを用いたパケットでも通信可能になる。

《無線LANのセキュリティ規格》

・WPA2/3 (Wi-Fi Protected Access2/3)

無線LANの暗号化方式のセキュリティ規格。暗号化鍵の鍵長を増やし、ユーザ認証とセキュリティ強化を図ったWPA2。さらにWPA2の脆弱性への対応を図ったWPA3では、「SEA(同一入力データの同時認証)」による認証強化と機密性強化が行われた。

問3 パケットフィルタリングのルール check

社内ネットワークとインターネットの接続点に、ステートフルインスペクション機能をもたない、静的なパケットフィルタリング型のファイアウォールを設置している。このネットワーク構成において、社内のPCからインターネット上のSMTPサーバに電子メールを送信できるようにするとき、ファイアウォールで通過を許可するTCPパケットのポート番号の組合せはどれか。ここで、SMTP通信には、デフォルトのポート番号を使うものとする。

	送信元	宛先	送信元 ポート番号	宛先 ポート番号
ア	PC	SMTPサーバ	25	1024以上
	SMTPサーバ	PC	1024以上	25
イ	PC	SMTPサーバ	110	1024以上
	SMTPサーバ	PC	1024以上	110
ウ	PC	SMTPサーバ	1024以上	25
	SMTPサーバ	PC	25	1024以上
エ	PC	SMTPサーバ	1024以上	110
	SMTPサーバ	PC	110	1024以上

問4 侵入者やマルウェアの挙動調査 check

侵入者やマルウェアの挙動を調査するために、意図的に脆(ぜい)弱性をもたせたシステムまたはネットワークはどれか。

ア DMZ　　イ SIEM

ウ ハニーポット　　エ ボットネット

《ネットワークセキュリティに使われる対策およびシステム》

①ポートスキャナ

ネットワーク上のコンピュータなどの各ポートに実際にアクセスして調べることで、アクセス可能なポートや稼働中のサービスを調べる管理用のソフトウェア。攻撃を目的として、脆弱性のあるサービスが稼働していないかを調べるためにも用いられる。

②ハニーポット

不正アクセスの手口やクラッカーの侵入経路を探るため、意図的に脆弱性を残し、「おとり」として設置するサーバやネットワークシステム。

③リバースプロキシ

特定のサーバ（複数可）の代理として、そのサーバへのリクエストを中継するプロキシサーバ。ユーザがサーバへアクセスしようとした場合、そのリクエストはすべてリバースプロキシ経由になるため、中継時にパケットをチェックしたり、シングルサインオン（1度の認証で複数のサービスを利用できる）を実現したりすることが可能になる。

④OP25B（Outbound Port 25 Blocking）

宛先ポート番号25への送信を禁止することで、スパムメールの防止や迷惑メールの削減の対策を行うこと。ISP（インターネットサービスプロバイダ）が行うもので、ISP管理下のネットワーク（動的IPアドレス）から、ISP管理外のネットワークに向けたメールを制限する。ポート番号25は、SMTP（メール送信用プロトコル）が利用するポートだが、ユーザ認証機能を持たないため不正利用されやすい。25ポートを制限した場合は、SMTP-AUTHと587ポートを利用するなどでユーザ認証を行う。

解説1　【解答】ウ

この問題では3つのセグメントがあり、DMZは内部セグメントと外部セグメントの間に位置づけられている。また、外部セグメントと内部セグメントはDMZを介してのみ通信が可能になっている。そこで構成は、インターネットに公開するデータを含むWebサーバに置き、重要なデータをもつデータベースサーバを内部セグメントに置くことで、セキュリティを確保できる。

解説2　【解答】エ

WPA3は、業界団体Wi-Fi アライアンスによる無線LANの暗号化方式の規格の1つ。個人向けの「WPA3-Personal」と、より防御強度を高めた企業向け「WPA3-Enterprise」がある。ア：HTTP通信の暗号化は「HTTPS」。イ：TCP/IP通信の暗号化は「IPsec」。ウ：WebサーバのTLSやS/MIMEで使用するデジタル証明書の規格は「ITU-T X.509」が該当する。

解説3　【解答】ウ

表中の「25番」は、SMTP（電子メール送信）に使われるポート番号である。また、クライアントの側に一時的に割り振られるポート番号の範囲は1024以上（1024～49151番）と定義されている。整理すると右図のようになる。

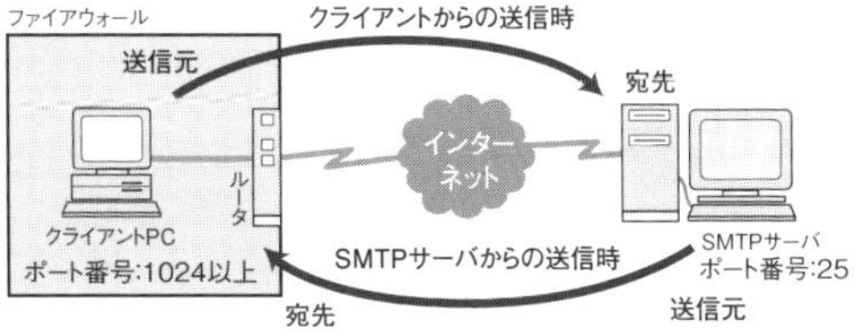

解説4　【解答】ウ

ハニーポットは、侵入者やマルウェアの挙動調査を目的として設けたシステムやネットワーク。おとりとして機能するように、弱点（脆弱性）を残しておき、つられてやってきた侵入者の攻撃や行動パターンを見たり、身元を特定したりといったことを行う。これにより今後のセキュリティ対策に繋げる。また、稼働中のシステムから目をそらすためのおとりとして用いることもある。

Lesson

シラバス ●大分類3：技術要素 ●中分類11：セキュリティ ●小分類5：セキュリティ実装技術

32 セキュリティ アプリケーションセキュリティ対策

ネットワークのセキュリティに加えて、インターネットに接続されたデータベースやアプリケーションについてのセキュリティも考える必要があります。試験では、アプリケーションセキュリティに関する技術に加え、攻撃の種類ごとの防御対策が具体的に問われます。

テクノロジ系

問1 セキュリティバイデザインの説明 check

セキュリティバイデザインの説明はどれか。

ア　開発済みのシステムに対して、第三者の情報セキュリティ専門家が、脆弱(ぜい)性診断を行い、システムの品質及びセキュリティを高めることである。

イ　開発済みのシステムに対して、リスクアセスメントを行い、リスクアセスメント結果に基づいてシステムを改修することである。

ウ　システムの運用において、第三者による監査結果を基にシステムを改修することである。

エ　システムの企画・設計段階からセキュリティを確保する方策のことである。

問2 SQLインジェクションへの防御 check

SQLインジェクション攻撃による被害を防ぐ方法はどれか。

ア　入力された文字が、データベースへの問合せや操作において、特別な意味をもつ文字として解釈されないようにする。

イ　入力にHTMLタグが含まれていたら、HTMLタグとして解釈されない他の文字列に置き換える。

ウ　入力に上位ディレクトリを指定する文字列（../）が含まれているときは受け付けない。

エ　入力の全体の長さが制限を超えているときは受け付けない。

ここがポイント！

《アプリケーションセキュリティ》

①セキュリティバイデザイン／プライバシーバイデザイン

ソフトウェアや情報機器などを含むシステムの企画・設計段階から、セキュリティへの方策を考慮しておくこと。結果的に運用コストの削減につながる。特にIoT機器をシステムの一部と捉えることが重要になる。同様な考え方の**プライバシーバイデザイン**は、企画・設計段階からプライバシーの確保を考慮しておくこと。

②WAF（Web Application Firewall）

Webアプリケーションの脆弱性を突く攻撃から守るための機器またはソフトウェア。クライアント側からWebアプリケーションに渡される入力などの通信内容を、あらかじめ設定した検出パターンに基づいて検査することで、攻撃と見なされるアクセスを遮断できる。また、クライアント側のWebブラウザとWebサーバの間に設置するため、複数のWebアプリケーションをまとめて、SQLインジェクションやクロスサイトスクリプティングなどから保護することが可能になる。

③セキュアプログラミング

セキュアプログラミングの基本は、脆弱性を作らないことと、予防としての準備をしておくこと。具体的には、外部入力のデータはすべて検査する、外部出力するデータは問題を起こさないように加工する、シンプルな設計にする、許可ではなく拒否ベースでアクセスを決める、多層防御を行い被害を限定する、などを行う。

④脆弱性低減技術

開発するアプリケーションは、さまざまな検査を行うことにより、機能テストでは発見の難しいバグや脆弱性を発見できる。方法としては次のものがある。

- **ソースコードの静的テスト**：主にソースコードについて、実行を伴わずに検査する方法。脆弱性に関わるコーディングパターンを早期に見つけ出すことができる。
- **プログラムの動的テスト**：プログラムを実行した結果を解析する方法。既知の脆弱性の発見には、代表的な攻撃手法を試して特徴的な応答を観察する**脆弱性診断**がある。
- **ファジング（fuzzing）**：通常ではありえない、予測不可能なデータを投入することで、バグや脆弱性を見つけ出す検査手法。入力データの作成は手作業のほか、自動でデータを作り出したり、データの組合せをテストできる**ファジングツール**を用いる。

解説 1　【解答】エ

セキュリティバイデザインは、情報システムや情報機器の企画や設計段階から、セキュリティ対策を想定し、対策を講じておくこと。多くの情報機器が接続される現在では、後からセキュリティ対策を講じていたのでは追いつけない状況になっている。また、セキュリティレベルの維持やコストの面からもセキュリティバイデザインの考え方は効果がある。

解説 2　【解答】ア

SQLインジェクション攻撃は、データベースと連動するWebアプリケーション画面の脆弱性を突いた攻撃。検索キーワードを入力するテキストボックスに、悪意のある問合せを行うSQL文を打ち込むことで、データベースを不正操作や改ざんを行う。対策方法としては入力された文字列を検査し、特別な意味を持つ文字を取り除いたり、受付を拒否するような設定にする。イ：クロスサイトスクリプティングへの対策。ウ：ディレクトリトラバーサル攻撃への対策。エ：バッファオーバフロー攻撃への対策。

問3 アプリケーションセキュリティ

check

クライアントとWebサーバの間において、クライアントからWebサーバに送信されたデータを検査して、SQLインジェクションなどの攻撃を遮断するためのものはどれか。

ア　SSL-VPN機能
イ　WAF
ウ　クラスタ構成
エ　ロードバランシング機能

問4 ファジングの効果

check

ファジングで得られるセキュリティ上の効果はどれか。

ア　ソフトウェアの脆(ぜい)弱性を自動的に修正できる。
イ　ソフトウェアの脆弱性を検出できる。
ウ　複数のログデータを相関分析し、不正アクセスを検知できる。
エ　利用者IDを統合的に管理し、統一したパスワードポリシを適用できる。

解説3　【解答】イ

SQLインジェクション攻撃は、Webアプリケーションの脆弱性を突く攻撃で、入力したデータの検査が不十分なとき、攻撃対象となる。WAF(Web Application Firewall)は、Webアプリケーションを対象にしたファイウォールで、Webサーバへの攻撃とみなされるパターンを検知し、必要であればアクセスを遮断する。

解説4　【解答】イ

ファジングは、通常では予測しにくい多様なデータを投入することで、その挙動を監視し、バグや脆弱性を見つけ出すソフトウェア検査の手法である。脆弱性を検出することが目的なので、アの記述のようにデータの自動修正は行わない。ウ：複数のログデータを一元的かつリアルタイムに分析するのはSIEM(p.263を参照)。エ：認証管理やアカウント管理で行う。

第4章 テクノロジ系

開発技術

この章の

攻略法

本章の特徴と対策

●「開発工程」を出題範囲としたカテゴリ

本章は「システムやソフトウェアの開発現場では、どのような手順や手法を用いて開発が行われているのか」が問われます。この章は大きく2つのカテゴリに分かれており、「システム開発技術（Lesson 01 〜 10）」は、システム開発で行われる各工程の作業内容が含まれています。また「ソフトウェア開発管理技術（Lesson 11 〜 13）」は、開発モデルや開発技法、関連する法規など、開発をとりまく知識が含まれます。どちらのカテゴリも、まず開発作業全体の流れを把握・整理しておくと、理解がスムーズになります。

また、システム設計で用いる図法では、DFD や E-R 図に代わり、より多彩な表現が可能な UML がよく出題されるようになりました。特にクラス図は、データベースのカテゴリ（第3章）からも出題があります。基本的な図の読み方を理解しておきましょう。

●類似する専門用語を混同しないように注意！

開発工程は細かく分けられており、似たような工程名が多いので、工程の順序や各工程の作業内容の違いを意識しながら覚える必要があります。また、開発手法や管理手法にも、類似する場面で使われる技法がいくつもあるため、こちらも整理しながら理解しましょう。特にまぎらわしい用語を右ページにまとめておきます。

注目の出題テーマベスト8

1位	02 開発の図式手法
2位	11 ソフトウェアの開発手法
3位	03 オブジェクト指向設計
4位	05 ホワイトボックステスト
5位	04 モジュール分割
6位	08 ソフトウェア統合テスト
7位	06 ブラックボックステスト
8位	13 ソフトウェアの著作権と開発・構成管理

※テーマ左の数字は、この章の Lesson 番号

第４章の出題割合は全体の７〜8%程度です。定番のテーマは UML が含まれる「開発の図式手法」。近年出題が増えている「ソフトウェアの開発手法」からは、アジャイルや XP など、比較的新しい手法がよく出題されています。さらに「オブジェクト指向設計」は、その概念（クラスやオブジェクト間の関係を示す用語など）に注意。「ホワイトボックステスト」と「ブラックボックステスト」は、決まった技法が出るので慣れておきましょう。

覚えておきたい頻出用語

ここが問われやすい!!

オブジェクト指向設計

※数字は、この章の Lesson 番号

03 □ **クラス**
複数のオブジェクトに共通する性質を1つにまとめ、それに名前を付けたもの。**オブジェクトのひな形**となるもの。

03 □ **インスタンス**
クラスから生成された具体的な値を持つオブジェクトのこと。

03 □ **インヘリタンス（継承）**
サブクラスがスーパクラスの性質を引き継ぐこと。インヘリタンスにより、サブクラスには固有の性質のみを定義すればよいため、プログラム作成の負荷が軽減される。これを**差分プログラミング**という。

テスト技法

05 □ **ホワイトボックステスト**
プログラムの内部構造に着目したテストで、主に開発者が行う。「プログラムが設計書通り機能するか」を確認する。

06 □ **ブラックボックステスト**
機能に着目したテスト。内部のプログラムの動きは関知せず、「さまざまな入力に対して、仕様通りの出力結果が得られるか」を確認する。

ソフトウェア統合テスト

08 □ **トップダウンテスト**
上位から下位モジュールへ順に結合しながら行うテスト。未完成の下位モジュールの動作をシミュレートする**スタブ**が必要。

08 □ **ボトムアップテスト**
単体テストが終わった下位モジュールから上位モジュールへ順に結合しながら行うテスト。未完成の上位モジュール代わりの**ドライバ**が必要。

ソフトウェアの再利用

12 □ **リバースエンジニアリング**
既存ソフトウェアからシステム仕様を導き出す再利用技術。プログラムソースをもとにプログラム仕様書や設計情報を導き出すなど。

12 □ **フォワードエンジニアリング**
システム仕様からソフトウェアを作り出す。

理解しておきたい基礎知識

システム開発の流れ

各プロセスの名称・内容は、シラバス Ver.7.2 より「JIS X 0160：2021」を前提としている。

企画プロセス／要件定義プロセス

経営や業務方針に基づいてシステムを企画し、対象範囲や必要な要件を定義する。

⬇

開発プロセス

1 システム要件定義

システム戦略に基づき、システムを機能的な単位に切り分け、開発で目標とすべきシステムとその対象範囲をまとめていく。工程の最後に、要件定義書にまとめ、システムの利用者と開発者がレビューを行って結果を確認する。

→レビュー

⬇

2 ソフトウェア要件定義

構築するシステムのソフトウェア部分について要件を決めていく。システムの完成時には利用者が直接関わる部分を、整理しながら決めていくため、開発者と利用者が協力して作業を進める。作業にあたり、ヒアリング、ユースケース、プロトタイプ、DFD、E-R図、UML、決定表など、さまざまな手法を用いる。

→レビュー

⬇

3-1 設計① システム設計

システム要件を、ハード、ソフト、サービスの利用、手作業に振り分け、それぞれに必要なシステム構成を決めていく。実際に決定していく内容は、①信頼性や性能要件、効率性をふまえたハードウェア構成（クラウドサービスの利用も含む）の決定、②ソフトウェアの方針（自社開発かパッケージ利用か）やミドルウェアの選択といったソフトウェア構成の決定、③集中処理、分散処理、クライアントサーバシステムなど、システムの処理方式の決定、④データベース方式の決定を順に行う。

また、システム統合テストの仕様書を決めておく。

→レビュー

3-2 設計② ソフトウェア設計

この工程では、全体のシステムを開発者側の観点で、機能単位のコンポーネント（サブシステム）やモジュール〜ソフトウェアユニット（プログラム単位）まで分割し、それらを連係するインタフェース仕様、また、個々のコンポーネントが完成したときのソフトウェア統合テストの仕様を決めておく。

→レビュー

4 実装・構築

ソフトウェア詳細設計で分割した各ユニットについて、実際にコーディング（プログラミング）を行っていく。また、完成したユニットは、それぞれテストデータを用いてユニットテストを行う。

→レビュー

5 統合・テスト

完成したユニットを機能単位のソフトウェアに結合していく。機能単位に検証できるようソフトウェアを統合（ソフトウェア統合）し、さらにそれらをまとめ、システムとして機能するように統合（システム統合）する工程。さらに統合計画を作成し、ソフトウェア統合テスト、システム統合テストを実施。評価とレビューを経て、必要に応じてシステムのチューニング（調整）を行う。

→レビュー

6 導入・受入れ支援

完成後は、導入計画を作成し、計画に基づき導入（インストール）を行う。またユーザー側に対し、テスト支援や教育訓練、利用者マニュアルの整備などの受入れ支援も実施する。さらに、システム要件定義に基づくシステム検証テスト、利用者要求に基づく妥当性確認テストを経て、システムの完成に至る。

→レビュー

運用プロセス／保守・廃棄プロセス

システムは保守を続け、次期システムの完成による廃棄まで稼働を続ける。

Lesson

システム開発技術

01 システム開発のプロセス

システムの開発プロセスは、ユーザの要求をまとめる「システム要件定義」から始まり、段階を追って設計・構築を進めていきます。試験対策としては、設計～テスト、導入、保守へ至るまでの作業について、大まかな流れと作業内容を把握しておきましょう。

問1 要求事項評価の基準

check

ソフトウェアライフサイクルプロセスにおいて、システム要件（要求事項）定義プロセスにおける要求事項評価の基準はどれか。

ア　システム要求事項のテスト網羅性
イ　システム要求事項への追跡可能性
ウ　取得ニーズとの一貫性
エ　使用されたテスト方法及び作業標準の適切性

問2 システム開発の作業

check

システム開発のプロセスにおいて次のタスクを実施するものはどれか。

〔タスク〕
・ソフトウェア品目の外部インタフェース、及びソフトウェアコンポーネント間のインタフェースについて最上位レベルの設計を行う。
・データベースについて最上位レベルの設計を行う。
・ソフトウェア結合のために暫定的なテスト要求事項及びスケジュールを定義する。

ア　システム要件定義　　イ　ソフトウェア要件定義
ウ　システム設計　　エ　ソフトウェア設計

ここがポイント！

《開発工程と作業内容》

ソフトウェアは作ってしまえば終わりというものではなく、その後長期間にわたって運用・保守が続けられる。

システムの利用環境が変化し、保守では対応できなくなったとき、新たなシステム構築が必要となる。

ソフトウェアライフサイクルのプロセス

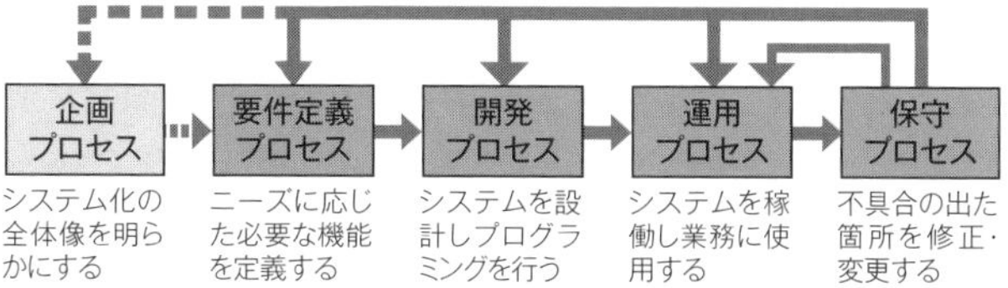

企画プロセス
要件定義プロセス
開発プロセス
運用プロセス
保守プロセス
システム化の全体像を明らかにする
ニーズに応じた必要な機能を定義する
システムを設計しプログラミングを行う
システムを稼働し業務に使用する
不具合の出た箇所を修正・変更する

●開発プロセスの詳細

	開発プロセス	開発プロセス	主な担当者
1	**システム要件定義**	システムを機能的な単位に切り分け、目標とすべきシステムとその対象範囲をまとめる。ユーザの業務手順、操作手順、入出力データを分析・整理し、ユーザ要求を踏まえながらシステムに入れるべき機能を明確にしていく。	開発者とユーザが協力して行う
2	**ソフトウェア要件定義**	ソフトウェア部分についての要件を確立。①業務の詳細な流れをシステムの形にする、②データの流れを掴む、③画面や帳票などを設計、④セキュリティ対策、⑤システム保守の仕様など。	開発者とユーザが協力して行う
3	**設計**（システム設計、ソフトウェア設計の2段階で行う）	**(1) システム設計**…①ハードウェア構成、②ソフトウェア構成、③集中・分散処理などのシステムの処理方式、④データベース方式および統合テストのテスト仕様を決めていく。 **(2) ソフトウェア設計**…システムをコンポーネントやモジュール（機能単位）～ソフトウェアユニット（プログラム単位）まで分割し、機能、インタフェース仕様を決めていく。	開発者が担当
4	**実装・構築**	分割した各ソフトウェアユニットについて、実際にコーディング（プログラミング）を行っていく。各ユニットのデバッグを経て、レビューおよびユニットテストを行う。	開発者が担当
5	**統合・テスト**	機能単位に統合（ソフトウェア統合）し、さらにシステムとして機能するように統合（システム統合）する。テスト、レビューを経て、システムのチューニング（調整）を実施する。	開発者とユーザが協力して行う
6	**導入・受入れ支援**	導入計画および導入を行う。また、テスト支援や教育訓練、利用者マニュアルの整備などの受入れ支援を実施。	開発者とユーザが協力して行う
7	**保守・廃棄**	次期システムの完成による廃棄まで稼働を続ける。	開発者とユーザ

解説 1

【解答】ウ

ソフトウェアライフサイクルプロセスは、JIS X160：2021として、ソフトウェアの取得・供給・開発から運用・保守および廃棄に至る各プロセスについて共通的な枠組みを規定している。システム要件（要求事項）定義は、利用者を含む利害関係者からのニーズをシステムとして定義し、目標や対象範囲を定めていくプロセスであることから「取得ニーズとの一貫性」が基準となる。

解説 2

【解答】エ

システム開発のプロセスでは、要件定義（システム要件定義、ソフトウェア要件定義）、設計（システム設計、ソフトウェア設計）を行い、実装・構築へつ繋げていく。問題文に挙げられたタスクの内容は、システム機能要件（システム設計で行う）を受けて、開発者の視点でソフトウェアの実装に至る設計内容である。したがってエのソフトウェア設計で行うものである。なお、従来の分類ではソフトウェア方式設計（内部設計）に該当する。

システム開発技術

02 開発の図式手法

設計プロセスでは処理を整理するため、さまざまな図式手法が使われます。システム設計では、DFDやUML、E-R図（p.197参照）、決定表など。ソフトウェア設計では、さらに状態遷移図や構造化チャートなども用います。それぞれの特性を把握しておきましょう。

問1 状態遷移図の説明

check

要求の分析・設計時に使用する状態遷移図の説明として、適切なものはどれか。

ア　階層構造の形でプログラムの全体構造を記述する。

イ　時間の経過や制御信号の変化などの、状態を変化させるきっかけと、変化に伴って実行する動作を記述する。

ウ　システムの機能を概要から詳細へと段階的に記述する。

エ　処理間のデータの流れをデータフロー、処理、データストア及び外部の四つの記号で記述する。

問2 DFDの記述

check

図は、階層化されたDFDにおける、あるレベルのDFDの一部である。その直下のレベルのDFDの記述の仕方として適切なものはどれか。ここで、プロセスnの直下のレベルのプロセスは、プロセスn－1、プロセスn－2、…のように番号をつけるものとする。

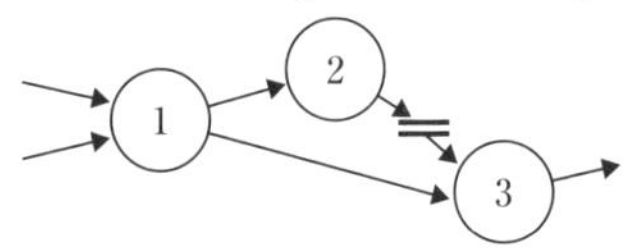

ア

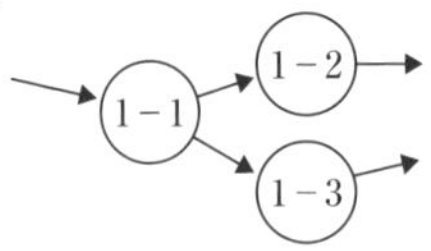

イ

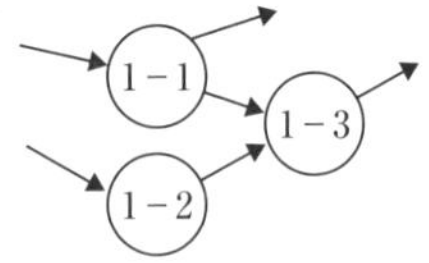

ウ

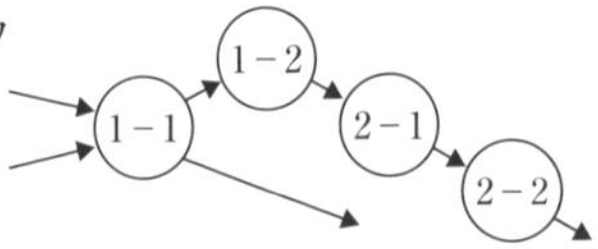

エ

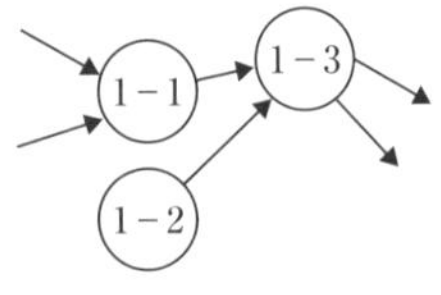

ここがポイント！

《設計の図式手法》

① DFD (Data Flow Diagram)

DFDは、「入力」→「処理」→「記憶／出力」というデータの流れに着目して、要求されたシステムの機能を、わかりやすく図式表現したものである。ただし、DFDではデータの流れを時系列的に表現することはできない。

DFDの例

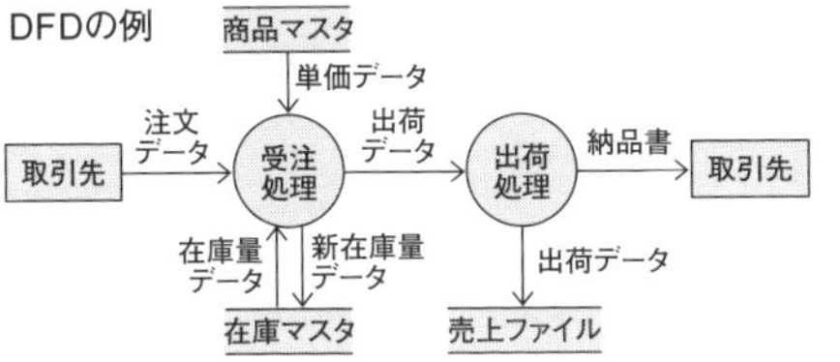

記号	名称	意味
	データ源泉/データ吸収	業務におけるデータの発生源、または最終的な受渡し先を示す
	データストア(ファイル)	データを蓄積するファイルや台帳などのデータの集合体を示す
	プロセス(処理)	処理の内容を示す
	データフロー	データの流れを示す

② 決定表 (decision table)

決定表（デシジョンテーブル）は、条件と行動を整理した表で、各条件の組合せによってどのような行動を取るべきかを明らかにしたり、条件に応じた結果を評価する際に用いる。

条件表題欄	条件記入欄			
合計得点が120点以上	Y	Y	Y	N
午前試験の得点が60点以上	Y	Y	N	－
午後試験の得点が60点以上	Y	N	Y	－
合格	×	－	－	－
一部合格(次回免除)	－	×	×	－
不合格	－	－	－	×
行動表題欄	行動記入欄			

③ HIPO (Hierarchy plus Input Process Output)

ソフトウェアの機能を、入力(Input)、処理(Process)、出力(Output)に分けて、階層的に表現する図式手法。図式目次(VTOC)、総括ダイアグラム（総括IPO図）、詳細ダイアグラム（詳細IPO図）から構成される。

④ 状態遷移図 (STD ; State Transition Diagram)

情報や状態について時間的な移り変わりを図式化する手法。用途としては、画面設計における遷移やリアルタイムシステムの開発、通信プロセス間の情報の流れを表現する際などに利用される。

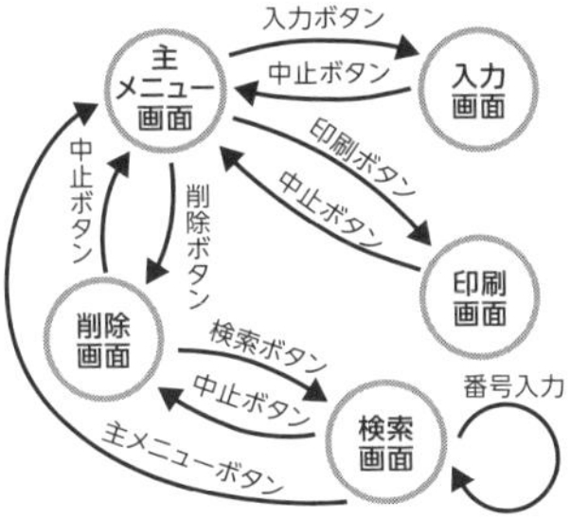

解説 1

【解答】イ

状態遷移図は、時間の経過や状況の変化に応じて状態が変わるようなシステムの動作を記述するときに用いられ、DFDでは扱えないリアルタイムシステムの分析や設計に有効な技法である。ア：構造化チャート（ジャクソン法、NSチャートなど）、ウ：HIPO、エ：DFDの説明である。

解説 2

【解答】イ

問題文のようにDFDは階層化して記述できる。1－1、1－2、1－3は処理1を詳細化したもので、外部からのデータの流れや、他の処理へのデータの流れを示す矢印の数は一致していなければならない。

ア：処理1へ入る矢印の本数が一致しない。
イ：処理1へ入る矢印、処理1から出る矢印の本数が一致する（正解）。
ウ：処理1(1－1、1－2)と処理2(2－1、2－2)が混在している。
エ：1－2の処理は外部からのデータの流れがないため適切ではない。

問3 UMLの図が表現するもの

check

UML2.0 のシーケンス図とコミュニケーション図のどちらにも表現されるものはどれか。

ア　イベントとオブジェクトの状態

イ　オブジェクトがある状態にとどまる最短時間及び最長時間

ウ　オブジェクトがメッセージを処理している期間

エ　オブジェクト間で送受信されるメッセージ

問4 クラス図における汎化の関係

check

UMLのクラス図のうち、汎化の関係を示したものはどれか。

ア

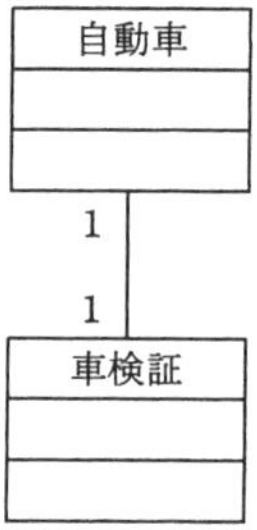

イ

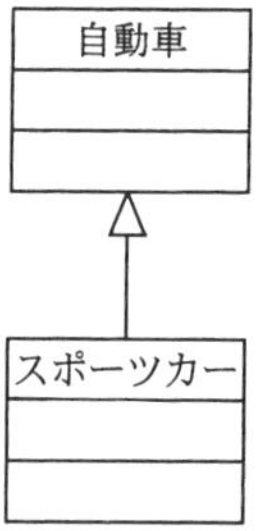

ウ

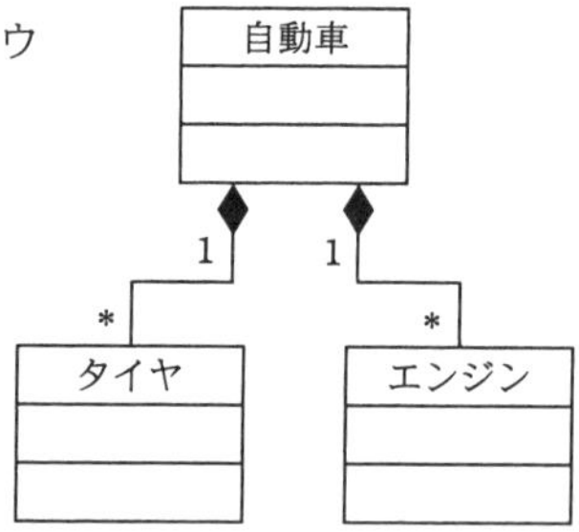

エ

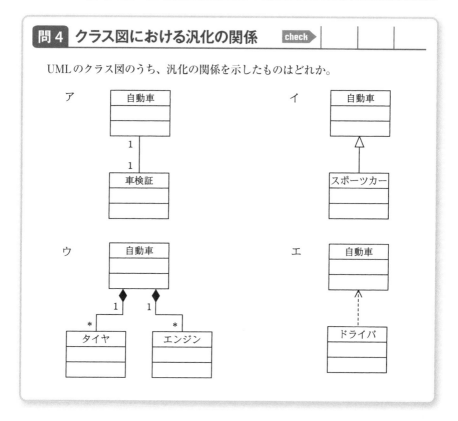

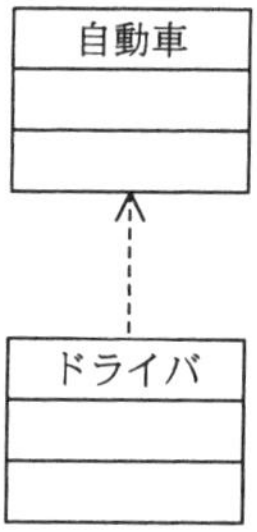

ここがポイント！

《UML（Unified Modeling Language）》

UMLは、オブジェクト指向技術の標準化を行う国際的な非営利団体OMG（Object Management Group）によって統一表記法としてまとめられたもの。UMLを使用することで、システム利用者と開発者が共通の認識を持つことができる。言語と名が付いているが、複数の図を使いシステムやデータモデル、プログラム設計図などを表現する。

《UMLで使われる図》

①アクティビティ図

対象となるシステム全体の処理内容とその流れを表す。業務フローの整理に用いる。

②ユースケース図

システムと利用者のやり取りを表したもので、利用者の視点でシステムの機能を表す。

③クラス図

システムの構成要素となるクラス（データとその処理手順を一体化した概念）の型や属性、クラス間の静的な関係を表現する。

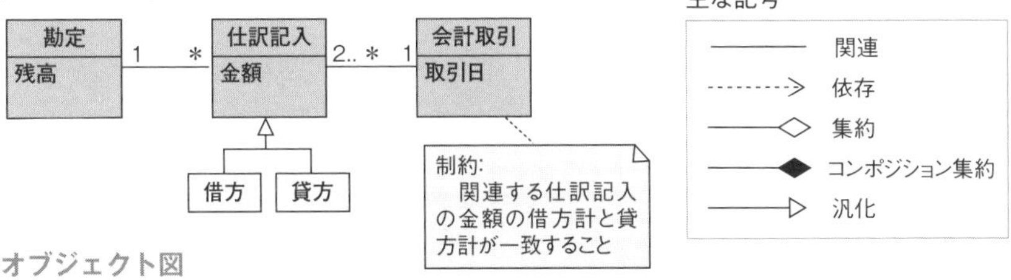

④オブジェクト図

クラス図を具体的な値を使って表現した図。クラスを具体化したものがインスタンスであり、オブジェクト図はインスタンスどうしのつながりを表現する。

⑤シーケンス図

クラスやオブジェクト（処理の対象）間に生じるメッセージのやり取り（システムの動作）を時系列に表現。

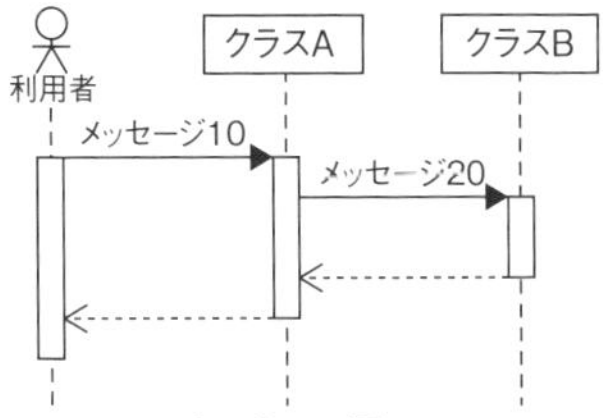

シーケンス図

このほか、コミュニケーション図（クラスやオブジェクトの関連と相互作用を表現）、コンポーネント図（複数のクラスをまとめたコンポーネントの構造と相互作用を表現）などがある。

解説 3

【解答】エ

シーケンス図は、クラスやオブジェクトの関連に、メッセージを付加した図で、時系列で処理の流れをつかむことができる。一方、コミュニケーション図は、クラス図やオブジェクト図にメッセージを追記した形で、クラスやオブジェクトの関連と相互作用が見て取れる。両者に共通するのはクラスやオブジェクト間のメッセージである。

解説 4

【解答】イ

インスタンス間の関係における「汎化」は、抽象化したスーパクラスと具体化したサブクラスの関係で、白抜きの矢印で表される（イ）。ア：自動車と車検証には1対1の関連があることを示している。ウ：集約関係のうちコンポジションを示している。コンポジションは、実際には1つのものを示す場合で、部分インスタンスの生成や消滅が集約する側に依存する場合に使われる。エ：ドライバが自動車に依存していることを示している。

シラバス ●大分類4：開発技術 ●中分類12：システム開発技術 ●小分類2：設計

Lesson 03

システム開発技術

オブジェクト指向設計

オブジェクト指向（object oriented）は、システムをオブジェクトと呼ばれるデータと機能（処理）が一体化した「物（オブジェクト）」の集合とみなす考え方です。複数のオブジェクト間でやり取りすることでシステムを機能させる考え方をオブジェクト指向といいます。

問1 オブジェクト指向の特性

check

オブジェクト指向に関する記述のうち、適切なものはどれか。

ア　オブジェクト指向モデルでは、抽象化の対象となるオブジェクトの操作をあらかじめ指定しなければならない。

イ　カプセル化によって、オブジェクト間の相互依存性を高めることができる。

ウ　クラスの変更を行う場合には、そのクラスの上位にあるすべてのクラスの変更が必要となる。

エ　継承という概念によって、モデルの拡張や変更の際に変更部分を局所化できる。

問2 多相性に特有のもの

check

多相性を実現するときに、特有のものはどれか。

ア　オーバライド　　イ　カプセル化

ウ　多重継承　　エ　メッセージパッシング

ここがポイント！

《オブジェクト指向の概念》

オブジェクト指向では、オブジェクトが持つデータを**属性**、機能を**メソッド**（または振舞い）という。また、属性とメソッドを一体化することを**カプセル化**という。

①クラスとインスタンス

複数のオブジェクトに共通する性質を1つにまとめ、それに名前を付けたものを**クラス**という。クラスは、オブジェクトのひな形（テンプレート）のような存在

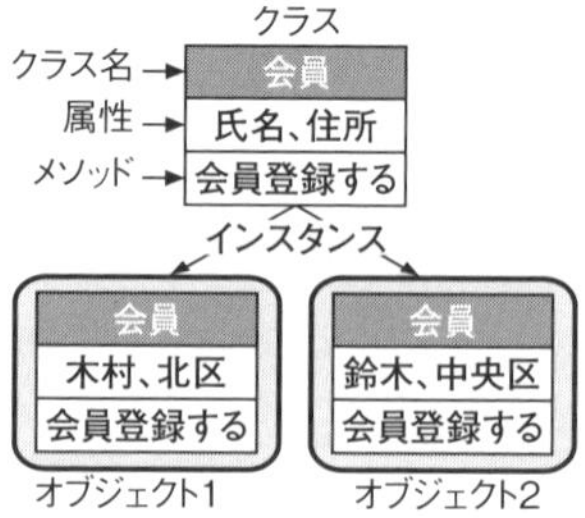

である。クラスから生成された具体的な値をもつオブジェクトを**インスタンス**という。

②**サブクラスとスーパクラス**

サブクラスの共通する性質をまとめて定義した(汎化)ものが**スーパクラス**であり、スーパクラスの性質を具体化してそれぞれ定義した(特化)ものが**サブクラス**である。

・**抽象クラス**

インスタンスを生成できないクラスのこと。具体的な処理内容が定義されていない抽象メソッドを1つ以上もつ。抽象メソッドの処理内容は、継承したクラスで定義する。

③**インヘリタンスと差分プログラミング**

設計段階でクラスを定義してそのクラスに属するインスタンスを作るとき、クラスの持つ性質はすべてインスタンスに受け継がれる。この性質を**インヘリタンス(継承)**という。サブクラスでも、スーパクラスで定義された共通の性質以外の性質のみを定義すればよいので、開発の効率を上げられる。このように、不足している部分だけプログラムを行う手法を**差分プログラミング**という。

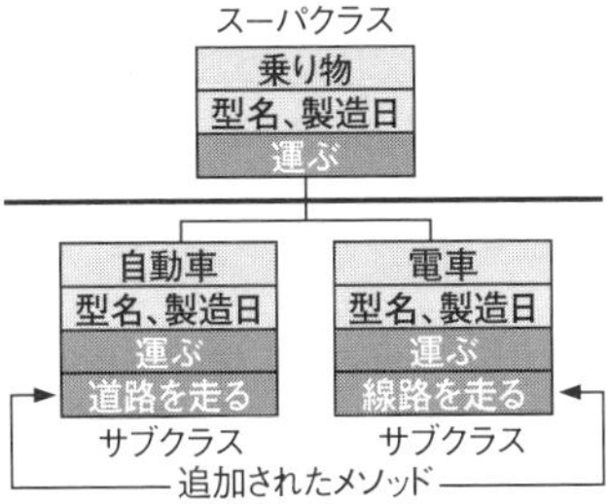

④**オブジェクト間の関係**

・**is-a関係**

「サブクラスがスーパクラスの一種である」という関係を表す。上位クラス(スーパクラス)の性質を分割して具現化することを**特化**、下位クラス(サブクラス)に共通する性質をまとめて抽象化することを**汎化**という。

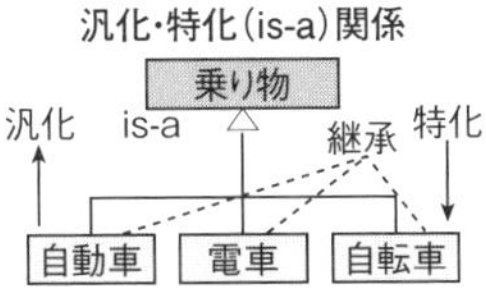

・**part-of関係**

「あるオブジェクトが複数のオブジェクトによって構成される」という関係を表す。あるオブジェクトを構成するオブジェクトへ展開することを**分解**、構成オブジェクトを1つのオブジェクトにまとめることを**集約**という。

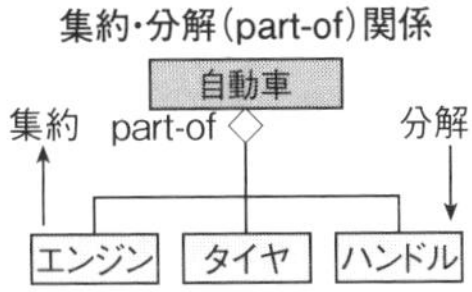

⑤**ポリモーフィズム(多相性、多態性、多様性)**

オブジェクト間のメッセージのやりとりで、サブクラスのオブジェクトに対して同一のメッセージを送信しても、それぞれのオブジェクトが異なるメソッド(振舞い)を実行できる性質。これは、あるクラスを継承する際、スーパクラスのメソッドをサブクラスで置き換える(**オーバライド**する)ことで、異なる動作をさせる。

解説 1

【解答】エ

継承(インヘリタンス)は、既存のクラスに似た新たなクラスを定義するとき、その相違点だけを記述することのできる性質である。スーパクラス(上位クラス)で定義した性質をサブクラス(下位クラス)が引き継ぐことができるので、サブクラスに同じ性質を定義する必要がなくなる(差分プログラミング)。これにより、一部分の変更によりモデルの拡張や変更が可能となる。

解説 2

【解答】ア

多相性(ポリモーフィズム)は、同じメッセージに対して、異なる処理が行われる。例えば、「生物」というスーパクラスに、「鳥」と「魚」というサブクラスが定義されているとする。「生物」が「移動する」というメソッドを持つ場合、「鳥」は「空を飛ぶ」、「魚」は「水中を泳ぐ」という動作で実行する。

シラバス ●大分類4：開発技術 ●中分類12：システム開発技術 ●小分類2：設計

Lesson 04

システム開発技術

モジュール分割

複雑な処理を行うプログラムも、モジュールに分割することでプログラムはわかりやすく、保守しやすいものになります。分割の際、1つのモジュールを単一機能に限定すれば、モジュールの独立性が高くなり、処理効率や保守の効率化、信頼性向上が期待できます。

問1 モジュール結合度

check

　モジュールの独立性を高めるには、モジュール結合度を弱くする必要がある。モジュール間の情報の受渡しに関する記述のうち、モジュール結合度が最も弱いものはどれか。

ア　共通域に定義したデータを、関係するモジュールが参照する。
イ　制御パラメタを引数として渡し、モジュールの実行順序を制御する。
ウ　データ項目だけをモジュール間の引数として渡す。
エ　必要なデータだけを外部宣言して共有する。

問2 モジュール強度（結束性）

check

　モジュール設計に関する記述のうち、モジュール強度（結束性）が最も強いものはどれか。

ア　ある木構造データを扱う機能をこのデータとともに一つにまとめ、木構造データをモジュールの外から見えないようにした。
イ　複数の機能のそれぞれに必要な初期設定の操作が、ある時点で一括して実行できるので、一つのモジュールにまとめた。
ウ　二つの機能A、Bのコードは重複する部分が多いので、A、Bを一つのモジュールにまとめ、A、Bの機能を使い分けるための引数を設けた。
エ　二つの機能A、Bは必ずA、Bの順番に実行され、しかもAで計算した結果をBで使うことがあるので、一つのモジュールにまとめた。

ここがポイント！

《モジュールの概念》

①コンポーネント

システムを構成する機能単位。座席予約や入金処理といった、関連する一連の作業を1つにまとめた単位。

②モジュール（ユニット）

独立してコンパイルできる単位。1つの機能単位に分割されたプログラムを指す。1つのモジュールをさらに分割して階層化する場合もある。モジュール分割のメリットには、処理効率の向上、部品化、再利用が可能、保守の効率化と信頼性向上、などがある。

③セグメント

関数やサブルーチンなどの単位。

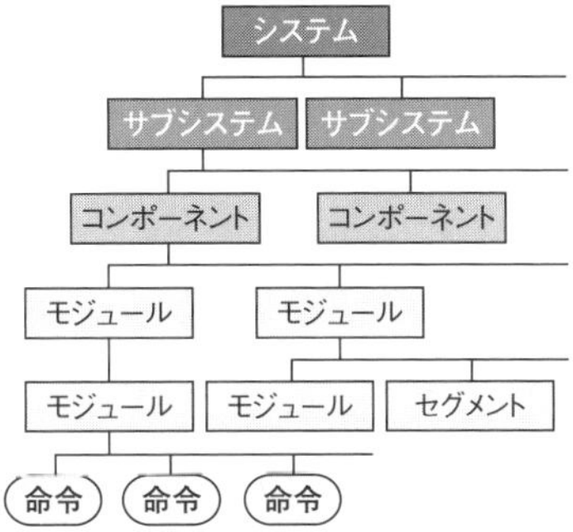

《モジュール強度とモジュール結合度》

①モジュール強度　→強いほどよい

レベル	評価基準	強度
機能的強度	1つのモジュールはただ1つの機能のみ処理している	強
情報的強度	複数機能を行うが、扱うデータはすべて同一である	↑
連絡的強度	データの関連性を持つ複数機能を必要な手順で処理している	
手順的強度	複数機能を必要な手順で処理している	
時間的強度	関連性はないが、実行時間の一致する複数機能を処理している	
論理的強度	関連した複数機能を持つが、どの機能を処理するかは外から与えられる	↓
暗合的強度	全く関連のない複数機能を持つ	弱

②モジュール結合度　→弱いほどよい

レベル	評価基準	結合度
データ結合	モジュール間で、必要なデータのみを引数として渡す	弱
スタンプ結合	モジュール間で、データ構造ごと引数として渡す	↑
制御結合	モジュールの制御を指示するパラメータを渡す	
外部結合	互いのデータを外部宣言（グローバル変数）参照・更新する	
共通結合	複数のモジュールで共通データ域を参照・更新する	↓
内容結合	モジュールどうしが他方の内容を直接参照・更新する	強

解説 1

【解答】ウ

モジュール結合度は、モジュール間の関連性の強さを表すもので、モジュール結合度が弱ければ弱いほどモジュールの独立性を高めることができる。問題の選択肢をモジュール結合度の弱い順、すなわちモジュールの独立性が高い順に並べると、「データ結合（ウ）→制御結合（イ）→外部結合（エ）→共通結合（ア）」となる。

解説 2

【解答】ア

モジュール強度は、モジュール内に含まれる処理の関連性を示したもので、強いほどよいとされる。これは、1つのモジュール内に関連のない処理が含まれることによる煩雑さと保守性の悪さなどを避けるためである。ア：扱うデータは同一ということから情報的強度。イ：初期設定のみ共通で処理は関連がない（時間的強度）。ウ：引数を渡すことで、モジュール内の処理を振り分けている（論理的強度）。エ：関連する2つの処理を順に行っている（連絡的強度）。以上から、最も強度が強いのはアとなる。

システム開発技術

05 ホワイトボックステスト

ホワイトボックステストは、システム内部構造や論理に基づいて行うテストです。ユニット（モジュール）テストやソフトウェア統合テストなどを行う際に、開発者が主体となって「プログラムが設計書どおり動いているか」を確認するためのテストデータを設計します。

問1 ホワイトボックステスト

check

単一の入り口をもち、入力項目を用いた複数の判断を含むプログラムのテストケースを設計する。命令網羅と判定条件網羅の関係のうち、適切なものはどれか。

ア　判定条件網羅を満足しても、命令網羅を満足しない場合がある。

イ　判定条件網羅を満足するならば、命令網羅も満足する。

ウ　命令網羅を満足しなくても、判定条件網羅を満足する場合がある。

エ　命令網羅を満足するならば、判定条件網羅も満足する。

問2 判定条件網羅のテストケース

check

図の論理を判定条件網羅（分岐網羅）でテストするときのテストケースとして、適切なものはどれか。

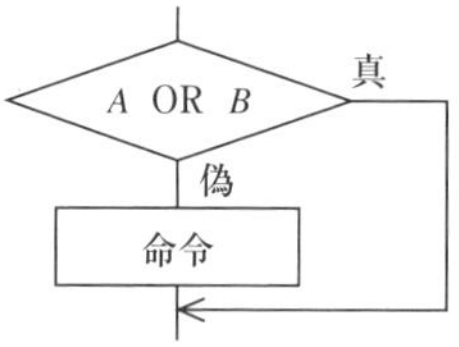

ア

A	B
偽	真

イ

A	B
偽	真
真	偽

ウ

A	B
偽	偽
真	真

エ

A	B
偽	真
真	偽
真	真

ここがポイント！

《ホワイトボックステストの方法》

右図の場合のテストデータを以下に示す。

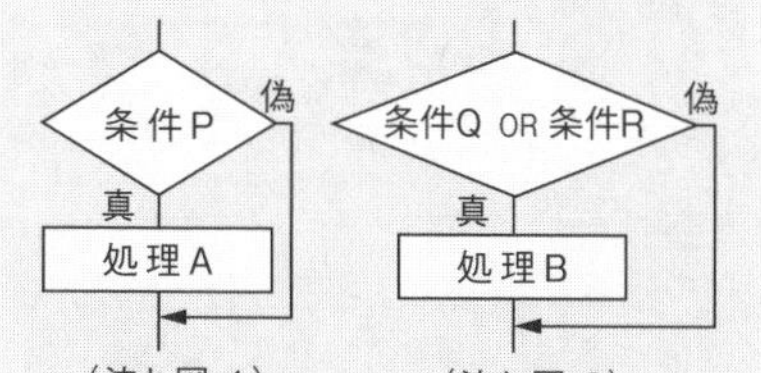

（流れ図 1）　（流れ図 2）

①命令網羅

すべての命令を少なくとも 1 回は実行する。

流れ図1のテストデータ

	テスト1
条件P	真

②分岐網羅（判定条件網羅）

分岐の判定において、真、偽の経路を少なくとも 1 回は実行するデータを作成。

流れ図1のテストデータ

	テスト1	テスト2
条件P	真	偽

③条件網羅

判定文に複数の条件がある場合に、真と偽の組み合わせを満たすデータを作成。

流れ図2のテストデータ

	テスト1	テスト2
条件Q	真	偽
条件R	偽	真

④分岐／条件網羅（判定条件／条件網羅）

③に②を合わせたもの。分岐経路を網羅し、かつ判定文の組み合わせも満たすデータを作成。

流れ図2のテストデータ

	テスト1	テスト2	テスト3
条件Q	真	偽	偽
条件R	偽	真	偽

⑤複数条件網羅

判定文の組み合わせについて、あらゆる組合せを網羅し、かつすべての分岐経路も網羅したデータを作成。

流れ図2のテストデータ

	テスト1	テスト2	テスト3	テスト4
条件Q	真	偽	偽	真
条件R	偽	真	偽	真

解説 1　【解答】イ

ホワイトボックステストにおけるテストデータの作成方法のうち、命令網羅は、最も網羅性の低いテストデータで、すべての命令を少なくとも1回は実行すればよい。これに対し、判定条件網羅は、分岐部分の真、偽を少なくとも1回は実行する必要がある。以上から、判定条件網羅が命令網羅を含む関係になる。したがってイが正解。

解説 2　【解答】ウ

判定条件網羅は、判定条件で真となる場合、偽となる場合をそれぞれ少なくとも1回は実行するようにテストケースを設計する。各選択肢のテストケースを見ると、「ア、イ、エ」のテストケースでは、真（②）の場合しか実行できない。しかし、「ウ」のテストケースでは、「A＝偽、B＝偽」のとき「A OR B」は偽、「A＝真、B＝真」のとき「A OR B」は真となり、真（②）と偽（①）をそれぞれ1回は実行することができる。

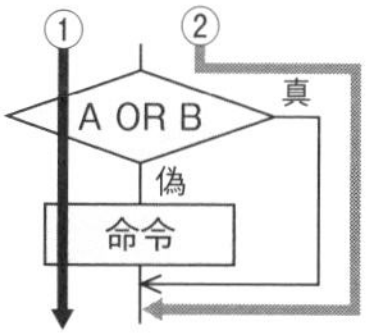

判定条件網羅（分岐網羅）は、命令網羅より網羅性が高く、分岐点における分岐のテストは実現できるが、結果としてテスト経路①と②のテストを行ったに過ぎない。つまり、判定条件網羅は、それほどテストの網羅性は高くなく、例えば、「A=真、B=偽」あるいは「A=偽、B=真」といったテストは行われない。

Lesson

シラバス ●大分類4：開発技術 ●中分類12：システム開発技術 ●小分類3：実装・構築

システム開発技術

06 ブラックボックステスト

ブラックボックステストは、ホワイトボックステストとは逆に内部のプログラムの動きについては関知せず、「さまざまな入力に対して、仕様どおりの出力結果が得られるか」を確認します。ソフトウェアの機能単位で行うソフトウェア検証テストなどで使う手法です。

問1 テストデータの作成方法

check

ブラックボックステストのテストデータの作成方法のうち、最も適切なものはどれか。

ア 稼働中のシステムから実データを無作為に抽出し、テストデータを作成する。

イ 機能仕様から同値クラスや限界値を識別し、テストデータを作成する。

ウ 業務で発生するデータの発生頻度を分析し、テストデータを作成する。

エ プログラムの流れ図を基に、分岐条件に基づいたテストデータを作成する。

問2 限界値分析のテストデータ

check

現在開発中のシステムをユーザの立場で、ブラックボックス法によってテストを行うことになった。

変数Aの有効な範囲が $1 < A < 999$ であるとき、限界値分析で使用するテストケースとして、正しいものはどれか。

ア －1, 0, 1, 999, 1000, 1001

イ 0, 1, 2, 998, 999, 1000

ウ 1, 2, 3, 996, 997, 998

エ 2, 3, 4, 996, 997, 998

ここがポイント！

《ブラックボックステストの方法》

プログラムの内部構造は考慮せず（中身が見えないブラックボックスとする）、機能やインタフェースにだけ着目してテストケースを設計する。第三者がテストを行うことで客観的な判断をすることができる。

① 同値分割

入力データが取りうる値の範囲を同値クラスに分割し、その代表値をテストデータとする方法。下の例では各クラスから「－6、－3、＋5」などを代表値とする。

・有効同値クラス…正当な範囲内にあるデータクラス
・無効同値クラス…不当な範囲内にあるデータクラス

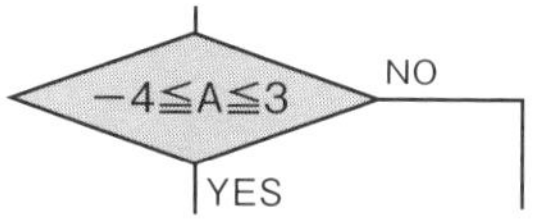

無効同値クラス	有効同値クラス	無効同値クラス
…，−7，−6，−5	−4，−3，…，+3	+4，+5，+6，…

② 限界値分析（境界値分析）

同値クラスの端（境界）に位置するデータをテストデータとする方法。プログラムのバグ（判定のミスなど）は、このような境界に位置するデータの処理の誤りに起因することが多い。上記の例では「－5、－4、＋3、＋4」。

③ 原因－結果グラフ

対象となるデータが、明確にクラス分けできないときに使う方法。入力（原因）と出力（結果）を書き出して原因－結果グラフを作成。さらにデシジョンテーブル（決定表）を使って整理し、テストデータを設計する。

④ エラー埋込法

残存エラーを予測する際に使う方法。プログラムの中に意図的にエラーを埋め込んでおき、埋め込みエラーと真のエラーから、残存する真のエラーを推定する。

解説 1

【解答】イ

ブラックボックステストとは、内部の処理は意識せずに、プログラムの外部仕様から機能とデータの関係に着目してテストケースを設計する。テストデータは、データの取り得る範囲を考慮して、論理的に正しいデータ（有効同値クラス）と誤りとなるデータ（無効同値クラス）を投入する方法や、有効と無効の境界線を集中的にテストする方法を取る。

解説 2

【解答】イ

限界値分析では、入力値を正当な範囲にあるグループ（有効同値クラス）と不正な範囲にあるグループ（無効同値クラス）に分け、各グループの境界に位置する値をテストデータに含める。この問題では、変数Aの有効範囲が「1＜A＜999」なので3つの範囲に分けられる。それぞれの範囲の境界値が含まれていればよいので、無効同値グループ（～1）、有効同値グループ（2～998）と無効同値グループ（999～）の境界値をすべて含むイが正しい（境界値：1，2，998，999）。

シラバス ●大分類4：開発技術 ●中分類12：システム開発技術
●小分類3：実装・構築、4：統合・テスト

Lesson 07

システム開発技術

ユニットテストとレビュー

ユニットテストは、プログラミングを行ったユニット（モジュール）について、要求されている機能を満たしているかを中心に検証を行います。レビューは開発の各プロセスの最後に複数の関係者により問題点を洗い出す作業で、局面によって手法が異なります。

テクノロジ系

問1 ユニットテスト

check

ユニットテストに関する記述として、最も適切なものはどれか。

ア　通常はコーディングを行ったプログラマではなく、専任のテスト要員がテストケースを作成し、実行する。

イ　モジュール間インタフェースは、モジュール単体ではテストできないので、ユニットテストの対象外となる。

ウ　モジュール設計書は、正しいことが検証済みであるので、テスト結果に問題があるときは、テストケースまたはモジュールに誤りがある。

エ　モジュール設計書を見ながら、原則としてすべてのロジックパスを一度は通るようなテストケースによって、検証を行う。

問2 ソフトウェアのレビュー方法

check

ソフトウェアのレビュー方法の説明のうち、インスペクションはどれか。

ア　作成者を含めた複数人の関係者が参加して会議形式で行う。レビュー対象となる成果物を作成者が説明し、参加者が質問やコメントをする。

イ　参加者が順番に司会者とレビュアになる。司会者の進行によって、レビュア全員が順番にコメントをし、全員が発言したら、司会者を交代して次のテーマに移る。

ウ　モデレータが全体のコーディネートを行い、参加者が明確な役割をもってチェックリストなどに基づいたコメントをし、正式な記録を残す。

エ　レビュー対象となる成果物を複数のレビュアに配布または回覧して、レビュアがコメントをする。

ここがポイント！

《ユニットテストの手法》

①**デバッグ（debug/debugging）**

コーディングしたプログラムモジュールからエラー（バグ）を取り除き、正しく動作することを確認する作業。文法的なエラーについてはコンパイラなどにかけて発見し、論理的なエラーについてはテストデータと出力をチェックして見つける方法がとられる。さまざまなデバッグツールが用いられる（第２章 Lesson30 開発支援ツールを参照）。

②**コードレビュー（code review）**

コーディングが終わったプログラムについて、定められたコーディング基準に則っているか、ソフトウェア詳細設計書に基づいているか、効率性、保守性が適切かを確認。

③**アサーションチェック**

プログラム中に論理的な条件を挿入しておき、その条件が満たされないときにメッセージを出すことで、エラーを発見するチェック方法。

④**ユニット（モジュール）テスト**

すべてのプログラムロジックを通るようなテストデータを用意し、ホワイトボックステストの手法で行う（本章 Lesson05 ホワイトボックステストを参照）。

⑤**テストカバレッジ分析**

プログラムの命令や条件がくまなくテストされているか、そのカバレッジ（網羅率）を測定し、分析する方法。テストそのものの品質を確認できる。

《レビューとレビュー手法》

レビューは、複数の関係者によって仕様書などの成果物を検査し、問題点を洗い出す作業で、開発の各工程の最終段階で行う。

①**ウォークスルー**

作成された仕様書、ソースコードなどについて、開発担当者を含む複数のメンバ（関係者）で検討し、エラーを早期発見する。

②**インスペクション**

モデレータ（責任者）のもとに行うレビュー（ウォークスルーをより組織化したもの）。第三者がソースコードを１行ずつチェックする手法をコードインスペクションという。

解説 1

【解答】エ

ユニットテストでは、すべてのロジックを一度は通るようなテストケースを作成する。これには数多くのテストケースが必要になるが、この段階でミスを発見しておけば、統合テスト以降で原因の切り分けや特定がしやすくなる。ア：一般にコーディングを行ったプログラマが行う。イ：モジュール間インタフェースの検証は、スタブやドライバを用いる。ウ：モジュール設計書に誤りがないと保証されているわけではないことから、プログラムやテストケースに問題がないときは仕様書の検証も行う。

解説 2

【解答】ウ

インスペクションは、モデレータと呼ばれる責任者が検討会議の準備と進行を担当し、会議形式で組織的に不具合の検出と修正を行う。モデレータ以外の参加者にも、インスペクタ（検証役）などの役割が振り当てられている。また、同様にレビューの一種であるウォークスルーは、管理者は含めずに作成者とその関係者のみで実施する。こちらは、互いに助言し合うことで、品質を向上することを目的とする。

Lesson 08

システム開発技術

ソフトウェア統合テスト

テスト済みの個々のモジュール群を順次結合させながら、うまく稼働するかを確認する段階をソフトウェア統合テストと呼びます。試験では、トップダウンテストで使われるスタブとボトムアップテストで使われるドライバについての知識がよく出題されています。

問1 スタブを使用したテスト

check

スタブを使用したテストの説明として、適切なものはどれか。

ア　指定した命令が実行されるたびに、レジスタや主記憶の一部の内容を出力することによって、正しく処理が行われていることを確認する。

イ　トップダウンでプログラムのテストを行うとき、作成したモジュールをテストするために、仮の下位モジュールを用意して動作を確認する。

ウ　プログラムの実行中、必要に応じて変数やレジスタなどの内容を表示し、必要ならばその内容を修正して、テストを継続する。

エ　プログラムを構成するモジュールの単体テストを行うとき、そのモジュールを呼び出す仮の上位モジュールを用意して、動作を確認する。

問2 テストの消化とバグの関係

check

図は、テスト項目消化件数Xにおいて、目標値として設定したバグ累積件数に到達したことを示す。この図の状況の説明として、適切なものはどれか。

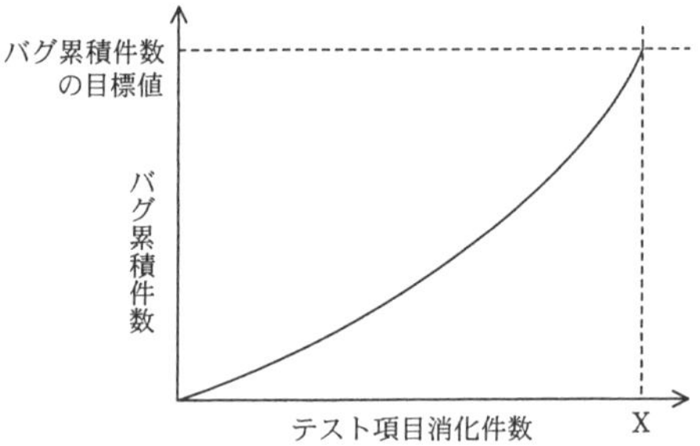

ア　テスト工程が順調に終了したことを示す。

イ　テスト前段階での机上チェックやシミュレーションが十分にされていることを示す。

ウ　まだ多くのバグが内在している可能性があることを示す。

エ　目標のバグ累積件数が達成されたので、出荷後にバグが発生する確率が低いことを示す。

ここがポイント！

《ソフトウェア統合テストの種類》

①トップダウンテスト

上位から下位モジュールへ順に結合しながら行う。未完成の下位モジュールがある場合は、その動作をシミュレートするスタブが必要。

②ボトムアップテスト

ユニットテストが終わった下位モジュールから上位モジュールへ順に結合しながらテストする。未完成の上位モジュールがある場合は、その代わりをするドライバが必要。

③折衷（サンドイッチ）テスト

最上位に近いモジュールはトップダウンテスト、最下位に近いモジュールはボトムアップテストを用いる。

④非増加テスト

代表的なものにビッグバンテストがあり、モジュールごとにドライバまたはスタブを用意して個別にテストし、最後にすべてのモジュールを一斉に結合してテストを行う。

《ドライバとスタブ》

統合テストは、モジュール群を順次結合させながら行うため、全体が正しく動作するかどうかを検証するためには、未完成の上位または下位に該当するモジュールが必要となる。ここでテスト用に作成するダミーの上位モジュールをドライバ、下位モジュールをスタブと呼ぶ。

テストを行うプログラムの構造

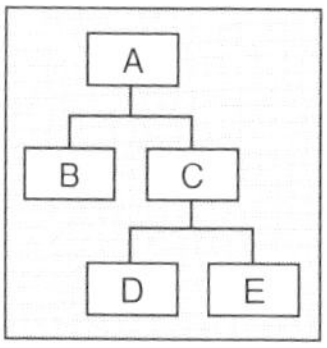

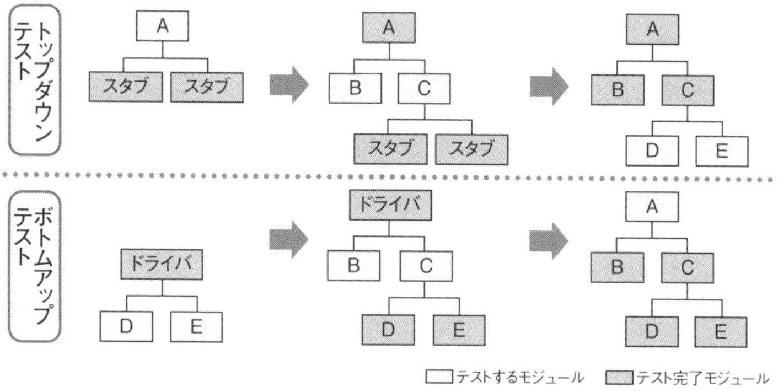

解説 1

【解答】イ

トップダウンテストでは、未完成の下位モジュールの代わりにスタブが使われる。スタブは、上位モジュールからの呼び出しにより、設定された値を返す役割を持つ（イ）。一方、ボトムアップテストでは、未完成の上位モジュールに代わって下位モジュールを呼び出すドライバを使う（エ）。ア：スナップショットダンプ、ウ：インスペクタの説明（p.163 を参照）。

解説 2

【解答】ウ

順調にテストが消化されている場合、テスト項目消化件数が増えるに従って、バグ累積件数は収束していため、右のようなS時カーブを描く。問題の図では、未だ収束に至っておらず、多くのバグが存在しているものと判断できる。

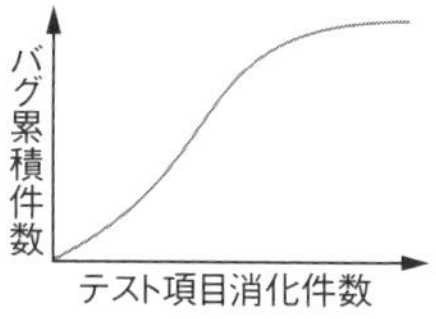

Lesson 09

システム開発技術

システム統合・検証テスト

システム統合テスト以降は、システム全体を総合的に検証するプロセスです。システム設計プロセスに対応した「システム統合テスト」、システム要件定義プロセスに対応した「システム検証テスト」、利用者要求を確認する「妥当性確認テスト」の順で行っていきます。

問1 状態遷移テスト

check

システム統合テストにおける状態遷移テストに関する記述として、適切なものはどれか。

ア　イベントの発生によって内部状態が変化しない計算処理システムのテストに適した手法

イ　システムの内部状態に着目しないブラックボックステスト用の手法

ウ　設計されたイベントと内部状態の組合せどおりにシステムが動作することを確認する手法

エ　データフロー図、決定表を使用してシステムの内部状態を解析する手法

問2 ストレステストの目的

check

ストレステストの目的はどれか。

ア　システムに要求されている処理能力の限界状態における動作を確認する。

イ　実際に利用者に使ってもらうことによって、システムの使いやすさを評価する。

ウ　標準的なプログラムの実行時間を計測することによって、他のコンピュータと性能を比較する。

エ　プログラムの修正または変更によって他の機能が意図しない影響を受けていないことを確認する。

ここがポイント！

《主なテストの種類》

主なテストには次のようなものがある。テストを行った後、不具合が発見されたときは、バグ修正や**チューニング**(性能を確保するための調整)を行う。仕様変更を伴う場合は、文書類の更新も行う。

①**機能テスト**
ユーザから求められたシステム機能要件を満たしているかを検証する。

②**性能テスト**
データの処理速度、画面からのリクエストに対する応答時間(スループット、レスポンスタイム)など、システム全体の性能を評価する。

③**操作性テスト**
ヒューマンインタフェースが使いやすいか、ミスを起こしやすくないかなどを評価する。

④**状態遷移テスト**
そのときの状況や時間経過などによって、異なる動作をするシステムを対象とした統合テスト手法。テストデータは、状態遷移図や状態遷移表を基に行うが、通常の統合テストより場合分けが複雑になる。

⑤**負荷テスト(ストレステスト)**
実際の稼働と同様、あるいはより大きな量的な負荷(データ量、同時発生するリクエストの数など)を与えて、システムの限界を評価する。

⑥**例外処理テスト**
イレギュラーなデータの処理やエラー処理について、適切に(安全な方向に)動作するかを評価。

⑦**障害回復テスト**
障害が発生した際に、発生状況を把握でき、原因を突き止められ、さらに的確な復旧作業の手順を経て迅速に回復できるかを評価。

⑧**セキュリティテスト**
ネットワークやデータベース、人が介在する部分などを含めたセキュリティを保持する観点からのテスト。必要に応じてさまざまなテストを行う。

《リグレッションテスト(回帰テスト)》

システムの変更(修正、機能追加)が行われたとき、それまで正常に稼働していた部分に、思わぬ影響を及ぼしていることがある。回帰テスト(リグレッションテスト：regression test)は、変更機能と従来機能を含めてテストすることで、他の正常な部分に影響を与えていないかを検証する方法のこと。**退行テスト**ともいう。

解説 1　【解答】ウ

状態遷移テストは、(ア)現在の状況や時間経過などによって次の状態が変化するシステムを対象とした統合テストの手法で、(イ)システムの内部状態に着目したホワイトボックステストとして行われる。テストデータは、(エ)状態遷移図や状態遷移表によりイベントと内部状態の組み合わせによって作成。(ウ)その組み合わせどおりにシステムが動作することを確認する。

解説 2　【解答】ア

ストレステスト(負荷テスト)は、少量のテストデータでは問題なくても、何らかの負荷によって正常稼働しないという問題を避けるためのテスト。大量データや長時間稼働など、システムに量的に大きな負荷(データ量、同時アクセス数、利用時間など)を掛け、正常に稼働するかどうかを確認する。このテストが不十分だった場合、移行の終了間際や稼働開始後に問題が発覚することが多く、問題の発見が遅れることによる多大なコストが発生しやすい。

Lesson 10

システム開発技術

ソフトウェアの保守

保守とは、運用テストを終了して本番稼働した後にシステムやソフトウェア製品に潜むバグが発見されたり、ユーザによるシステム変更の依頼があったりしたとき、システムを修正する作業です。試験では、保守の種類や保守の作業内容について問われます。

問 1 保守における結果確認の方法

check

システムの保守において、結果の確認に関する記述のうち、適切なものはどれか。

ア　結果確認は、人間の感覚ではなく常に実行テストや計測機器で行う。
イ　障害は起きたが自動的に復旧された項目は、確認項目から外すことができる。
ウ　障害保守の結果が確認されたとき、原因を調査・分析して予防保守計画に反映させる。
エ　保守完了報告書は、保守作業が行われたことだけが確認できる程度に簡略化する。

問 2 ソフトウェア製品の保守

check

オペレーティングシステムの更新によって、既存のアプリケーションソフトウェアが正常に動作しなくなることが判明したので、正常に動作するように修正した。この保守を何と呼ぶか。

ア　完全化保守　　イ　是正保守
ウ　適応保守　　ウ　予防保守

ここがポイント！

《保守の種類》

①**予防保守**：障害の発生を防ぐための保守で、計画的に実施する。

(1) **日常保守**：システムが稼働した状態で行うもので、システムを構成する機器の状態や性能を監視する。遠隔保守が利用されることもある。

(2) **定期保守**：基本的にシステムを停止して行うもので、定められた一定期間ごとに、機器の検査や部品の交換などを行う。

②**事後保守**：障害発生後、または、発生する可能性が高い場合に実施する。

(1) **臨時保守**：通常の稼働状態とは異なる状況（急激な性能低下や異音など）が発生した場合に臨時的に実施される保守で、致命的な障害を未然に防ぐことを目的とする。

(2) **緊急保守**：システム停止など障害発生時に実施される保守で、障害の原因となった機器の切離しや置換え、リカバリ作業などを行う。

③**保守の外部委託**：開発プロセスを外部のソフトウェア企業（ベンダ）に委託した場合や自社で保守要員を常時雇用しない場合、外部企業と保守契約を結び、保守作業を委託する。

(1) **オンサイト保守**：期間を決めて定額でサービスを行う。期間を決めて定額でサービスを行う。障害の頻度が多いと見込んだときに有効な契約。

(2) **オンコール保守**：依頼ごとのスポット契約でサービスを行う。障害の頻度が少ないと見込んだときに有効な契約。一般に1回のサポートはオンサイト保守より割高。

《保守の作業》

修正作業	プログラムのバグを修正する。業務に支障をきたすため、緊急を要するものが多い
変更作業	税制や法律改正などにより、税率や計算方法などの変更を行う
改良作業	ユーザによる仕様変更や機能追加依頼などへの対応（バージョンアップ）

《ソフトウェア製品の保守》

①**是正保守**：ソフトウェアの引き渡し後に発見された問題を訂正するための保守。是正保守実施までのシステム運用を確保するため、一時的な修正を**緊急保守**という。

②**予防保守**：ソフトウェアの潜在的な障害が現れる前に検出・訂正するための保守。

③**適応保守**：ソフトウェアの運用環境が変化した場合に、引き続き使用できるように修正を行う保守。例えば、OSの更新に伴うアプリケーションの対応が該当する。

④**完全化保守**：ソフトウェアの性能または保守性を改善するための修正を行う保守。

解説1

【解答】ウ

保守は、システム稼動後に、バグの検出やユーザから要求された仕様変更、システム拡張などによるプログラムの修正を行うプロセスである。障害が起きたときは、その後の障害対策に役立つ記録とするため、その原因や対処方法ドキュメントとして管理することが重要である。これにより、開発コスト全体に占める保守費用の割合を低く抑えることが期待できる。

解説2

【解答】ウ

ソフトウェアについての保守の種類について述べた問題。オペレーティングシステムの更新によって、動作しなくなるアプリケーションソフトウェアを正常に動作させるために行う保守ということから、適応保守（ウ）が該当する。

Lesson 11

シラバス ●大分類4：開発技術 ●中分類13：ソフトウェア開発管理技術 ●小分類1：開発プロセス・手法

ソフトウェア開発管理技術

ソフトウェアの開発手法

システム開発では、開発を行う内容や規模、開発体制、期間などにより、最適な開発手法（開発モデル）を選択する必要があります。試験では、アジャイル開発のXP（エクストリームプログラミング）を中心とした開発手法の特徴が問われます。

テクノロジ系

問1 リファクタリング

check

ソフトウェア開発の活動のうち、アジャイル開発においても重視されているリファクタリングはどれか。

ア　ソフトウェアの品質を高めるために、2人のプログラマが協力して、一つのプログラムをコーディングする。

イ　ソフトウェアの保守性を高めるために、外部仕様を変更することなく、プログラムの内部構造を変更する。

ウ　動作するソフトウェアを迅速に開発するために、テストケースを先に設定してから、プログラムをコーディングする。

エ　利用者からのフィードバックを得るために、提供予定のソフトウェアの試作品を早期に作成する。

問2 プロダクトオーナの役割

check

スクラムチームにおけるプロダクトオーナの役割はどれか。

ア　ゴールとミッションが達成できるように、プロダクトバックログのアイテムの優先順位を決定する。

イ　チームのコーチやファシリテータとして、スクラムが円滑に進むように支援する。

ウ　プロダクトを完成させるための具体的な作り方を決定する。

エ　リリース判断可能な、プロダクトのインクリメントを完成する。

ここがポイント！

《ウォータフォールモデル》
開発作業の全体をいくつかの工程に分け、フェーズごとに作業を管理していく手法。

各工程は、前工程の結果を引き継ぎながら進めていくため、工程の後戻りが難しい。このことから、逆流できない滝の流れに喩えてウォータフォール(滝)と呼ばれる。工程を終えてから次の工程に進むため、進捗管理や工程管理が行いやすく、比較的大規模な開発プロジェクトに向く反面、途中での仕様変更に弱く、設計の誤りの発見が遅れやすい。

ウォータフォールモデル

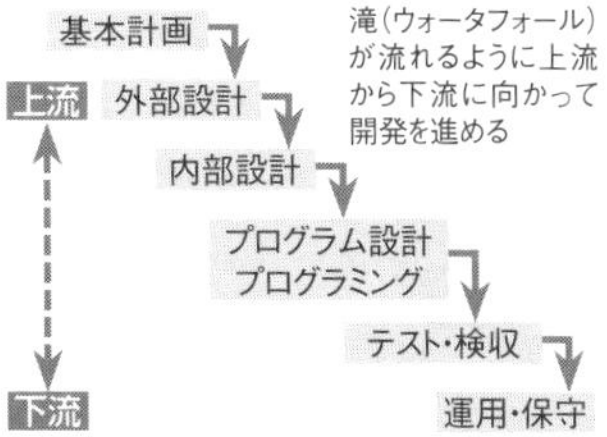

《アジャイル(agile)》

アジャイル(アジャイルソフトウェア開発手法)は、数週間の単位で「要求、計画、開発、テスト、評価、リリース」という開発サイクル(**イテレーション**)を繰り返し、開発期間の短縮を図る開発モデル。具体的には顧客側と開発者側が少人数のチームを組み、密接にコミュニケーションをとりながら進めていくことで、変化に柔軟な対応が可能になる。

①XP(エクストリームプログラミング)

顧客側と開発者側が共有すべき価値が示され、実践すべきプラクティスに基づいて作業を進めていく。次のような手法を用いる。

(1) **ペアプログラミング**:作業を2人一組にして、プログラム(ソースコード)の書き手とチェック役を担当する方法。また、随時役割の交代とメンバーの入れ替えを行う。これにより、バグを減らし、プログラムの品質を向上できる。

(2) **リファクタリング**:外部から見えるソフトウェアが行う動作を変えないように、プログラム(内部構造)を置き換える手法。機能追加にも対応しやすく、メンテナンス性も向上できる。

(3) **テスト駆動開発(TDD;Test Driven Development)**:先にテストケースを作成してから、プログラム(ソースコード)を書く手法。実装すべき機能が明確になり、テストを効率的に行うことができる。

②スクラム

チームコミュニケーションを重視したアジャイル手法。チーム内に顧客を取り込んで、小さな機能単位を短期間で開発するため、優先順位や目的に合ったものを目に見える形で作り上げることが可能。**プロダクトオーナ**(全体の管理を行う責任者)、**スクラムマスタ**(開発を支援する調整者)、開発メンバー数名でチームを組む。最長1か月程度の開発単位(**スプリント**)の中で、「計画」、「日々の開発+ミーティング」、「レビュー」を行い、「**ふりかえり**(スプリントの最終議論)」によって、改善点を次のスプリントに生かしていく。

解説1

【解答】イ

アジャイル開発は、短期間のサイクルで、要件定義、設計・開発、テスト、評価・修正、リリースを繰り返していく開発手法の一つ。また、リファクタリングは、外部仕様を変えないで、内部構造(プログラム)を手直ししていく方法である。その他の選択肢は、ア:ペアプログラミング、ウ:テスト駆動開発、エ:プロトタイピングについて述べたもの。

解説2

【解答】ア

スクラムにおけるプロダクトオーナはプロダクト全体を管理する責任者であり、複数のプロダクトバックログ(製品への要求を検討して作られたリスト)について、優先順位や実施の有無を決定する。また、スプリントで完成させた機能をリリースするかの判断を行う。その他の選択肢を担当するのは、イ:スクラムマスタ、ウ、エ:開発チームメンバー。

Lesson

シラバス ●大分類4：開発技術 ●中分類13：ソフトウェア開発管理技術
●小分類1：開発プロセス・手法

ソフトウェア開発管理技術

12 ソフトウェアの再利用

ソフトウェアは、どんな開発方法でも作り上げるためには、多大な労力し時間を要します。ここでは、生産性と品質を高めるため開発済みのソフトウェアを再利用したり、パッケージソフトを使う方法、さらにサービスを組み合わせるマッシュアップなどが問われます。

問1 リバースエンジニアリング

check

ソフトウェアに関するリバースエンジニアリングの説明として、最も適切なものはどれか。

ア 実装されたソフトウェアから設計仕様を抽出して、ソフトウェア開発に利用する。
イ 出力、処理、入力という順にソフトウェアの設計を行う。
ウ ソフトウェアとして実現されていた機能をハードウェアで実現する。
エ ソフトウェアの処理の内容に応じて、開発言語や開発ツールを選択する。

問2 マッシュアップ

check

マッシュアップに該当するものはどれか。

ア 既存のプログラムから、そのプログラムの仕様を導き出す。
イ 既存のプログラムを部品化し、それらの部品を組み合わせて、新規のプログラムを開発する。
ウ クラスライブラリを利用して、新規プログラムを開発する。
エ 公開されている複数のサービスを利用して、新たなサービスを提供する。

ここがポイント！

《部品化による再利用》

ソフトウェアを構造的にとらえ、その構成要素を標準（部品）化しておく。新システムの構築時には、それらの部品を組み立てることで、高品質かつ短期間で完成できる。

◯ソフトウェアパッケージのカスタマイズ

ソフトウェアパッケージとは、多くの企業で適用が可能な、汎用的な業務処理を製品化したソフトウェアで、業務パッケージとも呼ばれる。業務システムを、個別に開発するよりも低コストで実現できるが、業務プロセスは企業ごとに異なるため実際の導入にはソフトウェアパッケージのカスタマイズが必要となる。また、逆に業務そのものをパッケージに合わせて変更する方法もとられる。

《リエンジニアリング（re-engineering）》

リエンジニアリングは、既存のソフトウェアから新規ソフトウェアを作成すること。開発の流れは、まず設計仕様を導き出すリバースエンジニアリングを行い、解析した仕様をもとに改良を加え、再開発（フォワードエンジニアリング）を行っていく。

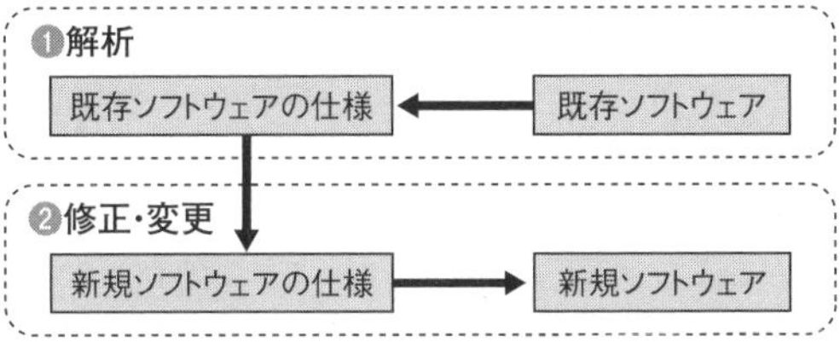

①リバースエンジニアリング

既存ソフトウェアからシステム仕様を導き出す。具体的には、プログラムソースをもとにプログラム仕様書を導き出し、さらに上流工程に解析を進めながら各種設計仕様や要求仕様まで生成し、既存ソフトウェア全体の仕様を導き出す。

②フォワードエンジニアリング

システム仕様からソフトウェアを作り出す。

③ソフトウェアの再構造化

アセンブラや構造化されていないプログラムを構造化された形態に修正する。

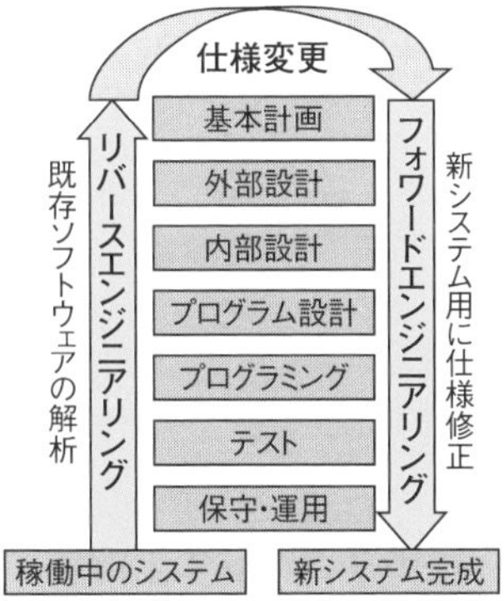

《マッシュアップ》

公開されている提供元からのAPI（Application Programming Interface）を組み合わせて、短時間で新たなサービスを作り出す方法。APIとは、あるプログラムからOSの機能や別プログラムの機能を呼び出して利用することを指す。またWebサイトの開発では、Web-API（Webサービス）を使って、Web上に公開されている別の機能を組み込んで利用する方法がとられる。

解説1　**【解答】ア**

リバースエンジニアリングは、すでに存在するソフトウェアを解析して、構造や仕様を導き出すこと。再利用開発を支援するだけでなく、既存ソフトウェアの機能の修正や追加などの保守作業にも役立てることができる。なお、一般に市販のソフトウェア製品に対するリバースエンジニアリングは禁じられている。

解説2　**【解答】エ**

マッシュアップは、公開されている情報やデータベース、Web-APIを組み合わせることによって新たなサービスを作り出す手法。省力化や品質を維持する目的のほか、慣れ親しんだサービスを組み込むことで扱いやすいサービスを提供できる側面もある。よく使われるものとして、場所の案内をする際に地図検索サービスの機能を組み込む例がある。

Lesson

シラバス ●大分類4：開発技術 ●中分類13：ソフトウェア開発管理技術
●小分類2：知的財産適用管理、3：開発環境管理、4：構成管理・変更管理

ソフトウェア開発管理技術

13 ソフトウェアの著作権と開発・構成管理

システム開発を効率的に行うためには、開発環境の整備が重要です。また、開発の前後においては構成管理や変更管理、さらに、著作権やライセンス管理も必要になります。このような管理を適切に行うことで、安定したシステム運用につなげることができます。

テクノロジ系

問1 開発委託した成果物の著作権 check

組込み機器用のソフトウェアを開発委託する契約書に開発成果物の著作権の帰属先が記載されていない場合、委託元であるソフトウェア発注者に発生するおそれがある問題はどれか。ここで、ソフトウェアは委託先が全て自主開発するものとする。

ア　開発成果物を、委託元で開発する別のソフトウェアに適用できなくなる。
イ　ソースコードを公開することが義務付けられる。
ウ　ソフトウェアをバイナリ形式でしか販売できなくなる。
エ　ハードウェアと合わせて、アルゴリズムに関する特許を取得できなくなる。

問2 包括的な特許クロスライセンス check

包括的な特許クロスライセンスの説明として、適切なものはどれか。

ア　インターネットなどでソースコードを無償公開し、誰でもソフトウェアの改良及び再配布が行えるようにすること
イ　技術分野や製品分野を特定し、その分野の特許権の使用を相互に許諾すること
ウ　自社の特許権が侵害されるのを防ぐために、相手の製造をやめさせる権利を行使すること
エ　特許登録に必要な費用を互いに分担する取決めのこと

ここがポイント！

《知的財産適用管理》

ソフトウェアを社内のシステムとして適切に使い続けるためには、知的財産権（著作権や特許権など）を把握し、きちんと管理しておく必要がある。

○ソフトウェアの著作権

- **自社で開発したソフトウェア**…著作権者は作成者になる。ただし、企業の従業員が業務で作成し、法人名義で公表された場合は、原則としてその法人（企業）が著作権を持つ。
- **外部（請負業者）へ委託して開発したソフトウェア**…契約で特に定めない限り、著作権者はソフトウェアの作成を委託された側（請負業者）になる。一般には、委託先企業との間で、著作権を移転する旨の契約を取り交わしておく。
- **パッケージソフトの改変**…著作権侵害になるが、正規ユーザが自ら使用するための行為として必要と認められる限度においては、改変やマクロの作成などが許容される。

《開発環境管理》

効率的に開発を進めるためには、開発環境の整備が必要になります。開発に必要なハードウェアやソフトウェア、ネットワークを実際に動作する環境に応じて用意したり、開発ツールを充実させることで、効率化や品質向上につながる。

①開発環境稼働状況管理

コンピュータ資源、開発支援ツールなどの開発環境を整備し、資源の稼働状況を管理。

②設計データ管理

システム設計にかかわる、さまざまな設計データのバージョン管理、それらデータの共有管理、安全対策を行う。企業機密や個人情報が含まれている場合には、持ち出しの管理、不正持ち出しや改ざんなどの管理を行う必要がある。

③ツール管理

開発に利用するソフトウェアや開発ツールの種類、バージョンを管理。これらは社内外にかかわらず統一することで、互換性やセキュリティホールによる影響を防げる。

④ライセンス管理

開発にかかわるソフトウェアについて、ライセンス数や適用範囲などを確認しておく。

- **クロスライセンス契約**：企業間で互いに保有する著作権や特許権を許諾し合う形の契約。取り決めにより費用を発生させない場合もある。**包括的な特許クロスライセンス**はさらに進めた形で、より範囲を広げ、分野ごとに交わすクロスライセンスである。

解説 1

【解答】ア

ソフトウェアを外部委託した場合、開発時の費用負担に関わらず、委託された側が著作権を持つことになる。この問題では著作権の「帰属先が記載されていない」ので、ハードとソフトが一体になった組込み機器であれば、他の機器へ転用できなくなったり、契約次第では使えなくなる恐れもある。エのアルゴリズムは表現ではないため著作権保護の適用外となる。

解説 2

【解答】イ

クロスライセンスを交わす場合、それぞれが複数の特許を持ち合っていることも多い。このような状況においては、1件ごとではなく、特定の技術分野や製品分野にまとめ、それぞれの特許を許諾し合う。これを包括的なクロスライセンスと呼んでいる。

問3 構成管理

check

ソフトウェア開発において、構成管理に**起因しない**問題はどれか。

ア　開発者が定められた改版手続に従わずにプログラムを修正したので、今まで正しく動作していたプログラムが、不正な動作をするようになった。

イ　システムテストにおいて、単体テストレベルのバグが多発して、開発が予定どおりに進捗しない。

ウ　仕様書、設計書及びプログラムの版数が対応付けられていないので、プログラム修正時にソースプログラムを解析しないと、修正すべきプログラムが特定できない。

エ　一つのプログラムから多数の派生プログラムが作られているが、派生元のプログラムの修正がすべての派生プログラムに反映されない。

《構成管理・変更管理》

システムを構成するハードウェアやソフトウェア、データベース、ドキュメントなどは、使用期間中に何度も変更や更新が行われる。そこで最新バージョンを把握し、更新履歴を記録しておくことが重要になる。

①構成管理

ハードウェアの台数や設置場所、ソフトウェアのライセンスなどの情報資源を管理。

②変更管理

基準となる構成を決め、品目の完全性を確保したうえで変更計画を策定し、管理を行う。

③リリース管理

構成品目の完全性が保証されたものについて、ソフトウェアや関連文書のリリースを行い、バージョン管理と保管期間の管理を行う。

解説3

【解答】イ

構成管理は、システムやプログラムが正常に稼働する完全な状態を基準に、最新の構成を管理し、バージョンの整合性を確保すること。開発中のソフトウェアは完全性が確保されていないため、構成管理には含まれない。他の選択肢は不適切な構成管理に起因する。ア：更新違反による記録の漏れ、ウ：最新状態の不整合、エ：更新や不具合に関する情報公開の不備。

第5章 マネジメント系

プロジェクトマネジメント サービスマネジメント

この章の攻略法

本章の特徴と対策

●「管理」に関する２つの場面

本章マネジメント系の分野は、２つのカテゴリに分けられています。どちらも、システムエンジニアの業務活動を効率的に管理するための基礎知識を問われています。

＜大分類５＞プロジェクトマネジメント（Lesson 01 ～ 03）
新たなシステムやソフトウェアを構築するプロジェクトのマネジメント

＜大分類６＞サービスマネジメント（Lesson 04 ～ 07）
稼働中のシステムの運用・保守など、システムの利用者にITサービスを提供するための活動に関するマネジメント

特にプロジェクトマネジメントは、一般化された内容でテーマがわかりにくいため、まずはプロセス全体の概要を整理して把握しておきましょう（右ページ）。

●しっかり習得して得点を稼ぎたい「システム監査」

ごく狭い範囲から毎回数問出題されるカテゴリが、「Lesson 07 システム監査と内部統制（大分類６に含まれる）」です。しっかり対策しておけば、確実に加点できるお得なカテゴリなので、手始めに「システム監査の概要と流れ p.310」で概要をつかみましょう。

注目の出題テーマベスト５

1位	07 システム監査と内部統制
2位	02 プロジェクトの「時間」
3位	04 サービスマネジメント
4位	03 プロジェクトの「コスト」
5位	06 サービスの運用とファシリティマネジメント

※テーマ左の数字は、この章の Lesson 番号

第５章の出題割合は、全体の 12 ～ 14% 程度です。プロジェクトマネジメントからは、管理活動の内容に関する問題だけでなく、PDCA や WBS などの手法や、PERT や工数、FP 法などの計算問題も出題されています。サービスマネジメントは、用語や判断問題が中心。システム監査や内部統制は、システム監査基準やシステム管理基準からの出題が多いのですが、テクノロジ系を学習した後なら問題文と選択肢から正解を導くことが可能なので、注意深く読むのがポイントです。

理解しておきたい基礎知識

プロジェクトマネジメントの対象群

システム開発を題材とした例

プロジェクトマネジメントとは、プロジェクトを円滑に進めるための管理活動のこと。行うべき管理活動が、目的・対象によって10の対象群に分類されている。

プロジェクトの統合
プロジェクトマネジメント活動全体の統合的な管理・調整。
出題実績がある項目：プロジェクト憲章、プロジェクトの変更管理

プロジェクトのコスト
決められた予算内で完了するためのコスト見積もりとコストコントロール。
出題実績がある項目：ファンクションポイント(FP)法、標準タスク法

プロジェクトのステークホルダ
発注者・ユーザ・開発担当者など、プロジェクトに関連するステークホルダ（利害関係者）を明らかにする。
出題実績がある項目：ステークホルダ

プロジェクトのリスク
起こりうるリスクの予測と対応戦略の策定、発生したリスクへの対応。
出題実績がある項目：定性的・定量的リスク、デルファイ法

プロジェクトのスコープ
プロジェクトの遂行に必要な作業を洗い出し、プロジェクトで行う範囲を明確にする。
出題実績がある項目：スコープ、WBS

プロジェクトの品質
達成すべき成果物の品質の目標策定と品質の評価・コントロールを行う。
出題実績がある項目：パレート図、バグ曲線、ベンチマーク、テスト、管理図や特性要因図など各種分析図法

プロジェクトの資源
プロジェクト遂行に必要な資源（要員・設備・資材など）を明らかにし、確保や管理を行う。
出題実績がある項目：プロジェクトマネージャ、プロジェクトメンバ

プロジェクトの調達
プロジェクト外部から取得する資源（人員を含む）やサービスの調達と管理。
出題実績がある項目：RFP（提案依頼書）、アウトソーシング、サプライヤ

プロジェクトの時間
プロジェクトを予定どおり完了させるためのスケジュール策定と進行管理。
出題実績がある項目：PERT、PDM、ガントチャート、クラッシング

プロジェクトのコミュニケーション
ステークホルダ間の情報共有のための伝達手段の確保と文書管理。
出題実績がある項目：プッシュ型／プル型コミュニケーション

システム監査の概要と流れ

システム監査の目的

現代の企業はシステムが業務と密接に連携している。そのため、システムの機能や品質だけでなく、企業倫理や社会的責任という側面でも「正しいシステム」である必要がある。例えば、会計管理システムに誤りがあれば正しい決算報告がなされず、株主が不利益を被ったり、税法上の違反行為として追求されるリスクが生じる可能性もある。

システム監査の目的は、企業の情報システムが、リスク管理の視点に基づいて適切に整備・運用されているかを第三者として検証・評価し、改善につなげることにある。

システム監査人の役割

システム監査は、監査対象となるシステムやその関係者と利害関係のない、独立・専門的な立場のシステム監査人が行わなければならない。監査報告は監査の依頼者に対して行い、監査人は検証の結果としてシステムの内容について保証または助言を行い※、必要であればフォローアップを行う。

※依頼者からの依頼内容によって異なる。システム監査人の保証を目的とせず、助言のみを目的とした監査が行われる場合もある。

システム監査の手順（下図）

システム監査の手順で特徴的なのは、予備調査と本調査の２段階に分けて調査を行うこと。システム監査では、システムの処理内容だけでなく、業務上のルール遵守

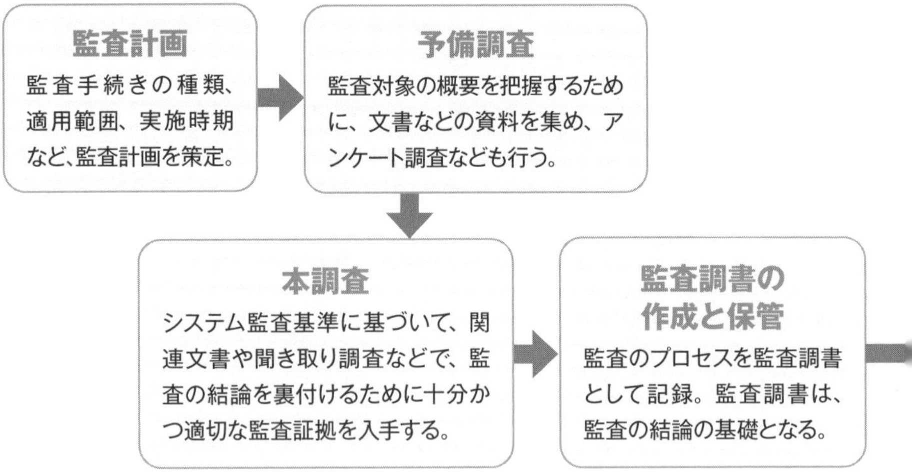

監査計画
監査手続きの種類、適用範囲、実施時期など、監査計画を策定。
予備調査
監査対象の概要を把握するために、文書などの資料を集め、アンケート調査なども行う。
本調査
システム監査基準に基づいて、関連文書や聞き取り調査などで、監査の結論を裏付けるために十分かつ適切な監査証拠を入手する。
監査調書の作成と保管
監査のプロセスを監査調書として記録。監査調書は、監査の結論の基礎となる。

やセキュリティ対策の適切性など、調査項目が多岐に渡る。そのため、より重要度が高い項目を予備調査によって洗い出し、本調査でこれらの項目を優先的に調査することで、監査の正確性を高めることができる。

システム監査の対象

システム監査の対象となるのは、稼働しているシステムそのものだけでなく、システムの企画・開発・運用・保守というライフサイクル全般におよぶ。

また、システムの内容機能だけでなく、開発の進捗管理や保守要員の教育体制なども、システム監査の対象とすることができる。さらに、外部のITベンダに委託して開発中の新システムの監査を、システム監査人に依頼するケースもある。

このように、システム監査といっても多様なケースがあるため、監査対象となる範囲は、依頼者と監査人との間で、あらかじめ明確にしておき、文書化して定めておく。

システム監査に関わる基準

システム監査の手順・内容は、経済産業省が策定した「システム監査基準（平成30年4月改訂）」によって規定され、「システム監査人の権限と責任、必要な監査能力」「システム監査に対するニーズの把握と監査品質の確保」「監査計画策定の留意事項（リスク評価に関する項目を含む）」「監査証拠の入手とその評価」「監査調書の作成と保管」「監査の結論の形成」「監査報告書の作成と提出」「改善提案のフォローアップ」などの基準が提示されている。

またこの監査基準では、該当する部分について経済産業省が策定した「システム管理基準」「情報セキュリティ監査基準」を判断の尺度とすることも規定している。

監査の結論と監査報告書の作成

合理的な根拠に基づいて結論を導き、監査報告書としてまとめる。指摘事項は、監査対象部門との間で、十分な事実確認を行う。

→

監査の報告

監査依頼者（業務執行役員、経営陣など）に対し、監査報告書により監査報告を行う。報告には、指摘事項と改善勧告、特記事項がある。

→

改善提案のフォローアップ

監査報告書に改善提案を記載した場合、改善計画および実施状況に関する情報を収集し、改善状況のモニタリングを行う。

Lesson 01

プロジェクトマネジメント

プロジェクトマネジメント

プロジェクトとは、「目標達成のために行う有期の活動」です。プロジェクトマネジメントとは、プロジェクトをPDCA（Plan：計画、Do：実行、Check：確認、Act：処置）マネジメントサイクルで管理し、効率よくプロジェクトを進めていくための活動です。

問1 ステークホルダの説明

check

プロジェクトに関わるステークホルダの説明のうち、適切なものはどれか。

ア　組織の内部に属しており、組織の外部にいることはない。
イ　プロジェクトに直接参加し、間接的な関与にとどまることはない。
ウ　プロジェクトの成果が、自らの利益になる者と不利益になる者がいる。
エ　プロジェクトマネージャのように、個人として特定できることが必要である。

ここがポイント！

《プロジェクトマネジメントの体系》

プロジェクトとは、特定の目的を達成するために組織・実施される活動のことで、「開始日と終了日を持ち、調整し、かつ管理する活動で構成するプロセスの独自性のある集合である（JIS Q 21500）」と定義されている。

「JIS Q 21500:2018」は、プロジェクトを円滑に進めるための手引きとして、プロジェクトマネジメントの概念やプロジェクトの中で行うべきプロセスを提示している。

この規格では、プロジェクトマネジメントで行う活動を、内容や対象ごとに10項目の対象群に分類している。さらに、PDCAサイクルを5つのプロセス群として定義し、各プロセスで行うべき活動が対象群ごとに示されている。

【対象群】
①プロジェクトの統合：複数の対象群にまたがる活動の指揮、管理、調整
②プロジェクトのステークホルダ：利害関係者間の調整と情報共有
③プロジェクトのスコープ：活動範囲の定義、必要な作業の洗い出しと変更管理

④プロジェクトの資源：必要な機材や要員の配置計画の作成と資源管理
⑤プロジェクトの時間：スケジュールの策定と進捗管理
⑥プロジェクトのコスト：予算編成とコストの管理
⑦プロジェクトのリスク：発生する可能性があるリスクの特定・評価と対応
⑧プロジェクトの品質：成果物の品質目標の策定と品質コントロールの実施
⑨プロジェクトの調達：機材・人員の外部からの調達や業務委託に関わる管理
⑩プロジェクトのコミュニケーション：プロジェクトメンバ間の情報伝達と管理

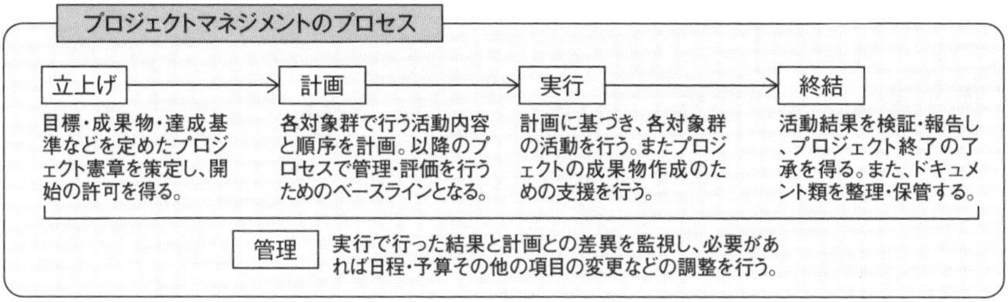

プロジェクトマネジメントのプロセス
立上げ
目標・成果物・達成基準などを定めたプロジェクト憲章を策定し、開始の許可を得る。
計画
各対象群で行う活動内容と順序を計画。以降のプロセスで管理・評価を行うためのベースラインとなる。
実行
計画に基づき、各対象群の活動を行う。またプロジェクトの成果物作成のための支援を行う。
終結
活動結果を検証・報告し、プロジェクト終了の了承を得る。また、ドキュメント類を整理・保管する。
管理
実行で行った結果と計画との差異を監視し、必要があれば日程・予算その他の項目の変更などの調整を行う。

《プロジェクトのステークホルダ》

ステークホルダとは利害関係者のこと。開発プロジェクトでは、システムの発注者と受注者、ユーザ、プロジェクトマネージャ、プロジェクトメンバ、外部委託先などが該当する。この対象群の目的は、利害関係が対立しがちなステークホルダ間の調整を行い、プロジェクト活動を円滑に進めることにある。ステークホルダの特定は、「だれが利害関係者か」ということだけでなく、プロジェクトへの関わりの深さや影響力の大きさ、ステークホルダ間の関係も明らかにして、ステークホルダ登録簿に記載しておく。

《プロジェクトのスコープ》

プロジェクトで「何をどこまでやるか」という範囲を明確にすることをスコープ(scope)と呼ぶ。対象群「スコープ」では、プロジェクトの遂行に必要な作業を洗い出していくが、これに用いる手法がWBS(Work Breakdown Structure)である。WBSでは、作業を階層化し、管理可能な大きさに細分化する。WBSの最下位レベルの作業項目はワークパッケージと呼ばれ、この単位で管理活動が行われる。

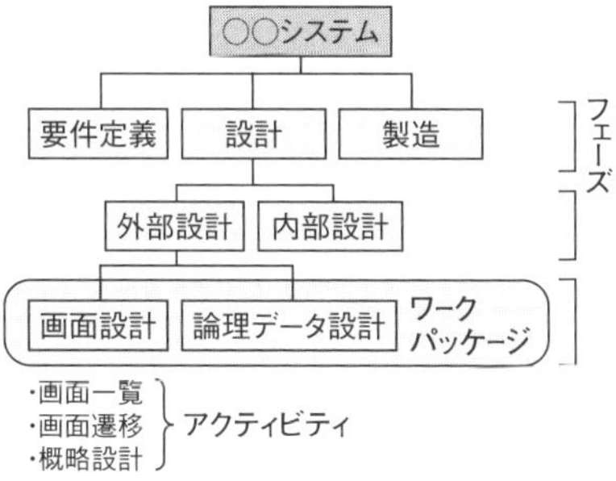

解説 1

【解答】ウ

ステークホルダは、プロジェクトに関わる利害関係者のことで、プロジェクトを行う組織の内部に所属しているか外部に所属しているかは問わない(ア)。また、プロジェクトに直接関わるか否かも問題ではなく(イ)、法人や団体などの組織であってもよい(エ)。各ステークホルダの立場は同一ではなく、利害が相反する場合もある(ウ)。

問2 計画プロセスで実施する内容 check

プロジェクトマネジメントのプロセスのうち、計画プロセスグループ内で実施するプロセスはどれか。

ア　スコープの定義
イ　ステークホルダの特定
ウ　品質保証の実施
エ　プロジェクト憲章の作成

問3 WBSで定義する事柄 check

プロジェクトマネジメントで使用するWBSで定義するものはどれか。

ア　プロジェクトで行う作業を階層的に要素分解したワークパッケージ
イ　プロジェクトの実行、監視・コントロール、及び終結の方法
ウ　プロジェクトの要素成果物、除外事項及び制約条件
エ　ワークパッケージを完了するために必要な作業

問4 プロジェクトの追加要員の見積り check

ある開発プロジェクトの開発工数の予定と5月末時点の実績は、次のとおりである。

①全体の開発工数は88標準人月である。1標準人月は、標準的な要員の1か月分の作業量である。
②プロジェクトの開発期間は1月から8月までで、1月から5月までは各月10名を投入している。
③現行要員は、作業効率が標準的な要員に比べて20%低かったので、5月末時点で50人月分の工数を投入しているにもかかわらず、40標準人月分の作業しか完了していない。

予定どおりに8月末までにプロジェクトを完了するためには、あと何名の追加要員を必要とするか。ただし、6月以降の現行要員及び追加要員の作業効率は、現行要員と同じとする。また、要員の追加による生産性の低下はないものとする。

ア　5　　イ　10　　ウ　15　　エ　20

マネジメント系

《プロジェクトの資源》

対象群「資源」は、プロジェクト活動に必要な資源を、過不足なく、適切なタイミングで確保し管理するための活動。「資源」には、人員、施設、機器、インフラストラクチャ（電源やネットワークなど）、ツール（ソフトウェアなど）等が含まれている。さらに、プロジェクトチームの育成や要員の指導・教育も、この対象群で行う活動。

《プロジェクトのリスク》

対象群「リスク」で扱うリスクには、発生するとマイナスの影響が出るリスク（脅威）と、プラスの影響を与えるリスク（好機）の２種類がある。

プロジェクト活動の中で発生が予測できるリスクに対して、脅威は影響を最小限に抑え、好機は最大限に活かせるよう、あらかじめリスクに対応する戦略と具体的な対策を考え、発生時に確実に実行することが、この対象群の目的となる。

		対応戦略と対策の例
脅威	回避	リスクの発生を完全に避けるための対策を行う（例：プロジェクトそのものを中止）
	転嫁	リスクの発生時に被るマイナスの影響を第三者に移転する（例：災害発生に備えて、損害保険に加入）
	軽減	リスクの発生確率やマイナスの影響を、許容レベルに抑える（例：故障の発生を避けるため、古い機材を使わない）
	受容	リスクの発生や、発生時に受ける影響を容認する（例：積極的な対応は行わない）
好機	活用	好機が確実に来るように積極的な対策を行う（例：類似プロジェクトの経験者や、該当する技術分野の専門エンジニアをメンバに加える）
	共有	好機を得やすいよう、第三者に活動の一部（またはすべて）を割り当てる（例：外部の専門家をアドバイザーに迎える。実績豊富なインテグレータに開発を委託）
	強化	好機の発生確率が高まり、プラスの影響が増大する要因を最大化する（例：プロジェクトで開発するシステムの品質向上や日程短縮のため、高性能なサーバ機を調達）
	受容	リスクの発生や、発生時に受ける影響を容認する（例：積極的な対応は行わない）

※表はプロジェクトマネジメントの国際的な標準とされるPMBOKに定義されている対応戦略。

解説２　【解答】ア

PMBOKガイドにおいては、プロジェクトを立上げ、計画、実行、監視・コントロール、終結の５つのプロセス群として定義している。計画プロセスでは、プロジェクトの範囲と達成目標を定義し、作業の流れを計画するとしており、選択肢の中ではスコープの定義が該当する。イ：立上げプロセスで行う。ウ：実行プロセスで行う。エ：立上げプロセスで行う。

解説３　【解答】ア

WBSで定義するのは、行うべき作業を階層的に分割したとき、その最下層となるワークパッケージ（ア）である。イ：プロジェクト全体の実行〜終結の作業内容や方法は、プロジェクトの統合における計画プロセス。ウ：成果物や制約条件を定義しているのは、プロジェクトのスコープで策定するプロジェクトスコープ規定書。エ：ワークパッケージで行う個々の活動は、プロジェクトの時間におけるアクティビティ定義で行う。

解説４　【解答】イ

５月末時点で、全体の開発工数88標準人月のうち、40標準人月分の作業が完了しているので、残りの工数は48標準人月である。そこで、８月までの３か月に現行要員10人が作業できる工数は、３か月×10人×80％＝24標準人月で、残る24（＝48－24）標準人月分は追加要員の補充で対処しなければならない。ここで、追加要員の作業効率は現行要員と同じであることから、必要となる追加要員数は10人となる。

問5 リスクに対応する戦略

check

プロジェクトのリスクに対応する戦略として、損害発生時のリスクに備え、損害賠償保険に加入することにした。PMBOKによれば、該当する戦略はどれか。

ア　回避　　イ　軽減　　ウ　受容　　エ　転嫁

問6 品質状況を判断するグラフ

check

テスト工程での品質状況を判断するためには、テスト項目消化件数と累積バグ件数との関係を分析し、評価する必要がある。品質が安定しつつあることを表しているグラフはどれか。

ア

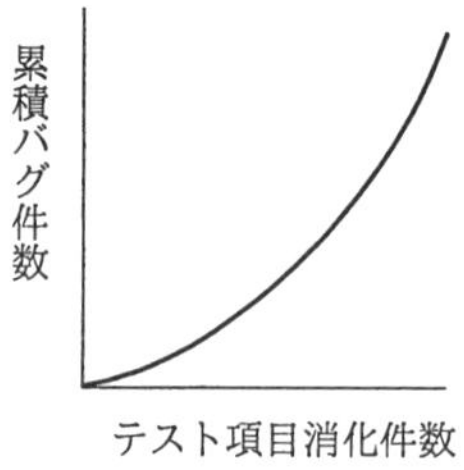

イ

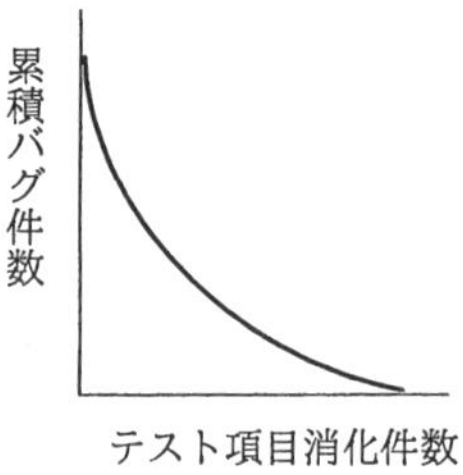

ウ

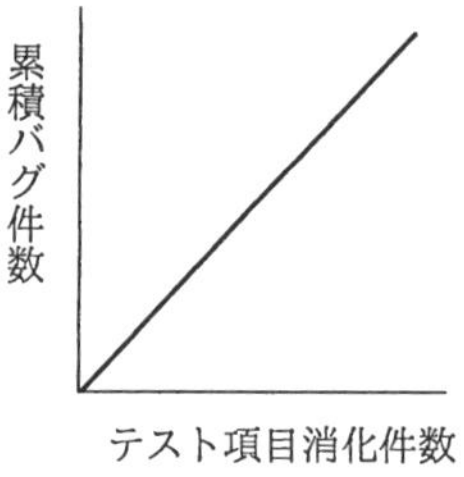

エ

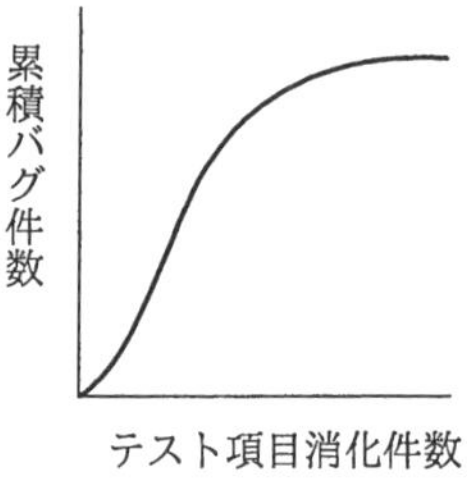

問7 コミュニケーション手段

check

プロジェクトにおけるコミュニケーション手段のうち、プル型コミュニケーションはどれか。

ア　イントラネットサイト　　イ　テレビ会議

ウ　電子メール　　エ　ファックス

《プロジェクトの品質》

この対象群では、品質に関して負うべき責任を定め、成果物の品質を管理していく。具体的には、達成すべき品質の方針・目標の策定と、評価・コントロールなどを行う。

○信頼度成長曲線（バグ曲線）

信頼度成長曲線は、ソフトウェアの品質を表す際に用いられるグラフで、テスト時間やテスト項目の消化件数を横軸に、検出されたエラー（バグ）の累積件数を縦軸にとる（右図）。一般的に、このグラフの形状はゆるやかなS字に近い形で推移するため、実際のテスト実績がこの曲線の形状と大きく異なる場合は、ソフトウェアに品質上の大きな問題が生じている可能性が高い。

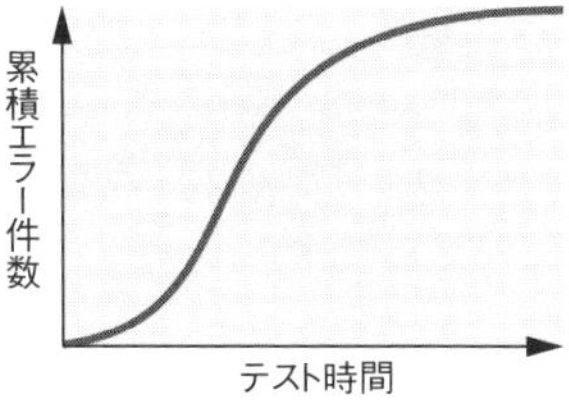

《プロジェクトのコミュニケーション》

システム開発の発注者と受注者、開発者とユーザなど、利害関係者間の認識のズレを防ぎ、プロジェクトメンバ間の意思疎通を図って円滑にプロジェクトを進めるには、情報の共有化と適切な管理が不可欠となる。代表的なコミュニケーション手段には、次の2つの形態がある。

①プッシュ型コミュニケーション

特定の受け手に限定して情報を送る１対１の伝達手段で、電子メールやFAXなどがこれに分類される。それぞれの受け手へ個別に情報を送るため、受け手の数が多いと、送り手側の手間がかかる。

②プル型コミュニケーション

受け手自身が、蓄積された情報の中から必要なものを選んで取り出す１対多の伝達手段。送り手側は蓄積場所に情報を置くだけなので、手間がかからない。反面、受け手は能動的に蓄積場所にアプローチしないと情報が入手できない。

解説5　【解答】エ

損害発生時のリスクなので、マイナスの影響が出るリスク「脅威」への対応戦略となる。「保険の加入」は、発生したリスクを他者に移転することで、自らが被るマイナスの影響を第三者へ移転する戦略である「転嫁」が該当する。

解説6　【解答】エ

テストの開始直後は、エラー(バグ)が多数発見されるため、累積バグ件数は急速に増えていき、グラフの曲線は急角度で上昇する。行われたテスト項目でエラーが発見されるとその都度修正が行われ、消化件数が増えるごとに修正が進んで発見されるエラーが減ってくる(＝品質が安定してくる)。つまり、曲線の傾きは段々と平坦になってくる(エ)。

解説7　【解答】ア

プル型コミュニケーションは、受け手が能動的に自分で取りに行く(プル)タイプの伝達手段で、イントラネット上の情報(ア)や掲示板の書き込みなどがこのタイプに分類される。プッシュ型コミュニケーションは、送り手から特定の受け手に対して送り出されてくる(プッシュ)タイプの伝達手段。電子メール(ウ)やファックス(エ)などが該当する。なおテレビ会議は、相互型コミュニケーションに該当する。

プロジェクトマネジメント

02 プロジェクトの「時間」

工程管理に用いるPERTは、作業の順序性を明らかにして必要な作業時間を計算するための図法です。作業の前後関係に注意しながらPERTを作成することで、管理上の重要ポイントとなるクリティカルパスを把握し、作業の全体時間を求めることができます。

問1 クリティカルパスで把握できるもの check

PERTを用いてシステム開発プロジェクトの実施計画を作成し、クリティカルパスを求めた。クリティカルパスによって把握できるものとして、適切なものはどれか。

ア　システムの品質上、最も注意すべき作業を把握することができる。
イ　実施順序の変更が可能な作業を把握することができる。
ウ　プロジェクト全体の遅れに直結する作業を把握することができる。
エ　最も費用のかかる作業を把握することができる。

問2 日程短縮できる作業の組み check

図のアローダイアグラムにおいて、プロジェクト全体の期間を短縮するために、作業A～Eの幾つかを1日ずつ短縮する。プロジェクト全体の期間を2日短縮できる作業の組みはどれか。

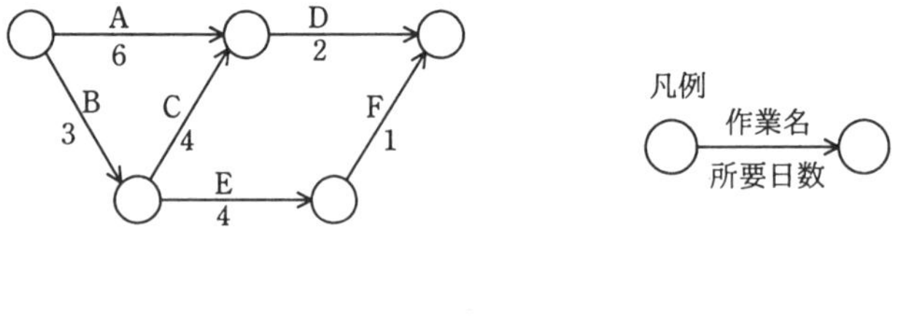

ア　A、C、E　　イ　A、D　　ウ　B、C、E　　エ　B、D

ここがポイント！

《PERT》

PERT（Program Evaluation and Review Technique）は、作業の前後関係をアローダイアグラムで表す工程管理のための図法。クリティカルパスとは、開始から終了に至る経路（パス）のうち、「余裕のない作業を結んだ経路」のこと。また、ダミー作業とは、実際に行う作業はないものの、この矢印が結ぶ作業に前後関係があることを表す。また、作業に割り当てる資源を増やして、所要期間を短縮することをクラッシングと呼ぶ。

《クリティカルパスを求める手順》

①各結合点の最早結合点時刻を求める　→先頭の作業から見ていく

最早結合点時刻とは、結合点において次の作業を最も早く開始できる時刻。

手順１：結合点に到着する作業が１つのときは、直前の結合点における最早結合点時刻にその作業日数を加える。

手順２：結合点に到着する作業が複数のときは、直前の結合点の最早結合点時刻に作業日数を加えた値の中で、一番大きな値が最早結合点時刻となる。

②各結合点の最遅結合点時刻を求める　→最後の作業から見ていく

最遅結合点時刻とは、結合点において遅くとも作業を開始しなければならない時刻。

手順１：結合点から開始される作業が１つのときは、直後の結合点における最遅結合点時刻からその作業日数を引く。

手順２：結合点から開始される作業が複数のときは、直後の結合点における最遅結合点時刻から作業日数を引いた値の中で、一番小さな値が最遅結合点時刻となる。

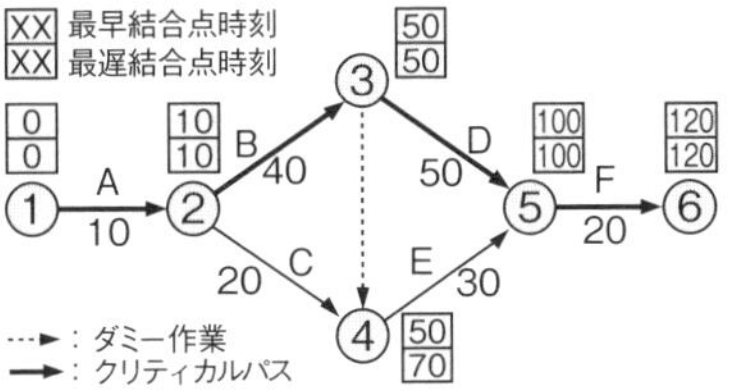

③クリティカルパスを求める

手順：最早結合点時刻と最遅結合点時刻の差が０の作業経路を求める。右図の例では、作業A→B→D→Fを順に結んだ経路になる。

《プレシデンスダイアグラム法》

PDM（Precedence Diagramming Method：プレシデンスダイアグラム法）は、連続する作業の依存関係（開始と終了のタイミング）を、次の４つの方法で表現する手法。

- FS（Finish-to-Start）：前作業が終了したら、後作業が開始できる。
- SS（Start-to-Start）：前作業が開始したら、後作業が開始できる。
- SF（Start-to-Finish）：前作業が開始したら、後作業が終了できる。
- FF（Finish-to-Finish）：前作業が終了したら、後作業が終了できる。

《トレンドチャート》

時間経過と予算消化を軸にして、予定と実績の差異を確認する目的で使用する。チャートでは、作業進行上の区切りや重要なチェックポイントとなるマイルストーンを設定し、予定どおりに到達しているかを見る。

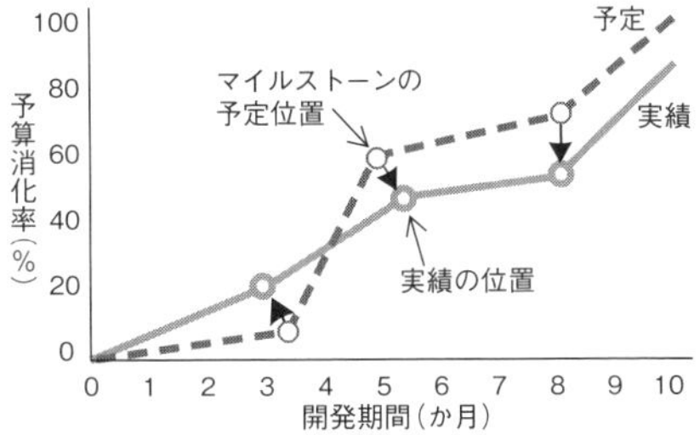

問3 PDM法の論理的な依存関係

二つのアクティビティが次の関係にあるとき、論理的な依存関係はどれか。

“システム要件定義プロセス”が完了すれば、“システム方式設計プロセス”が開始できる。

ア　FF関係(Finish-to-Finish)
イ　FS関係(Finish-to-Start)
ウ　SF関係(Start-to-Finish)
エ　SS関係(Start-to-Start)

問4 トレンドチャートの説明

システム開発の進捗管理などに用いられるトレンドチャートの説明はどれか。

ア　作業に関与する人と責任をマトリックス状に示したもの
イ　作業日程の計画と実績を対比できるように帯状に示したもの
ウ　作業の進捗状況と、予算の消費状況を関連付けて折れ線で示したもの
エ　作業の順序や相互関係をネットワーク状に示したもの

問5 EVMによるパフォーマンス管理

システム開発のプロジェクトにおいて、EVMを活用したパフォーマンス管理をしている。開発途中のある時点でCV(コスト差異)の値が正、SV(スケジュール差異)の値が負であるとき、プロジェクトはどのような状況か。

ア　開発コストが超過し、さらに進捗も遅れているので、双方について改善するための対策が必要である。
イ　開発コストと進捗がともに良好なので、今のパフォーマンスを維持すればよい。
ウ　開発コストは問題ないが、進捗に遅れが出ているので、遅れを改善するための対策が必要である。
エ　進捗は問題ないが、開発コストが超過しているので、コスト効率を改善するための対策が必要である。

《EVM（アーンド・バリュー管理）》

EVMは、コストに注目して進捗管理を行う手法で、予算に対する出来高を見ていく。右図のような4つの基本要素と、いくつかの指標がある。**スケジュール差異**SV（Schedule Variance）は、作業が先行していればプラス、遅延はマイナスになる。**コスト差異**CV（Cost Variance）は、予算に対して実コストが少ない場合はプラス、超過している場合はマイナスになる。さらに、**残作業の予測コスト**ETC（Estimate To Complete）は、(BAC − EV) ／ CPIで、**完成時の予測コスト**EAC（Estimate at Completion）は、AC＋ETCで求めることができる。

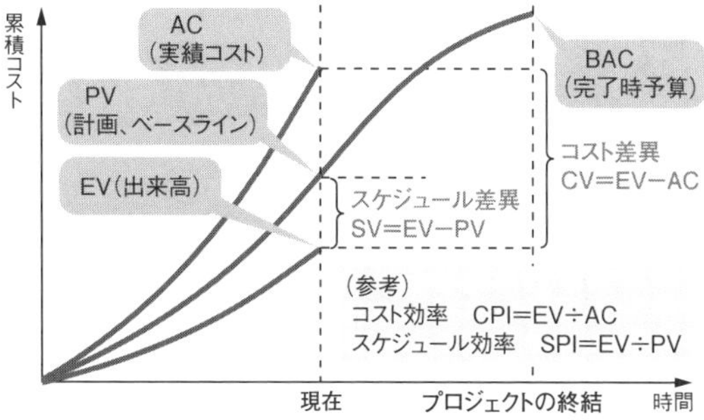

①PV（Planned Value）：計画予算（ベースライン）
②EV（Earned Value）：出来高
③AC（Actual Cost）：実績コスト
④BAC（Budget At Completion）：完了時の総予算

解説 1
【解答】ウ

解答のポイントとなるのは、「クリティカルパス上の作業が1日遅れると、プロジェクト全体の作業が1日遅れる」ということ。したがって、クリティカルパスを求めることで、プロジェクト全体の遅れに直結する作業、重点的に管理する必要がある作業を把握することができる。

解説 2
【解答】エ

図のクリティカルパスはB (3) → C (4) → D (2) で、全体の作業日数は9日間になる。そこで、このクリティカルパス上の作業短縮を考える。まず、作業BとCを1日ずつ短縮するとB(2)→C(3)で5日間になるが、作業A (6)がクリティカルパスに変わるため、どちらか一方しか短縮できない。また、C (4) → D (2) も、E (4) → F (1) と1日しか差がないため、作業CとDの両方を1日ずつ短縮しても全体の短縮にはならない。この2点を照らし合わせて考えると、作業BとDを1日ずつ短縮すればよいことがわかる。

解説 3
【解答】イ

プレシデンスダイアグラム (PDM) 法は、連続する作業の開始と終了のタイミングを4つの形で表現する。問題文では、「前作業（システム要件定義プロセス）が終了すると、後作業（システム方式設計プロセス）が開始できる」ので、イのFS (Finish-to-Start) が該当する。

解説 4
【解答】ウ

トレンドチャートは、時間経過における予算消化率を把握するためのもので、予定と実績の差異を折れ線で示したもの。2本の折線を比較することで計画どおりに進んでいるかを知ることができる（ウ）。ア：作業責任マトリックスの説明。イ：ガントチャートの説明。エ：PERTのアローダイアグラムの説明。

解説 5
【解答】ウ

EVMにおけるCV（コスト差異）とSV（スケジュール差異）について問われている。CVがプラスの場合は予算に対して実コストが少ないことを表し、SVがマイナスの場合は作業が遅延していることを表している。選択肢では、ウの「進捗の遅れが問題になっており、遅れを改善するための対策が必要である」が正しい。

Lesson 03 プロジェクトマネジメント

プロジェクトの「コスト」

プロジェクトマネジメントでは、予算や期間、資源（人・物）の制限があるため、常に作業工数を把握しておく必要があります。試験では、作業にかかる工数や要員数などが問題テーマになっています。また、ファンクションポイント（FP）法が高頻度で出題されています。

問 1 画面を作成する総工数

check

全部で100画面から構成されるシステムの画面を作成する。100画面を規模と複雑度で分類したときの内訳は次のとおりである。

規模が“小”で、複雑度が“単純”である画面数：30

規模が“中”で、複雑度が“普通”である画面数：40

規模が“大”で、複雑度が“普通”である画面数：20

規模が“大”で、複雑度が“複雑”である画面数：10

全ての画面を作成する総工数を、表の作成工数を用いて見積もると何人日になるか。ここで、全部の画面のレビューと修正に5人日を要し、作業の管理にはレビューと修正の工数を含めた作業工数の20%を要するものとする。

画面当たりの作成工数

単位　人日

規模＼複雑度	単純	普通	複雑
小	0.4	0.6	0.8
中	0.6	0.9	1.0
大	0.8	1.0	1.2

ア　80　　イ　85　　ウ　101　　エ　102

ここがポイント！

コスト見積の前提となる**工数**とは、ある作業を完了させるために必要な時間数のこと。単位として**人日**や**人月**を用いる。人日は「ひとりの担当者がその作業を終えるのに何日必要か」を表す。例えば、ある作業に5人日必要なら、1人のエンジニアが作業すれば作業期間は5日間になる。同じ作業に5人のエンジニアを投入して行えば、1日で完了する計算になる。

《代表的なコスト見積手法》

①類推見積り（類似法）

過去に行った類似するシステムの開発をもとに、新システムとの相違点などを分析して、必要な工数とコストを見積もる手法。

②パラメトリック見積り（係数見積り）

過去のデータと見積もる値に関わる変数との統計的な関係を用いて、数学的に工数やコストを求める。ファンクションポイント法（p.325）、COCOMO（下記）などがある。

③三点見積り

項目ごとに３通りの値を予測し、それぞれ重み（期待値）を掛けて見積値を算出する手法。幅のある３つの想定値で工数を予測することで、より正確な見積値を算出できる。

・楽観値：作業が上手く進んだ場合
・最頻値：いつものペースで完了できた場合
・悲観値：いろいろあって進みが遅くなった場合

一般に、楽観値と悲観値の重み（期待値）は「1」、最頻値の重み（期待値）は「4」として計算し、その合計値を期待値の合計（1 ＋ 1 ＋ 4 ＝ 6）で割って見積値を求める。

見積値＝（楽観値× 1 ＋ 最頻値× 4 ＋ 悲観値× 1）÷ 6

④ボトムアップ見積り（標準タスク法、標準値法）

個々の作業を洗い出し、作業ごとに一定の基準で見積もる方法。WBSの最小単位であるワークパッケージや、さらに小さく作業を分割したアクティビティから、工数とコストを予測して合計することで、システム全体にかかる工数やコストを算出する。

⑤LOC法（Lines Of Code：プログラムステップ法）

システム全体の機能をプログラムレベルまで分割･詳細化し、プログラムのソースコードの行数（ステップ数）に基づいて開発工数を見積もる方法。ただし、開発環境や使用するプログラム言語が同一でないと、正確に見積もることができない。

《COCOMO（COnstructive COst MOdel）》

予測されるソースコードの総行数に、「プログラムの特性、用いるハードウェアの特性、プロジェクトマネージャやエンジニアのスキル…」などの補正係数を掛け、工数やコストを見積もる手法。改良版のCOCOMO Ⅱでは、FP法などの概念を取り入れ、企画・設計や成果物の検証工程など、開発の全行程の見積りが可能になった。

解説 1

【解答】エ

この問題の見積手法は、ボトムアップ見積り。この手法では、細かく分解した作業ひとつひとつの標準時間をもとに、作業工数を計算していく。

小規模・単純：0.4 人日 × 30 画面 = 12 人日
中規模・普通：0.9 人日 × 40 画面 = 36 人日
大規模・普通：1.0 人日 × 20 画面 = 20 人日
大規模・複雑：1.2 人日 × 10 画面 = 12 人日　　作成作業合計：80 人日

レビューの工数（5 人日）を足し、さらに管理の工数（20%→ 1.2 倍）を含めた作業工数を計算する。

（80 人日 + 5 人日）× 1.2 = 102 人日

となりエが正解となる。

問2 パラメトリック見積りの説明 check

PMBOKガイドによれば、プロジェクトのコスト見積り技法の説明のうち、パラメトリック見積りの説明はどれか。

ア WBSの下位レベルの構成要素単位の見積り結果を集計して、プロジェクトのコストを見積もる。

イ 関連する過去のデータとその他の変数との統計的関係を用いて、プロジェクトにおける作業のコストを見積もる。

ウ 楽観値、悲観値、最可能値を使って、個々のアクティビティのコストを見積もる。

エ 類似のプロジェクトにおける過去のコスト実績を使って、プロジェクトのコストを見積もる。

問3 ファンクションポイント法の説明 check

ソフトウェア開発の見積方法の一つであるファンクションポイント法の説明として、適切なものはどれか。

ア 開発規模がわかっていることを前提として、工数と工期を見積もる方法である。ビジネス分野に限らず、全分野に適用可能である。

イ 過去に経験した類似のソフトウェアについてのデータを基にして、ソフトウェアの相違点を調べ、同じ部分については過去のデータを使い、異なった部分は経験に基づいて、規模と工数を見積もる方法である。

ウ ソフトウェアの機能を入出力データ数やファイル数などによって定量的に計測し、複雑さによる調整を行って、ソフトウェア規模を見積もる方法である。

エ 単位作業項目に適用する作業量の基準値を決めておき、作業項目を単位作業項目まで分解し、基準値を適用して算出した作業量の積算で全体の作業量を見積もる方法である。

《ファンクションポイント(Function Point)法：FP法》

ファンクションとは「機能」のこと。FP法では、プログラムに含まれる機能の数やその機能の複雑度などから、必要なコストや工数などを見積もる。機能に注目するため、非エンジニアにもわかりやすく、ユーザ自身が見積もることも可能な手法である。なお求められたFP値は開発規模の尺度なるが、算出したFP値に単位あたりの標準値を掛け合わせることで、コストや工数、作業期間などを定量的に見積もることができる。

①FP法の5つの機能分類

FP法では機能を5つのタイプに分類し、これをユーザファンクションタイプと呼ぶ。

- 外部入力：外部インタフェースファイルを受け取り、これによって内部論理ファイルの作成・更新・削除などを行う機能。
- 外部出力：プログラムが内部論理ファイルの作成・更新・削除などを行い、他のプログラムや装置などに出力する機能。
- 内部論理ファイル：プログラムが扱うデータや制御情報のまとまりのこと。作成・更新・削除を、このプログラム自身が行う。
- 外部インタフェースファイル：他のプログラムやユーザから入力された、データや制御情報のまとまりのこと。
- 外部照会：外部インタフェースファイルを参照する機能。参照情報を単に画面に出力したり、他のプログラムへ渡すための機能で、内部論理ファイルの書き換えは行わない。

②FP法の計算方法

FP法の計算は、まずプログラムに含まれた機能をユーザファンクションタイプごとに分ける。次にタイプ別の合計個数と、そのタイプの機能の複雑度による重み付け係数を掛けて、FP(ファンクションポイント)値を算出。さらに、他のプログラムとの関係性などを基に定義されたプログラム全体の複雑度を示す補正係数を掛け合わせ、プログラム全体のFP値を計算する。

ユーザファンクションタイプ	個数	重み付け係数	個数×重み付け係数
外部入力	1	4	1×4=4
外部出力	2	5	2×5=10
内部論理ファイル	1	10	1×10=10
外部インタフェースファイル	0	7	0×7=0
外部照会	0	4	0×4=0
		合計	24

複雑さの補正係数 0.75　　プログラム全体のFP数：24×0.75=18

解説 2

【解答】イ

パラメトリック見積りは、過去のデータとその他の変数との統計的関係を用いて、工数やコスト、予算、所要期間などを見積もる手法である。(イ)。その他の選択肢は、ア：ボトムアップ見積り、ウ：三点見積り、エ：類推見積についての説明である。

解説 3

【解答】ウ

ファンクションポイント法は、帳票や画面の数、ファイルの数など、ユーザに提供する機能(ファンクション)を分類し、その複雑さなどによって算出された補正係数を乗じてファンクションポイント数を算出、これを基にソフトウェアの開発規模を見積もる方法(ウ)。その他の選択肢は、ア：COCOMO、イ：類推見積り、エ：ボトムアップ見積りの説明である。

Lesson

シラバス ●大分類6：サービスマネジメント ●中分類15：サービスマネジメント
●小分類1：サービスマネジメント、2：サービスマネジメントシステムの計画および運用

サービスマネジメント

04 サービスマネジメント

サービスマネジメントは、システムの運用や保守などを顧客に対する「ITサービス」としてとらえ、常に質の高いITサービスを適切な費用で受けられるよう、統合的な運用管理を行う仕組みです。これは、システム運用の長期的な計画と改善にもつながります。

問1 PDCAのActに該当する活動 check

サービスマネジメントシステムにPDCA方法論を適用するとき、Actに該当するものはどれか。

ア　サービスの設計、移行、提供及び改善のためにサービスマネジメントシステムを導入し、運用する。
イ　サービスマネジメントシステム及びサービスのパフォーマンスを継続的に改善するための処置を実施する。
ウ　サービスマネジメントシステムを確立し、文書化し、合意する。
エ　方針、目的、計画及びサービスの要求事項について、サービスマネジメントシステム及びサービスを監視、測定及びレビューし、それらの結果を報告する。

問2 サービスレベル管理の要求事項 check

サービスマネジメントにおいて、サービスレベル管理の要求事項はどれか。

ア　サービス継続及び可用性に対するリスクを評価し、文書化する。
イ　提供するサービスのサービスカタログとSLAを作成し、顧客と合意する。
ウ　人、技術、情報及び財務に関する資源を考慮して、容量・能力の計画を作成、実施及び維持する。
エ　予算に照らして費用を監視及び報告し、財務予測をレビューし、費用を管理する。

ここがポイント！

《サービスマネジメントシステム（SMS）》

サービスマネジメントシステム（SMS）は、ITサービスを効率的に運用・管理していく活動のこと。サービスの利用者とサービスの提供者の間では、締結したSLA（ITサービス範囲と品質を明確にした合意書）に基づき、PDCA（「計画：Plan」→「実行：Do」→「点検：Check」→「処置：Act」）マネジメントサイクルによってサービスの維持、向上を図る。また、SLAやプロセスは常に見直しを行っていく。

《SMSの主なプロセス》

①サービスの計画

サービスの要求事項を決定し、文書化を行う。また利用可能な資源を考慮して、変更要求および新規サービス、サービス変更の提案について、優先度付けを行っていく。

②サービスカタログ管理

サービスカタログ（顧客に提供するサービスを文書化した情報）を作成し、顧客や利用者に対して、適切な部分へのアクセス手段の提供を行う。

③構成管理

ハードウェア、ソフトウェア、ドキュメントなどの構成品目（CI：Configuration Item）に関する情報を特定し、正確な構成情報やバージョンの記録・追跡・報告および検証、構成品目についてCMDB（構成管理データベース）による情報管理を行う。

④サービスレベル管理（SLM；Service Level Management）

ITサービスレベル合意書（SLA）を作成・締結し、その内容を実現し、維持・改善するための活動を行う。また、監視結果に応じて、SLAやプロセスの見直しを図っていく。

⑤変更管理

サービス要求の優先度を決定し、リスク、事業利益、財務への影響などを考慮して承認。

⑥サービスの設計および移行

ニーズやSLAを考慮してサービス設計書を作成。また、構築した新サービスの評価基準となるSAC（Service Acceptance Criteria：サービス受入基準）や運用サービス基準などを用意する。 移行に際しては、移行計画を作成し移行を実施する（詳細はp.331）。

⑦インシデント管理（障害管理）

インシデント（incident）とは、サービス品質を阻害、低下させるものを指す。障害などの予期せぬサービスの中断（インシデント）に際して、記録・分類→優先度付け→必要に

（※329ページに続く）

解説 1

【解答】イ

PDCA方法論は、物事を繰り返し継続的に見直し、改善を行っていく手法として、サービスマネジメントに限らず、さまざまな場面で用いられている。英単語の頭文字を並べたもので、それぞれは、P（Plan；計画）「ウが該当」、D（Do：実行）「アが該当」、C（Check：検証）「エが該当」、A（Act：処置）「イが該当」である。したがって、Actに該当するのはイである。

解説 2

【解答】イ

サービスレベル管理は、SLA（サービス品質保証契約）により合意にしたサービスの範囲と品質を維持し、向上を図ることである。つまり、サービスレベル管理の要求事項は、提供するサービスカタログと合意書となるSLAを作成し、顧客と合意するのが正しい。ア：サービス継続管理、サービス可用性管理、ウ：キャパシティ管理、エ：サービスの予算業務及び会計業務の要求事項。

問3 問題管理で実施する活動

check

ITサービスマネジメントにおける問題管理で実施する活動のうち、事前予防的な活動はどれか。

ア インシデントの発生傾向を分析して、将来のインシデントを予防する方策を提案する。
イ 検出して記録した問題を分類して、対応の優先度を設定する。
ウ 重大な問題に対する解決策の有効性を評価する。
エ 問題解決後の一定期間、インシデントの再発の有無を監視する。

問4 サービス可用性管理

check

ITILでは、可用性管理における重要業績評価指標(KPI)の例として、保守性を表す指標値の短縮を挙げている。この指標に該当するものはどれか。

ア 一定期間内での中断の数
イ 平均故障間隔
ウ 平均サービス・インシデント間隔
エ 平均サービス回復時間

問5 サービス継続管理

check

事業継続計画で用いられる用語であり、インシデントの発生後、次のいずれかの事項までに要する時間を表すものはどれか。

(1) 製品またはサービスが再開される。
(2) 事業活動が再開される。
(3) 資源が復旧される。

ア MTBF　イ MTTR　ウ RPO　エ RTO

(※327ページからの続き)

応じた段階的取扱い(エスカレーション)→解決→終了といった手順を行う。発生したインシデントは、既知の要因として特定できるよう記録として残しておく。インシデント管理は現時点でのインシデントに対処する活動であり、根本原因の解決は問題管理で行う。

⑧サービス要求管理

サービス要求に対し、記録・分類を行い、優先順位や緊急度を含む、定められた手順に従って実現していく。

⑨問題管理

問題の根本原因を突き止め、インシデントの発生または再発防止への解決策を決めていく。問題への対応は、記録・分類→優先度付け→必要に応じた段階的取扱い(エスカレーション)→可能なら解決→終了の手順で行う。根本原因となる問題が解決できない場合は、サービスへの影響を低減または除去するための処置を決定する。これらは「既知の誤り」として記録し、参照できるようにしておく。

⑩サービス可用性管理

サービスの利用者が利用したいときに確実にサービスを利用できるよう(可用性の確保)監視・記録、サービス要求事項および目標との比較を行っていく。可用性が失われた場合、原因を調査して必要な処置をとる。

⑪サービス継続管理

顧客と合意したサービス継続に基づいて、サービス継続計画を作成し、実施・維持を行っていく。サービス継続計画については、RTO(目標復旧時間=障害発生後に、どのくらいの時間で復旧できればよいか)、RPO(目標復旧時点=どの時点までデータが復旧できればよいか)を設定し、コールドスタンバイ、ホットスタンバイ、ウォームスタンバイなどの手立てを用意しておく。

⑫情報セキュリティ管理

情報資産の機密性、完全性、アクセス性を保つため、情報セキュリティ方針、情報セキュリティ管理策を作成し、情報セキュリティインシデントに関する事項を実施していく。

解説3

【解答】ア

サービスマネジメントにおける問題管理では、発生した問題の根本原因を解決し、将来にわたり継続的にサービスへ影響を及ぼさないための対策を取ることが求められる。問題文は「事前予防的な活動」と限定しているので、アの「インシデントの発生傾向を分析して、将来のインシデントを予防する方策を提案する」が正解となる。

解説4

【解答】エ

重要業績評価指標(KPI)とは、目標に向けた中間時点での進捗度合いを測るものである。また、可用性とはいつでも使える状態にあることである。この問題では「保守性を表す指標値の短縮」に該当する指標が問われているので、障害の発生から正常にサービスを行えるまでの平均時間を示すエの「平均サービス回復時間」が正解となる。

解説5

【解答】エ

サービス継続管理の継続計画では、RTO(Recovery Time Objective)とRPO(Recovery Point Objective)によって、目標値を設定する。(1)〜(3)の事項は、発生した障害などからの復旧であることを示しているが、時間的なものなのか資源の維持について述べたものなのかが判断できない。ここで問題文を見直すと、「要する時間」とされていることからRTOであることがわかる。

サービスマネジメント

05 サービスの設計と移行

サービスの設計と移行は、開発技術におけるシステム移行の内容を含みます。テストが完了したシステムは、実際に稼働する環境へシステムを移す作業を行います。試験では、具体的な移行方法や移行において注意しなければならない点などについて問われます。

問1 システムの移行計画

check

システムの移行計画に関する記述のうち、適切なものはどれか。

ア　移行計画書には、移行作業が失敗した場合に旧システムに戻す際の判断基準が必要である。
イ　移行するデータ量が多いほど、切替え直前に一括してデータの移行作業を実施すべきである。
ウ　新旧両システムで環境の一部を共有することによって、移行の確認が容易になる。
エ　新旧両システムを並行運用することによって、移行に必要な費用が低減できる。

問2 システムの一斉移行

check

システムの一斉移行方式の特徴に関する記述として、適切なものはどれか。

ア　運用方法はシステム稼働後に段階的に周知されるので、利用者の混乱が避けられる。
イ　システム規模が小さい場合に行われ、移行に失敗した場合の影響範囲を限定することができる。
ウ　新旧システムを並行して運用することによる作業の二重負担を避けることができ、経済的効果が大きい。
エ　新システムの処理結果と従来システムの処理結果を比較しながら運用することができ、問題がなければ比較作業を一斉にやめて新システムに移行できる。

ここがポイント！

《サービスの設計》

ITサービスの設計は、ユーザニーズを満たし、SLAをクリアするにはどんな機能を持つサービスが適切かを検討する。また、サービスに用いるシステムの技術や必要な人材・機材、さらには新サービスへの移行計画や運用の引継方法なども検討し、サービス設計書を作成する。そのほか、構築した新サービスの評価基準となる**SAC**（Service Acceptance Criteria：**サービス受入基準**）や運用開始後の評価に用いる**運用サービス基準**なども用意しておく。移行前には受け入れテストを行い、機能や品質が基準を満たすかを確認する。

《システムの移行手順》

新システムに不具合があると、業務に大きな影響を与えるため、システムの性質により適切な移行方法を選択する。また、移行作業は運用部門が主体となって行う。

移行対象データの決定：現行システムの中で新システムで使用するデータを決める。

↓

データ移行方法の検討：新システムで使用するデータをどのようにして使用するかを検討する。そのまま使える場合もあるし、データ変換が必要な場合もある。

↓

移行計画書の作成：移行の日時や移行手順など、移行の計画書を作る。一気に新システムに移行することもあるし、並行運用しながら数か月かけて移行することもある。

↓

移行の実施：移行計画書に従って、移行作業を行う。移行方法によって、必要な要員が変わってくる。

《システムの移行方法》

移行の方法	説　明
一斉移行方式	休日などを利用し、一気に新システムに切り替える方法。移行期間が短くコストが安いが、反面、システム障害時に業務に与える影響が大きい
パイロット移行方式	一部の拠点や部門に限定して新システムを導入し、動作を観察した後で全体を移行する方式。移行時の問題による影響範囲を局所化でき、リスクが少ない
順次移行方式	サブシステム単位で順次新システムに切り替える方法。システム障害をサブシステムに限定でき、運用部門の負荷も少ないが、移行手順は複雑になる
並行移行方式	新旧のシステムを同時稼働させ、安全が確認するまで運用したうえで切り替える方式。最も安全な方法だが、移行期間は長く、運用部門の負荷は大きい

解説 1　【解答】ア

システムの移行は、あらかじめ開発側と運用側で取り決めた移行計画によって進められ、詳細な手続きは「移行計画書」をもとに行う。移行作業時に万一失敗した場合には、旧システムに戻す必要があるが、判断のタイミングを誤ると業務に大きな影響を及ぼすことになる。そのため判断基準についても、移行計画書に明記しておく必要がある。

解説 2　【解答】ウ

一斉移行方式は、システム全体を一斉に新システムへと移行するため、段階移行のような新旧システム並行運用による移行作業の複雑化、作業や費用負担の増大を避けることができる。ただし、新システムに重大な不具合が生じた場合は問題の局所化が困難で、システムおよび業務全体に大きな支障をきたすおそれがある（イは誤り）。ア：順次移行方式、エ：パイロット移行方式。

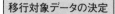

Lesson

シラバス ●大分類6：サービスマネジメント ●中分類15：サービスマネジメント
●小分類4：サービスの運用、5：ファシリティマネジメント

サービスマネジメント

06 サービスの運用とファシリティマネジメント

サービスの運用は、日々のシステム運用に関する活動です。運用計画や資源管理に始まり、ジョブスケジューリングや運用オペレーション、バックアップ、問合せに対する窓口となるサービスデスクの提供など、さまざまな管理項目が含まれます。

問1 適切なバックアップ方法

check

サーバに接続されたディスクのデータのバックアップに関する記述のうち、最も適切なものはどれか。

ア　一定の期間を過ぎて利用頻度が低くなったデータは、現在のディスクから消去するとともに、バックアップしておいたデータも消去する。

イ　システムの本稼働開始日に全てのデータをバックアップし、それ以降は作業時間を短縮するために、更新頻度が高いデータだけをバックアップする。

ウ　重要データは、バックアップの媒体を取り違えないように、同一の媒体に上書きでバックアップする。

エ　複数のファイルに分散して格納されているデータは、それぞれのファイルへの一連の更新処理が終了した時点でバックアップする。

問2 クライアント管理ツール

check

クライアント管理ツールに備わっている機能のうち、業務に無関係なソフトウェアがインストールされていることを検出するのに最も有効なものはどれか。

ア　インベントリ収集　　　イ　遠隔操作
ウ　稼働管理機能　　　　　エ　ソフトウェア配信

ここがポイント!

《システム運用管理》

システム運用管理には、日常の運用計画、障害発生時の運用を適切に行うための計画、運用負荷低減のための改善計画を作成する。さらに、キャパシティ管理、情報セキュリティ管理、可用性管理の方針に基づいた運用も必要となる。

①スケジュール設計

システム運用設計の基本的な考え方、運用スケジュールを立案する。

②障害時運用設計

データの回復や待機系への切替など、障害時の運用方式に関する設計を行う。

③運用支援ツール

- **監視ツール**:システムの運用や情報セキュリティの状況を監視し、異常を発見してレポートするツール。監視対象にはアプリケーションシステムやOS の稼働状況、CPU、メモリ、ディスクの使用率、ネットワークの利用率、サーバやファイルなどへのアクセス数などがある。
- **診断ツール**:監視ツールからの情報や運用状況などを統合し、サービスマネジメントとしての意思決定支援を行うためのツール。運用トラブル、セキュリティ侵害、SLAで合意したサービスレベルの達成状況を判断するための基礎数値を把握できる。

④バックアップ

障害時の復旧や再実行に備えて、運用スケジュールに基づいた、計画的なバックアップを実施する。バックアップは、次のことに注意して行う。

- 業務処理とバックアップ処理の時間帯が重ならないようにスケジュールを立てる。
- 分散環境のファイルは、すべての更新処理が終了した時点で行う。
- バックアップデータは、バックアップ元のデータと同一媒体に置かない。
- 同一媒体への上書きは行わない。再利用時は規定に従う。
- 差分バックアップは、バックアップ処理は短いが、復旧処理は長くなる。

《サービスデスク(ヘルプデスク)》

サービスの利用者からの問合せに対して単一の窓口機能を提供し、適切な部署への引き継ぎ、対応結果の記録、記録の管理などを行う。サービスデスクのメリットは、窓口を一本化しておくことで、ユーザの利便性をはかり、問題解決に必要な情報を統一的に

(※ 335 ページに続く)

解説 1

【解答】エ

バックアップは、障害の発生時に確実に復旧できるような状態を保持する必要がある。ア:利用頻度が下がっても使う可能性がある場合は残しておく。イ:更新頻度が高いデータだけでは完全に復旧できない。ウ:更新作業のミスに備えて、別媒体にバックアップする。エ:分散しているデータは更新のタイミングが異なるため、一連の更新が終了した時点で行う(正解)。

解説 2

【解答】ア

クライアント管理ツールとは、クライアントのコンピュータの内部情報(ハード、ソフト構成など)の収集・分析、動作の監視、遠隔操作、ソフト配布、ウイルス対策などをネットワーク経由で管理する。インベントリとは、クライアントにインストールされているソフトや設定されているハードなどの資源情報のこと。インベントリ収集により不必要なソフトがインストールされていないか、社内LANに私用パソコンが接続されていないかなどを監視できる。

問3 バーチャルサービスデスクの特徴 check

ITILによれば、サービスデスク組織の特徴のうち、バーチャル・サービスデスクのものはどれか。

ア　サービスデスク・スタッフは複数の地域に分散しているが、通信技術を利用することによって、利用者からは単一のサービスデスクのように見える。
イ　専任のサービスデスク・スタッフは置かず、研究や開発、営業などの業務の担当者が兼任で運営する。
ウ　費用対効果の向上やコミュニケーション効率の向上を目的として、サービスデスク・スタッフを単一または少数の場所に集中させる。
エ　利用者の拠点と同じ場所か、物理的に近い場所に存在している。

問4 ミッションクリティカルシステム check

ミッションクリティカルシステムの意味として、適切なものはどれか。

ア　OSなどのように、業務システムを稼働させる上で必要不可欠なシステム
イ　システム運用条件が、性能の限界に近い状態の下で稼働するシステム
ウ　障害が起きると、企業活動や社会に重大な影響を及ぼすシステム
エ　先行して試験導入され、成功すると本格的に導入されるシステム

問5 ファシリティマネジメント check

落雷によって発生する過電圧の被害から情報システムを守るための手段として、有効なものはどれか。

ア　サージ保護デバイス(SPD)を介して通信ケーブルとコンピュータを接続する。
イ　自家発電装置を設置する。
ウ　通信線を、経路が異なる2系統とする。
エ　電源設備の制御回路をデジタル化する。

(※ 333 ページからの続き)
収集できること。障害発生時の問合せに対して、既知の対応策を蓄積しておくことで、すぐに利用者に回答できることがある。サービスデスクには次の形態がある。

中央サービスデスク	すべての利用者用に単一の窓口を設ける
ローカルサービスデスク	利用者の拠点ごと(または地域ごと)に窓口を設ける
バーチャルサービスデスク	いくつかのサービスデスクをネットワークなどで結び、単一の窓口として機能させる
フォロー・ザ・サン	分散拠点のサービス要員を含めた全員を中央で統括して管理し、統制のとれたサービスを提供する。

《ファシリティマネジメント》

建物や設備が最適な状態になるように、監視し改善する管理活動。障害や誤作動が起きると企業活動や社会に重大な影響を及ぼす**ミッションクリティカルシステム**(企業の基幹システムや社会システム、交通システム、金融システムなど)に該当する場合、特性に合わせた多重のバックアップが必要となる。

①UPS(無停電電源装置)/自家発電設備

停電や瞬断に備えて、内部にバッテリを備えた装置を**UPS**(Uninterruptible Power Supply)という。停電時に10数分間程度の電源が供給されるため、システムを安全に停止させることができる。また、災害などにより電力会社からの供給が途絶えたときに、エンジンやタービンを使って発電する設備が**自家発電設備**で、数十分～数日に渡る発電が可能だが、供給はすぐに開始できないため、UPSなどと組み合わせて利用する。

②通信設備

ビルやマンションなどには、複数の通信回線(電話回線、光回線など)を収容する**MDF**(Main Distribution Frame:主配線盤)を設けることで、通信配線を一元管理できる。また、各階ごとには**IDF**(Intermediate Distribution Frame:中間配線盤)を置く。

③サージ保護デバイス(SPD;Surge Protective Device)

落雷などによる過電流や過電圧からコンピュータや通信機器を守る装置。家庭用から、大掛かりな設備用などがある。避雷器、アレスタなどとも呼ばれる。

解説 3
【解答】ア

バーチャルサービスデスクは、対応窓口をネットワークで結び、仮想的に単一のサービスデスクのように見えるようにした形態。負荷の分散や対応人員の確保の問題などへつながる。イ:誤りの選択肢。専任者を置かず、仮想的(=バーチャル)なサービススタッフで運営する形態ではない。ウ:中央サービスデスク、エ:ローカルサービスデスクについて述べたもの。

解説 4
【解答】ウ

ミッションクリティカルシステムは、停止や誤作動が許されない業務で使用されているシステムを指す。これには、企業の基幹システム、公共システム、交通システム、金融システムなどが該当する。また、このようなシステムには、障害発生時に即時に切り替えられるホットスタンバイ構成をとったり、コンピュータ自体の信頼性を高めた無停止コンピュータを利用するなどを行う。

解説 5
【解答】ア

サージ保護デバイス(SPD;Surge Protective Device)は、落雷などを原因とした過電流や過電圧から、コンピュータ機器を保護するための装置である。これを介することで被害を食い止める。また、影響が起こった場合にはシステムを維持または早期に復旧することが求められる。これには、自家発電装置や通信経路の二重化などが有効になる。

Lesson

シラバス ●大分類6：サービスマネジメント ●中分類16：システム監査
●小分類1：システム監査、2：内部統制

システム監査

07 システム監査と内部統制

システム監査では、情報システムのリスクに対する対応が適切に整備・運用されているかなどを検証または評価します。システム監査人は、独立かつ専門的な立場で、検証や助言を行います。試験では監査の意義や監査人の役割などが問われます。

問1 システム監査人の役割

check

システム監査人の役割はどれか。

ア　監査役を選任する。

イ　セキュリティ方針を決定する。

ウ　被監査部門に改善勧告や対処の助言をする。

エ　被監査部門に対して改善を命令する。

問2 監査における適切なインタビュー

check

システム監査人がインタビュー実施時にすべきことのうち、最も適切なものはどれか。

ア　インタビューで監査対象部門から得た情報を裏付けるための文書や記録を入手するよう努める。

イ　インタビューの中で気が付いた不備事項について、その場で監査対象部門に改善を指示する。

ウ　監査対象部門内の監査業務を経験したことのある管理者をインタビューの対象者として選ぶ。

エ　複数の監査人でインタビューを行うと記録内容に相違が出ることがあるので、1人の監査人が行う。

マネジメント系

ここがポイント！

《システム監査の役割と目的》

システム監査には、情報システムに関するリスクを第三者から見ることで早期発見し、改善へつなげる役割があり、経営活動と業務活動の効果的・効率的な遂行、変革支援、組織体の目標達成への寄与、利害関係者への説明責任を果たすことを目的とする。システム監査では、専門知識と能力を持った**システム監査人**が点検・評価・検証を行う。

①**システム監査基準**

システム監査基準は、システム監査の手順や内容を規定したもので、経済産業省が策定している。そのほか**システム管理基準**が策定されており、監査人が監査上の判断の尺度として用いる基準となっている。

②**システム監査人の要件**

システム監査人は、監査対象となるシステムとは**利害関係があってはならない**ため、開発や運用に関わっているメンバなどは、監査人にはなれない。また、監査人は**守秘義務**を負っており、**監査証拠に基づいて、公正かつ客観的に監査判断を行う**。また、実施に先立って権限と責任を明確化しておく必要がある。

《システム監査の実施（予備調査→本調査→監査の結論の形成）》

①**予備調査**

監査対象を把握するために、事務手続きやマニュアルなどによる業務内容や業務分掌の体制を確認する。

- **インタビュー（ヒアリング）**…監査対象の確認のために、被監査部門や関連部署などに対し、面談して質問（インタビュー）を行うこと。その際に問題となる事項を発見した場合は、裏付けとなる記録を入手したり、実際に現場の確認を行う必要がある。

②**本調査**

システム監査報告書に記載する監査の結論を立証するために必要な証拠（**監査証拠**）を入手する。証拠の収集には、インタビューのほか、現物や状況の確認、監査人によるテスト、分析などがある。

- **監査証拠**…システム監査報告書に記載する監査意見を立証するために必要な事実。物理的証拠、文書的証拠、文書化された口頭的証拠などを**監査調書**にまとめる。監査調書は監査人が実施した監査プロセスを記録したもので、監査の結論の基礎となる。

（※ 339 ページへ続く）

解説 1

【解答】ウ

システム監査人が行うシステム監査は、監査計画に基づき、情報システムの総合的な点検、評価、経営者への結果説明、改善点の勧告および改善状況の確認とその改善指導（フォローアップ）という手順で行われる（エの改善命令は業務範囲外）。監査にあたっては、情報セキュリティに加えて、業務に応じて関連する法規や基準に関する基本的な知識が必要となる。

解説 2

【解答】ア

インタビューは、予備調査、本調査において、客観的立場で行われる監査手法である。問題点を発見した場合は、裏付けとなる記録などの入手や現場の確認を行う必要がある。インタビューの内容や調査確認の際の証拠を監査調書にまとめることで監査証拠とする。

問 3 監査調書に該当するもの

check

監査調書の説明はどれか。

ア　監査人が行った監査手続の実施記録であり、監査意見の根拠となる。
イ　監査人が監査の実施に当たり被監査部門に対して提出する、情報セキュリティに関する誓約書をまとめたものである。
ウ　監査人が監査の実施に利用した基準書、ガイドラインをまとめたものである。
エ　監査人が正当な注意義務を払ったことを証明するために、監査報告書とともに公表するよう義務付けられたものである。

問 4 可用性に該当する監査項目

check

マスタファイル管理に関するシステム監査項目のうち、可用性に該当するものはどれか。

ア　マスタファイルが置かれているサーバを二重化し、耐障害性の向上を図っていること
イ　マスタファイルのデータを複数件まとめて検索・加工するための機能が、システムに盛り込まれていること
ウ　マスタファイルのメンテナンスは、特権アカウントを付与された者だけに許されていること
エ　マスタファイルへのデータ入力チェック機能が、システムに盛り込まれていること

問 5 オペレーション管理に関する監査

check

システム運用業務のオペレーション管理に関する監査で判明した状況のうち、指摘事項として監査報告書に記載すべきものはどれか。

ア　運用責任者が、オペレータの作成したオペレーション記録を確認している。
イ　運用責任者が、期間を定めてオペレーション記録を保管している。
ウ　オペレータが、オペレーション中に起きた例外処理を記録している。
エ　オペレータが、日次の運用計画を決定し、自ら承認している。

（※337ページからの続き）

③監査の結論の形成

監査調書の内容に基づき、合理的な根拠による監査の結論を導く。また、監査結果を依頼者に報告するための**監査報告書**を作成する。記載する指摘事項については、監査対象部門との間で、意見交換会や監査講評会などを通じて、あらかじめ事実確認を行う。

《システム監査の報告とフォローアップ》

①システム監査の報告

システム監査人は、監査結果を監査の依頼者に対し、**システム監査報告書**により報告し、所要の措置が講じられるよう**改善指導**（**保証意見、指摘事項、改善勧告**）を行う。また、監査人から改善勧告を受けた場合、是正が必要な業務の責任者（責任部門）は業務改善のための計画を策定し、実施する責任を負う。

②改善提案のフォローアップ

監査報告書に改善提案を記載した場合は、適切な措置が講じられているかを確認するため、情報収集を行い、改善状況をモニタリングする。

《システム運用の監査》

①運用部門の組織

職務の分離と権限の明確化がなされているかを監査。データ入力を行う利用部門からの独立性を保ち、利用部門がデータの正確性を維持できるようにする。

②入力データと利用部門

入力データに際し、情報の脱落、入力の重複、内容の誤りや改ざんなどが発生しないようになっているか。伝票と入力処理リスト（プルーフリスト）との照合などを行う。

③データとプログラム

データのバックアップやリカバリ体制、アクセスのコントロール、多重化、安全性の確保が適切に行われているか。プログラムやデータベースの改変、テスト、リリースが職務分掌に基づいて適切に行われているかを監査する。

《ソフトウェア開発の監査》

①標準化と体制

標準化が行われ、開発マニュアルが整備されているか。企画、開発管理、設計、プログラミング、テストなどにおいて、職務の分離と権限の明確化が行われているかなど。

②開発、テスト、文書化

システム利用部門が参画し、各工程で設計書のレビューを行っているか。設計書やプログラムドキュメントが文書標準に基づいて作成され、適切に更新が行われているか。テストの客観性を保証するため、システム開発部門だけで行っていないかなど。

《情報セキュリティ監査》

目的は、「情報セキュリティにかかわるリスクのマネジメントが効果的に実施されるように、リスクアセスメントに基づく適切なコントロールの整備、運用状況を、情報セキュリティ監査人が独立かつ専門的な立場から検証または評価し、もって保証を与えあるいは助言を行うことにある」と定義されている。なお、経済産業省からは、**情報セキュリティ監査基準**、**情報セキュリティ管理基準**が公表されている。

（※次ページへ続く↘）

問 6 内部統制の評価と検証

check

ITに係る内部統制を評価し検証するシステム監査の対象となるものはどれか。

ア　経営企画部が行っている中期経営計画の策定の経緯
イ　人事部が行っている従業員の人事考課の結果
ウ　製造部が行っている不良品削減のための生産設備の見直しの状況
エ　販売部が行っているデータベースの入力・更新における正確性確保の方法

(※↘前ページからの続き)

《内部統制》

「企業内部で不正や違法行為などが行われることなく、健全で効率的な組織運営のための体制を、企業が自ら構築して運用する仕組み」を指す。これを実現するには、**業務プロセスの明確化**、**職務分掌**(職務や仕事を分けて受けもつこと)、**実施ルールの設定**、**チェック体制の確立**などが必要になる。また「企業の経営者は、内部統制の整備及び運用に最終的な責任を負う」という趣旨が定義されている。

解説 3　**【解答】ア**

経産省が策定したシステム監査基準には、監査調書について「システム監査人は、実施した監査手続の結果とその関連資料を、監査調書として作成しなければならない。監査調書は、監査結果の裏付けとなるため、監査の結論に至った過程がわかるように秩序整然と記録し、適切な方法によって保存しなければならない。」と記載されている。

解説 4　**【解答】ア**

可用性とは、「そのサービスを必要としているユーザが、いつでも必要なときに滞りなくサービスを受けられる」こと。選択肢の中で可用性を確保するためにとられている対策は、アの耐障害性の向上である。もしサーバにシステム障害が起これば、多くのユーザが利用するマスタファイルを使うことができない。つまり可用性が損なわれることになる。

解説 5　**【解答】エ**

システム運用のオペレーション管理では、文書化された運用手続きに基づいてオペレーションが行われ、その状況を管理者が確認、管理しているかがポイントとなる。したがって、オペレータが日次の運用計画を決定し、自ら承認しているという状況は、管理者が確認していない状況であり、指摘事項に該当する。

解説 6　**【解答】エ**

内部統制により達成を保証すべき目的に、「業務の有効性及び効率性」、「財務報告の信頼性」、「事業活動に関わる法令等の遵守並びに資産の保全」といったことがある。選択肢の中では、業務データの信頼性が確保されているかが問われるエが該当する。

第6章 ストラテジ系

システム戦略
経営戦略
企業と法務

この章の攻略法

本章の特徴と対策

●企業の「戦略」に関する出題項目

ストラテジ系の分野では、企業活動全般に関する幅広い基礎知識が要求されます。「ストラテジ（strategy）」は「戦略」という意味で、企業活動はそれぞれの企業が策定するこれらの戦略によって方向付けられています。まず、一般的な戦略決定のプロセスとその概要を掴んでおきましょう。

企業の戦略策定プロセス

企業理念
企業活動の指針。その企業の使命や、存在意義を示す。

↓

経営目標
経営理念から導き出される理想の姿。売上高などの数値目標も含まれる。

→

①経営戦略
経営目標達成のためにどのように企業活動を行っていくか、経営資源（人材・資産・資金・情報）を何に使い、どう動かすのかを示す戦略。②～⑤の各戦略は、この経営戦略に基づいて策定される。
< Lesson 07、09 >

→

②ビジネス戦略
市場環境や他社との競争関係も含めて、どのように事業を継続・展開していくかのを示す戦略。
< Lesson 09、11 ～ 14 >

③マーケティング戦略
提供する製品やサービスの、普及・シェア拡大を目的に策定する戦略。
< Lesson 08 >

④技術開発戦略
経済的価値を生む有望な技術を開発し、事業に活用していくための戦略。
< Lesson 10 >

⑤情報システム戦略
経営資源の有効活用のため、業務にどのように情報技術を用いていくのかを示す戦略。
< Lesson 01 ～ 06 >

※企業戦略には多様な種類があるが、ここでは試験に出題される代表的な戦略のみを掲載。

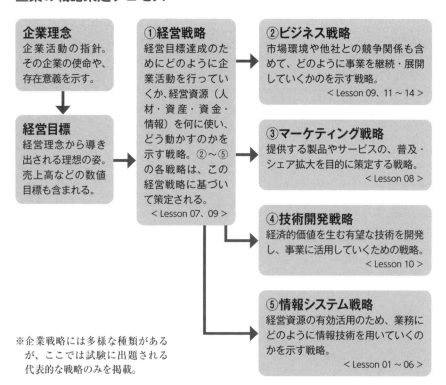

基本情報技術者の試験範囲では、各戦略に関連する知識を、「<大分類７>システム戦略（⑤)」と「<大分類８>経営戦略（①②③④)」に分けて取り上げています。

この２つのカテゴリでは、自社の現状の分析・認識に使われる各種の手法や、代表的な戦略技法などに関する問題が多く出題されています。

●企業の業務に関する出題項目

さらに「<大分類９>企業と法務」では、業種の異なる企業にも共通する、一般的な業務に関する基礎知識が出題されています。

具体的には、企業組織や会計に関する知識、業務改善のための手法、知的財産・労働や取引・セキュリティ関連の法規などの問題が出ています。特に法規に関する問題では、「違反となるのはどの事例か？」など、より具体的な知識を問う出題があります。

●この章の攻略ポイント

ストラテジ系に含まれる項目はとても幅広く、問題数も20問程度と多いのですが、一般常識で答えられる問題も含まれています。基本情報技術者の試験で、この分野の専門的な内容が深く問われることはないため、広く・浅くでもかまわないので、学習漏れがないように対策をしておきましょう。

出題される用語の数が多いのも、この分野の特徴です。項目ごとに出題頻度の高い用語がいくつか存在しており、それらが選択肢に並んでいるパターンが多いので、同じ項目に含まれる用語は、その違いを意識しながら一緒に覚えていくと効率的です。

また、用語問題だけなく、IE・ORや会計処理などをテーマとするものは、計算問題も出題されています。一度でも解いたことがあれば難なく解答できる問題が多いので、解説を読むだけでなく、実際に計算して計算方法を確かめておきましょう。

注目の出題テーマベスト8

1位	07 経営戦略と事業戦略
2位	13 e-ビジネス
3位	15 企業経営と組織
4位	08 マーケティング
5位	01 情報システム戦略とシステム企画
6位	18 企業会計
7位	14 民生機器と産業機器
8位	21 セキュリティ関連とその他の法規

※テーマ左の数字は、この章のLesson番号

第６章の出題割合は全体の25%程度。まず、「経営戦略と事業戦略」は、各種の経営戦略手法と経営分析手法について問われます。「e-ビジネス」では、インターネットや情報技術を活用したビジネスや取引の手法に関わる比較的新しい用語が出題されています。また、「企業経営と組織」では、企業のさまざまな活動が用語問題として問われます。そのほか、「民生機器と産業機器」には、他の分野でもよく取り上げられるIoTやAIの技術が含まれており、要注目のテーマです。

理解しておきたい基礎知識

企業会計の基本

財産の状態を示す貸借対照表

貸借（たいしゃく）対照表は、決算日（会計期間の最終日）時点での、その企業の財産がどんな状態にあるのかを示す財務諸表。

貸借対照表の右側を貸方（かしかた）といい、「企業活動のための資金をどのように調達したのか」を表す。また、左側は借方（かりかた）といい、「調達した資金をどのように企業活動に使ったのか」を示す。

貸方と借方の合計金額は必ず等しくなるため、貸借対照表はバランスシート（B/S）とも呼ばれる。

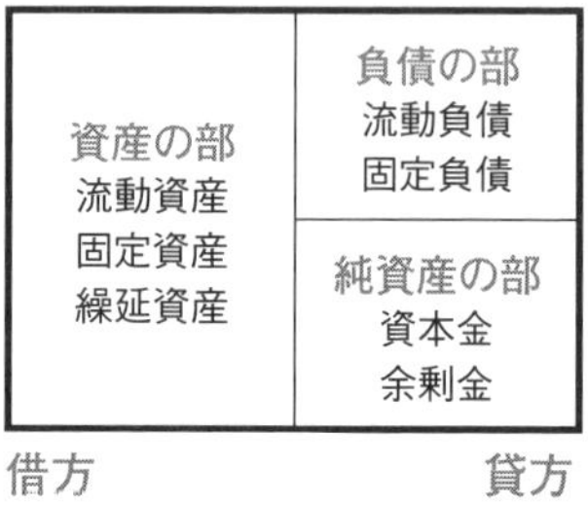

資産の部
流動資産
固定資産
繰延資産
負債の部
流動負債
固定負債
純資産の部
資本金
余剰金
借方
貸方

「現金の流れ」を示すキャッシュフロー計算書

流動資産（貸借対照表）や売上高（損益計算書）には、まだ販売代金を回収していない売掛金なども金額に含まれている。そのため、貸借対照表や損益計算書の記載では、資金的な余裕があるように見えても、預金や現金が無いために、実際には近々の支払いが難しい状況にあるケースもある。

キャッシュフロー計算書では、「お金の流れ」を営業活動・投資活動・財務活動の3つの区分で記述する。貸借対照表や損益計算書とは異なり、未入金などは記載されないため、キャッシュフロー計算書を見ると企業の現実的な支払い能力の有無を推測することができる。

●キャッシュフロー計算書の項目

・営業活動によるキャッシュフロー
本業が順調かどうかを示す。

・投資活動によるキャッシュフロー
今後の企業活動の維持・発展のために、必要なお金をどれくらいかけているのかを示す。

・財務活動によるキャッシュフロー
不足する資金の調達や、余剰金の扱いをどうしているのかを示す。

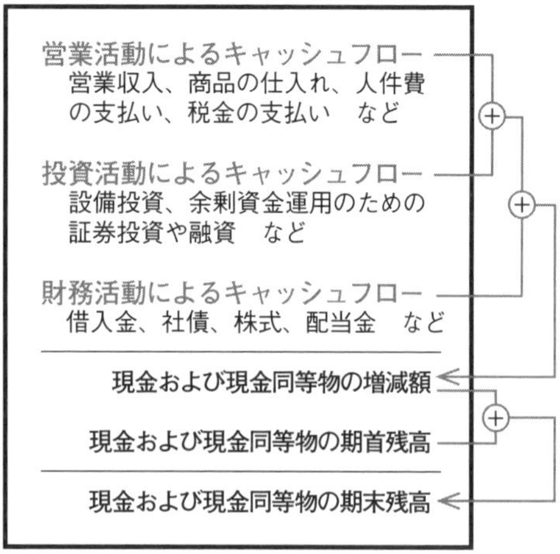

営業活動によるキャッシュフロー
営業収入、商品の仕入れ、人件費の支払い、税金の支払い　など
投資活動によるキャッシュフロー
設備投資、余剰資金運用のための証券投資や融資　など
財務活動によるキャッシュフロー
借入金、社債、株式、配当金　など
現金および現金同等物の増減額
現金および現金同等物の期首残高
現金および現金同等物の期末残高

経営の成果を示す損益計算書

損益（そんえき）計算書は、会計期間（通常は１年間）の収支結果を表す財務諸表で、「どんな活動により、どのくらい利益が上がったのか」を示す。

貸借対照表と同様に、勘定式（左右で借方・貸方に分ける）で示す方法もあるが、ここでは試験で出題される報告式で例示する。

●損益計算書の項目

・売上総利益

一般的には「粗利（あらり）」と呼ばれる。商品やサービスの提供によって得られた利益。

・営業利益

営業活動によって得られた利益。

・経常利益

営業利益に、営業活動以外の投資など、経常活動での利益や損益を加えた値。

・税引等調整前当期純利益

イレギュラーな事態により発生した損益（例：建物の焼失）や利益（例：火災保険の保険金の入金）を加えた値。

・当期純利益

税金などを差し引いた当期の純粋な利益（＝今期の経営成果）。

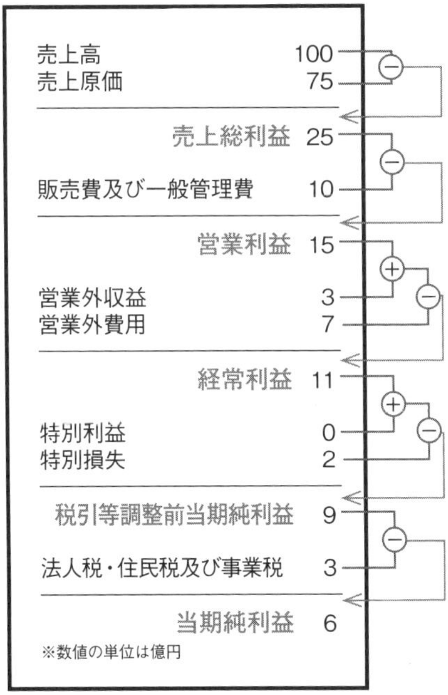

Lesson 01

システム戦略、システム企画

情報システム戦略とシステム企画

情報システム戦略では、経営戦略実現のためにどのような情報システムを構築すればよいのかを検討していきます。試験では、システム構築のプロセス（共通フレーム）、システムの設計思想、設計のためのモデル化技法なども問われています。

問1 全体最適化計画

check

情報戦略における全体最適化計画策定の段階で、業務モデルを定義する目的はどれか。

ア　企業の全体業務と使用される情報の関連を整理し、情報システムのあるべき姿を明確化すること

イ　システム化の範囲や開発規模を把握し、システム化に要する期間、開発工数、開発費用を見積もること

ウ　情報システムの構築のために必要なハードウェア、ソフトウェア、ネットワークなどの構成要素を洗い出すこと

エ　情報システムを実際に運用するために必要な利用者マニュアルや運用マニュアルを作成するために、業務手順を確認すること

問2 システム化計画

check

システム化計画の立案において実施すべき事項はどれか。

ア　画面や帳票などのインタフェースを決定し、設計書に記載するために、要件定義書を基に作業する。

イ　システム構築の組織体制を策定するとき、業務部門、情報システム部門の役割分担を明確にし、費用の検討においては開発、運用及び保守の費用の算出基礎を明確にしておく。

ウ　システムの起動・終了、監視、ファイルメンテナンスなどを計画的に行い、業務が円滑に遂行していることを確認する。

エ　システムを業務及び環境に適合するように維持管理を行い、修正依頼が発生した場合は、その内容を分析し、影響を明らかにする。

ここがポイント！

《情報システム戦略》

情報システム戦略は、①経営戦略との整合性をとりつつ(経営戦略の確認)、②業務環境の調査・分析、③業務、情報システム、情報技術の調査・分析、④基本戦略の策定、⑤業務の新イメージの作成、⑥対象と投資目標の策定、⑦情報システム戦略案の策定、⑧情報システム戦略の承認、といった順で行う。

・**ITガバナンス**：経営陣がステークホルダのニーズに基づいて企業価値を高めるために実践する行動。また、情報システムをあるべき姿へ導くために必要な組織能力を指す。

①情報システム化基本計画

・**全体最適化方針**：経営戦略に基づいて、組織全体として業務と情報システムが進むべき方向を示す指針を策定する。システム化によって変更される組織や業務の変更方針を明らかにして、情報システムのあるべき姿を明確にする。

・**全体最適化計画**：上記方針に基づき、情報システム投資の方針や確保すべき経営資源を明確化する。また、投資効果・リスクの算定方法、開発や運用方法の標準化、品質などのルールを決定。個々の開発計画の優先順位などを決め、経営者の承認を得る。

②情報システム投資計画

経営戦略との整合性を考慮しながら、システム化計画の効果、影響、期間、実現性を探っていく。その際、複数の選択肢を検討して、計画を立案する(p.353参照)。

③システム化計画(個別計画)

上記計画に従い、個別のシステム化計画を立案していく。企業全体や個々の事業活動の統合化を実現し、企業間の一体運営を可能にするシステムとなるよう考慮する。具体的には、①システム化の目的・範囲の定義→②システムの主要機能の定義→③システム概要の設計→④開発工数の見積り→⑤開発スケジュールの作成→⑥開発体制の立案→⑦投資効果の分析→⑧開発計画の承認、などの作業を行う。

・**SoR／SoE／SoI**：システムの設計思想を表す用語。**SoR**(System of Records：記録のためのシステム)は、従来型の設計思想で確実性を重視。**SoE**(System of Engagement：つながりのためのシステム)は、ユーザの視点で考え、変更・追加に柔軟に対応。**SoI**(System of Insight：インサイトのためのシステム)：SoRとSoEを結ぶ考え方で、双方のデータを分析して、見えない要求を引き出すことを重視。

解説1

【解答】ア

全体システム化計画における全体最適化計画では、現状の業務を分析したうえで情報整理を行い、情報システムのあるべき姿を業務モデルとして定義していく。その際、経営戦略との整合性を保ったうえで、投資効果やリスク算定の方針を明確にし、組織の長や利害関係者へ承認を得ることが重要になる。

解説2

【解答】イ

システム化計画は、情報システム化基本計画→情報システム投資計画に続いて策定し、システム化の対象やその機能を定義する。また、システムの構築にかかる費用、スケジュール、開発体制や役割分担などを明確にしていく(イ)。費用の検討では、算出の基準(算出基礎)を明確にしておくことが重要だ。アは開発プロセス、ウは運用プロセス、エは保守プロセスで実施する事項。

問3 企画プロセスで定義するもの check

共通フレームによれば、企画プロセスにおいて定義するものはどれか。

ア　新しい業務の在り方や業務手順、入出力情報、業務上の責任と権限、業務上のルールや制約などの要求事項

イ　業務要件を実現するために必要なシステムの機能や、システムの開発方式、システムの運用手順、障害復旧時間などの要求事項

ウ　経営・事業の目的及び目標を達成するために必要なシステムに関係する経営上のニーズ、システム化、システム改善を必要とする業務上の課題などの要求事項

エ　システムを構成するソフトウェアの機能及び能力、動作のための環境条件、外部インタフェース、運用及び保守の方法などの要求事項

問4 要件定義プロセスの実施項目 check

企画、要件定義、システム開発、ソフトウェア実装、ハードウェア実装、保守から成る一連のシステム開発プロセスにおいて、要件定義プロセスで実施すべきものはどれか。

ア　事業の目的、目標を達成するために必要なシステム化の方針、及びシステムを実現するための実施計画を立案する。

イ　システムに関わり合いをもつ利害関係者の種類を識別し、利害関係者のニーズ、要望及び課せられる制約条件を識別する。

ウ　目的とするシステムを得るために、システムの機能及び能力を定義し、システム方式設計によってハードウェア、ソフトウェアなどによる実現方式を確立する。

エ　利害関係者の要件を満足するソフトウェア製品またはソフトウェアサービスを得るための、方式設計と適格性の確認を実施する。

《共通フレーム(SLCP-JCF 2013)》

共通フレームは、システム開発の作業全般に渡り、開発作業の受注側と発注側の双方が共通認識を持つための枠組みで、8つのプロセスで構成される。システム開発の各工程はこの中のテクニカルプロセスに含まれ、さらに6つのプロセスに分けて定義している。

①企画プロセス

経営課題や現行の業務・システムの問題点を分析して、システム化の対象となる業務を明確化。システム導入後の業務の全体像を定義し業務機能と組織モデルを策定、システム化の優先順序と投資目標を決定。さらに工数、費用、投資効果、スケジュールなどをプロジェクト計画としてまとめ、承認を得る。

②要件定義プロセス

新システムの利害関係者を識別し、利害関係者の要求や制約条件から業務要件を定義。その業務の遂行に必要な機能要件と非機能要件を明確にして、評価を行い、合意を得る。

- 業務要件:業務手順、業務遂行に必要な情報と成果物、業務上の制約事項やルール、組織内の責任と権限の範囲など。
- 機能要件:業務要件を実現するために、新システムが備えるべき機能。
- 非機能要件:システム化を行う業務の範囲、新システムが備えるべき品質、開発方式や移行・運用の方法と必要なコストや人員など。

③システム開発プロセス

システム要件(機能と能力・制約条件など)を定義し、必要なハードとソフトの構成(システム要素)を決定(④および⑤へ)。システム構成要素(④と⑤の成果物)を順に結合し、システムを作り上げて、テスト、システム導入、システム受入支援などを行っていく。

④ソフトウェア実装プロセス

③で定義された必要な機能・能力などをソフトウェア要件として定義し、ソフトウェア構築を行う。単体でリリースする場合は、ソフトウェア導入、受入支援までを行う。

⑤ハードウェア実装プロセス

システムに必要な動作、インタフェースや実装上の制約条件を満たすハードウェアやサービスを構築または選定し、設置および設定などを行う。

⑥保守プロセス

導入されたシステムやソフトウェア製品が、定められた機能を果たし、性能を維持できるようにメンテナンスを行う。保守作業に関しては、費用対効果が高い時期と保守方法を選択する。

解説3
【解答】ウ

共通フレーム2013における企画プロセスでは、システム化を行うにあたり、経営上のニーズや、対象業務の課題を明確化した上で、新たな業務モデル、システム化の全体像、日程、費用と効果などの定義を行っていく(ウ)。その他の選択肢は、要件定義プロセスで行う事項。

解説4
【解答】イ

問題文に書かれた工程は、共通フレームによるプロセスの分類。利害関係者の識別と、利害関係者からの要望、制約条件の認識は、要件定義プロセスで実施する(イ)。アは企画プロセス、ウはシステム開発プロセス、エはソフトウェア実装プロセスで実施する内容である。

問5 非機能要件の定義で行う作業 check

非機能要件の定義で行う作業はどれか。

ア　業務を構成する機能間の情報（データ）の流れを明確にする。

イ　システム開発で用いるプログラム言語に合わせた開発基準、標準の技術要件を作成する。

ウ　システム機能として実現する範囲を定義する。

エ　他システムとの情報授受などのインタフェースを明確にする。

問6 業務とシステムの理想的なモデル check

エンタープライズアーキテクチャにおいて、業務と情報システムの理想を表すモデルはどれか。

ア　EA参照モデル　　イ　To-beモデル

ウ　ザックマンモデル　　エ　データモデル

問7 EAの構成要素 check

エンタープライズアーキテクチャに関する図中の［　a　］に当てはまるものはどれか。ここで、網掛けの部分は表示していない。

ビジネスアーキテクチャ	…業務機能の構成
（網掛け）アーキテクチャ	…業務機能に使われる情報の構成
（網掛け）アーキテクチャ	…業務機能と情報の流れをまとめたサービスの固まりの構成
［　a　］アーキテクチャ	…各サービスを実現するための（網掛け）の構成

ア　アプリケーション　　イ　データ

ウ　テクノロジ　　エ　コンピュータ

《To-be モデル》

To-be モデルとはあるべき姿を示すもので、システム構築の目標として作成。これに対して As-is モデルは現状の姿を示す。両者を比較しながら新モデルを考える。To-be モデルに対して制約条件を加味したものは Can-be モデル（現実的なモデル）という。

《エンタープライズアーキテクチャ》

エンタープライズアーキテクチャ（EA；Enterprise Architecture）とは、企業の業務と情報システムを統一的な手法でモデル化し、業務とシステムの統合的な改善を目的とする管理手法。試験では、主にアーキテクチャモデルについて問われている。

アーキテクチャモデルは、業務とシステムの構成要素を記述したモデルのこと。①組織全体の業務プロセス、②業務に必要な情報、③情報システムの構成、④利用する情報技術（アプリケーションや情報テクノロジ）の、4つの要素についてアーキテクチャモデルを作成し、システムの現状を整理して把握することで、理想とする目標を定めていく。

①ビジネスアーキテクチャ（BA；Business Architecture）

組織の目標や組織全体として業務プロセスを体系化したもの。

《手法・成果物》 情報システム戦略図、機能構成図（DMM）、機能情報関連図（DFD）

②データアーキテクチャ（DA；Data Architecture）

業務に利用する情報、すなわち組織の目標や業務に必要となるデータの構成、及びデータ間の関連を体系化したもの。

《手法・成果物》 業務で扱う情報の流れ図、実体関連ダイアグラム（ERD）、データ定義表

③アプリケーションアーキテクチャ（AA；Application Architecture）

情報システムの構成、すなわち組織としての目標を実現するための業務と、それを実現するアプリケーションの関係を体系化したもの。

《手法・成果物》 情報システム関連図、情報システム機能構成図

④テクノロジアーキテクチャ（TA；Technology Architecture）

業務に利用する情報技術、すなわち業務を実現するためのハードウェア、ソフトウェア、ネットワークなどの技術を体系化したもの。

《手法・成果物》 ネットワーク構成図、ハードウェア、ソフトウェア構成図

解説 5 【解答】イ

非機能要件は、パフォーマンスや信頼性、移行要件など機能以外の要件である。具体的には、品質要件（信頼性、保守性など）、技術要件（開発基準やプログラム言語、開発環境など）、運用要件（運用手順、障害対策など）がある。「業務要件を実現するために必要な情報システムについて機能を明らかにする」という機能要件の定義に当てはまらないものと考えればよい。

解説 6 【解答】イ

業務と情報システムの理想を表すのは To-be モデル（イ）。ア：EA の手法を取り入れた行政改革の手引きとして総務省が示したモデル。ウ：5W1H の観点と、それぞれの立場（経営者や開発者など）からの視点をマトリクス図で表し、システムの要件を整理する手法。エ：業務に必要なデータを、それらを扱う業務やデータどうしの関連性を整理しながら抽象化したもの。

解説 7 【解答】ウ

問題はエンタープライズアーキテクチャ（EA）の4つの体系を図にまとめたもの。右側コメントを参照し、消去法で解いていく。「業務機能に使われる情報＝データ」、「サービスの固まり＝アプリケーション」、「サービスを実現する［技術］の構成＝テクノロジ」のようにキーワード関連づければよい。

Lesson 02

システム戦略

情報システム投資計画

情報システム投資とは、情報システム構築や情報機器購入に必要な費用などのことです。情報システム投資計画は情報システム戦略の策定段階で検討します。試験では、効果の高い情報システム投資を行うために使われる分析手法が出題されています。

問1 情報化投資計画のROI

check

情報化投資計画において、投資価値の評価指標であるROIを説明したものはどれか。

ア　売上増やコスト削減などによって創出された利益額を投資額で割ったもの
イ　売上高投資金額比、従業員当たりの投資金額などを他社と比較したもの
ウ　現金流入の現在価値から、現金流出の現在価値を差し引いたもの
エ　プロジェクトを実施しない場合の、市場での競争力を表したもの

問2 改善効果の定量的な評価

check

改善の効果を定量的に評価するとき、複数の項目の評価点を統合し、定量化する方法として重み付け総合評価法がある。表の中で優先すべき改善案はどれか。

評価項目	評価項目の重み	改善案			
		案1	案2	案3	案4
省力化	4	6	8	2	5
期間短縮	3	5	5	9	5
資源削減	3	6	4	7	6

ア　案1　　イ　案2　　ウ　案3　　エ　案4

問3 資源配分を行う際の手法 check

リスクや投資価値の類似性で分けたカテゴリごとの情報化投資について、最適な資源配分を行う際に用いる手法はどれか。

ア 3C分析　　イ ITポートフォリオ
ウ エンタープライズアーキテクチャ　　エ ベンチマーキング

ここがポイント！

《情報システム投資計画》

情報システム投資計画は、経営戦略との整合性をとり、情報システム戦略に沿って策定する。計画の決定に際しては、システムや機器の導入で発生する影響や、期待できる効果とその期間、実現の可能性などを基に、複数の案を比較検討する必要がある。

①ROI（Return On Investment：投資収益率）

ROIは行った投資（掛かった費用）とその案件によって得られる利益の比率を表し、計算式「ROI＝利益額÷投資額」で求めることができる。この値が高ければ投資によって得られる効果が大きく、低ければ効果が小さいと判断することができる。

②ITポートフォリオ

ITポートフォリオとは、システム化計画の策定に際し、情報システム投資をどのようなバランスで行っていくかを、ポートフォリオ分析を使って検討・管理する手法。投資の目的や含まれるリスクなどの特性によって投資対象をカテゴライズ（分類）し、カテゴリごとにプロットすることで、視覚的に全体の資源配分バランスが評価できる。

ポートフォリオ分析は、２つの評価項目を２軸に取ったグラフを作成し、検討対象の要素がどの位置にプロットされるかでその特徴を掴む図法である。

解説1　【解答】ア

ROIは、投資案件の実現に要した投資（費用）に対して、その案件によって得られた利益がどれくらいであったのかの比率である。ROIの値が高ければ、投資によって得られた効果が大きく、値が低ければ効果は小さかったことになる。計算式、ROI＝利益額÷投資額で求める。

解説2　【解答】イ

重み付け総合評価法では、まず評価項目を挙げ、重み付けを行った後、各案についての点数を重み付けにより換算して加えていく。案1：6 × 4（省力化）+5 × 3（期間短縮）+ 6 × 3（資源削減）= 57となり、同様に計算すると、案2 = 59、案3 = 56、案4 = 53となり、最も大きいのはイである。

解説3　【解答】イ

情報化投資について、カテゴリごとに最適な資源配分を行う際に用いる手法はITポートフォリオ（イ）。ア：経営戦略の立案にあたり、3つの視点（Company：自社、Customer：顧客、Competitor：競合相手）から事業の方向性を見極めること。ウ：企業の業務と情報システムを統一的な手法でモデル化し、業務とシステムの統合的な改善を目的とする管理手法。エ：他社のプロセスをベンチマークとして設定し、自社の業務プロセスと比較検討すること。

Lesson 03

システム戦略

業務プロセスの改善

手順に従って段階的に進む業務の流れのことを業務プロセス（ビジネスプロセス）と呼びます。業務プロセスの改善では、部門単位などの部分的な改善で問題を解決できない場合は、関連する業務全体を抜本的に設計し直す必要も出てきます。

問1 BPMの目的

check

企業活動におけるBPM（Business Process Management）の目的はどれか。

ア　業務プロセスの継続的な改善

イ　経営資源の有効活用

ウ　顧客情報の管理、分析

エ　情報資源の分析、有効活用

問2 RPAの事例

check

自社の経営課題である人手不足の解消などを目標とした業務革新を進めるために活用する、RPAの事例はどれか。

ア　業務システムなどのデータ入力、照合のような標準化された定型作業を、事務職員の代わりにソフトウェアで自動的に処理する。

イ　製造ラインで部品の組立てに従事していた作業員の代わりに組立作業用ロボットを配置する。

ウ　人が接客して販売を行っていた店舗を、ICタグ、画像解析のためのカメラ、電子決済システムによる無人店舗に置き換える。

エ　フォークリフトなどを用いて人の操作で保管商品を搬入・搬出していたものを、コンピュータ制御で無人化した自動倉庫システムに置き換える。

ここがポイント!

《業務プロセスの改善》

企業内の業務には一定の実施順序があり、この一連の流れを業務プロセス(ビジネスプロセス)という。また、情報技術やインターネットを活用して、消費者や取引先とのアクセスから決済・配送までの一連の経済行為をシステム化し、モデル化したものをビジネスモデルと呼ぶ。業務プロセスを見直して、効率化・最適化を行うため方法として、次のようなものが出題されている。

①BPR(Business Process Re-engineering:業務プロセス再構築)

業務全体を1つのプロセスと捉え、その流れに基づいて情報システムを抜本的に再構築すること。部門間のセクショナリズムを克服し、業務の合理化やコスト削減を目指す。

②BPM(Business Process Management)

業務分析、設計、業務プロセス構築、プロセスの実行とモニタリング、評価といったPDCAサイクルを繰り返しながら、業務プロセスを継続的に監視・改善していく管理手法。BPMを実施・運用するための基盤となる仕組みをBPMS(BPM System)という。

③BPO(Business Process Outsourcing)

自社の業務プロセスの一部を、外部の専門業者へアウトソーシング(委託)すること。

・オフショア(offshore)

国内企業から見た海外を意味する用語。業務プロセスにおいては、情報システムの開発や運用を人件費の安い海外の企業や子会社に委託すること。オフショア開発、オフショアアウトソーシングなどがある。

④事務的な作業の自動化

・RPA(Robotic Process Automation)

標準化された定型業務を、人間に代わって自動的に処理するシステム。人が行うソフトウェアの操作を模倣させて作業を行う。1つのソフトウェアで動作するマクロとは異なり、複数のソフトウェアをまたがった操作を実行させることもできる。

・ワークフローシステム

ペーパーレスによる事務手続きを行うためのシステム。稟議書などを、承認を得るべき担当者に回覧し、最終的に決済を得るまでの作業を自動化することができる。

解説1
【解答】ア

BPMとは、最適な業務プロセスを設計・適用し、PDCAサイクルを用いて継続的に監視・改善していく活動のこと。したがって正解はア。イの「経営資源の有効活用」はERP(企業資源管理)の目的、ウの「顧客情報の管理、分析」はCRM(顧客関係管理)の目的。エの情報資源の分析・有効活用に使われるのは、BIツール(p.361参照)やデータマイニング(p.395参照)など。

解説2
【解答】ア

RPAは、人が行ってきた定型的な事務作業を、自動的に処理するためのソフトウェア。したがって、該当する事例はアになる。イ:生産工程の自動化を行う場合に利用するシステムはFA(Factory Automation)。ウ:ICTを活用したシステムで販売業務を無人化した店舗のことを、スマートストアと呼ぶ。エ:倉庫への入出庫作業や保管商品の管理作業を無人化する自動倉庫システムは、物流システムの一種。

Lesson

システム戦略

04 ソリューションビジネス

ソリューション（solution）とは、問題解決のことです。主にICTを活用して、顧客企業の経営課題を解決するビジネスを、ソリューションビジネスといいます。試験では、ソリューションを提供するITプロバイダのサービスの種類について問われています。

問1 SaaSで提供されるサービス

check

SaaSの説明として、最も適切なものはどれか。

ア　インターネットへの接続サービスを提供する。

イ　システムの稼働に必要な規模のハードウェア機能を、サービスとしてネットワーク経由で提供する。

ウ　ハードウェア機能に加えて、OSやデータベースソフトウェアなど、アプリケーションソフトウェアの稼働に必要な基盤をネットワーク経由で提供する。

エ　利用者に対して、アプリケーションソフトウェアの必要な機能だけを必要なときに、ネットワーク経由で提供する。

問2 クラウドサービス利用の留意点

check

企業の業務システムを、自社のコンピュータでの運用からクラウドサービスの利用に切り替えるときの留意点はどれか。

ア　企業が管理する顧客情報や従業員の個人情報を取り扱うシステム機能は、リスクを検討するまでもなく、クラウドサービスの対象外とする。

イ　企業の情報セキュリティポリシやセキュリティ関連の社内規則と、クラウドサービスで提供される管理レベルとの不一致の存在を確認する。

ウ　クラウドサービスの利用開始に備え、自社で保有しているサーバの機能強化や記憶域の増加を実施する。

エ　事業継続計画は自社の資産の範囲で実施することを優先し、クラウドサービスを利用する範囲から除外する。

ここがポイント!

《ソリューションビジネスとサービス形態》

①ASP(Application Service Provider)

ASPとは、情報システムの機能やアプリケーションソフトウェアなどをネットワークで利用できるサービスを提供する事業者(プロバイダ)のこと。これらの事業者が提供するサービスをASPサービスという。各社員のパソコンへ個別にアプリケーションをインストールしたりバージョンアップする従来の管理方法に比べ、ASPサービスを利用すると運用が容易で管理の手間や費用を低減することができる。

②クラウドサービス

クラウドコンピューティングとは、インターネットを介してアプリケーションやハードウェア(ストレージまたは保存領域)の機能を提供するサービス全般のことを指す。クラウドコンピューティングを取り入れたASPの発展型が登場しており、このサービスのことをクラウドサービスと呼ぶことがある。

・クラウドサービスの種類と提供されるサービス内容

サービス名	サービスの内容
SaaS (Software as a Service)	《アプリケーションを提供》 インターネット経由で、複数の顧客が同じアプリケーションを共同利用するマルチテナント方式のサービス。個別利用のASPサービスに比べ、費用の低減が可能。ただし、その顧客固有の機能を追加するなどのカスタマイズは不可
PaaS (Platform as a Service)	《開発環境(プラットフォーム)を提供》 アプリケーションを稼働させるための環境(プラットフォーム)をインターネット経由で提供するサービス。アプリケーションの開発環境などとして使われている。プラットフォームやOSの更新はプロバイダが行う。また、アプリケーションのカスタマイズや運用支援などを行うサービスもある
IaaS (Infrastructure as a Service)	《ハードウェアやインフラを提供》 ソフトウェアだけでなく、仮想的なハードウェアごとインターネット経由で提供するサービス。ストレージやサーバ機能なども含まれており、OSの選択も可能。ただし、管理・運用は顧客が自ら行う必要がある
DaaS (Desktop as a Service)	《デスクトップ環境を提供》 端末で使うデスクトップ環境を、インターネット経由で提供するサービス。コンピュータ環境の構築費用を大幅に削減できる。外出先でも同じデスクトップ環境が使える反面、不正利用やライセンス管理の問題がある
FaaS (Function as a Service)	《サーバを提供》 システムの運用やソフトウェア開発に必要なサーバ機能を提供するサービス(サーバの運用管理はプロバイダ)。PaaSとの違いは、稼働させるプログラムへのリクエスト管理もプロバイダが行い、イベントの発生時のみ稼働するので、処理時間分(+リクエスト数)のみの課金で済む。利用量の増減によってプロバイダがサーバのスケーリングも行うため、ECサイトの運営などに適している

・オンプレミス(on-premises)

クラウドサービスなどを用いず、情報システムを構成する設備や機器を社内に設置・運用すること。コストは高いがセキュリティ管理を自らが行えるメリットがある。

問3 ホスティングサービスの特徴

check

ホスティングサービスの特徴はどれか。

ア　運用管理面では、サーバの稼働監視、インシデント対応などを全て利用者が担う。

イ　サービス事業者が用意したサーバの利用権を利用者に貸し出す。

ウ　サービス事業者の高性能なサーバを利用者が専有するような使い方には対応しない。

エ　サービス事業者の施設に利用者が独自のサーバを持ち込み、サーバの選定や組合せは自由に行う。

問4 SOAの説明

check

SOAの説明はどれか。

ア　売上・利益の増加や、顧客満足度の向上のために、営業活動にITを活用して営業の効率と品質を高める概念のこと

イ　経営資源をコアビジネスに集中させるために、社内業務のうちコアビジネス以外の業務を外部に委託すること

ウ　コスト、品質、サービス、スピードを革新的に改善させるために、ビジネスプロセスをデザインし直す概念のこと

エ　ソフトウェアの機能をサービスという部品とみなし、そのサービスを組み合わせることによってシステムを構築する概念のこと

《ハウジングサービスとホスティングサービス》

①ハウジングサービス

顧客企業が用意したサーバをサービス事業者に預けて設置してもらうサービス。ネットワーク回線の敷設、電源設備や空調設備など、サーバの設置に必要な設備を、プロバイダ側が一括して提供する。また、プロバイダが運用管理を請け負うケースもある。OSやソフトウェアなどを自由に選択でき、拡張性や柔軟性が高い。

②ホスティングサービス

サービス事業者が用意するサーバを貸し出すサービス。サーバをまるごと1台借りる専用サーバや、複数の顧客企業で共同利用する共有サーバがある。自社でサーバを購入・設置したり、運用を行う場合に比べ、コストは安いが、使用できるOSやソフトウェア、データ容量などの制限を受ける。

《ソリューションサービスを利用した構築や運用》

① SOA（Service-Oriented Architecture：サービス指向アーキテクチャ）

業務遂行に必要な各種サービス（機能）を行うソフトウェアを部品化して用意しておき、顧客からシステム構築の要請があれば、必要なサービスを組み合わせてシステム全体を構成することで、素早く、費用を抑えて対応する考え方。

② MSP（Management Services Provider）

顧客企業が所有するサーバやネットワーク回線などの、導入から運用までを一括して請け負う事業者およびサービス。顧客との間で取り交わしたSLA（サービスレベル合意書）に基づき、ネットワークを監視し、運用や保守を行う。

解説 1
【解答】エ

SaaSは、ユーザが必要なときに、アプリケーション（ソフトウェア）の必要な機能のみを、ネットワーク経由で提供するサービス。正解はエ。
ア：ユーザにインターネット環境を提供するのはISP（インターネットサービスプロバイダ）。イ：システムの稼働に必要なハードウェア機能を提供するサービスはIaaS。ウ：ハードウェアだけでなく、アプリケーションの稼働に必要なソフトウェア（OSなど）も含めた環境を提供するのはPaaS。

解説 2
【解答】イ

クラウドサービスは、さまざまな形でシステムを提供するが、いずれもその環境が外部にあることに注意する。セキュリティに関しては、社内のセキュリティポリシやセキュリティ規則にクラウドサービスとの不一致がないかを検討する必要がある。セキュリティポリシや規則の変更が難しい場合や管理レベルに問題がある場合は、オンプレミスでの運用が必要になる。

解説 3
【解答】イ

ホスティングサービスはサービス事業者が所有するサーバ（イ）、ハウジングサービスは利用者が所有するサーバを用いることに注目。ただし、実際にはウのような一顧客が特定のサーバを占有使用するホスティングサービスも存在する。アとエはハウジングサービスの説明。稼働監視やインシデント対策をサービス事業者が請け負う形態のハウジングサービスもある。

解説 4
【解答】エ

SOAは、業務遂行に必要な各種サービスを行うソフトウェアを部品として用意しておき、必要なサービスを組み合わせることでシステム構築の生産性を高める考え方（エ）。ア：SFA（Sales Force Automation：営業支援システム）の説明。イ：BPO（p.355）の説明。ウ：BPR（Business Process Re-engineering：業務プロセス再構築）の説明。

Lesson

システム戦略

05 システムの活用促進

情報システムを有効に活用するには、ユーザに利用してもらうための普及啓発活動が必要です。利用実態を把握して改善を続けても、業務のニーズにシステムが対応できないなど、システム自体が寿命に達した場合は、新システムの導入も検討することになります。

問1 BYODの説明

check

BYOD (Bring Your Own Device) の説明はどれか。

ア　会社から貸与された情報機器を常に携行して業務に当たること
イ　会社所有のノートPCなどの情報機器を社外で私的に利用すること
ウ　個人所有の情報機器を私的に使用するために利用環境を設定すること
エ　従業員が個人で所有する情報機器を業務のために使用すること

問2 BIの活用事例

check

BI (Business Intelligence) の活用事例として、適切なものはどれか。

ア　競合する他社が発行するアニュアルレポートなどの刊行物を入手し、経営戦略や財務状況を把握する。
イ　業績の評価や経営戦略の策定を行うために、業務システムなどに蓄積された膨大なデータを分析する。
ウ　電子化された学習教材を社員がネットワーク経由で利用することを可能にし、学習・成績管理を行う。
エ　りん議や決裁など、日常の定型的業務を電子化することによって、手続を確実に行い、処理を迅速にする。

《システムやデータの活用促進》

システムやデータを業務や経営に生かすには、それらを活用するために必要なスキルを、社員一人ひとりが習得できる環境作りも重要になってくる。

①情報リテラシ

コンピュータやアプリケーションソフト、ネットワークなどを活用し、業務に必要な情報を効率的に検索し、精査·分析するなど、情報技術を効果的に活用する能力のこと。

・デジタルディバイド（digital divide：情報格差）

情報格差ともいう。ITを利用するスキルや、利用機会の違いによって生じる経済格差。特に、インターネットの恩恵を受けることのできる人とできない人との間に生ずる。

②情報システム利用実態の評価・検証

情報システムが計画どおりに利用されているか、パフォーマンスや信頼性が落ちていないかを把握する。また、必要であれば改善目標を定める。

・BYOD（Bring Your Own Device）：許可を得て、私物のパソコンやスマートフォン、私的なクラウドサービスなどを、業務に使用したり社内ネットワークに接続すること。ウイルスに感染したり、データが持ち出されることによる情報漏洩のリスクがある。なお、無許可でBYODを行うことをシャドーITという。

・ビッグデータ：Webサイトなどさまざまなリソースから収集された、多様な形式（テキストや画像、音声など）のデータこと。蓄積したこれら大量の情報を分析・活用することで、経営判断や意思決定に役立つことが期待されている。

《活用促進のための手法》

①ゲーミフィケーション（gamification）

ある行動を誘発したり継続させるために、ゲーム的要素を取り入れること。システム活用の場面なら、システムの操作習得用の動画視聴にポイントを付与、操作をクイズにしてレベル認定など、楽しみながらモチベーションを高める工夫などが考えられる。

②BI（Business Intelligence）ツール

蓄積されたさまざまな形式のデータを収集・分析し、結果をグラフや表などに加工するツール。データ分析の専門知識がなくても、簡単な操作で目的に合った分析処理が可能。

解説 1

【解答】エ

BYODの直訳は「あなた自身の端末を持ち歩く」。そこから従業員が所有する端末（PCやタブレットなど）を、業務にも用いることを表す用語となったもの。情報機器のコストを削減できるというメリットもあるが、情報漏洩リスクなどのデメリットが大きいため、一般には禁止されている。なお禁止されているにもかかわらず、BYODを行うことをシャドーITという。

解説 2

【解答】イ

BIツールは、蓄積されたさまざまな形式のデータを、簡単な操作で目的に合った方法で分析し、結果をグラフや表などに加工できる（イ）。ウ：教材の配信や学習状況・成績管理などを一括して行うシステムはLMS（Learning Management System：学習管理システム）。エ：りん議や決済など、複数の管理者の承認が必要な書類を、あらかじめ設定された決裁ルートに従って自動的に集配信する機能を持つのはワークフローシステム。なお、アのアニュアルレポートとは、企業の財務状態を記載したドキュメントで、株主や金融機関などの利害関係者に企業が配布する。

Lesson 06

システム企画

調達計画と実施

調達の範囲には、物品の購入だけでなく、開発など業務の外部委託も含まれています。調達先との契約に至るまでには、調達基準の検討、RFI・RFPなどのドキュメント作成などの業務があり、特に調達先の選定にはさまざまな配慮が求められます。

問1 調達の実施手順

check

RFIに回答した各ベンダに対してRFPを提示した。今後のベンダ選定に当たって、公正に手続を進めるためにあらかじめ実施しておくことはどれか。

ア　RFIの回答内容の評価が高いベンダに対して、選定から外れたときに備えて、再提案できる救済措置を講じておく。

イ　現行のシステムを熟知したベンダに対して、RFPの要求事項とは別に、そのベンダを選定しやすいように評価を高くしておく。

ウ　提案の評価基準や要求事項の適合度への重み付けをするルールを設けるなど、選定の手順を確立しておく。

エ　ベンダ選定後、迅速に契約締結をするために、RFPを提示した全ベンダに内示書を発行して、契約書や作業範囲記述書の作成を依頼しておく。

問2 調達先の選定時に行う配慮

check

国や地方公共団体が、環境への配慮を積極的に行っていると評価されている製品・サービスを選んでいる。この取組みを何というか。

ア　CSR　　　　　　イ　エコマーク認定
ウ　環境アセスメント　　エ　グリーン購入

ここがポイント!

《調達計画・実施》

①調達計画

要件定義を踏まえ、製品やサービスの購入、内部や外部委託によるシステム開発などから調達方法を選択。調達の対象、要求事項、条件などを定義して調達計画を策定する。

②調達の実施（調達の依頼～契約締結）

・**情報提供依頼書**…ベンダ（場合により複数）に対しシステム化の目的や業務内容を示す、RFI（Request For Information：情報提供依頼書）を作成する。

・**提案依頼書**…ベンダに対し、対象システム、提案依頼事項、調達条件などを含むRFP（Request For Proposal：提案依頼書）を示し、提案書、見積書の提出を依頼する。

(1) システム要求事項策定：システム化の範囲・必要な機能や性能などをまとめる。

(2) 調達先選定基準、提案評価基準の作成：何を重視するか、評価基準を決めておく。

(3) 調達先候補の選定：RFIを配布。事前に候補企業を絞り込むこともある。

(4) RFP（提案依頼書）の作成と配布・説明：システム対象や提案を求める事柄や調達条件などを明示して、提案書を依頼するためにRFP、RFQ（Request For Quotation：見積依頼書）を作成・配布して、説明を行う。

(5) 提案書の作成：ベンダ企業は、RFPをもとに提案書を作成する。また、RFPに記載された作業の範囲に必要な費用を計算し、見積書を作成する。

(6) 提案書の評価：提案された開発手法や技術が、適切かを分析。また、見積書から、必要な作業項目が過不足なく含まれているか、見積金額は妥当かなどを確認する。

(7) 調達先の選定：選定基準に基づいて、調達先を選定。

(8) 契約締結：選定した調達先ベンダ企業と契約を交わす。

《調達時の配慮》

①CSR（Corporative Social Responsibility）調達

相手先（サプライチェーン全体を含む）が社員や外注先の人権や労働条件に配慮しているか、環境への配慮を行っているかなどを評価基準として考慮し、調達先を決めること。

②グリーン調達（購入）

環境負荷に配慮した製品作りや部品調達を行っているかを評価基準として考慮し、調達先を選定すること。直接の取引先だけでなく、サプライチェーン全体として、環境負荷を評価する選定基準を共有していくことが重要となる。

解説 1　【解答】ウ

公正に選定するには、事前に提案書や見積書の内容を評価する基準を決めておく必要がある（ウ）。ア、イ：提出された提案・見積書とは別の項目で、特定ベンダが有利な評価を与えられるのは、公正な選定という観点から好ましくない。エ:「全ベンダに内示書を発行」し、各ベンダが記載された作業を行った場合、選定されなかったベンダから損害賠償を求められる可能性もある。

解説 2　【解答】エ

グリーン購入は、環境負荷の小さい製品やサービスを、環境負荷の低減に努めている事業者から優先して購入すること（エ）。ア：CSRは「ここがポイント！」を参照。イ：エコマーク認定は、環境保全に役立つと認定された商品に付けられるマーク。ウ：環境アセスメントは、環境負荷が大きい事業を実施する前に、事業者がその影響を予測評価して、関係者（住民など）や専門家から意見を聞き、環境保全措置のための検討を行う一連の手続きのこと。

Lesson

シラバス ●大分類8：経営戦略 ●中分類19：経営戦略マネジメント ●小分類1：経営戦略手法

経営戦略マネジメント

07 経営戦略と事業戦略

経営戦略では、利益を上げるという企業の目的を実現するために、経営資源（ヒト・モノ・カネ・情報）を何に投入してどう活用すればよいかを考えます。試験では、経営戦略の各種手法とともに、戦略を検討するための分析技法などが問われています。

問1 ベンチマーキング

check

企業経営で用いられるベンチマーキングを説明したものはどれか。

ア　企業全体の経営資源の配分を有効かつ総合的に計画して管理し、経営の効率向上を図ることである。

イ　競合相手または先進企業と比較して、自社の製品、サービス、オペレーションなどを定性的・定量的に把握することである。

ウ　顧客視点から業務のプロセスを再設計し、情報技術を十分に活用して、企業の体質や構造を抜本的に変革することである。

エ　利益をもたらすことができる、他社より優越した自社独自のスキルや技術に経営資源を集中することである。

問2 コアコンピタンスの説明

check

企業経営で用いられるコアコンピタンスを説明したものはどれか。

ア　企業全体の経営資源の配分を有効かつ統合的に管理し、経営の効率向上を図ることである。

イ　競争優位の源泉となる、他社よりも優越した自社独自のスキルや技術などの強みである。

ウ　業務プロセスを根本的に考え直し、抜本的にデザインし直すことによって、企業のコスト、品質、サービス、スピードなどを劇的に改善することである。

エ　最強の競合相手または先進企業と比較して、製品、サービス、オペレーションなどを定性的・定量的に把握することである。

ここがポイント！

《経営戦略の手法》

①ベストプラクティス分析

他社の同様な事例を徹底的に研究し、それらの中から最も優れた事例（ベストプラクティス）を見つけ出すこと。

②ベンチマーキング

改善を行う際に、他社の優れた事例（前項のベストプラクティス）を指標（ベンチマーク）として、自社の現状と比較検討して分析を行う手法。

③コアコンピタンス経営

企業が行っている事業の中で、他社より優れた技術やノウハウをもつ分野をコアコンピタンスという。コアコンピタンス経営は、ここに経営資源を集中させ強化することで、利益を上げていく経営手法。

④コストリーダーシップ戦略

大きなシェアを持つ優位性を生かしてコストダウンを図り、さらに優位に立つ戦略。

⑤差別化戦略

他社が成し得ないような特化した製品やサービスに注力し、シェアを確保する戦略。

《競争戦略と企業ポジション》

①リーダ企業

その製品分野で最大のシェアを持つ企業。定期的、戦略的に新製品を投入したり、市場の維持・拡大やブランド力の強化を図り、常に他社をリードしていく戦略を立てる。

②チャレンジャ企業

シェアは２～３番手。リーダ企業の弱点や未開拓の販売地域を狙うなど、挑戦的な戦略をとる。また、下位の企業の市場を取り込むことで規模を拡大していく方法もある。

③フォロワ企業

シェアが少ない企業。徹底したコストダウンを図り、低価格競争が可能な製品を投入しながら、リーダ企業からの報復を招かないようリーダ企業に追随する戦略を立てる。

④ニッチャ企業

小さな規模の市場を寡占的に占める企業。他社との競合を回避すべく、狭い領域に特化した製品を投入するニッチ（すき間）戦略をとることで、高い利益を維持していく。

解説 1

【解答】イ

ベンチマーキングは、経営の抜本的な改革を図るため、業務プロセスを改革する手法。設定した指標（ベンチマーク）と自社の評価値とを比較し、具体的な目標を持ちながら改革を進める。まず対象業務でベストプラクティスを行う企業を選び、製品、サービス、オペレーションなどを定性的、定量的に把握。自社のデータを比較することで問題点を明確化し、自社にとってのベストプラクティスを検討する。さらに目標値を設定し、改善と評価を繰り返す。

解説 2

【解答】イ

「優越した自社独自の」という文言から、コアコンピタンスの説明は選択肢のイ。「競争優位の源泉」とは、他社と製品やサービスなどが競合する場合に、「こちらが優位に立つことを可能にする要因」という意味。
アはERP（企業資源計画）、ウはBPR（業務プロセス再構築）、エはベンチマーキングの説明。

問3 SWOT分析

SWOT分析を用いて識別した、自社製品に関する外部要因はどれか。

ア　機能面における強み
イ　コスト競争力
ウ　新規参入による脅威
エ　品質における弱み

問4 投資用の資金源となる事業

PPMにおいて、投資用の資金源と位置付けられる事業はどれか。

ア　市場成長率が高く、相対的市場占有率が高い事業
イ　市場成長率が高く、相対的市場占有率が低い事業
ウ　市場成長率が低く、相対的市場占有率が高い事業
エ　市場成長率が低く、相対的市場占有率が低い事業

問5 バリューチェーン分析

衣料品製造販売会社を対象にバリューチェーン分析を行った。会社の活動を、購買物流、製造、出荷物流、販売とマーケティング、サービスに分類した場合、購買物流の活動はどれか。

ア　衣料品を購入者へ配送する。
イ　生地を発注し、検品し、在庫管理する。
ウ　広告宣伝を行う。
エ　縫製作業を行う。

《経営分析の手法》

①SWOT分析

自社の業界内での現状や自社製品の市場での状態を把握する際に、Strengths（強み）、Weaknesses（弱み）、Opportunities（機会）、Threats（脅威）の４つの視点から分析する手法。「強み」と「弱み」は自社の内側に原因がある内部要因、「機会」と「脅威」は市場や他社から受ける影響などの外部要因として分析する。

②ポートフォリオ分析

ポートフォリオ分析は、２つの評価項目をグラフの２軸に取り、評価する要素をプロット（打点）することで、それらの要素の特徴を視覚的に把握する手法。

PPM（Product Portfolio Management）は、ポートフォリオ分析を応用して、自社の事業や製品が、市場成長率と市場占有率の軸で分かれる４領域のどこに該当するのかを分析し、最適な戦略を検討する手法。

市場成長率	市場占有率（マーケットシェア）低	市場占有率（マーケットシェア）高
高	**問題児** 成長市場なのに売れていない。大きな投資を行えば、花形製品になる可能性がある	**花形** 成長市場なので常に新しい投資が必要で、あまり儲からないが、いずれ金のなる木になる可能性がある
低	**負け犬** 市場成長率が低いので投資しても大きな効果は期待できず、シェアも低いので撤退すべきである	**金のなる木** 市場成長率が低いので投資は少なく、高いシェアをもつため利益は大きい。安定した稼ぎ頭である

③バリューチェーン分析

バリューチェーン（Value Chain：価値連鎖）とは、「製品やサービスの価値は、製造、販売、アフターフォローまで含め、企業活動の各工程で付加される」という考え方。バリューチェーン分析は、製品が持つ「価値」を、その製品の「機能」と機能を持たせるための「コスト」との関係として分析し、競合製品と比較する。分析結果を基に、顧客の視点で「必要な機能は何か」を追求する手法をバリューエンジニアリング（VE）といい、さらに各工程のコストを削減し価格を抑えることで、機能と価格の両面から製品の価値を上げていく。

解説３

【解答】ウ

内部要因である自社の「強み」と「弱み」、外部要因である市場や他社からの影響を示す「機会」と「脅威」をマトリックス図に配置し、現状を把握したうえで経営戦略を立てていく。選択肢ア～エの中で、企業内部ではコントロールができない外部要因は「新規参入による脅威（ウ）」のみ。他の３つの選択肢は、いずれも内部要因に分類される。

解説４

【解答】ウ

ポートフォリオ分析を応用したPPMは、さまざまな場面で使われる手法である。市場成長率と市場占有率を軸として４つの領域に分類し、そのどこに位置づけられるかを判断する。この問題では「投資用の資金源」ということなので、稼ぎ頭となる「金のなる木」が該当する。これは市場成長率が低く、市場占有率が高い事業なので、正解はウとなる。

解説５

【解答】イ

バリューチェーン分析では、購買物流は原材料や商品の仕入れ（購入）に関する活動で、在庫管理なども含まれる（イ）。出荷物流は取引先への納入や購入者への配送のための出荷や輸送などの活動（ア）。広告宣伝（ウ）は販売とマーケティング、縫製作業（エ）は製造の活動。ちなみに、問題文にある直接的に価値を付加する「購買物流、製造、出荷物流、販売とマーケティング、サービス」の５つの活動は主活動、主活動をサポートする技術開発や人事・労務管理などの活動は支援活動に分類される。

シラバス ●大分類8：経営戦略 ●中分類19：経営戦略マネジメント ●小分類2：マーケティング

Lesson 08

経営戦略マネジメント

マーケティング

「売り込み方法」を模索するセリングに対して、マーケティングは「売れる仕組み」を作り出すための活動です。顧客がどんな製品やサービスを望むのか、どのように自社製品の価値を高め差別化を図るのかなどを調査分析し、製品の開発や改良に生かしていきます。

問1 マーケティングミックス

check

マーケティングミックスの説明はどれか。

ア　顧客市場をある基準で細分化し、その中から最も競争優位に立てる市場を選定すること

イ　市場の成長率と自社の相対的市場シェアの組合せから、各事業の位置づけを明確にし、それぞれの事業の今後の施策を検討すること

ウ　製品戦略、価格戦略、チャネル戦略、プロモーション戦略などを適切に組み合わせて、自社製品を効果的に販売していくこと

エ　導入期、成長期、成熟期、衰退期のそれぞれにおいて、市場や競合商品などとの関係を意識した、適切な施策を採っていくこと

問2 コストプラス価格決定法の説明

check

コストプラス価格決定法を説明したものはどれか。

ア　買い手が認める品質や価格をリサーチし、訴求力のある価格を決定する。

イ　業界の平均水準や競合企業の設定価格を参考に、競争力のある価格を決定する。

ウ　製造原価または仕入原価に一定のマージンを乗せて価格を決定する。

エ　目標販売量を基に、総費用用吸収後に一定の利益率が確保できる価格を決定する。

ここがポイント！

《マーケティング》

消費者が求めている製品や、ある製品の消費者への受け入れ度合いを調べること。

①マーチャンダイジング（merchandising）

市場やターゲットの需要に合わせ、適正な製品やサービスを、タイミング、販売形態、価格を考慮して供給すること。

②顧客満足度（Customer Satisfaction：CS）

顧客が購入した商品やサービスを、どう評価しているのかをアンケート調査などで測定したもの。顧客が、自身にとってその製品の価値が高いと感じれば、顧客満足度は上がり、次の需要につながる。

《マーケティングミックス》

4Pは、市場調査によってターゲットに設定した顧客への販売戦略を立てる際に考慮すべき重要な要素。4Pの各要素を組合せて最適な戦略を立てることを、マーケティングミックスという。4Pは「売り手側の視点」から必要な要素だが、「買い手の視点」である4Cも戦略上重要である。4Cと4Pの各要素は、次のように対応している。

4P：売手の視点		4C：買手の視点
Products 魅力的な製品（品質、ブランドなど）	⟷	Customer's value 顧客が求める価値
Price 魅力的な価格	⟷	Customer's cost 顧客が負担できる費用
Place 流通方法（店頭販売、通信販売など）	⟷	Customer's convenience 顧客の入手のしやすさ
Promotion 広告宣伝活動	⟷	Communication 顧客とのコミュニケーション

《マーケティング戦略》

マーケティング戦略は、次のような4つの戦略に分けて考える。

①製品戦略

製品の性能やデザインや機能的な優位性、デザインといった、製品そのものの要素。ブランドイメージ、信頼感などの付加的な要素も加味する。製品のライフサイクルの異なる製品を組み合わせることも考慮する。

②価格戦略

自社製品の品質や先進性、他社との競合、市場の大きさなども考慮しながら、適切な価格を決めていく。価格設定には、次のような方法をとる。

・コストプラス法：製品のコストにマージンを加え価格を設定する。

・バリュープライシング：顧客が判断する価値によって価格設定を行う。

③流通戦略

商品を流通させるための流通や販売網の確保といった戦略。広く行き渡らせるか、限定的に絞ることで購買意欲を促すかということも必要となる。

④プロモーション戦略

消費者に認知してもらうため広告や販売促進、パブリシティなどを行う。

問3 サイトの効果を示す値

check

サイトアクセス者の総人数に対して、最終成果である商品やサービスの購入に至る人数の割合を高める目的でショッピングサイトの画面デザインを見直すことにした。効果を測るために、見直し前後で比較すべき、効果を直接示す値はどれか。

ア　ROAS（Return On Advertising Spend）
イ　コンバージョン率
ウ　バナー広告のクリック率
エ　ページビュー

問4 最大利益が見込める設定価格

check

最大利益が見込める新製品の設定価格はどれか。ここで、いずれの場合にも、次の費用が発生するものとする。

固定費：1,000,000円
変動費：600円／個

設定価格（円）	予測需要（個）
1,000	80,000
1,200	70,000
1,400	60,000
1,600	50,000

ア　1,000　　イ　1,200　　ウ　1,400　　エ　1,600

《プロダクトライフサイクル》

プロダクトライフサイクルとは、製品を市場に投入してから、市場から撤退するまでの一連の流れのこと。どの時期にあるのかによって、最適なマーケティング戦略は異なる。

①**導入期**：製品が市場に認知されるよう、費用を投じて広告宣伝を行う
↓
②**成長期**：市場が成長して需要が伸びるが、競合他社も参戦
↓
③**成熟期**：他社との競争激化、需要のピーク
↓
④**衰退期**：需要が減っていく、撤退

《マーケティング戦略と手法》

①**マスマーケティング (mass marketing)**

対象を絞らず、すべての顧客層に向けて宣伝活動などを行うこと。多大な費用がかかる。

②**ワントゥワンマーケティング (one to one marketing)**

購買履歴などのデータを生かし、顧客一人ひとりに合うように、それぞれ異なるアピールやアフターフォローを行うことで、固定客の獲得を狙う手法。

③**プッシュ戦略/プル戦略 (push strategy / pull strategy)**

プッシュ戦略は、販売奨励金、販売員の派遣、店頭デモなど、販売業者を後押しする方法。
プル戦略は、商品プロモーションやキャッシュバックなどで消費者に働きかける方法。

④**リレーションシップマーケティング (relationship marketing)**

長期にわたって顧客をつなぎ止めるマーケティング手法。新顧客の獲得よりも既存の顧客に重点を置き、満足度を高める手立てを行っていく。

⑤**クロスセリング**

ある商品を購入した顧客に、購入した商品と関連する商品を薦める販売手法。

解説 1
【解答】ウ

マーケティングミックスは、製品戦略、価格戦略、チャネル戦略(流通方法のこと)、プロモーション戦略を組み合わせて行う。ア：市場を細分化(セグメンテーション)、顧客層を選択し(ターゲティング)、製品の市場でのポジションを決めるセールスポイントを決定(ポジショニング)するSTP手法。イ：プロダクトポートフォリオマネジメント(PPM)。エ:プロダクトライフサイクル。

解説 2
【解答】ウ

コストプラス法は、製品の製造原価や販売経費などに利益(マージン)分を加え、価格を設定する方法(ウ)。ア：顧客が判断する価値によって価格設定を行うのはバリュープライシング。イ：他社の製品の価格を参考に価格を設定するのは市場価格追随法。エ：目標販売量を基に、利益が確保できる価格を設定するのは目標利益法(損益分岐点法)。

解説 3
【解答】イ

閲覧者のうち、サイトの目的とする最終成果に至った人数の割合は、コンバージョン率と呼ばれる(イ)。ア：ROASは、広告費用とその広告によって得られた売上の割合。サイトで表示された広告経由での商品購入など、広告の効果を示す値。ウ：他者のサイトに掲載した枠内の広告(バナー広告)がクリックされた割合。エ：そのWebページが閲覧された回数。

解説 4
【解答】エ

それぞれの利益は、(価格×販売個数) − (固定費 + (変動費×販売個数))
(アの場合)　・売上高を求める　1,000円× 80,000個 = 80,000,000円
・費用を求める　1,000,000円 + (600円× 80,000個) = 49,000,000円
・利益を求める　80,000,000円 − 49,000,000 = 31,000,000円
同様に、イ:41,000,000円、ウ:47,000,000円、エ:49,000,000円　エが最大。

大分類 8 経営戦略・経営戦略マネジメント

シラバス ●大分類8：経営戦略 ●中分類19：経営戦略マネジメント
●小分類3：ビジネス戦略と目標・評価、4：経営管理システム

Lesson

経営戦略マネジメント

09 ビジネス戦略と経営管理システム

ビジネス戦略では、経営戦略やマーケティングの結果を基に、どのようにビジネスを展開していくのか現実的な戦略を立てます。現状分析は必須の検討課題ですが、ビジネス戦略の策定では、より具体的に目標達成のための評価基準や目標値を設定していきます。

問1 バランススコアカード

check

バランススコアカードの学習と成長の視点における戦略目標と業績評価指標の例はどれか。

ア　持続的成長が目標であるので、受注残を指標とする。

イ　主要顧客との継続的な関係構築が目標であるので、クレーム件数を指標とする。

ウ　製品開発力の向上が目標であるので、製品開発領域の研修受講時間を指標とする。

エ　製品の納期遵守が目標であるので、製造期間短縮日数を指標とする。

問2 CRMの説明

check

CRMを説明したものはどれか。

ア　卸売業者・メーカが、小売店の経営活動を支援してその売上と利益を伸ばすことによって、自社との取引拡大につなげる方法である。

イ　企業全体の経営資源を有効かつ総合的に計画して管理し、経営の高効率化を図るための手法である。

ウ　企業内のすべての顧客チャネルで情報を共有し、サービスのレベルを引き上げて顧客満足度を高め、顧客ロイヤルティの最適化に結び付ける考え方である。

エ　生産、在庫、購買、販売、物流などのすべての情報をリアルタイムに交換することによって、サプライチェーン全体の効率を大幅に向上させる経営手法である。

ここがポイント！

《ビジネス戦略》

①BSC（Balanced Score Card：バランススコアカード）

企業のビジネス戦略の立案および業績評価を行うための一連の手法。企業戦略の目標値として、従来から用いられてきた収益などの「財務の視点」だけでなく、「顧客の視点」、「内部ビジネスプロセスの視点」、「組織や従業員の学習と成長の視点」も加える。BSCではCSF（次項）により施策の選択を行い、スコアカードを作って評価指標と目標値、具体的なプランをまとめる。これにより、個々の社員にとって取り組みやすい、具体的な行動目標が可視化され、全社が一丸となって目標達成に取り組めるようになる。

・CSF（Critical Success Factors：重要成功要因）

CSFとは、目標を達成するために必須となる重要な要因。それぞれの要因に優先順位を付けて、優先度の高い要因を選び、選ばれた要因を適切に管理するための施策に経営資源（資金や人材）を集中させることで、目標達成をより確実にする。

・KGI（Key Goal Indicator）／KPI（Key Performance Indicator）

戦略目標の達成度を評価する指標。KGI（重要目標達成指標）は、達成すべき目標を示す指標。KPI（重要業績評価指標）は、目標に向けた中間時点での進捗度合いを図る指標。

②ファブレスとEMS（Electronics Manufacturing Service）

ファブレスとは、自社では生産設備を持たず、製品の設計開発や販売のみを行う企業の形態。EMSは他のメーカの委託を受け、指定された仕様・設計に基づいて製品を製作する受託生産のこと。これらの企業の連携によって、新たな事業が生まれている。

解説 1
【解答】ウ

バランススコアカードでは、4つの視点で考え、バランスをとりながらビジネス戦略の目標を立てていく。学習と成長の視点とは、目標達成のために、人材や企業自体がどう変化したかを評価する指標で、選択肢ではウが該当する。この他にも、資格の保有数や特許の出願数などが指標となる。ア：財務の視点、イ：顧客の視点、エ：内部ビジネスプロセスの視点。

解説 2
【解答】ウ

CRMは、部門ごとに管理していた顧客情報を全社レベルで共有、管理し、活用すること。顧客に合わせたアプローチを図ることで、企業に対するロイヤルティ（親密度・信頼度）の向上を実現する。ア：リテールサポートの説明。支援の内容は業種や規模に応じて多岐にわたる。販促活動、店員の派遣、情報提供、資金援助などがある。イ：ERPの説明。エ：SCMの説明。

関連問題

KPIの設定

表は、投資目的に応じて、投資分類とKPIを整理したものである。投資目的のcに当てはまるものはどれか。ここで、ア～エはa～dのいずれかに入る。

投資目的	投資分類	KPI
a	業務効率化投資	納期の遵守率，月次決算の所要日数
b	情報活用投資	提案事例の登録件数，顧客への提案件数
c	戦略的投資	新規事業のROI，新製品の市場シェア
d	IT基盤投資	システムの障害件数，検索の応答時間

ア　作業プロセスの改善、作業品質の向上
イ　システム維持管理コストの削減、システム性能の向上
ウ　ナレッジの可視化、ナレッジの共有
エ　ビジネスの創出、競争優位の確立

《解説》 KPIは重要業績評価指標。表中の投資目的と選択肢の対応は、ア－a、イ－d、ウ－b、エ－cとなる。

〔解答　エ〕

問3 ERPパッケージの導入

ERPパッケージを導入して、基幹業務システムを再構築する場合の留意点はどれか。

ア　各業務システムを段階的に導入するのではなく、必要なすべての業務システムを同時に導入し稼働させることが重要である。

イ　現場部門のユーザの意見を十分に尊重し、現行業務プロセスと合致するようにパッケージのカスタマイズを行うことが重要である。

ウ　最初に会計システムを導入し、その後でほかの業務システムを導入することが重要である。

エ　パッケージが前提としている業務モデルに配慮して、会社全体の業務プロセスを再設計することが重要である。

問4 ナレッジマネジメントの説明

ナレッジマネジメントを説明したものはどれか。

ア　企業内に散在している知識を共有化し、全体の問題解決力を高める経営を行う。

イ　迅速な意思決定のために、組織の階層をできるだけ少なくしたフラット型の組織構造によって経営を行う。

ウ　優れた業績を上げている企業との比較分析から、自社の経営革新を行う。

エ　他社にはまねのできない、企業独自のノウハウや技術などの強みを核とした経営を行う。

問5 SFA導入後の業務時間

ある営業部員の1日の業務活動を分析した結果は、表のとおりである。営業支援システムの導入によって訪問準備時間が1件当たり0.1時間短縮できる。総業務時間と1件当たりの顧客訪問時間を変えずに、1日の顧客訪問件数を6件にするには、"その他業務時間"を何時間削減する必要があるか。

ア　0.3
イ　0.5
ウ　0.7
エ　1.0

1日の業務活動の時間分析表

<table>
<tr><td colspan="5">総業務時間</td></tr>
<tr><td rowspan="2"></td><td rowspan="2">顧客訪問時間</td><td colspan="3">社内業務時間</td></tr>
<tr><td></td><td>訪問準備時間</td><td>その他業務時間</td></tr>
<tr><td>8.0</td><td>5.0</td><td>3.0</td><td>1.5</td><td>1.5</td></tr>
</table>

1日の顧客訪問件数
5件

《経営管理システム》

ビジネスプロセスで用いられる経営管理システム（業務システム）は、全社共通で各業務プロセスを統合する基幹業務システム、営業活動を支援する営業管理業務システム、生産計画や品質管理を行う生産管理業務システム、商品管理や資材搬入を管理する物流管理業務システムなどに分類される。

①ERP（Enterprise Resource Planning：企業資源計画）

生産・物流・財務会計といった、企業内の各基幹業務の情報を統合して、全社業務の効率化を目指し、経営資源の有効活用を促進する考え方。基幹業務の統合をサポートするパッケージソフトをERPパッケージと呼ぶ。

②SFA（Sales Force Automation：営業支援システム）

顧客情報、資料作成のノウハウ、営業担当者の行動予定など、営業活動全般に関する情報を管理し、営業活動を支援するシステム。情報やノウハウを共有化・標準化し、営業活動を効率化して、営業活動の質の向上を目指す。

③CRM（Customer Relationship Management：顧客関係管理）

電話対応やWebからの問合せといった、顧客との接点にあたる部分で得られる情報を統合し、活用するための手法。顧客情報を一元的に管理することで、新たなニーズの開拓やアフターサービスの充実にもつなげられる。また、顧客ごとに異なる嗜好に合わせた商品情報を個別に送るなど、ワンツーワンマーケティングの実現も可能になる。

④SCM（Supply Chain Management：供給連鎖管理）

取引先を含めた関連企業全体で、原材料や製品などのモノの流れと、取引先との受発注業務を管理するための手法。モノの供給に関連する情報を一元的に管理することで、納期短縮を図り、在庫コストや流通コストの削減を行うことができる。

⑤KM（ナレッジマネジメント）

企業内に散在する個々の知識（ナレッジ）を情報として共有化し、経営に生かす考え方。意思決定や改善策の検討、業務の合理化などの問題解決力の向上に役立たせる。

解説 3
【解答】エ

ERPパッケージの導入には、現在の（効率の悪い）業務プロセスをパッケージに合わせて再設計して、パッケージを導入することも必要となる。ア：各業務ごとに業務プロセスの見直しの度合いは異なるので段階的に導入すべきである。イ：パッケージソフトの改変が多くなると、時間と費用がかかり、パッケージのメリットがなくなる。ウ：会計システムも一つの業務であり、他の業務より優先させる必要性はない。

解説 4
【解答】ア

ナレッジマネジメントは、個々の社員が持つ知識を共有化することで、企業全体としてさまざまな問題への解決力を向上させていく考え方。イ：フラット型組織の説明。組織の階層を減らすことで、意思決定を迅速化し、事業活動のスピード化を図る狙いがある。ウ：ベンチマーキングの説明。エ：コアコンピタンス経営の説明。

解説 5
【解答】ウ

まず、表の値から計算に必要な条件を整理する。SFA導入後の1件あたりの訪問準備時間：（1.5時間÷5件）－0.1時間＝0.2時間①　1件あたりの顧客訪問時間：5時間÷5件＝1時間②。顧客訪問件数を6件に増やすと　訪問準備時間：0.2時間①×6件＝1.2時間③、顧客訪問時間：1時間②×6件＝6時間④。総業務時間は8時間のままなので、残り時間は8時間－1.2時間③－6時間④＝0.8時間。元の「その他業務時間」は1.5時間だったので、0.8時間にするには0.7時間削減する必要がある（ウ）。

シラバス ●大分類8：経営戦略 ●中分類20：技術戦略マネジメント
●小分類1：技術戦略の立案、2：技術開発計画

Lesson 10

技術戦略マネジメント

技術開発戦略

技術開発戦略では、将来の収益確保に向けて、どのような技術の開発や保持に経営資産を投入していくのか投資目標を定め、技術的優位に立つための戦略を策定していきます。試験では、保有する技術を活用する経営戦略手法についても出題されています。

問1 プロダクトイノベーション

check

技術経営におけるプロダクトイノベーションの説明として、適切なものはどれか。

ア 新たな商品や他社との差別化ができる商品を開発すること
イ 技術開発の成果によって事業利益を獲得すること
ウ 技術を核とするビジネスを戦略的にマネジメントすること
エ 業務プロセスにおいて革新的な改革をすること

問2 コア技術の事例

check

コア技術の事例として、適切なものはどれか。

ア アライアンスを組んでインタフェースなどを策定し、共通で使うことを目的とした技術
イ 競合他社がまねできないような、自動車エンジンのアイドリングストップ技術
ウ 競合他社と同じCPUコアを採用し、ソフトウェアの移植性を生かす技術
エ 製品の早期開発、早期市場投入を目的として、汎用部品を組み合わせて開発する技術

ここがポイント！

《技術開発戦略》

①プロダクトイノベーション

イノベーションは、「革新」や「新機軸」の意味。プロダクトイノベーションとは、他社が作れない革新的な製品やサービスを作り出すこと。プロセスイノベーションは、製造工程や作業工程（プロセス）の革新によって、必要な時間やコストを劇的に削減すること。

② MOT（Management Of Technology）

技術に立脚する企業経営を行っている企業が、さらに技術開発に集中的に投資することで、他社との差別化を図り、自社の価値をより高めていく経営戦略。技術経営ともいう。

③ R&D（Research and Development）

研究開発業務やそれら業務を行う部門（研究所など）のこと。技術の革新や市場変化の激しい今日では、R&Dはごく近い将来の収益を左右する重要な業務と認識されている。

④コア技術

他社には追従できない一連の技術であり、将来に渡りその企業の収益を支え続ける核となる重要な技術のこと。コア技術の形成や保持のために積極的に経営資源を投入し、競合他社との差別化を図ることで優位に立つ経営手法がコアコンピタンス経営である。

⑤技術提携

それぞれの企業が保有している技術を提供し合うこと。一方のみが提供する場合を技術供与という。また、互いに協力し合いながら新たな技術を開発・発展させたり、保持している技術を使って新製品の開発を行うことなども含む。

《技術開発計画》

①コンカレントエンジニアリング（Concurrent Engineering）

開発工程の効率化を目指し、製品の企画、設計、開発、販売、保守など、複数の工程を同時並行的に進める方法。開発期間の短縮のほか、後工程の意見をフィードバックしながら前工程を進めることで、無駄を省き（資源の有効活用）、コストダウンにつなげる。

②パイロット生産

製品を量産化する前に行う試験的な少量生産のこと。試作段階では見つからなかった量産段階で発生する可能性があるトラブルを回避することができる。

③技術ロードマップ

将来における技術分野の進展を予測し、「どんな技術が、いつ達成されるのか、その実現によってどのような影響（効果）がもたらされるのか」を時系列で表現した未来計画図。

解説 1

【解答】ア

プロダクトイノベーションは、全く新しいものや他社が作れない革新的な製品やサービスを作り出すこと。エ：プロダクトイノベーションと対で出題されるプロセスイノベーションの説明。製品やサービスの製造工程や作業工程（プロセス）の革新によって、時間やコストを下げること。イ：MOTの説明。ウ：技術開発戦略の説明。

解説 2

【解答】イ

コア技術とは、他社にはまねできない独自の（または高度な）技術のこと。選択肢の例では、イが該当する。ア、ウ、エは、技術戦略やビジネス戦略で用いられる手法ではあるが、いずれも部品や技術の共通化や汎用化に重きを置いており、「独自」の技術ではない。

Lesson

シラバス ●大分類8：経営戦略 ●中分類21：ビジネスインダストリ
●小分類1：ビジネスシステム

ビジネスインダストリ

11 ビジネスシステムと公共・行政システム

ビジネスシステムは業務用のシステム全般を指しますが、社内で活用するものから、業務遂行に役立つものまでさまざまです。また公共・行政システムは、社会生活に欠かせないインフラに関わるシステムや行政サービスを提供するシステム指しています。

問1 デジタルディバイドの説明

check

デジタルディバイドを説明したものはどれか。

ア PCなどの情報通信機器の利用方法が分からなかったり、情報通信機器を所有していなかったりして、情報の入手が困難な人々のことである。

イ 高齢者や障害者の情報通信の利用面での困難が、社会的または経済的な格差につながらないように、誰もが情報通信を利活用できるように整備された環境のことである。

ウ 情報通信機器やソフトウェア、情報サービスなどを、高齢者・障害者を含む全ての人が利用可能であるか、利用しやすくなっているかの度合いのことである。

エ 情報リテラシの有無やITの利用環境の相違などによって生じる、社会的または経済的な格差のことである。

問2 POSデータから確認できること

check

コンビニエンスストアにおいて、ポイントカードなどの個人情報と結び付けられた顧客ID付きPOSデータを収集・分析することによって確認できるものはどれか。

ア 商品の最終的な使用者　　イ 商品の店舗までの流通経路
ウ 商品を購入する動機　　エ 同一商品の購入頻度

ここがポイント！

《ビジネスシステム》

①POS（Point Of Sales）システム

販売店の店頭で、顧客が購入した商品情報をバーコードリーダなどで収集し、商品の仕入れや商品開発などに利用するためのシステム。

②EOS（Electronic Ordering System）

取引先とのデータの受渡しの自動化や、在庫確認・検品作業・発注業務の省力化などを実現するシステム。POSシステムと連動させて在庫や物流の管理を行うシステムもある。

③グループウェア

社内業務支援システムの１つで、ネットワークを介して共同作業を円滑に行うためのソフトウェア。電子メール／電子掲示板、スケジュール管理（共有）、ドキュメントデータベース、ワークフロー、電子会議システムなどの機能を持つ。

《公共システムと行政システム》

①スマートグリッド

発電施設や電力の消費者（事業所や家庭）に設置された制御装置が、ネットワークを介して電力情報をやりとりし、それらを基に発電量や電力消費量を制御することで、効率的な電力供給を行うためのシステム。エネルギー消費の節減を目的としている。

②マイナンバー

国民一人ひとりが持つ12桁の固有番号と、この番号を利用した行政システムを指す。マイナンバーの導入により、税・年金・雇用保険などの行政手続きが効率化された。

③住民基本台帳ネットワークシステム（住基ネット）

住民基本台帳は、住民票を基に氏名や性別、住所や住民票コードなどを編成したもので、市区町村が管理。住基ネットは、住民基本台帳を全国規模のネットワークで結んだ行政システム。住民の転出先自治体への通知、年金の納付･給付状態の確認などに利用される。

④公共システムとデジタルディバイド

公共システムが提供する住民票のコンビニ交付など、便利な個人向けサービスの導入は、行政側にも窓口業務の負担軽減などのメリットをもたらした。その反面、公共のシステムでありながら、デジタルディバイド（情報格差 p.361）によって、システム利用の可・不可や利便性の高・低に、個人間で大きな差があることが問題となっている。

解説 1

【解答】エ

デジタルディバイドは、情報技術の利用機会や情報リテラシ（情報を活用する能力）の有無またはスキルなどによって格差が生じること（エ）。ア：行政システムなどで、情報機器を扱えないことにより、必要な情報の入手ができないなどに遭遇する人を情報弱者という。イ：誰もが情報通信を利用できる環境を情報バリアフリーという。ウ：年齢や障害の有無などにかかわらず、多くの利用者が使えるようにすることをアクセシビリティという。

解説 2

【解答】エ

POSは、購入した商品情報をリアルタイムに収集する仕組み。このPOS情報に、あらかじめ個人情報が登録された顧客IDを結びつけることによって、購入者がどの商品を、どんな頻度で購入したかといったデータを得ることができる。また登録された個人情報により、性別や年齢との関連性も分析できるので、商品の入れ替えが多いコンビニにとって有益な情報となる。

ビジネスインダストリ

12 エンジニアリングシステム

エンジニアリングシステムとは、製品の設計や製造、生産管理の分野で使われるコンピュータシステムのことです。英字3文字の略語で出題されることが多く、まぎらわしいので、頭文字が示す意味とシステムの用途や特徴を結びつけて覚えておくとよいでしょう。

問1 かんばん方式の説明

check

"かんばん方式"を説明したものはどれか。

ア　各作業の効率を向上させるために、仕様が統一された部品、半製品を調達する。

イ　効率よく部品調達を行うために、関連会社から部品を調達する。

ウ　中間在庫を極力減らすために、生産ラインにおいて、後工程の生産に必要な部品だけを前工程から調達する。

エ　より品質が高い部品を調達するために、部品の納入指定業者を複数定め、競争入札で部品を調達する。

問2 MRPの特徴

check

MRPの特徴はどれか。

ア　顧客の注文を受けてから製品の生産を行う。

イ　作業指示票を利用して作業指示、運搬指示をする。

ウ　製品の開発、設計、生産準備を同時並行で行う。

エ　製品の基準生産計画を基に、部品の手配数量を算出する。

ここがポイント！

《生産方式》

①セル生産方式とライン生産方式

セル生産方式は、1人またはごく少人数のチームで、製品の完成まで製造を担当する生産方式。各作業者がいくつもの製造工程を受け持つのが特徴。製品の仕様によって異なる作業にも柔軟に対応できるため、少量多品種の生産に向いている。これに対して、ライン生産方式は製造工程を細かく分けて分業化・専門化し、作業者は常に同じ製造工程を担当。工程間の製品の移動にはベルトコンベアを使い、流れ作業で生産する。同じ製品を大量に生産する場合に適した生産方式。

② JIT（Just In Time：「必要な時に必要なだけ」）
製造途中の仕掛品を減らし、原材料や完成品の過剰な在庫を抱えないように、必要な量をタイムリーに調達・生産する管理方式。中間在庫の削減によって、保管の費用や管理の手間を軽減できる。後工程が前工程に対して、後工程の作業に必要な仕掛品や部品の数量と期日をオーダーするかんばん方式は、JIT生産方式を実現する方法のひとつ。

《生産管理システム》

製造業務を対象として、生産数量、品質、原価、生産時間などを計画し、生産工程を管理する業務システム。製品の品質向上、納期の短縮、低コスト化を目的としている。

システム名	機　能
FA（Factory Automation）	製品の加工や組立てを自動化するためのシステムだが、生産工程の効率化・合理化のため、生産管理や生産計画支援の機能も組み込まれている
CIM（Computer Integrated Manufacturing）	元は生産管理用だが、現在は企業活動の効率化のため、経営管理から研究開発、設計、製造、販売に至る各業務を統合するシステムとなっている

《エンジニアリングシステムの種類》

① CAD（Computer Aided Design）
コンピュータ支援による設計。データベース化された設計情報を基に、対話的な操作で設計を行うことができる。

② CAM（Computer Aided Manufacturing）
コンピュータ支援による製造。CADの設計データに基づき、工作機械に対する指令データを作成することにより、組立て・加工工程を自動制御する。

③ MRP（Material Requirements Planning：資材所要量計画）
製品の生産計画を基に、必要な部品構成と在庫数量を把握・管理し、それに基づいて発注を行う手法。その際に、部品の発注から納入までの待ち時間や、中間組付けに必要な期間なども考慮する。

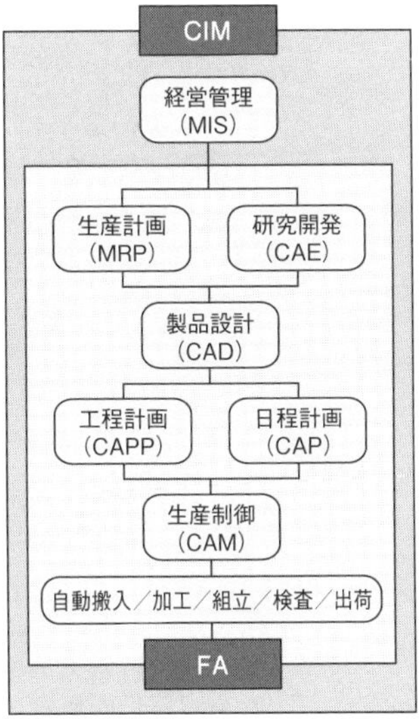

解説 1

【解答】ウ

かんばん方式はJIT生産方式を具体化したもので、生産に必要な資材をタイムリーに仕入れることで中間在庫を減らし、管理費などの削減につなげる手法である。具体的には、後工程側が前工程の生産の進捗に合わせ、必要な数量のみ前工程へ取りに行く方式（前工程はその分を生産または補充）。どの部品がいくつ必要かを前工程側に伝えるため、指示カード（かんばん）を用いたのが由来。

解説 2

【解答】エ

MRPは、必要な資材と期日、発注タイミングなどを的確に予測することで、過剰在庫や資材不足で生産が滞るなどのトラブルを防ぐ。大まかな流れは、生産計画から大日程計画を作り、最終製品の部品構成から製造に必要な総所要量を出す、これに在庫量を含めた正味所要量を計算し、ロットや安全在庫を加味して発注量を決定。さらに納期やリードタイムから手配計画を立てる。

シラバス ●大分類8：経営戦略 ●中分類21：ビジネスインダストリ ●小分類3：e-ビジネス

Lesson 13

ビジネスインダストリ

e-ビジネス

e-ビジネスは、オンライン回線やインターネットを通じて、相手先との取引やデータ交換を行う仕組みを使ったビジネスです。新たなビジネスモデルの出現によって、新しい用語が常に増えていく分野であり、カタカナ用語や英略字が毎回出題されています。

問1 eマーケットプレイスの説明 check

eマーケットプレイスを説明したものはどれか。

ア インターネット上で先に販売促進キャンペーンなどを展開したうえで、顧客を実世界の店舗に誘導して購買を促す手法

イ 多くの売手と買手が、インターネット上に設けられた市場を通じて出会い、中間流通業者を介さず、直接取引を行う手法

ウ 自社と取引企業との間で受発注、在庫、販売、物流などの情報を共有することによって、原材料の調達から製品の流通までの全体最適を図る手法

エ 商取引に関する情報を標準的な形式に統一して、企業間で見積り、受発注、出荷・納品、決済などに関わるデータを電子的に交換する手法

問2 クラウドファンディングの仕組み check

インターネットを活用した仕組みのうち、クラウドファンディングを説明したものはどれか。

ア Webサイトに公表されたプロジェクトの事業計画に協賛して、そのリターンとなる製品や権利の入手を期待する不特定多数の個人から小口資金を調達すること

イ Webサイトの閲覧者が掲載広告からリンク先のECサイトで商品を購入した場合、広告主からそのWebサイト運営者に成果報酬を支払うこと

ウ 企業などが、委託したい業務内容を、Webサイトで不特定多数の人に告知して募集し、適任と判断した人々に当該業務を発注すること

エ 複数のアカウント情報をあらかじめ登録しておくことによって、一度の認証で複数の金融機関の口座取引情報を一括して表示する個人向けWebサービスのこと

ここがポイント！

《EC（Electronic Commerce：電子商取引）》

インターネット上で商取引の一部、または全部を行う形態。次のようなものがある。

①オンラインショッピング

Web上の仮想店舗（**ネットショップ**）から商品を購入する行為。多数のネットショップを集めたWebサイトを**オンラインモール**と呼ぶ。ショップ側は店舗不要で、接客も電話やメールのみで対面販売はしないため、販売担当者も少人数でまかなえる。在庫商品の保管場所さえあれば、販売数量の少ない商品を扱うことも可能。このような、ネットショップの取扱い商品の販売傾向は、販売量の少ない商品がシッポのように続くグラフの特徴から、**ロングテール**と呼ばれる。

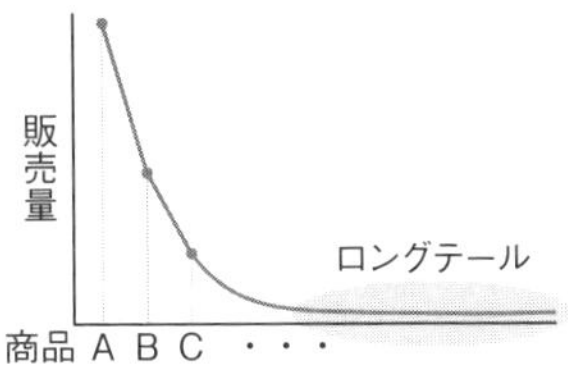

②電子調達と電子入札

企業が資材や原材料などの調達を電子的に行うこと。EDI（電子データ交換）を利用して直接調達を行う方法や、e-マーケットプレイスなどを利用したオープンな調達方法がある。また、あらかじめ調達金額を提示して、応募者を募る**逆（リバース）オークション**も調達方法の一つ。電子調達に対して入札を行うことを**電子入札**と呼び、主に公共事業などの調達では、公告から入札→通知→契約まで、電子入札の標準化が進んでいる。

③電子決済

商取引などにおける決済をネットワーク上で行う仕組み。オンライントレード（証券取引）、インターネットバンキング（銀行口座の振込み、残高照会、振替などを行うサービスを提供する）のほか、電子マネーによる決済などもある。

・**RFID応用システム**：ICチップと無線通信を応用した技術。非接触型で、読み取り機に通さなくても情報が読み取れ、汚れにも強いことから、商品のICタグ、公共交通機関での運賃決済、携帯電話による決済（おサイフ機能）にも採用されている。

④e-マーケットプレイス

インターネット上に開設されている企業どうしの市場取引の場のことを指す。さまざまな業種向けのe-マーケットプレイスがインターネット上に開設されている。

⑤アフィリエイト（成功報酬型広告）

Webサイトや個人のブログにバナー広告を掲載し、クリックした閲覧者が商品を購入したり会員登録をすると、サイトやブログの主催者に成功報酬が支払われる仕組み。

⑥エスクローサービス

ネット上での取引の際、金銭授受を仲介することで安全性を確保するサービス。支払い代金をサービス会社に預託し、商品を受け取った後に通知すると売り手に支払われる。

《EDI（Electronic Data Interchange：電子データ交換）》

受発注書や見積書などの定型業務のデータを標準化し、取引関係にある複数の企業間でネットワークを介してやり取りすることを指す。EDIにより、これまで通信プロトコルやデータ形式の違いなどから困難だった異業種間での取引も行うことが可能になる。現在では、インターネットを使った**Web-EDI**が利用されている。また**XML-EDI**は、EDIをXML形式にすることで、フォーマットの違うEDIに対し柔軟に対応できる。

大分類 8 経営戦略・ビジネスインダストリ

問3 O to Oの説明

check

ネットビジネスでのO to Oの説明はどれか

ア　基本的なサービスや製品を無料で提供し、高度な機能や特別な機能については料金を課金するビジネスモデルである。

イ　顧客仕様に応じたカスタマイズを実現するために、顧客からの注文後に最終製品の生産を始める方式である。

ウ　電子商取引で、代金を払ったのに商品が届かない、商品を送ったのに代金が支払われないなどのトラブルが防止できる仕組みである。

エ　モバイル端末などを利用している顧客を、仮想店舗から実店舗に、または実店舗から仮想店舗に誘導しながら、購入につなげる仕組みである。

問4 CGMの事例に該当するもの

check

CGM（Consumer Generated Media）の例はどれか。

ア　企業が、経営状況や財務状況、業績動向に関する情報を、個人投資家向けに公開する自社のWebサイト

イ　企業が、自社の商品の特徴や使用方法に関する情報を、一般消費者向けに発信する自社のWebサイト

ウ　行政機関が、政策、行政サービスに関する情報を、一般市民向けに公開する自組織のWebサイト

エ　個人が、自らが使用した商品などの評価に関する情報を、不特定多数に向けて発信するブログやSNSなどのWebサイト

問5 シェアリングエコノミーの説明

check

シェアリングエコノミーの説明はどれか。

ア　ITの活用によって経済全体の生産性が高まり、更にSCMの進展によって需給ギャップが解消されるので、インフレなき成長が持続するという概念である。

イ　ITを用いて、再生可能エネルギーや都市基盤の効率的な管理・運営を行い、人々の生活の質を高め、継続的な経済発展を実現するという概念である。

ウ　商取引において、実店舗販売とインターネット販売を組み合わせ、それぞれの長所を生かして連携させることによって、全体の売上を拡大する仕組みである。

エ　ソーシャルメディアのコミュニティ機能などを活用して、主に個人どうしで、個人が保有している遊休資産を共有したり、貸し借りしたりする仕組みである。

《e-ビジネスの分類》

取引を行う両者の立場によって、次のような省略形で分類されることがある。

- BtoB：B(Business)は企業の意味。つまり企業間の商取引を指す。
- BtoC：C(Consumer)は一般消費者の意味。ネットショップなど、企業(B)と一般顧客との間で行われる商取引。
- CtoC：ネットオークションなど、一般消費者間の取引。
- GtoB：G(Government)は行政機関で、行政機関と企業(B)との取引を指す。

《ソーシャルメディアとCGM》

ソーシャルメディアは、インターネット技術を利用した、個人参加型の情報発信の仕組み。個人が発信するブログ、複数の参加者で情報を共有するSNS(Social Networking Service)、電子掲示板などがある。また、一般消費者が作成・公開・共有しているコンテンツのことを、CGM(Consumer Generated Media：消費者生成メディア)と呼ぶ。商品やサービスの購入者・利用者の、口コミや掲示板などからの情報発信は、製品やサービスの内容、価格に強い影響を与えるようになっている。

- シェアリングエコノミー：ソーシャルメディアの情報交換機能や専門サービスを利用して、個人保有の遊休資産(スキルのような無形資産も含む)の貸し借りをすること。

解説 1
【解答】イ

eマーケットプレイスは、インターネット上の市場で、企業やその集合体などが主催し、業種や分野ごとに設けている。ア：インターネット上に書かれている情報から実店舗へ顧客を誘導する方法を指すO2O(Online to Offline)の説明。ウ：設計、受発注、生産、流通などに関する情報をインターネットなどを通じて企業間で共有・交換するCALSの説明。エ：EDIの説明。

解説 2
【解答】ア

クラウドファンディングは、インターネット上で事業計画を公開して協賛者を募り、不特定多数の個人から小口資金を調達する仕組みのこと(ア)。イ：アフィリエイト。ウ：クラウドソーシング。エ：顧客に代わって複数の銀行口座やクレジットカード情報を収集し、一括して閲覧または管理できるようにするアカウントアグリゲーション(口座情報取得サービス)の説明。

解説 3
【解答】エ

O to O(Online to Offline)は、Webに掲載する情報(値引きクーポンなど)を使い、顧客を実店舗での商品購入へ誘い込む販売戦略。実店舗の顧客にWeb上の仮想店舗を案内するといった、逆パターンもある(エ)。ア：フリーミアムの説明。フリー(無料)とプレミアム(割増料金)をつなげた造語。イ：BTO(Build to Order)の説明。パソコンや車など、顧客が選択可能なオプション品などが多様な製品の販売で行われるビジネスモデル。ウ：売り手と買い手の間に第三者が入り、代金の決済を代行するのはエスクローサービス。

解説 4
【解答】エ

CGM(消費者生成メディア)の定義は、「一般消費者が作成・公開・共有しているコンテンツ」であること。この問題で、情報の発信者が一般の個人である例を説明している選択肢はエのみである。

解説 5
【解答】エ

シェアリングエコノミーは、一般の人どうしが使用していない資産(物だけでなく、宿泊施設や駐車場などの場所や個人のスキルなどさまざま)を貸与したり、空き時間を使って役務(フードデリバリーなど)を提供したりを行うこと。ソーシャルメディアのコミュニティ機能や仲介サービス(マッチングや決済、評価の閲覧等を提供する)などを利用する。

Lesson

シラバス ●大分類8：経営戦略 ●中分類21：ビジネスインダストリ
●小分類4：民生機器、5：産業機器

ビジネスインダストリ

14 民生機器と産業機器

家電製品などの身近な機器にもネットワークへの接続機能が加えられるようになり、外部システムとの連携によって、多彩な機能が実現されるようになりました。試験での出題が増えつつある分野なので、トレンドな用語はしっかり押さえておきましょう。

問1 IoTの活用 check

工場の機器メンテナンス業務においてIoTを活用した場合の基本要素とデバイス・サービスの例を整理した。ア～エがa～dのいずれかに該当するとき、aに該当するものはどれか。

基本要素	デバイス・サービスの例
データの収集	a
データの伝送	b
データの解析	c
データの活用	d

ア　異常値判定ツール　　イ　機器の温度センサ
ウ　工場内無線通信　　エ　作業指示用ディスプレイ

問2 HEMSに該当する応用事例 check

IoTの応用事例のうち、HEMSの説明はどれか。

ア　工場内の機械に取り付けたセンサで振動、温度、音などを常時計測し、収集したデータを基に機械の劣化状態を分析して、適切なタイミングで部品を交換する。

イ　自動車に取り付けたセンサで車両の状態、路面状況などのデータを計測し、ネットワークを介して保存し分析することによって、効率的な運転を支援する。

ウ　情報通信技術や環境技術を駆使して、街灯などの公共設備や交通システムをはじめとする都市基盤のエネルギーの可視化と消費の最適制御を行う。

エ　太陽光発電装置などのエネルギー機器、家電機器、センサ類などを家庭内通信ネットワークに接続して、エネルギーの可視化と消費の最適制御を行う。

ここがポイント！

《民生機器》

主に業務用として作られた機器を産業機器、一般ユーザ向けで生活の場面で使われる機器を民生機器という。情報通信技術の発達で、身近な機器に組み込まれたコンピュータがネットワーク経由でさまざまなシステムと連携し、情報やサービスを手軽に利用できる環境が整えられている。このような「いつどこにいても簡単にコンピュータやシステムにつながる」概念をユビキタスコンピューティング（ubiquitous computing）という。

①IoT（Internet of Things）

パソコンやスマートフォンだけでなく、さまざまな物（機器）にインターネット接続の機能を持たせ、機器どうしで情報をやりとりしたり、データの収集・分析などを行う仕組みのこと。これにより、システムを使った高度な判断や自動制御を実現できる。身近なところでは家電製品やカーナビ、センサ機器を使ったホームセキュリティなどがある。

②HEMS（Home Energy Management System：ヘムス）

電気やガスのメータ、太陽光発電装置、家電製品などを家庭内ネットワークにつなぎ、HEMSコントローラに接続することで制御し、エネルギー使用量を可視化して節約に結びつけたり、快適な生活環境を作るためのシステム。日本政府は、エネルギー消費量の削減と温暖化抑止を目的として、全家庭にHEMSを設置することを目指している。

③AI（Artificial Intelligence：人工知能）とディープラーニング

AIは、人の知的活動に似せた機能を持つ機械やその手法のこと。「大量の情報から有用なデータを選び出し、そこから規則性を見つけ、結果や対処方法を推測する」という機械学習機能を持つAIが研究されている。なかでもディープラーニング（深層学習）は、データ間のより複雑な関係性を追究することで、判断性能を向上させる手法。画像認識や音声認識、異常検知などに用いられ、サポートセンターの自動応答や車の衝突回避システムなどに応用されている。

《組み込みシステムと民生機器》

家電製品などに組み込まれ、装置の制御を行っているのが組み込みシステム。例えば炊飯器やエアコンでは、マイクロコンピュータ（マイコン）と組み込みOSが、温度センサが感知した情報を基に加温や冷却を行う装置をリアルタイム制御している。

解説 1

【解答】イ

この問題は工場で使われている機器の異常を検知して対応を指示するIoTシステムを想定している。まず、機器の温度センサによりデータ収集が行われ（a－イ）、工場内無線通信によってデータをコンピュータへ伝送（b－ウ）、異常値判定ツールによってデータ解析が行われ（c－ア）、作業指示用ディスプレイに異常箇所と対処方法が表示される（d－エ）。aに該当するのはイ。

解説 2

【解答】エ

HEMSは、家庭内のエネルギー使用を制御するための管理システムのこと。太陽光発電装置や家電などを、家庭内ネットワーク経由でHEMSコントローラに接続する（エ）。ア：予防保守の日常保守に該当。イ：先進運転支援システム（ADAS：Advanced Driving Assistant System）と呼ばれ、運転に有用な情報を運転者に知らせたり、危険が迫っている場合は自動的に車を制御する機能などを持つ。ウ：IoTやクラウドを中心としたICTを活用して、対象地域からさまざまなデータを取得し、それらを分析・活用・共有して地域が抱える問題の解決に役立てる仕組みをスマートシティという。

シラバス ●大分類9：企業と法務 ●中分類22：企業活動
●小分類1：経営・組織論

Lesson 15

企業活動

企業経営と組織

どのようにして事業を発展的に継続させていくのかは、企業経営の永遠の追求テーマです。企業内では、複数の人が仕事を分担しあって組織体を形成し、経営目標を実現しています。試験では、企業が果たすべき責任や組織形態についての出題がよく出ています。

問1 コーポレートガバナンスの説明 check

コーポレートガバナンスを説明したものはどれか。

ア　環境保全対策の費用対効果を定量的に測定・分析し、環境保全コスト、環境保全対策実施に伴う経済効果や環境保全効果を公表すること。

イ　企業が本来の営利活動とは別に、社会の一員として、社会をよりよくするために応分の貢献をすること。

ウ　経営管理が適切に行われているかどうかを監視し、ステークホルダに対して、企業活動の正当性を維持する仕組みのこと。

エ　投資家やアナリストに対する広報活動として、企業の経営状況を正確かつ迅速に、そして継続的に公表すること。

問2 BCPの説明 check

BCPの説明はどれか。

ア　企業の戦略を実現するために、財務、顧客、内部ビジネスプロセス、学習と成長の視点から戦略を検討したもの

イ　企業の目標を達成するために業務内容や業務の流れを可視化し、一定のサイクルをもって継続的に業務プロセスを改善するもの

ウ　業務効率の向上、業務コストの削減を目的に、業務プロセスを対象としてアウトソースを実施するもの

エ　事業中断の原因とリスクを想定し、未然に回避または被害を受けても速やかに回復できるように方針や行動手順を規定したもの

ここがポイント！

《企業活動》

企業の目的は、経営資源（ヒト、モノ、カネ、情報）を使って利益を上げ、株主･顧客･取引先･従業員などのステークホルダ（利害関係者）に還元すること。企業には、コンプライアンスや労働環境を守り、正しく経営実績を報告するアカウンタビリティ（Accountability：説明責任）を果たすことが求められる。さらに、企業活動を広範囲に捉えるCSR（Corporate Social Responsibility：企業の社会的責任）では、地域貢献なども求められている。

・コーポレートガバナンス（Corporate Governance：企業統治）

不正などが発覚すると企業価値は損なわれ、株主などのステークホルダは不利益を被る。コーポレートガバナンスは、適正な経営がなされているか、主に社外のステークホルダが監督・監視する仕組みのこと。

《ヒューマンリソースマネジメント》

①裁量労働制

専門性の高い職種や、得られる成果を時間単位で計ることが困難な企画業務などの職種で、労働時間を実労働時間ではなく、本人の裁量による見なし時間で決める方法。

②ワークシェアリング

労働者の勤務時間を短縮したり、複数の労働者で分担するなど業務の配分を見直すことで、より多くの雇用を確保する方法。雇用の安定と創出を目的としている。

③OJT（On the Job Training）

実務現場での業務を通じて、業務遂行に必要な技術を習得する研修制度。これに対し、OffJT（Off the Job Training）は外部研修など担当業務を離れて訓練を受けること。

④HRテック（HRTech）

HR（Human Resources）は人的資源のこと。HRテックは、人材に関する情報をデータ化して統合し、AIやビッグデータ解析などIT分野の新技術を用いて多角的に分析し、将来的な予測を含めて人事管理全般に役立てるための仕組みを表す。

《BCP（Business Continuity Plan：事業継続計画）》

緊急事態に備えるための対応計画。迅速に適切な対処を行い、損害を最小限に抑えて、事業の継続や早期復旧を図ることを目的とする。災害や事故、テロなどの発生時に、いつの時点で・どの部署が・どう対処するのかを事前にマニュアル化し、訓練を行っておく。

解説 1　【解答】ウ

コーポレートガバナンスは、企業運営を適法かつ効率的に行い企業収益を高めるという考え方、およびその仕組みのこと。言い換えれば、顧客、株主、地域、社員といったステークホルダ（利害関係者）が、企業活動を安心して見ていられる前提となる仕組みである。経営者の権力行使を監視、けん制するとともに、適切な意思決定が行えることにも繋がる。

解説 2　【解答】エ

BCPでは、被害を未然に防いだり、障害から速やかに回復できるよう、事前にプランを作成する（エ）。ア：財務・業務プロセス・顧客・学習と成長の4つの視点から検討するのは、BSC（バランススコアカード）。イ：計画（Plan）→実行（Do）→確認（Check）→処置（Action）のサイクルを繰り返すPDCA。ウ：業務の一部を外部委託するアウトソーシング。

問3 ワークシェアリングの説明

check

ワークシェアリングの説明はどれか。

ア　仕事と生活の調和を実現する目的で多様かつ柔軟な働き方を目指す考え方
イ　従業員が職場や職務を選択することができる制度
ウ　従業員1人当たりの勤務時間短縮、仕事配分の見直しによる雇用確保の取組み
エ　福利厚生サービスを一定の範囲内で従業員が選択できる方式

問4 企業の組織形態

check

社内カンパニー制を説明したものはどれか。

ア　1部門を切り離して別会社として独立させ、機動力のある多角化戦略を展開する。
イ　合併、買収によって、自社にない経営資源を相手企業から得て、スピーディな戦略展開を図る。
ウ　時間を掛けて研究・開発を行い、その成果を経営戦略の基礎とする。
エ　事業分野ごとの仮想企業を作り、経営資源配分の効率化、意思決定の迅速化、創造性の発揮を促進する。

問5 CIOが求められる役割

check

CIOが経営から求められる役割はどれか。

ア　企業経営のための財務戦略の立案と遂行
イ　企業の研究開発方針の立案と実施
ウ　企業の法令遵守の体制の構築と運用
エ　ビジネス価値を最大化させるITサービス活用の促進

《企業の組織形態》

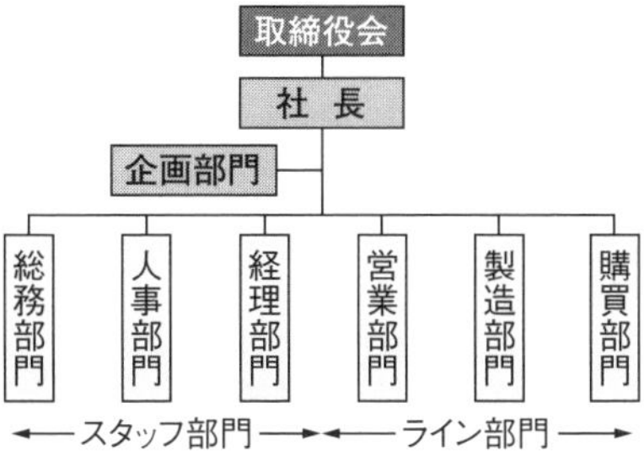

①職能別組織

業務（職能）別の部門で構成される組織。各部門は業務内容によって役割を分担し、業務を遂行する。また、その企業のメインとなる業務を直接的に遂行するライン部門と、ライン部門を支援し間接的に業務を遂行するスタッフ部門に分けられる。

②マトリックス組織

職能組織に属しながら、プロジェクトチームに参加したり、製品別のグループに所属するなど、1人のメンバが複数部門に属する形態。柔軟な組織編成が可能になる反面、管理者の責任範囲が曖昧になったり、指揮命令系統が複雑になるなどの欠点もある。

③プロジェクト制組織

新商品開発など、特定の目的のために、本来の組織とは別に各種の専門的な知識や能力をもつメンバにより臨時に編成される組織。

④事業部制組織

製品分野や市場などの単位で事業部に分け、事業部ごとにそれぞれライン部門やスタッフ部門などの職能組織をもち、1つの独立した企業のように活動する組織形態。大きな権限を事業部に与える代わりに独立採算制をとり、利益責任を明確にしている。

《CIOの役割》

CIO（Chief Information Officer）は、最高情報統括役員のことで、日本企業では情報システム部門の担当役員の呼称としてよく使われる。CIOは、情報システム戦略の策定・実施について、主導する責任を負っている。

そのほか、取締役社長をCEO（Chief Executive Officer：最高経営責任者）、営業担当役員（営業部長など）をCOO（Chief Operating Officer：最高執行責任者）というように、業務の責任範囲を示す呼称を使う企業も多い。

解説 3
【解答】ウ

ワークシェアリングは、仕事を分け合うことで雇用を確保する方法。これにより、雇用機会を創出したり、高齢の労働者の負担を軽減することに繋がる。また不景気の際のレイオフを避けることにもなる。ただし、給与削減や給与格差の問題、業務によってはマッチしないこともあり、一概に利点ばかりとは限らない。

解説 4
【解答】エ

社内カンパニー制は、会社内部に仮想的な企業を作り、独立採算で事業を行う形態。迅速な意思決定や創造性の発揮を期待する方法の1つで、事業部制よりも独立色が濃い。経営のための資本は、社内からの配分を受け、利益は配当として社内へ還元する。ア：実際に別会社として独立させるわけではない。イ：M&A（企業合併および買収）の説明。ウ：経営戦略の方法の1つであるMOT（Management of Technology：技術経営）の説明。

解説 5
【解答】エ

CIOの役割の1つにITサービスの活用促進がある。ア：財務戦略の立案・遂行は、CFO（Chief Financial Officer；最高財務責任者）が行う。イ：研究開発方針の立案と実施は、CTO（Chief Technical Officer；最高技術責任者）が行う。ウ：法令遵守体制の構築と運用は、CLO（Chief Legal Officer；最高法務責任者）が行う。

シラバス ●大分類9：企業と法務 ●中分類22：企業活動
●小分類2：OR・IE

Lesson 16

企業活動

OR・IEと業務分析

ORは、企業経営における意思決定や運用・管理の問題を、定量的に評価し、数学的に解決するための手法です。また、IEは生産管理の問題点を分析し、さまざまな手法を使って解決するための考え方です。試験では、計算問題が数多く出題されています。

問1 機会損失による損失額の計算

check

表の条件でA～Eの商品を販売したときの機会損失は何千円か。

商品	商品1個当たり利益（千円）	需要数（個）	仕入数（個）
A	1	1,500	1,400
B	2	900	1,000
C	3	800	1,000
D	4	700	500
E	5	500	200

ア 800　　イ 1,500　　ウ 1,600　　エ 2,400

問2 ファシリテータの役割

check

会議におけるファシリテータの役割として、適切なものはどれか。

ア 技術面や法律面など、自らが専門とする特定の領域の議論に対してだけ、助言を行う。

イ 議長となり、経営層の意向に合致した結論を導き出すように議論をコントロールする。

ウ 中立公平な立場から、会議の参加者に発言を促したり、議論の流れを整理したりする。

エ 日程調整・資料準備・議事録作成など、会議運営の事務的作業に特化した支援を行う。

ここがポイント！

《在庫管理》

①定期発注方式

発注間隔を定めておき、これに従ってそのつど必要な量を発注する方式。仕入単価が高く、在庫切れの許されない、厳密な管理を必要とする原材料や商品の発注に適している。なお、**安全在庫**とは消費量が予測を超えた場合に対応するための予備分のこと。

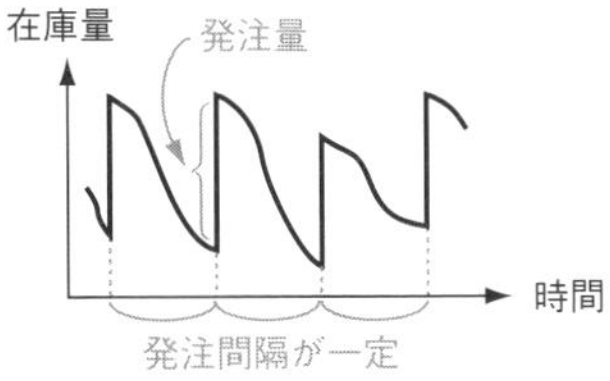

発注量＝次の発注までの予測消費量
＋ 安全在庫 － 手持ち在庫量

②定量発注方式

在庫がある量（**発注点**）まで減ったときに、一定量の発注をする方式。仕入単価が低いため、細かい管理は不要で、1回の発注量がある程度多い原材料や商品の発注に適している。なお、**リードタイム**とは発注してから納入されるまでの待ち時間のこと。

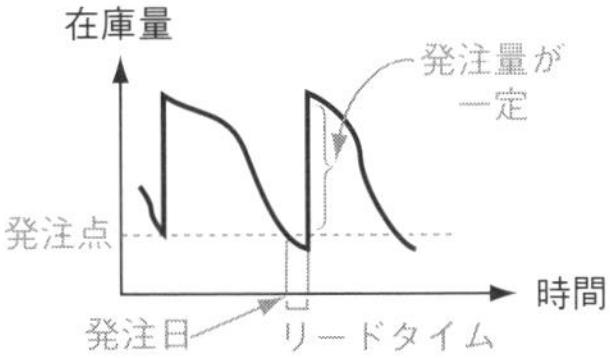

③二棚法

二棚法は、簡便な在庫管理方法で、**2ビン法**、**ダブルビン方式**とも呼ばれる。ある部品の在庫管理の例で運用方法を説明すると、①まず2つの棚AとBに発注票を置く → ②両方の棚に部品を一杯まで入れる（部品の下に発注票が置かれている） → ③棚Aからのみ部品を使う → ④棚Aの部品がなくなり、発注票が出てきたら発注する → ④棚Bの部品を使う…、という手順をとる。

解説 1

【解答】エ

機会損失とは、販売側の事情によって販売できるチャンスを逃したために、得られたはずの利益を失うこと。この問題の場合、需要数は「販売できたはずの数」に該当する。そのため、「需要数＞仕入数」のときに損失が発生し、その額は次式で求めることができる。

損失額（千円）＝1個当たり利益 ×（需要数－仕入数）

商品A：1,500 ＞ 1,400　1 ×（1,500 － 1,400）＝ 100
商品B：900 ＜ 1,000（機会損失は発生していない）
商品C：800 ＜ 1,000（機会損失は発生していない）
商品D：700 ＞ 500　4 ×（700 － 500）＝ 800
商品E：500 ＞ 200　5 ×（500 － 200）＝ 1,500　合計　2,400

解説 2

【解答】ウ

ファシリテータは、進行役として会議の参加者に発言を促したり、議論の流れを整理したりする役割を担う。中立な立場で進行を促し、特定の領域に偏った助言を行ったり、結論を意図的にコントロールすることは避けるべきである（ウ）。また、発言者が偏らないよう、意見を出しやすい雰囲気を作り出すことも重要な役割となる。

問3 マクシミン戦略

check

A社とB社がそれぞれ2種類の戦略を採る場合の利得が表のように予想されるとき、両社がそれぞれのマクシミン戦略を採った場合のA社の利得はどれか。ここで、表の各欄において、左側の数値がA社の利得、右側の数値がB社の利得とする。

		B社	
		戦略b1	戦略b2
A社	戦略a1	−15,　15	20,　−20
	戦略a2	5,　−5	0,　0

ア －15　　イ 0　　ウ 5　　エ 20

問4 未来予測に用いられる技法

check

他の技法では答えが得られにくい、未来予測のような問題に多く用いられ、(1)～(3)の手順に従って行われる予測技法はどれか。

(1) 複数の専門家を回答者として選定する。
(2) 質問に対する回答結果を集約してフィードバックし、再度質問を行う。
(3) 回答結果を統計的に処理し、分布とともに回答結果を示す。

ア クロスセクション法　　イ シナリオライティング法
ウ 親和図法　　エ デルファイ法

《OR・IEの分析手法》

①マクシミン戦略

マクシミン戦略とは、「最悪の場合でも得られる利益に着目して、利益が最大になるものを選択する」(＝最悪の中で、最もましなものを選ぶ)戦略。また見方を変え、「最大の損失が最小になるように選択する」(＝損失を極力抑える)戦略をミニマックス戦略と呼ぶ。

②作業時間分析法

実際の動作や作業にかかる時間を測定して分析を行い、これを基に作業工程の省力化につなげたり、作業計画の策定を行ったりする手法。

③PTS法(Predetermined Time Standard)

標準的な作業者が行う各動作について、あらかじめ標準時間を決めておき、それに基づいて、予定している作業全体の時間を見積もる方法。生産計画に利用されるほか、原価計算や作業環境の見直しなどにも利用される。

④ワークサンプリング法

ある業務に必要な作業時間を、その作業を観察することで統計的に見積もる手法。観察する時刻や回数を決めて繰り返し観察し、得られたデータを統計的な手法で分析する。事務作業など、定量化が難しい作業量の見積りに利用される。

《業務分析手法》

①デルファイ法

同一の質問に対する複数の対象者の回答を収集し、その結果を対象者にフィードバックして改めて回答を求める。その結果を統計的な手法で集計することで、回答の精度を高めるアンケートの手法。主に、未来予測などに用いられる。

②データマイニング

収集したデータから、必要な法則性を見つけ出す手法。例えば弁当と飲料の購入データを分析し、「おにぎりと緑茶は高確率で一緒に買われる」といった規則性を見つけ出す。

③ブレーンストーミング

新しいアイデアを生み出すための会議方法。多くのアイデアが出るように、批判禁止、発言内容の質より発言量を重視、自由奔放、他の参加者の意見との結合や便乗もOK、といったルールの下で行う。

・ファシリテータ

会議などの場で、参加者に発言を促したり、話の流れを整理するなど、話し合いを活性化・効率化させるための支援を行う役割を持つ人のこと。

解説 3

【解答】ウ

A社が戦略a1を採ったとき、B社が戦略b1を採った場合のA社の利得は－15(損失)、B社が戦略b2を採った場合のA社の利得は20であるから、最悪の利得は－15である。また、A社が戦略a2を採ったとき、B社が戦略b1を採った場合のA社の利得は5、B社が戦略b2を採った場合は0であるから、最悪の利得は0である。

		B	
		戦略b1	戦略b2
A	戦略a1	−15	20
	戦略a2	5	0

A社の利得 ＝ B社の損失

A社の損失＝B社の利得

したがって、A社は最悪の利得となる中での最大利得となる戦略a2を採ることになる。一方、B社においても同様にマクシミン戦略を採った場合、B社は戦略b1を採ることになる。以上より、A社が戦略a2を採り、B社が戦略b1を採ったときのA社の利得は5となる。

2者間の関係においてのマクシミン戦略は、「自分自身の損失を最小とするために、相手の利得が最小となる戦略を採ること」と理解しておくとよい。

解説 4

【解答】エ

将来起こりうる事象の予測を行う方法としてよく用いられる技法はデルファイ法である。デルファイ法の目的は、意見を繰り返し出し合うことで意見の収束を図ることにあるが、対象者それぞれが、それまでに出された意見の中間集計を参考にして再び意見を出すことで、単なる個々の意見の寄せ集めから、集団意見へと質的に意見を収れんさせていくことに特徴がある。

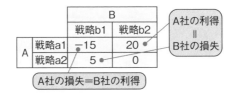

Lesson

シラバス ●大分類9：企業と法務 ●中分類22：企業活動
●小分類2：OR・IE

企業活動

17 QC七つ道具

QCとは品質管理（Quality Control）のことで、主に生産の分野で行われてきた管理活動です。代表的な管理手法にはQC七つ道具があり、適用範囲が広いため、他の業務分野にも応用されています。試験では、図式手法の特徴や適用例がよく問われています。

問1 品質管理の図式手法

check

品質管理に用いられる図の説明のうち、適切なものはどれか。

ア　散布図は、1変数のデータのばらつき状態を知るために役立ち、平均値や標準偏差が容易に求められる。

イ　親和図は、錯そうした問題点や、まとまっていない意見やアイデアなどを整理し、まとめるために用いられる。

ウ　特性要因図は、2つ以上の変数の相互関係を表すのに役立つ。

エ　度数分布図は、原因と結果を対比させた図式表現であり、不良原因の追求に用いられる。

問2 ABC分析に基づく在庫管理

check

ABC分析に基づく在庫管理に関する記述のうち、適切なものはどれか。

ア　A、B、Cの各グループ共に、あらかじめ統計的・確率的視点からみた発注点を決めておくほうがよい。

イ　Aグループは、少数の品目でありながら在庫金額が大きいので、重点的にきめ細かく品目別管理をするほうがよい。

ウ　Bグループは、品目数が多いわりに在庫金額が小さいので、できるだけおおざっぱな管理がよい。

エ　Cグループは、定期的に必要量と在庫量を検討し、発注量を決める方式がよい。

ここがポイント！

《QC七つ道具》

①特性要因図

特性（結果）とそれに影響を及ぼす要因（原因）との関係を、魚の骨のような図（フィッシュボーン図）に整理して体系化する図法。

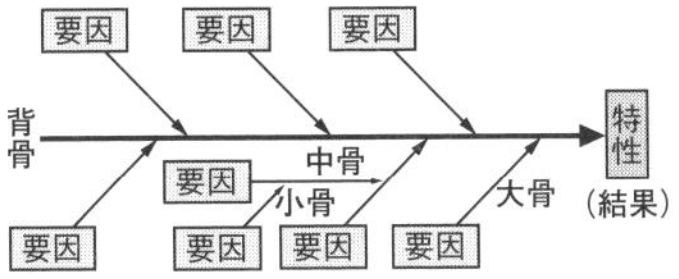

②パレート図

各要素の値が大きい順に並べた棒グラフと、累積和（各要素の値を順に加算）を表す折れ線グラフを重ねた、複合グラフで表す図法。値に占める各要素の割合が一目でわかるため、ABC分析（重要度を明確にして、優先管理すべき要素を判断するための分析手法）に利用される。

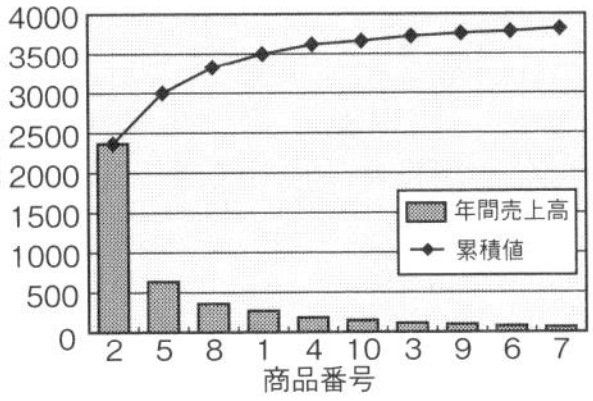

③管理図

製品の品質管理などに用いる図法。管理限界の上限と下限をグラフに示し、値の変動を折れ線で表す。打点が上限～下限を超えたり、折れ線が上昇／下降傾向にあるときは、何らかの問題が発生しており、対策が必要なことがわかる。

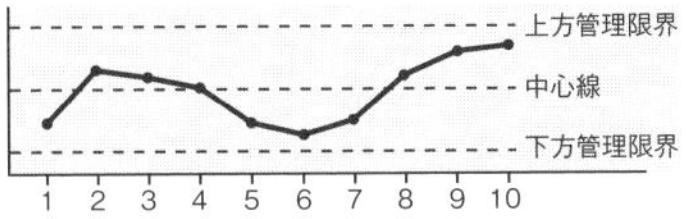

④ヒストグラム

要素の値がとる範囲をいくつかの区間に分け、各区間に入る要素の個数を数えて、それを柱状のグラフ（ヒストグラム）に表した図法。要素の値の分散（散らばり）の度合や平均値を視覚的に判断することができる。

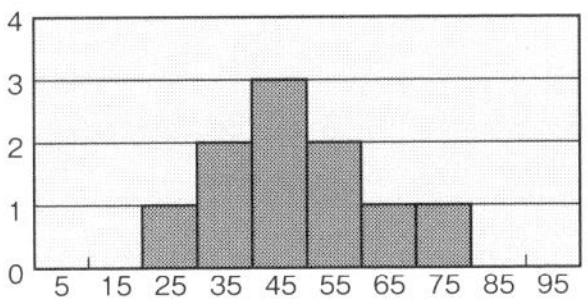

⑤散布図（相関図）

２つの要素間の相関関係を判断するためのグラフ。点の分布状況が右上がりなら「一方の値が増えると、もう一方も増える」正の相関、右下がりなら「一方の値が増えると、もう一方は減る」負の相関を示している。相関の強さを表す相関係数は＋１～ －１までの値をとり、相関係数の絶対値が 0.7 以上（点が直線状に並ぶ）であれば強い相関があり、逆に 0.2 以下（点の並びはバラバラ）ならほとんど相関はない。

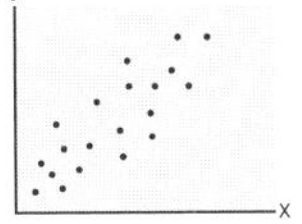

・正の相関：点が右上がりに分布。

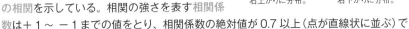

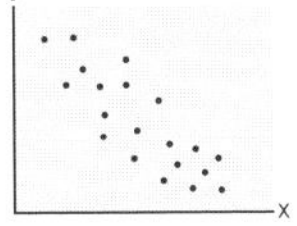

・負の相関：点が右下がりに分布。

⑥チェックシート

作業の抜けやチェック漏れなどを防ぐための、確認表や図。

チェック項目	チェック欄
研磨剤の補充	✔
製品のセット位置確認	✔
安全装置のロック解除	✔

⑦層別

得られたデータを項目別に分類すること。
例えば商品の売上高なら、商品別、担当者別、地域別、得意先別などに分類できる。

問3 管理図の読取り

check

2つの管理図は、工場内の製造ラインA、Bで生産された製品の、製造日ごとの品質特性値を示している。製造ラインA、Bへの対応のうち、適切なものはどれか。

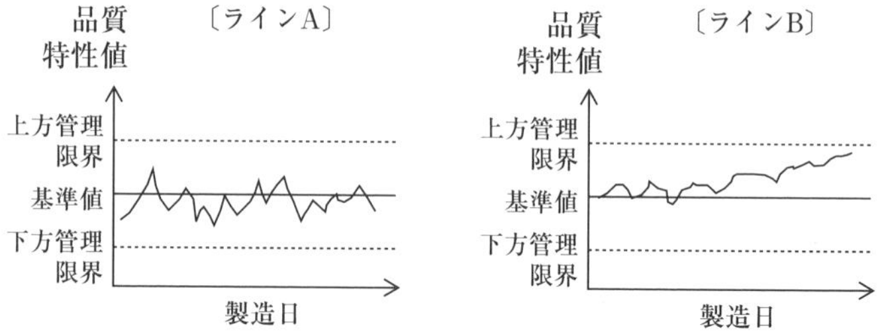

ア　ラインAは、値のばらつきが大きいので、原因の究明を行う。

イ　ラインA、Bとも値が管理限界内に収まっているので、このまましばらく様子をみる。

ウ　ラインA、Bとも値が基準値から外れているので、原因の究明を行う。

エ　ラインBは、値が継続して増加傾向にあるので、原因の究明を行う。

問4 図の例から読み取れるもの

check

図は、製品の製造上のある要因の値xと品質特性の値yとの関係をプロットしたものである。この図から読み取れることはどれか。

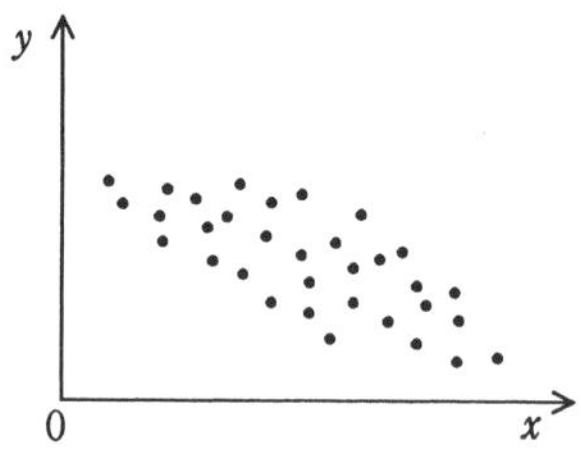

ア　xからyを推定するためには、2次回帰係数の計算が必要である。

イ　xからyを推定するための回帰式は、yからxを推定する回帰式と同じである。

ウ　xとyの相関係数は正である。

エ　xとyの相関係数は負である。

《新QC七つ道具》

QC七つ道具が主に定量的な(数値で表せる)データの分析に用いられるのに対して、**新QC七つ道具**はデータの定性的分析(数値では表せない性質など)に用いられる。

連関図法	複雑にからみあった問題を整理するため、原因と結果、目的と手段などの関係を矢印で結び、問題の構造を明らかにする図法
親和図法	列挙した項目の中で親和性の高いものをグループ化して図にまとめ、問題点を発見・整理するための図法
系統図法	目的に対する手段、結果に対する原因など、あるテーマを系統的に深く掘り下げていく過程を明確にするための図法
マトリクス図法	対になる要素を二次元の表の行と列に配置し、その交点に着目して、要素の組合せのパターンを発見・特定するための図法
マトリクスデータ解析法	マトリクス図で発見された要素の組合せをグラフ等を用いて分析する図法
PDPC	過程決定計画図(Process Decision Program Chart)。目的を達成するためのプロセスを、できる限り望ましい方向へ導く方策を、事前に検討し、整理するための手法。流れ図と似た図式化技法である
アローダイアグラム法	作業の前後関係を整理して、日程計画図として表す手法。プロジェクト管理技法でよく用いられるPERT法で使われる図として知られている

解説 1
【解答】イ

親和図は、列挙した項目の中で親和性の高いものをグループ化して図にまとめ、問題点を発見・整理するための技法。ア:散布図は、2つの特性値の間に関係があるかどうかや、その関係がどのような状態かを調べるために用いる。ウ:特性要因図は、特性と、それに影響を及ぼすと思われる要因との関連を整理し、体系的に(魚の骨のような)図に表したもの。エ:度数分布図(ヒストグラム)は、要素の分布状態や全体的な特性の把握に適した図。

解説 2
【解答】イ

在庫金額の累計をパレート図で表現し、金額の大きいほうからA、B、Cの3クラスに別ける。Aクラスの品は、重点管理項目として定期発注方式で厳重に管理する。Bクラスの品は在庫数が、発注点まで下がったら発注する定量発注方式で管理する。Cクラスの品は、二棚法などのおおまかな方法で管理する。

解説 3
【解答】エ

対策が必要であると判定する基準は次の通りである。
①管理限界の外に出た、または接近した。
②基準値の片側に7点以上連続した(数は場合による)。
③上昇・下降の傾向が見える。
④周期性を持った変動がある。
ラインBは、①、②、③に該当することから、原因の究明を行う必要がある。

解説 4
【解答】エ

図のグラフは、xが増えるとyが減る「右下がり」の傾向がある。そのため、xとyには負の相関があると判断できる(エ)。ちなみに回帰分析は、方程式を使って一方の変数の値から他方の変数の値を推定する分析方法。イの回帰式は、一方の値から他方の値を推定するための式のこと(例:$y=ax+b$)。また回帰係数とは、回帰式で求めた値をグラフにプロットしたときに直線の傾きを示すもの(例:回帰式が$y=ax+b$なら、傾きを表す係数はa)。アの2次回帰係数とは、回帰式が二次方程式となる場合の係数(例:回帰式が$y=ax^2+bx+c$なら係数はa。ただし二次方程式のグラフはU字型の曲線になるので、係数aはU字の開き具合を表す)。

Lesson 18

企業活動

企業会計

企業では、取引が発生すると項目（勘定科目）ごとに分けて記録（仕訳）を行い、会計年度の終わりには集計して決算書（財務諸表）を作成します。試験では、これらの会計処理に関する用語問題とともに、利益や原価など求める計算問題が出題されています。

問1 財務諸表の種類

check

財務諸表のうち、一定時点における企業の資産、負債及び純資産を表示し、企業の財政状態を明らかにするものはどれか。

ア 株主資本等変動計算書　イ キャッシュフロー計算書
ウ 損益計算書　エ 貸借対照表

問2 当期の売上原価

check

期首商品棚卸高20百万円、当期商品仕入高100百万円、期末商品棚卸高30百万円のとき、当期の売上原価は何百万円か。

ア 50　イ 70　ウ 90　エ 110

問3 固定費と変動費から計算する利益

check

販売価格が14万円の製品を製造する案として、表のとおりのA案とB案がある。月当たりの販売数量が500個の場合、A案とB案の評価のうち、適切な記述はどれか。

案	月当たり固定費	変動費単価
A	1,500万円	9万円／個
B	2,500万円	7万円／個

ア A案、B案ともに利益が出ない　イ A案とB案の利益は等しい
ウ A案のほうが利益が多い　エ B案のほうが利益が多い

ここがポイント!

《財務諸表の種類》

①貸借対照表（Balance Sheet；B/S）

ある時点（決算日など）での財政状態を明らかにするための財務諸表。資産、負債、純資産の３つを記載する。

資産	企業が所有する金銭、物品、債権
負債	将来、支払わなければならない債務
純資産	資本金、資本余剰金、利益余剰金（純資産＝資産－負債）

・貸借対照表の計算式　資産＝負債＋純資産

②損益計算書（Profit and Loss statement；P/L）

一定期間（通常は１年）における経営成績を明らかにする財務諸表。利益、費用、収益の３つを記載する。

利益	収益から費用を差し引いたもうけ、赤字の場合は「損失」
費用	資本の減少の要因 例）給料の支払
収益	資本の増加の要因 例）商品の売上

・損益計算書の計算式　利益＝収益－費用

③キャッシュフロー計算書

上場企業には提出が義務づけられている財務諸表で、現金や預金の動きを記載する。未収や未払いの金額は含まれないため、その企業の現実的な支払い能力の有無を推測することができる。この計算書では、「お金の流れ」を次の３項目に分類して記述する。

・**営業活動によるキャッシュフロー**：本業が順調かどうかを示す。商品の販売（収入）、従業員の給与（支出）、原材料の購入（支出）など。

・**投資活動によるキャッシュフロー**：今後の企業活動の維持・発展のために、必要なお金をかけているかを示す。土地建物の取得（支出）、有価証券の売却（収入）、定期預金への預け入れ（支出）など。

・**財務活動によるキャッシュフロー**：不足する資金の調達や、余剰金の扱いをどうしているかを示す。株式の発行（収入）、社債の償還（支出）、配当金の支払い（支出）など。

④損益計算書の値を使った利益に関する計算式

・**売上総利益**＝売上高－売上原価

・**営業利益**＝売上総利益－販売費及び一般管理費

・**経常利益**＝営業利益＋営業外収益－営業外費用

・**当期純利益**＝経常利益＋特別利益－特別損失－法人税及び事業税

損益計算書の例

	（千円）
売上高	800,000
売上原価	500,000
売上総利益（粗利益）	300,000
販売費及び一般管理費	100,000
営業利益	200,000
営業外収益	10,000
営業外費用	30,000
経常利益	180,000

⑤固定費・変動費・損益分岐点

売上原価とは、売上を上げるために直接的に掛かる費用のことで、固定費と変動費に分けられる。**固定費**は、売上高の増減に関係なく、常に一定額発生する費用で、人件費や地代家賃、生産設備の減価償却費など。**変動費**は、売上高の増減に応じて変化する費用で、原材料の購入費や商品の仕入原価など。

また、売上高と費用が一致する点を**損益分岐点**、この点の売上高の値を損益分岐点売上高といい、これを超えて売上が伸びれば利益が生まれ、反対に下回ると損失が発生する。

（※次ページへ続く↘）

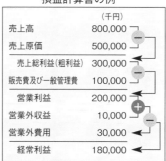

問4 損益分岐点売上高

ある企業の損益計算を次のように行った。損益分岐点は何百万円か。

単位　百万円

項　目	内　訳	金額
売上高		700
売上原価	変動費　100 固定費　200	300
売上総利益		400
販売費・一般管理費	変動費　40 固定費　300	340
税引前利益		60

ア　250　　イ　490　　ウ　500　　エ　625

問5 定額法で計算する減価償却費

当期の建物の減価償却費を計算すると、何千円になるか。ここで、建物の取得価額は10,000千円、前期までの減価償却累計額は3,000千円であり、償却方法は定額法、会計期間は1年間、耐用年数は20年とし、残存価額は0円とする。

ア　150　　イ　350　　ウ　500　　エ　650

(※↘前ページからの続き)

固定費・変動費・損益分岐点売上高の間には、次式で示される関係がある。

$$損益分岐点売上高 = \frac{固定費}{1 - \frac{変動費}{売上高}}$$

変動費率

《棚卸資産の評価》

在庫している製品や商品(棚卸資産)を調べ、その時点での評価金額を求めることを**棚卸資産の評価**という。

①**先入先出法**:先に仕入れたものから販売(払出)したとみなして、払出単価(原価)を決める。

②**移動平均法**:入庫する度に在庫の平均単価を算出し、その平均単価で払出単価を計算。

会計処理上は取得金額(取得に掛かった費用を含む)を使用期間(耐用年数)の中で分割し、各年度の費用(**減価償却費**)として配分する。

《減価償却費の計算》

建物やコンピュータなどの資産は数年間に渡って使用する（減価償却資産という）ため、会計処理上は取得金額（取得に掛かった費用を含む）を使用期間（耐用年数）の中で分割し、各年度の費用（**減価償却費**）として配分する。

①定額法で計算する当期の減価償却費

耐用年数の期間中、毎期一定額を償却していく（最終年度は簿価１円を限度とする）。

当期の減価償却費＝取得価額×該当耐用年数の定額法の償却率※

※例：耐用年数10年であれば、定額法の償却率は0.1になる。

②定率法で計算する当期の減価償却費

耐用年数の期間中、毎期一定の償却率で償却する。前期末の未償却残高（減価償却しきれていない残高）を基に計算するため、減価償却費は毎期一定の金額にはならない※。

※初期は償却費の額が大きく、耐用年数に近づくにつれて小さくなるのが定率法の特徴。

当期の減価償却費＝前期末の未償却残高×該当耐用年数の定率法の償却率

解説１

【解答】エ

資産・負債・純資産を表示し、企業の財政状態を明らかにする財務諸表はエの貸借対照表。アの株主資本等変動計算書は、貸借対照表における純資産が１年間にどれだけ変動したかを示すもの。会社法により、貸借対照表、損益計算書とともに、作成が義務づけられている。

解説２

【解答】ウ

期首商品棚卸高は、前期から当期期首に繰り越された商品、期末商品棚卸高は、当期末時点で次期に繰り越す商品である。売上原価は、次の式で算出できる。

売上原価＝期首商品棚卸高＋当期商品仕入高－期末商品棚卸高

問題の数値をこの式に代入すると、次のようになる。

売上原価＝20＋100－30＝90（百万円）

解説３

【解答】イ

まず、原価を計算する。（問の場合は月間販売数量＝月間製造個数となる）

原価＝月間固定費＋変動費×販売数量

Ａ案：1,500万円＋９万円×500個＝6,000万円

Ｂ案：2,500万円＋７万円×500個＝6,000万円

次に、販売額を計算する。

単価×販売数量＝14万円×500個＝7,000万円

となり、両案とも利益は同じになる。

7,000万円－6,000万円＝1,000万円

なお、販売数量を増やした場合は、Ｂ案のほうが利益が出る。

解説４

【解答】エ

損益分岐点は、費用（＝固定費＋変動費）と収益が一致する点（売上高）で、次式に損益計算の内訳を代入して求める。

固定費÷（1－変動費÷売上高）

＝（200＋300）÷（1－（100＋40）÷700）

＝500÷（1－0.2）＝625

解説５

【解答】ウ

問題文中に減価償却累計額があるが、定率法とは異なり、定額法は前期の帳簿価額（＝取得価額－減価償却累計額）に関係なく、減価償却費は毎期一定ため、計算には使わないので要注意！取得価額:10,000千円、耐用年数:20年、残存価額：0円なので、ここから毎期の減価償却費を計算する。

10,000千円÷20年＝500千円／毎期

Lesson 19

法務

知的財産権の保護

知的財産権とは、知的活動によって創造された成果物に対して、作成者の権利を認め、保護される権利で、ソフトウェアも保護対象です。知的財産を守る法律には、著作権法・特許法・実用新案法・意匠法・商標法・不正競争防止法などがあります。

問1 著作権の保護範囲

check

著作権法によるソフトウェアの保護範囲に関する記述のうち、適切なものはどれか。

ア　アプリケーションプログラムは著作権法によって保護されるが、OSなどの基本プログラムは権利の対価がハードウェアの料金に含まれるので、保護されない。

イ　アルゴリズムやプログラム言語は、著作権法によって保護される。

ウ　アルゴリズムを記述した文書は著作権法で保護されるが、プログラムは保護されない。

エ　ソースプログラムとオブジェクトプログラムの両方とも著作権法によって保護される。

問2 不正競争防止法の営業秘密

check

不正競争防止法において、営業秘密となる要件は、“秘密として管理されていること”、“事業活動に有用な技術上または営業上の情報であること”と、もう一つはどれか。

ア　営業譲渡が可能なこと

イ　期間が10年を超えないこと

ウ　公然と知られていないこと

エ　特許出願をしていること

ここがポイント!

《著作権法と特許法の相違点》

著作権法	保護対象	小説や美術などの創作物やソフトウェア。表現されたもの自体を保護する法律であるため、プログラム言語やアルゴリズム、規約などは対象外
	出願	不要：著作物を創作した時点で自動的に権利が発生
	侵害の基準	類似したものを創作した場合でも、元の著作物を参考にしていなければ侵害したことにはならない
	保護期間	個人の著作物は創作時から保護され、著作者の死後70年まで保護。法人の著作物や映画など映像の著作物は、公表後70年まで保護される
特許法	保護対象	新たなアイデアや技術
	出願	必要：出願（有料）後に審査があり、認められた場合は特許料を納付
	侵害の基準	独自に発明しても、先に権利を取得した人がいれば、権利の侵害となる
	保護期間	出願から20年、延長登録した場合は最長25年。ただし、特許が認定されてから4年目以降も権利を維持するには、年ごとの特許料納付が必要

《ソフトウェアの著作権》

①ソフトウェアの著作者

従業員が業務として作成し、法人名義で公表されたソフトウェアは、原則として法人が著作者。外部へ開発を委託した場合、著作権は受託した側にある。そのため、委託先との間で、「開発したソフトウェアに関わる一切の権利および所有権は、委託料（著作権譲渡料を含む）の完済時点をもって移転する」という旨の契約を取り交わしておくのが一般的。

②パッケージソフトの改変

著作者に無断でソフトウェアを改造することは、著作権の侵害にあたる。ただし、パッケージソフトのカスタマイズやマクロの作成など、正規のユーザが、自らそのソフトウェアを使用するために行う場合は、必要と認められる限度において許容される。

《不正競争防止法》

企業間の公正な競争の確保を目的とした法律。偽ブランド品の製造・輸入・販売の禁止、音楽や映像の不法コピーやWebサイトなどへの無断転載の禁止、商標や商号の不正使用や消費者に誤解を与える類似品の販売禁止などが定められている。また、社外秘として管理している営業秘密の不正な取得も禁止されている。営業秘密には、営業情報（顧客名簿・新規事業計画・営業マニュアルなど）や、技術情報（製造方法・設計図面など）がある。

解説 1

【解答】エ

著作権法では、ソースプログラムとオブジェクトプログラムが、著作権の保護対象となる（エ）。ア：OSもアプリケーションプログラムとして保護対象。対価の有無とは関係がない。イ：著作権法には、「その著作物を作成するために用いるプログラム言語、規約（文法）及び解法（アルゴリズム）に及ばない」との規定がある。ウ：著作権法には、保護のおよぶ著作物として「プログラムの著作物」が規定されている。

解説 2

【解答】ウ

営業秘密の3つめの要件は、「公然と知られていないこと」（ウ）。特許出願の有無は要件にならない。逆に、新たな技術を開発し、特許を出願した場合、特許法の出願公開制度により出願内容が一般に公開される。そのため、この技術は営業秘密とは認められない。

Lesson 20

法務

労働関連法規

一般企業でソフトウェア開発を行う場合、開発会社に委託するか技術者派遣を依頼するのが一般的です。指揮命令権の所在や業務の責任範囲などは、契約形態によって異なります。特に派遣に関しては、労働者派遣法による細かな規定があるため注意が必要です。

問1 準委任契約の特徴

check

準委任契約の説明はどれか。

ア　成果物の対価として報酬を得る契約
イ　成果物を完成させる義務を負う契約
ウ　善管注意義務を負って作業を受託する契約
エ　発注者の指揮命令下で作業を行う契約

問2 偽装請負に該当する事象

check

A社はB社に対して業務システムの開発を委託し、A社とB社は請負契約を結んでいる。作業の実態から、偽装請負とされる事象はどれか。

ア　A社の従業員が、B社を作業場所として、A社の責任者の指揮命令に従ってシステムの検証を行っている。
イ　A社の従業員が、B社を作業場所として、B社の責任者の指揮命令に従ってシステムの検証を行っている。
ウ　B社の従業員が、A社を作業場所として、A社の責任者の指揮命令に従って設計書を作成している。
エ　B社の従業員が、A社を作業場所として、B社の責任者の指揮命令に従って設計書を作成している。

ここがポイント！

《労働の形態》

企業が労働者を正社員や契約社員として直接雇用する以外に、表のような形態がある。

派遣	派遣元が雇用する労働者が、派遣先の指揮命令を受け、派遣先のために労働に従事する
請負	請負業者が雇用する労働者を、請負業者自らが指揮命令し、請け負った業務を遂行する
供給	労働者は供給先の指揮命令を受けて従事。労働者は供給元・供給先のどちらとも雇用関係がない
出向	労働者は出向元と雇用関係を結んだまま、出向先の指揮命令を受けて労働に従事

《労働者派遣法》

派遣労働者の保護を目的として、派遣元や派遣先が講ずべき措置などを定めた法律。日雇い派遣や多重派遣（派遣先から別の企業への派遣）の禁止、同一労働者の同一事業所への3年を超える派遣の禁止、長期派遣が見込まれる派遣労働者の直接雇用の依頼（派遣元が派遣先へ）、派遣労働者のキャリアアップのための措置の実施（派遣元）などが含まれている。

《請負契約》

民法の定めにより、請負人には請け負った仕事を完成させる義務が課されている。また、成果物に欠陥やミスがあった場合、一定期間は補修・修正する義務も負う（瑕疵担保責任）。

《準委任契約》

完成責任や瑕疵担保責任を負わない形態で業務を委託する契約。ただし、民法の定めにより、その業務のプロとして当然な注意を払って業務を遂行する**善管（ぜんかん）注意義務**がある。成果物の対価ではなく、作業期間などで報酬が支払われる仕事に適した契約形態。

《雇用・取引形態による指揮命令権の違い》

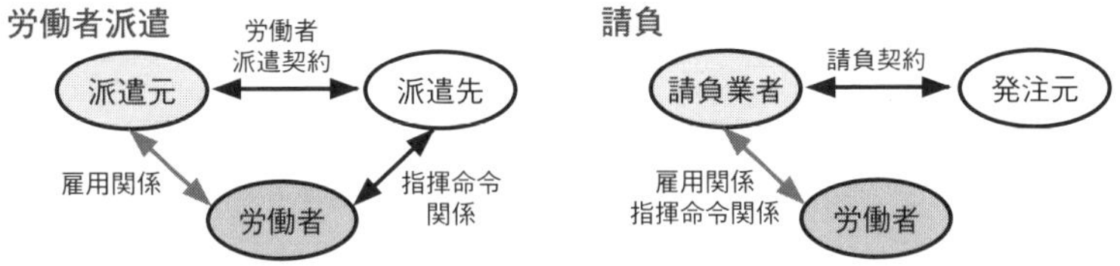

解説 1

【解答】
ウ

準委任契約について説明しているのはウである。アとイは請負契約の説明。エは派遣契約の説明だが、もし請負契約を結んでいるのに、実際の業務指示を発注者が直接行っている場合は偽装請負となり違法行為である。

解説 2

【解答】
ウ

偽装請負は、請負契約を結んでいるのにもかかわらず、実際の業務指示は発注先企業側が直接行っている違法な労働形態。直接雇用なら義務が生じる賃金や労働時間の規定の遵守や社会保険への加入などを逃れるために、偽装請負を行う企業がある。また、派遣法では長期間にわたり同一業務を行わせることは禁止されている。判断のポイントは、指揮命令を誰が行っているかということである。選択肢ウのように、A社の従業員が直接B社従業員に指揮命令を行うことは偽装請負とみなされる。

Lesson 21

法務
セキュリティ関連とその他の法規

インターネットやシステムを悪用する犯罪に対抗するため、さまざまな法律が整備されています。セキュリティ関連法規やIT技術を使ったビジネスに関連する法律など、エンジニアとして知っておきたい法律は数多くありますが、ここでは出題頻度の高い法規を解説します。

問1 サイバーセキュリティ基本法 check

サイバーセキュリティ基本法の説明はどれか。

ア　国民に対し、サイバーセキュリティの重要性につき関心と理解を深め、その確保に必要な注意を払うよう努めることを求める規定がある。

イ　サイバーセキュリティに関する国及び情報通信事業者の責務を定めたものであり、地方公共団体や教育研究機関についての言及はない。

ウ　サイバーセキュリティに関する国及び地方公共団体の責務を定めたものであり、民間事業者が努力すべき事項についての規定はない。

エ　地方公共団体を“重要社会基盤事業者”と位置づけ、サイバーセキュリティ関連施策の立案・実施に責任を負うと規定している。

問2 ウイルスの作成を処罰する法律 check

コンピュータウイルスを作成する行為を処罰の対象とする法律はどれか。

ア　刑法　　イ　不正アクセス禁止法

ウ　不正競争防止法　　エ　プロバイダ責任制限法

ここがポイント！

《サイバーセキュリティ基本法》

増加するサイバー攻撃による脅威の深刻化に対応した法律で、セキュリティに関する施策を総合的かつ効果的に推進することを目的としている。

国としてサイバーセキュリティ戦略を策定し、**内閣サイバーセキュリティセンター（NISC）**を設置。サイバー攻撃に関する情報収集･分析や、公的機関の通信の監視とセキュリティ対策の監査などを行っている。また、国や地方公共団体、重要社会基盤事業者（電力会社や通信事業者など）に対しては、セキュリティ確保に努める責務を課している。

《ウイルス作成罪》

刑法によって罰せられる罪で、正式名称は「不正指令電磁的記録に関する罪」。正当な理由がないのにも関わらず、他人のコンピュータで実行する目的で、コンピュータウイルスの作成、提供および供用、取得、保管行為をしたものに対する処罰。

《個人情報保護法（個人情報の保護に関する法律）》

個人情報保護法とは､個人を識別することが可能な情報（個人情報）の取扱に関する法律。氏名や生年月日などの文字情報だけでなく、顔写真や声なども別情報との組合せで個人が特定できれば個人情報。また、指紋やDNAなど身体の特徴をデータ化した情報や、免許証番号やマイナンバーなど公的な番号も個人情報（個人識別符号）。

①個人情報の安全管理措置

企業は個人情報の取扱いについて､「安全管理措置」を講じることを義務づけられる。

②利用目的の通知や制限

個人情報を取得する際は、事前にその利用目的を特定し、公表（または本人に通知）しなければならない。目的外の利用や第三者への提供には、本人の許諾が必要。

③個人情報をコントロールできる権利

本人からデータの開示、誤りの訂正、利用停止の申し出があったり、苦情を受けた場合は、速やかに対応しなければならない。

④ビッグデータの活用

さまざまな場面で収集された、いろいろな形式（画像や音声なども）の莫大な情報の集積をビッグデータという。これらのデータに個人情報が含まれている場合でも、個人を特定できないように情報を加工すれば（匿名加工情報）、本人の許可なく目的外利用を行ったり、第三者に提供することも可能。

《不正アクセス禁止法》

不正アクセスから起こる犯罪の防止を目的に制定された法律。アクセス制御など防御措置をとったコンピュータに、ネットワークを介して不正アクセスすると、被害の有無に関わらず処罰の対象になる。また、アクセス管理者にはユーザIDやパスワードの管理を適切に行い､不正アクセス行為の防御措置を講ずることを求めている。この法律では、次のような行為を行うことを禁じている。

・不正アクセス：他人のユーザIDやパスワードを使ったり、セキュリティホールなどをついて、不正アクセスする行為。
・他人のIDとパスワードなどを不正に取得・保管：不正アクセスの目的で、他人のユーザIDやパスワードを取得したり、保管すること。
・不正アクセス行為を助長：自分自身が不正アクセスをしなくても、他人のユーザIDやパスワードを提供したり、掲示板に書くなどの不正アクセスを助長する行為。
・IDとパスワードの入力を不正に要求：アクセス管理者になりすまし、IDとパスワードを入力させたり、IDとパスワードの入力を促す電子メールを送信したりすること（フィッシングの禁止）。

問3 個人情報に該当しないもの

check

個人情報保護委員会“個人情報の保護に関する法律についてのガイドライン（通則編）平成28年11月（令和3年1月一部改正）”によれば、個人情報に**該当しないもの**はどれか。

ア　受付に設置した監視カメラに録画された、本人が判別できる映像データ
イ　個人番号の記載がない、社員に交付する源泉徴収票
ウ　指紋認証のための指紋データのバックアップ
エ　匿名加工情報に加工された利用者アンケート情報

問4 消費者保護のための法律

check

訪問販売、通信販売、電話勧誘販売などを対象に、消費者を守るためのクーリングオフなどのルールを定めている法律はどれか。

ア　商法
イ　電子消費者契約法
ウ　特定商取引法
エ　不正競争防止法

問5 製造物責任法の対象となるもの

check

ソフトウェアやデータに瑕疵（かし）がある場合に、製造物責任法の対象となるものはどれか。

ア　ROM化したソフトウェアを内蔵した組込み機器
イ　アプリケーションソフトウェアパッケージ
ウ　利用者がPCにインストールしたOS
エ　利用者によってネットワークからダウンロードされたデータ

《特定商取引法》

店舗での対面販売とは異なる、訪問販売や通信販売などを対象に、「①事業者名や勧誘目的を事前に消費者に告げる、②広告には重要事項を表示する、③契約締結時などに重要事項を記載した書面の交付を義務づける」などのルールを定めている。また、消費者による一定期間内の契約の解除（クーリングオフ）が認められている。

《PL法（製造物責任法）》

PL法では、製品の欠陥により消費者がけがをしたり損害を被った場合、その製品の製造業者などには損害賠償責任があると定めている。ソフトウェアは対象外だが、組み込みソフトを含む機器（ハードウェア）を製品として出荷した場合は対象になることがある。

《独占禁止法》

独占禁止法の目的は、公正かつ自由な競争を促進すること。競争相手を妨害して市場を独占（私的独占）したり、複数の企業が共謀して製品の価格や生産数量などを決める（カルテル）、公共事業などで入札する場合に工事の割り振りや落札価格を事前に相談（入札談合）することなどを違反行為としている。

解説 1　【解答】ア

サイバーセキュリティ基本法は、サイバーテロに対して国と国民が一体となって積極的に対応し、セキュリティ確保に努めることを目的とした法律（ア）。国や地方公共団体、重要社会基盤事業者（民間）の責務についても定めている。重要社会基盤事業者（エ）とは、エネルギー（電力・ガス）や公共交通、通信ネットワークなど、社会基盤となるインフラを提供する事業者のこと。

解説 2　【解答】ア

ウイルスによる不正行為を処罰対象としているのは刑法（ア）。エのプロバイダ責任制限法（正式名称：特定電気通信役務提供者の損害賠償責任の制限及び発信者情報の開示に関する法律）は、インターネットサービスプロバイダの賠償責任の範囲などについて定めている。また、被害者から権利を侵害する情報の削除要請があった場合や、発信者情報の開示要求への対応手順についても規定がある。

解説 3　【解答】エ

このガイドラインでは、個人情報とは「生存する特定の個人を識別できるもので、他の情報との照合により容易に特定個人を識別できるものを含む」「個人識別符号（指紋・マイナンバーなど）が含まれるもの」と定められている。ア：映像により識別できるため個人情報。イ：氏名や生年月日が記載されているため個人情報。ウ:指紋データは個人情報(個人識別符号)。エ：匿名加工情報であるため個人情報には該当しない（正解）。

解説 4　【解答】ウ

クーリングオフを定めているのはウの特定商取引法。ア：商法は企業の商行為について定めた法律。イ：電子消費者契約法は、一般消費者がWebサイトを介して購入・契約する際の誤りの防止を目的とした法律。事業者は、その操作（クリックなど）が申込み意思表示となることを明示する、最終の意思表示となる操作の前に申込み内容を表示させる、などの措置を講ずることが義務づけられた。エ：不正競争防止法は、不正な手段によって企業間の公正な競争が妨げられることを防止する目的で作られた法律。

解説 5　【解答】ア

製造物責任法では、製造物の定義を「製造または加工された動産」としているため、ソフトウェア（無体物）は対象外となる。ただし、ソフトウェアを内蔵した組込み機器については製造物とみなされ、欠陥がソフトウェアにあると認められた場合は、その製造者に損害賠償責任が生じる（ア）。それ以外の選択肢については、無体物になるので対象外。

数字

英字

タ

ナ

ハ

マ

ヤ

ラ

ワ

◇カバーデザイン………………… 小島 トシノブ（NONdesign）
◇カバーイラスト………………… 土田 菜摘
◇本文デザイン…………………… 渡辺 ひろし
◇本文レイアウト………………… 鈴木 ひろみ

令和(れいわ)04-05年(ねん)
基本情報技術者(きほんじょうほうぎじゅつしゃ) 試験(しけん)によくでる問題集(もんだいしゅう)【午前(ごぜん)】

2010年 2月 25日 初 版 第1刷発行
2022年 2月 1日 第7版 第1刷発行

著　者　イエローテールコンピュータ
発行者　片岡 巌
発行所　株式会社技術評論社
東京都新宿区市谷左内町 21-13
電話　03-3513-6150　販売促進部
03-3513-6166　書籍編集部

印刷／製本　昭和情報プロセス株式会社

定価はカバーに表示してあります。

ISBN978-4-297-12375-8 C3055
Printed in Japan

●問い合わせについて

本書に関するご質問は、FAX か書面でお願いいたします。電話での直接のお問い合わせにはお答えできませんので、あらかじめご了承ください。また、下記の Web サイトでも質問用フォームを用意しておりますので、ご利用ください。

ご質問の際には、書籍名と質問される該当ページ、返信先を明記してください。e-mail をお使いになられる方は、メールアドレスの併記をお願いいたします。

お送りいただいたご質問には、できる限り迅速にお答えするよう努力しておりますが、場合によってはお時間をいただくこともございます。なお、ご質問は、本書に記載されている内容に関するもののみとさせていただきます。

◆問い合わせ先
〒162-0846 東京都新宿区市谷左内町 21-13
株式会社技術評論社　書籍編集部
「令和 04-05 年
基本情報技術者 試験によくでる問題集【午前】」係
FAX：03-3513-6183
Web：https://book.gihyo.jp/116

ご質問の際に記載いただいた個人情報は質問の返答以外の目的には使用いたしません。また、質問の返答後は速やかに削除させていただきます。